Feel

Feel
Robbie
Williams
door Chris Heath

2004
Amsterdam/Utrecht.

Oorspronkelijke titel
Feel: Robbie Williams. Originally published in English by Ebury Press/Random House.
© The In Good Company Co Limited, Robert Williams and Chris Heath 2004

Vertaling
Studio Imago, Hajo Geurink, Nathalie Kuilder, Eddy ter Veldhuis

Redactie en opmaak
Studio Imago, Amersfoort

Omslagontwerp
Dave Breen

Bewerking Nederlands omslag
True Colours Nederland

Foto's omslag
© Rankin/The In Good Company/Idols

Foto's binnenwerk
Blz. 6 © Rankin/The In Good Company/Idols; blz. 29 Guy in de studio © Scarlet Page/Idols;
blz. 30 Rob in de studio © Scarlet Page/Idols; blz. 197 Rob met Come Undone-collega's
© Hamish Brown/Idols; blz. 302 Rob zingt op een bruiloft, uit zijn fotoalbum; blz. 308 Rob en
Stephen Duffy op hun eerste dag, uit Robs fotoalbum; blz. 320 Rob ondersteboven, uit Robs
fotoalbum; blz. 330 Rob en Max repeteren © Hamish Brown/Idols; blz. 368 Rob in het vliegtuig
© Sean Gleason/Idols; blz. 409 Rob naakt in Stockholm © Sean Gleason/Idols; blz. 420 Rob loopt
naar de helikopter © Hamish Brown/Idols; blz. 421 Knebworth van bovenaf gezien © Hamish
Brown/Idols; blz. 423 Rob backstage bij Knebworth © David Sitwell; blz. 426 Robs uitzicht
vanuit de helikopter © Hamish Brown/Idols; blz. 433 Rob staat met Mark Owen op het podium
© Hamish Brown/Idols; blz. 434 De laatste buiging bij Knebworth © Hamish Brown/Idols;
blz. 519 © Rankin/The In Good Company/Idols.

© 2004 A.W. Bruna Uitgevers B.V., Utrecht
VIP is een gezamenlijke imprint van A.W. Bruna Uitgevers B.V., Utrecht en Uitgeverij Vassallucci,
Amsterdam.

ISBN 90 229 8858 9
NUR 661

Tweede druk, oktober 2004

Voor

1

'**Y**eah, I'm a star, but I'll fade,' zingt hij, '*if you ain't sticking your knives in me, you will be eventually.*'

'Nog een keer,' zegt Guy Chambers, zijn belangrijkste songwriter-partner, producer en musical director.

Augustus 2002. Laat in de middag. Robbie Williams staat in de opnameruimte van Record Plant Studios, een vierkant gebouw in een onopvallende zijstraat in Hollywood, en zingt een nieuw nummer met de titel *Monsoon*. Net als veel van zijn andere nummers is het een grote brij van onzekerheid, eerlijkheid, onbescheidenheid en zelfverachting.

Hij begint opnieuw. '*I've sung some songs that were lame,*' begint hij. '*I've slept with girls on the game.*'

Op de zang na is dit nieuwe album klaar. Rob ging aan het begin van 2002 naar Los Angeles en is daar gebleven omdat hij merkte dat hij er gelukkiger was. Hij had net het album *Swing When You're Winning* uitgebracht, zijn vierde in vijf jaar, en had zojuist een tournee afgerond die hem had uitgeput en had opgezadeld met een ellendig gevoel. Tegen de mensen om hem heen verkondigde hij dat hij het volgende jaar vrij zou nemen. Hij wist dat hij het had verdiend en hij wist dat hij het nodig had. Dat betekende niet dat hij ook wist wat hij ermee moest doen.

Uiteindelijk is hij maar een ander album gaan maken. Zijn dagelijkse bezigheden bestaan eruit dat hij een paar uur voor zonsondergang van zijn huis in de Hollywood Hills naar de studio gaat, luistert naar de laatste mixen, enkele suggesties doet en zingt.

'Ik denk dat de middelste octaaf niet zo hard moet zijn,' zegt Guy.

'Maar het klinkt fantastisch,' werpt Rob tegen.

'Het zou mooi zijn als er wat kleur in het midden zou zitten,' houdt Guy vol.

'Oké,' zegt Rob. 'Dan maken we het beige.'

Guy rolt met zijn ogen.

Rob probeert *Monsoon* nog een keer, maar nu gaat hij er meer in op en speelt luchtgitaar tijdens het zingen. Wanneer hij bij het refrein is, tilt hij zijn shirt op om z'n tepels te laten zien. Er zijn negen mensen in de regelkamer. Een aantal mensen is op verschillende manieren betrokken bij het maken van het album; anderen zijn er gewoon. Ik heb net vier dagen in de auto gezeten om vanuit Oklahoma City hier te komen – Rob lijkt te zijn gefascineerd, en een beetje verbijsterd, dat iemand zo lang helemaal in z'n eentje wil zijn. Om te kijken en te luisteren, om bij te praten over wat er is gebeurd in zijn leven en om er een paar woorden over te schrijven. Afgelopen januari kwam ik hem toevallig tegen in het Sunset Marquis-hotel, waar hij woonde terwijl hij besloot of Los Angeles de stad was waar hij wilde zijn; de meest recente van een reeks incidentele, maar vriendschappelijke ontmoetingen in de loop van de jaren. Volgens mij was die toevallige ontmoeting de aanleiding voor zijn uitnodiging aan mij om hier nu te zijn.

Ik denk dat ik ongeveer een week blijf. Misschien tien dagen.

✶✶✶

In januari, nadat we elkaar tegen het lijf waren gelopen op het terras van het Sunset Marquis, nodigde hij me uit in zijn villa om backgammon te spelen. Al kletsend maakt hij me in. Het is fijn om hem te zien, maar hij komt nerveus en onzeker over. Wanneer een meisje met wie hij op dat moment omgaat hem opbelt, doet hij alsof hij zijn beste vriend Jonathan Wilkes is (die ook in de stad is), zegt dat Robbie er even niet is en neemt een boodschap aan voor zichzelf, waar hij waarschijnlijk nooit op zal reageren.

Hij gooit met de dobbelstenen. Ondertussen beschrijft hij het lastige parket waarin hij zit. Hoewel hij ontzettend trots is op het swingalbum dat net is verschenen, praat hij nu alsof hij erop had gerekend dat het zou floppen. Alsof het zijn onfeilbare manier was om zijn carrière om zeep te helpen, zijn lasten te verlichten en de druk van z'n schouders te halen. En nu blijkt zijn zet averechts te werken. Het album, dat z'n platenmaatschappij zo'n grote gok vond dat ze om contractuele redenen weigerden het te accepteren als een compleet Robbie Williams-album, is nu hard op weg zijn succesvolste album tot nu toe te worden. Hij zou moeten staan te juichen, maar hij heeft juist het gevoel alsof hij weer in eigen doel heeft geschoten.

Na een tijdje moet ik weer aan het werk, maar ik zie hem later weer in de hotelbar, de Whiskey: niet om te drinken, maar om te zijn waar de drinkende mens is. Hij heeft nu een enorme blauwe tatoeage op zijn rechteronderarm, MOTHER. Omdat hij van zijn moeder houdt, maar ook omdat hij die avond een ander soort pijn nodig had, om zijn gedachten uit zijn hoofd te zetten. Hij had gehoopt dat hij zich door deze adempauze van z'n werk beter zou gaan voelen, maar dat lukt tot dusverre niet echt – hij voelt zich juist slechter en hij heeft nu alle tijd van de wereld om die gevoelens onder ogen te zien. Hij is al een jaar lang nuchter, maar hij heeft nu het gevoel dat hij het niet veel langer kan volhouden.

Later op de avond zit hij te praten met een paar mensen die hij niet kent en realiseert zich dan wat het is in hun gedrag dat hij zo goed herkent. Ze hebben ecstasy gebruikt. Hij vraagt ze ernaar en komt erachter dat hij gelijk heeft. En ze hebben nog veel meer bij zich daar in de bar en vinden het geen probleem om te delen.

Toe maar. Trakteer jezelf. Neem er een.

Hij komt heel erg in de verleiding, maar dwingt zichzelf om naar bed te gaan.

Een paar dagen daarna gaat hij terug naar de tattooshop. Hij vindt MOTHER er goed uitzien en hij wil iets op zijn andere onderarm zodat alles in balans is. Hij vraagt om zes andere letters, die voor het evenwicht tegen elkaar aan worden gezet: ILOVEU.

✹✹✹

In de studio laten ze *Monsoon* even liggen en gaan ze verder met iets anders. *Me and My Monkey* is een lang, gestoord, verhalend nummer over de avonturen van een man en zijn aap; het is geschreven in Bangkok en speelt zich af in Las Vegas. Om redenen die het nummer niet verklaart en die de zanger waarschijnlijk niet eens weet, leidt de aap, die altijd een tuinbroek en rolschaatsen aan heeft, de verteller naar een gevaarlijke wereld vol pistolen, pooiers, gokken en prostitutie bij apen. Aan het eind van het nummer is het verhaal onopgelost. Rob acteert de dialoog terwijl hij hem zingt, staand op de scooter waarmee hij altijd door de studio rijdt.

'Vind je dat leuk, pa?' vraagt hij. Vandaag is zijn vader, in Los Angeles op bezoek bij zijn zoon, onder de regelkamerkliek. Tot een paar weken geleden hadden ze meer dan een jaar niet met elkaar gesproken.

'Ik vind het ongelooflijk,' antwoordt zijn vader, Pete Conway. (Zijn vader heeft een artiestennaam, Rob niet. Zijn vader is geboren als Peter Williams; 'Pete Conway', is de naam die hij, ook in het dagelijks leven, ging gebruiken toen hij komiek van beroep werd. Iemand anders probeerde al mensen te entertainen onder de naam Peter Williams.)

'Dat hebben wij geschreven,' zegt Rob, terwijl hij probeert met gemaakte trots de echte trots te verbergen.

Guy haalt hem over om de zang opnieuw te doen. Terug in de opnameruimte zegt hij:, 'Draai het volume maar hoger... doe het licht uit... en laat de boel hier maar trillen...'

Guy morrelt aan schakelaars en het licht in de regelkamer wordt gedimd.

'Niet daar het licht uit, jij stuk gereedschap,' klinkt de stem van Rob. 'Hier.'

'Ik kon het niet vinden,' zegt Guy.

'Maar je bent wel een fantastisch stuk gereedschap,' gaat Rob verder met een geaffecteerde, bekakte stem. 'Als jij gereedschap was, zou je een Black & Decker-werkbank zijn...'

Uiteindelijk gaat het licht uit bij Rob. Hij zingt het nummer weer, nu in het donker. Na de regel 'the monkey was high' maakt hij een luid proestend geluid.

'Ik vind het vervelend dat ik je niet kan zien,' zegt Guy. 'Je bent waarschijnlijk naakt met een stijve.' Dit is geen ongegronde veronderstelling. Rob is bij het inzingen van dit album al heel vaak naakt geweest. Tijdens een van de nummers – een cover van het Lynyrd Sky-nyrd-nummer *Simple Man*, maar dat is afgevallen – droeg hij een Superman-pak.

'Het is heel bevrijdend, naakt zingen,' zegt Rob tegen Guy. Pauze. 'Door Louise Nurding.'

'Wie is Louise Nurding?' mompelt Guy.

Rob neemt niet de moeite om het uit te leggen. Hij en Guy hebben in plaats daarvan een nogal verhitte discussie, zo eentje die je niet dage-lijks hoort, over de stemmen waarmee een aap en een baviaan in het echt zouden praten. Rob steekt een sigaret aan; als de lucifer opflakkert, wordt hij kort opgelicht in de opnameruimte. Hij is niet naakt.

Vandaag heb ik deze nummers voor de eerste keer gehoord. Voor-dat hij weggaat, zegt Rob dat hij wil dat ik luister naar nog een num-mer. Het heet *Cursed* en gaat over een overleden vriend, hoewel hij dat vandaag niet uitlegt. Terwijl het nummer wordt afgespeeld, zet hij me in de stoel van Guy achter de mengtafel, gaat zelf op de tafel zitten, met z'n gezicht naar me toe en leunt naar voren om de verdrietige, boze woorden te zingen op een paar centimeter afstand, direct in mijn oor en met consumptie.

***

Wanneer je rijk en beroemd bent en snel onzeker, is het gemakkelijk om een huis te vinden, maar moeilijker om een thuis te vinden. Het eerste huis dat Rob in Los Angeles huurde, was van Dan Aykroyd. Zijn verblijf was geen succes. Ten eerste hadden de pers en paparazzi hem direct gevonden. Ze konden ook niet op een afstandje worden gehouden omdat, in tegenstelling tot veel van de duurdere huizen in Los Angeles, dit huis niet in een met omheinde wijk stond waar alleen de huiseigenaars en hun gasten in kunnen. Er waren ook andere problemen.

Hem was verteld dat Aykroyd in dit huis *Ghostbusters* had geschreven; de bibliotheek en videoverzameling waren overladen met spullen over ufo's en het bovennatuurlijke. Rob zegt dat hij wist dat het huis al bewoond was op de dag dat hij erin trok, maar het contract was al getekend. Dus besloot hij om met de geesten te praten en ze een wapenstilstand aan te bieden. 'Ik zat op de rand van het bed,' legt hij uit, 'en ik zei: "Hoi, ik heet Rob, ik kom uit Engeland en ik blijf hier drie maanden. Ik weet dat jullie hier zijn, maar ik wil dat jullie weten dat ik een beetje bang voor jullie ben. Ik ben hier om mijn leven weer op de rails te krijgen. Ik hoop dat jullie het niet erg vinden, maar ik kom op jullie terrein en ik weet dat jullie op het mijne komen, maar blijf alsjeblieft een beetje uit mijn buurt omdat ik jullie eng vind. Dank je." En het *voelde* alsof ze het hadden gehoord en het accepteerden.'

Maar toen hij een keer 's nachts thuiskwam, stonden alle ramen en deuren wijd open. Hij wachtte op de oprijlaan terwijl het huis werd doorzocht. Er was niemand, er was niets weg. Op een andere nacht was Sid, zijn tamme wolf die in een mand naast zijn bed slaapt, heel rusteloos, wat totaal niet bij hem paste. Rob dacht dat Sid moest plassen; dus ging hij om vier uur 's nachts met hem via de achtertrap naar de keuken en naar buiten, maar Sid leek alleen maar te willen spelen, dus nam hij hem weer mee naar boven, ondertussen alle deuren sluitend. Plotseling stoof Sid weg. Rob vond hem trillend als een rietje in de keuken, aan de andere kant van een gesloten deur die hij zelf niet had kunnen open- of dichtdoen.

Andere gasten hoorden 's nachts onverklaarbare stemmen. Op een dag kwam hij in Los Angeles de drummer van The Who, Zak Starkey, tegen, die er een tijd met zijn vader Ringo had gewoond.

'Ik hoorde dat je in het oude huis zit,' zei hij tegen Rob. 'Heb je de kinderen al gezien?'

'Wat?'

'Er zijn twee kinderen in de tuin,' vertelde Zak, 'en er is een oude vrouw in het huis.'

Rob heeft de vrouw, of de kinderen, nooit gezien, maar hij heeft wel gemerkt dat zijn slaapkamer koud werd – 'alsof alle lucht uit de kamer werd gezogen' – toen 'California Dreaming' van de Mamas & Papas op de televisie was tijdens een commercial voor een sixties-verzamelalbum. Toen dacht hij dat hij precies wist waarom dat was. Hij had gehoord dat dit ook het huis was geweest waarin Mama Cass haar laatste boterham had gegeten.

Het doet er niet toe dat er over huizen soms verhalen gaan die niet kloppen. (Mama Cass is trouwens overleden in Londen, in een ander verdoemd huis, namelijk dezelfde flat als waar Keith Moon overleed aan een overdosis.) Rob had genoeg gezien en gevoeld. Hij besloot te verhuizen.

Toen de verhuizers kwamen, gingen die één keer het huis binnen en weigerden daarna om hun werk af te maken. Hun reden: 'De oude vrouw zat in de stoel.'

✳✳✳

'Ken je Pompey al?' vraagt hij me, terwijl ze op het punt staan uit de opnamestudio weg te gaan. 'Pompey is er voor het ruigere werk.'

Pompey is een vriendelijk uitziende man die is opgegroeid in Portsmouth, vandaar de naam. Hij is de belangrijkste bodyguard van Rob en is verantwoordelijk voor alle beveiligingmaatregelen, maar de relatie gaat veel verder dan dat. Hij is een ex-marinier en soms spuit hij ineens uitzonderlijke, absurde verhalen over het leven in het leger.

Regelmatig verkondigt hij, meestal wanneer er een combinatie van spanning en lichtzinnigheid in de lucht hangt, 'beveiliging is geen vies woord.' Pauze. '*Reet* is een vies woord...'

Rob neemt me mee naar zijn huis, naar het huis dat hij kocht na het huurfiasco. Het huis waar hij naar eigen zeggen gelukkiger is dan de afgelopen jaren. Het huis is van Clint Black, de countryzanger, geweest. 'Niet mijn mat,' zegt Rob als we naar binnen gaan, wijzend naar de mat met de tekst PAS OP VOOR DE WISPELTURIGE HOND. Hij laat me de tuin zien, het zwembad, het uitzicht over het dal. Toen hij er net woonde, deed hij 's morgens de gordijnen open, rekte zich uit... en dan begon onmiddellijk de stem in zijn hoofd. *Je hebt dit niet verdiend,* klonk het dan. *En het gaat je allemaal toch weer afgenomen worden.* En hij keek naar buiten en zag de man die de bladeren uit het zwembad haalde (in zijn hoofd ging het dan: *Hoeveel krijgt hij betaald?*) en hij keek naar de vrouw die zijn was deed (*Hoeveel krijgt zij betaald?*) en de paniek binnen in hem nam toe.

'Als het mijn lot is dat dit alles me weer wordt afgenomen, dan moet ik er iets van leren,' zegt hij. 'Maar als dit de rest van mijn leven bij me blijft, dan moet ik daar ook iets van leren.'

Hij loopt naar de keuken en gaat op de vloer liggen, op zijn rug. Zijn drie honden – Sid, Rudy en Sammy – komen naar hem toe en beginnen te snuffelen en te likken.

Dan staat hij op, loopt naar de hal en drukt op een knop.

'Kijk,' zegt hij. Er gaat een deur open. 'Ik heb een lift,' zegt hij grijnzend.

Soms gaat hij met de lift een verdieping hoger naar de hal voor zijn slaapkamer. Het bespaart niet veel tijd. Maar op een bepaalde manier kan het fantastisch zijn om je eigen lift te hebben in de wetenschap dat het gebruik ervan je – ook al dient hij geen enkel doel – plezier brengt.

***

Rob en zijn vader houden zich bezig met wat het meeste weg heeft van een niet aflatende wedstrijd moppentappen. Zo voelen ze zich het meest op hun gemak bij elkaar.

'M'n timing is verkeerd wanneer hij er is,' klaagt Rob. Hij vindt het nog steeds leuk om de aangever te zijn voor zijn vader.

'Ik heb dat Chinese gedoe met naalden geprobeerd,' zegt zijn vader deze middag.

'Wat?' zegt Rob en geeft de voorzet: 'Acupunctuur?'

'Nee,' zegt zijn vader. 'Heroïne.'

Ze lopen naar de tafeltennistafel die in de garage staat, naast de E-type Jaguar. Ze zijn allebei buitengewoon prestatiegericht, zelfs als ze spelen om wie er mag beginnen met serveren. Rob neemt in het eerste spel een voorsprong, zijn vader maakt de gelijkmaker, 10-10. Rob staat voor met 18-16, dan wint zijn vader drie punten op rij, 18-19. Dan twee punten voor Rob. 20-19. En dan scoort hij nog een bal, een die net de rand van de tafel raakt en onspeelbaar is.

'Goed,' zegt zijn vader.

'Ben je nu klaar voor de strijd?' vraag Rob. 'Laat me even bijkomen.'

Hij haalt een Silk Cut uit zijn zak en neemt z'n positie in. In het volgende spel staat Rob al snel met 5-10 achter. Dan 7-13. Bij 8-17 gaat hij voor de onverdeelde aanval, met weinig resultaat. 'Klote,' schreeuwt hij als hij de bal voor 10-20 mist. Dan, op het allerlaatste moment, een sprankje hoop. 'Nee!' schreeuwt zijn vader, die mist, waardoor de stand op 14-20 komt. Dan, twee punten later – 'Ja, dat is hem,' zegt zijn vader – en het is voorbij. 15-21.

1-1.

'De laatste,' zegt Rob.

Nu gaat het er nog heftiger aan toe. Rob staat voor met 10-6, dan staan ze weer met 10-10 gelijk. Maar Rob komt weer op voorsprong te staan en wint met 21-12.

'Goed gespeeld, Rob,' zegt zijn vader. Ze omhelzen elkaar.

Dan draait zijn vader zich om naar mij, grijnst en wijst erop dat hij de vorige twee wedstrijden heeft gewonnen. Rob lacht.

'We speelden dit toen hij jonger was,' vertelt Pete. 'We speelden altijd van alles.'

***

Als ik de volgende dag bij de opnamestudio kom, is Josie Cliff aan het bellen om een filmploeg in te huren om later deze week opnames te maken van Rob. 'Hij is een Britse zanger, heel bekend in Europa, heeft zo'n twintig miljoen albums verkocht,' legt ze geduldig uit. Josie is het lid van zijn managementteam dat altijd bij hem is. Omdat hij naar Los Angeles is verhuisd, woont zij nu ook hier. Ze is hoofdzakelijk verantwoordelijk voor het regelen van zijn leven: alles van het beheren van zijn agenda, het inhuren en ontslaan van personeel, het zoeken van huizen tot het inpakken van kleding voor reizen en het reageren op zijn onmiddellijke behoefte aan eten, koffie of een sigaret. (Buitenstaanders die haar voor het eerst in actie zien in deze laatste rollen onderschatten haar belang en invloed. Ze komen er vaak snel achter.)

Rob komt tevoorschijn uit een kamer verderop in de hal. Hij heeft net gekeken naar twintig minuten camcorderbeelden die Guy heeft meegenomen, gefilmd tijdens een van z'n eerste solotournees in 1998, toen hij er slecht aan toe was.

'Het is heel schokkend,' zegt hij.

'Goede tijden, slechte tijden,' zucht Guy nonchalant.

'Ik weet nog hoe moeilijk ik het had,' zegt Rob.

'Is het deprimerend?' vraagt David Enthoven.

'Voor mij wel,' zegt Rob. 'Het was als een echte depressie.'

David Enthoven is een van de twee leidinggevenden van zijn managementbedrijf IE Music – de persoon die met Rob meegaat op tournees en die vaker langskomt op momenten als deze, wanneer hij aan het opnemen is of een video aan het maken is of iets anders doet, terwijl zijn partner Tim Clark de zaken afhandelt in het kantoor in Londen. David gaat nu naar de andere kamer om naar dezelfde beelden te kijken.

'Het herinnerde me aan alle ellende,' zegt hij wanneer hij terugkomt. 'Ik vond het echt behoorlijk schokkend.'

'Zie je wel, Guy?' zegt Rob, beschuldigend. '*Jij* vindt het grappig.' Het irriteert hem dat zijn vroegere lijden als amusant wordt beschouwd. Als hij er zelf zo mee om wil gaan, is dat zijn goed recht; het geeft anderen niet hetzelfde recht.

'Het was heel zwaar, of niet Robert?' zegt David.

Hij knikt alleen maar.

***

Je zou een boek kunnen volschrijven met de manieren waarop zijn successen en triomfen zijn verweven met ellende en wanhoop, en over de manieren waarop het een het andere uitlokte. En dan is er ook nog de combinatie van al die dingen die deel is gaan uitmaken van de show die Robbie Williams aan het publiek toont.

Het belangrijkste gegeven hier, dat misschien lang niet alles duidelijk maakt, is dat hij, toen hij begin 1995 uit Take That stapte al een zware drinker en regelmatige drugsgebruiker was. Na zijn solocarrière (die bijna een voortijdig einde vond) te zijn begonnen met een jaar lang doelloos feesten, ging hij op de dag nadat hij klaar was met de opnames van de zang voor zijn eerste soloalbum *Life Thru A Lens* in 1997 naar een afkickcentrum. Nog verschillende jaren voerde hij een strijd om nuchter te blijven en om een levensstijl te vinden die paste bij deze manier van leven. Onlangs heeft hij er misschien een gevonden. Twintig maanden geleden is hij weer gestopt en tot dusverre houdt hij het vol.

Op een avond bij zijn zwembad vraag ik hem naar die laatste dag. Hij vertelt dat hij onderweg was naar een werkvergadering in Londen. Hij had geprobeerd niet te drinken maar het was te moeilijk en door een stem van binnen ging hij overstag. Hij nam een duidelijke en bewuste beslissing om toe te geven aan zijn ergste instincten, om een zuiplap te worden. Hij dacht erover na. Waarom zou dat zo erg zijn? Hij had genoeg geld om zichzelf dood te drinken als hij dat zou willen. En als dat niet lukte, kon hij altijd nog een van die heren met rode wangen, lompe tred en een klompneus worden.

Pas nadat hij zich had neergelegd bij deze toekomst, deed een andere stem in zijn hoofd zich gelden.

'Geef niet op...' zei die.

Misschien kon hij die bijeenkomsten nog eens proberen.

✱✱✱

Rob rookt bijna drie pakjes Silk Cut per dag. 'Ik ben er heel goed in,' zegt hij spottend. 'Ik kan nog geen tien minuten zonder een verrekte sigaret.' Hij wil ermee stoppen. Hij verafschuwt het idee dat kinderen misschien gaan roken omdat ze hem hebben gezien, halverwege zijn liveshow op de grond zittend, smachtend naar een peuk en er één opstekend. (Dit heeft hij altijd gedaan tijdens zijn liveshows. Hij vindt het heerlijk. Kan hij even stoppen met rondrennen.)

Hij heeft gezworen te stoppen als hij dertig is, en hij zegt dit vaak. Hij vraagt zich af hoe zijn stem zal veranderen.

Hij probeert altijd sigaretten op te gooien met z'n vingers en te vangen in zijn mond, ook als niemand kijkt.

Nu kijk ik.

Eerste poging. Tweede poging. (Nu ziet hij me.) Derde poging... en hebbes.

'Die zit,' mompelt hij.

2

Een andere dag bij hem thuis, vroeg in de middag. Rob slaapt nog. Pompey brengt zijn ontbijt naar boven op een dienblad terwijl ik met zijn vader in de keuken zit. We drinken koffie en eten stukjes meloen. Buiten loopt een man over het gazon de hondenpoep op te ruimen. Achter hem ligt het zwembad, daarachter een heldere, blauwe lucht. De Los Angeles-vallei strekt zich uit naar het noorden.

'Volgende week ben ik in Torquay,' zegt zijn vader.

Hij was politieagent, werkte daarna in een elektronicafabriek en begon in de avonden met stand-up comedy. Toen Rob werd geboren, hadden hij en Robs moeder, Jan, een pub, maar dat paste niet bij hem. Na een poosje verliet hij de pub én Jan. Toen Rob opgroeide, werkte Pete voornamelijk in vakantieparken langs de kust waar Rob de zomervakanties met hem doorbracht.

Rob verschijnt en zegt dat hij naar de dichtstbijzijnde winkel wil om *Sexy Beast* te huren, zodat zijn vader hem kan zien, en om koffie te halen. We zijn nu met een klein groepje mensen: Pete, Pompey, zijn A & R-man Chris Briggs, ikzelf. Op de weg ernaartoe draait hij *Dusty in Memphis* van Dusty Springfield.

We zitten buiten voor Starbucks. Hier kwam hij een tijdje terug Mike Myers en zijn vrouw tegen en heeft een uurtje met ze zitten praten. 'Het was gezellig,' zegt hij. 'In Notting Hill kan dat niet.' Een paar dagen geleden zag hij Brian Wilson in de delicatessenwinkel.

Chris Briggs vertelt dat hij op zwemles gaat.

'Kun je je nog de eerste keer herinneren dat jij erin dook?' vraagt zijn vader aan Rob.

'Cornwall,' knikt Rob.

Zijn vader haalt herinneringen op aan de dag dat hij Rob eropuit stuurde om melk en de krant te halen. 'Twee uur later werd ik een beetje ongerust, omdat hij nog niet terug was.' Uiteindelijk kwam zijn zoon thuis. 'Hij zei: "Zie je dat steentje – dat heb ik de hele weg heen en de hele weg terug geschopt".'

'Heel belangrijk,' zegt Rob.

Wanneer ik hem er later naar vraag, zegt hij dat hij zich alles nog perfect kan herinneren – de dag, de wandeling, het steentje.

'Dat noemen ze geobsedeerd zijn,' zegt hij.

❋ ❋ ❋

Robs favoriete boek als kind was *The Adventures of the Wishing Chair*.

'Het gaat over een magische stoel die kinderen overal naartoe brengt. Ik wenste altijd dat er een magische deur zou zijn waar ik doorheen kon lopen, zodat ik naar elk vakantiepark kon waar mijn vader was.'

Dus je wenste dat er een magische deur was van de plek waar jij was naar de wereld van het entertainment?

'Ja,' knikt hij, het spelletje meespelend. 'En nu heb ik die deur gecreëerd. Welke deur ik ook doorga, er is entertainment aan de andere kant.'

✳✳✳

Terug bij het huis gaan we even in de tuin zitten. Rob vraagt of ik met hem mee wil om een huis verderop te bezichtigen. Er is vandaag open huis en hij heeft wel zin om te kijken, al is het alleen maar omdat hij nieuwsgierig is naar hoe de andere huizen in deze wijk eruitzien.

We pakken de zwarte Jaguar. Hij heeft geen rijbewijs. Hij heeft nooit rijexamen gedaan, deels omdat hij er nooit aan toe is gekomen, deels omdat hij bang is dat hij geen goede chauffeur is en deels omdat hij er niet aan moet denken dat iemand naast hem zit en hem beoordeelt. Maar binnen het met omheinde wijk zijn alleen privé-wegen en mag hij rijden. Als we eenmaal in de auto zitten, doet hij niet veel moeite om het huis te vinden – we komen er nooit – maar we beginnen te praten, en hij blijft rijden, en dat doen we anderhalfuur lang. We rijden steeds maar weer door de zeven of acht straten van de wijk, soms snel, soms langzaam. Soms versnelt hij om een reden te hebben om te remmen.

We zijn eigenlijk nog nergens diep op ingegaan sinds ik een paar dagen geleden in de stad aankwam, maar hij schijnt het prettig te vinden om zo te praten. Hij legt uit hoeveel beter zijn leven hier in Los Angeles is. 'Ik weet al zo'n zes jaar dat ik uit Engeland weg moest, wilde ik een leven kunnen leiden zonder onder dat vergrootglas te liggen,' legt hij uit. 'En ik wilde dat niet. Ik moest ervan huilen. Ik moest altijd denken aan het park waar ik heen ging toen ik nog een kind was, de wandelingen die we maakten met de honden, de picknicks bij Buxton... alle leuke dingen die ik niet meer zou kunnen doen. En ik wist dat ik uit "mijn Engeland" weg moest, dat is het zinnetje dat ik in mijn hoofd had. Engeland is, wat mij betreft, een land dat momenteel wordt geregeerd door roddels en door wat beroemdheden elke dag doen. En weet je, ik wil een popster zijn wanneer ik op het podium sta, ik wil een popster zijn wanneer ik aan promotie doe, ik wil geen popster zijn wanneer ik uit bed kom en koffie of melk haal op de hoek en mezelf vervolgens terugzie in het nieuws.'

Hij weet dat mensen niet altijd snappen wat de meedogenloze aandacht van de paparazzi kan aanrichten bij iemand als hij.

'Wanneer je 24 uur per dag in de gaten wordt gehouden door de paparazzi, word je 's morgens wakker en staan er misschien wel vijf auto's geparkeerd voor je huis, elke verdomde dag weer, en ze volgen je overal, de hele dag,' beschrijft hij. 'Na vijf jaar kan het je opbreken. Het is heel belangrijk dat je jezelf afscheidt van je roddelbladpersoonlijkheid of je televisiepersoonlijkheid. En wanneer je dat niet kunt, omdat ze in je leven zijn, neemt het geratel in je hoofd nog meer toe en vat je alles persoonlijk op omdat je echt denkt dat ze over *jou* schrijven.'

Hij had een interview gelezen met de bedenker van *De Simpons*, Matt Groening, waarin hem werd gevraagd wat het ergste was dat hem kon overkomen en Matt Groening had geantwoord: 'Dat mijn diepste angsten over mijzelf waar zijn.' Wonend in Engeland, met het aanhoudende spervuur dat dat met zich meebracht, voelde Rob zich ook zo: dat zijn diepste angsten over hemzelf misschien waar waren. 'Op een bepaald moment had mijn hoofd geleerd om te zeggen "nee, je bent een klootzak",' zegt hij. 'Op een bepaald moment werd ik alles wat over me werd geschreven dat grotesk en slecht was.' Hij geeft liever geen volledig lijstje met die angsten – nog niet in ieder geval – omdat ze er nog steeds zijn. 'Bij alles wat ik doe, speel ik advocaat van de duivel,' zegt hij. 'En de duivel wint meestal.'

Maar hier, in Los Angeles, lijkt alles beter te zijn. Alleen al het feit dat hij aan een privé-weg woont en een tuin heeft waar niemand zicht op heeft, betekent dat hij pas hoeft na te denken of hij wordt bespied of gevolgd wanneer hij van zijn terrein afgaat. Hij weigert zich ook te verontschuldigen voor het feit dat hij zo van het weer hier houdt. 'Ik word wakker,' zegt hij, 'en elke dag schijnt de zon.'

Toch zijn er ups en downs geweest. Toen hij pas in de stad was, maakte hij snel veel vrienden – goede vrienden door zijn fantastische nieuwe leven – en het verraste en bedroefde hem toen hij erachter kwam dat zo veel mensen niet waren wat ze leken. Zoals hij zelf vaak zegt, werkte zijn idiotenradar niet goed. 'Ze vertellen je over de mensen hier en over hoeveel mensen bijbedoelingen hebben en willen netwerken en hogerop willen komen,' mijmert hij. 'En ik dacht dat ik ze er wel kon uithalen, dat dacht ik echt. En heel veel van die lui gingen onder de radar zitten. De laatste paar weken zijn behoorlijk vervelend geweest, omdat ik alles had wat ik wilde toen ik hier kwam – veel maten, veel dingen te doen en de mogelijkheid om gewoon over straat te lopen en gewoon echt plezier te hebben – en toen...' Hij zucht. 'Ze zijn zo ongelooflijk slim, maar meestal pik ik ze er wel uit.'

Het andere wat hem niet in de koude kleren is gaan zitten, is een toenemende paranoia dat iemand die hem na staat verhalen verkoopt aan de Britse roddelbladen. 'Ik hoef verdomme alleen maar te *denken* aan iets en het staat al in de krant, en dat jaagt me de stuipen op het lijf,' zegt hij. 'Ik denk dat al mijn telefoons worden afgetapt. Ik kan *niemand* vertrouwen. Ik word er gek van. Je gaat malen en vervolgens wantrouw je iedereen.'

Hij vertelt me dat hij onlangs zelfs valse verhalen heeft verteld aan mensen die hij verdenkt, om te zien of ze in de roddelbladen komen te staan. Tot dusverre niet. Hij heeft z'n telefoons laten controleren, maar – en hij weet dat dit grappig is, en hij weet dat het behoorlijk gek is, maar als je er eenmaal aan begint, is het moeilijk om nog op de rem te trappen – hij is nu zo paranoia dat hij zich zelfs afvraagt of de mensen die zijn telefoons hebben gecontroleerd ze misschien hebben afgetapt.

*** *** ***

Na een halfuur rijden stopt hij voor zijn eigen huis. Hij stapt uit, plast in zijn voortuin en vraagt of we verder zullen gaan. Ik zeg ja. Ik heb heel veel vragen.

Hij stapt weer in en trapt het gaspedaal in.

'Ja, ga door,' zegt hij. 'Stel me een andere vraag. Vraag me iets over sport. Daar weet ik veel van.'

*** *** ***

We rijden verder. Hij vertelt me dat hij zich als gevolg van het zich hier settelen is gaan realiseren dat hij zijn vader terug wilde in zijn leven. 'De laatste keer dat hij me zag, was in een flat in Kensington. Ik voelde me toen niet erg goed, maar sindsdien ben ik vooruitgegaan,' zegt hij. 'En ik wil dat hij trots op me is.' De kwesties tussen hem en zijn vader zijn ingewikkeld, maar een van de redenen waarom hij zijn vader niet wilde zien, heeft te maken met het nuchter zijn. Hun volwassen relatie was gebaseerd op samen dronken worden. 'Ik vond het te gek om met mijn vader te drinken,' zegt hij. 'Ik *hield* ervan om met m'n vader te drinken. We hadden ontzettend veel lol.' Een tijdlang was hij bang dat hij wilde gaan drinken als hij zijn vader zag drinken.

Dat gevoel heeft hij nu niet meer, hoewel zijn vader geheelonthouder is gedurende zijn verblijf. 'We kunnen het heel goed met elkaar vinden,' zegt Rob. 'We hebben gewoon de draad opgepakt alsof er niets is gebeurd... Wanneer je in therapie gaat en al dat gedoe, kun je een beerput opentrekken waar je eigenlijk niets mee kunt. Woede en haat. Het heeft lang geduurd voordat ik het kon accepteren. Ik bedoel, mijn vader is een fantastische vader. Hij is een prachtig mens. Maar als je zo diep gaat graven: "Dit zou zo hebben moeten gaan..."'

Het probleem, zegt hij, is dat 'ik een vader nodig had en niet een vriend. Dat is het. En ik kreeg een vriend. Een drinkmaatje. Wat op zich fantastisch is... maar ik had een vader nodig.'

Maar heb je nu het gevoel dat hij meer een vader is of dat je hem nu meer accepteert als een vriend?

Rob stopt de auto zodat we uitkijken op een met struikgewas begroeide helling, waar de huizen ophouden.

'Ik accepteer hem nu meer als een vriend,' zegt hij. Hij trekt woest op als we de heuvel oprijden en gaat dan ineens op de rem staan. Het is niet duidelijk in hoeverre dit een bewuste onderbreking van ons gesprek is. 'En het is fantastisch. Ik ben blij dat het nu zo gaat.'

✳✳✳

Een jonge en zeer aantrekkelijke vrouw loopt voorbij.

'Hallo!' zegt hij. 'Hoe heet je?'

Ze blijft even staan om een praatje te maken. Ze zegt dat ze op weg is naar haar werk.

'Weet je op wie je lijkt,' zegt ze.

'Op wie?'

'Robbie Williams,' zegt ze.

'O ja?' zegt hij. 'Ik wou dat ik zijn geld had. En zijn uiterlijk.'

✳✳✳

Al rijdend, nog steeds rijdend, zegt hij dat hij het vreemd vindt wanneer mensen denken dat om het even welk talent dan ook van henzelf is. 'Mensen denken echt dat ze het zelf doen,' zegt hij, 'terwijl dat niet zo is.'

Wat is het dan.

'God.'

Denk je dat?

'Ja. Ik heb het niet over een religieuze god. Ik noem het God omdat ik het dan kan begrijpen.'

Eerder had hij al gezegd dat hij zich geneerde voor zijn nummer één single *Rock DJ*, dus vraag ik hem, bij wijze van opheldering, of hij gelooft dat God *Rock DJ* heeft geschreven.

'Ja,' zegt hij. 'Hij had een slechte dag.' Dan bedenkt hij zich. 'Nee,' corrigeert hij, 'ik geloof dat *ik* de tekst voor *Rock DJ* heb geschreven. God was volgens mij net bezig met het album van iemand anders. Volgens mij is hij een tijdje bij Coldplay geweest.'

Dit is niet iets waar hij nu veel over wil zeggen – 'Het is een van die theorieën waarvan mensen denken als ze zwart op wit staan, "o, dat is wel vreemd"' – maar het is niet iets wat hij luchtig opvat. Elke avond knielt hij bij zijn bed om te bidden. Soms praat hij in bed; hij weet zeker dat er iemand luistert – door de kleine signalen die hij elke dag krijgt.

Dit is terug te horen in deze nieuwe nummers. 'Ja,' geeft hij toe, 'er is veel religie en dood en wedergeboorte in veel dingen die ik doe. Het is altijd gewaagd terrein om je op te begeven, omdat iedereen denkt dat je een David Icke gaat worden of zo. Weet je, alles wat ik doe, waar ik ben, mijn talent, het is een geschenk van God. Daarom komt hij af en toe even langs, toch?' Hij pauzeert. 'En ik denk dat hij je dit alles kan geven, maar ook weer kan afpakken. Daar ben ik me van bewust.'

✳✳✳

Hij doet een uitspraak.

'Ik heb nog vijf jaar,' zegt hij. 'En dan is het gebeurd, of niet soms?'

Vijf jaar waarvoor?

'In dit wereldje. Dit album is helemaal fantastisch. Als ik er nog zo eentje kan maken én dan nog een 'het beste van', dan zeg ik dank je wel en ga ik kinderen krijgen. En dan zie ik wel of ik de aandacht prettig vind of niet.'

Maar denk je echt dat je dat gaat doen?

Hij pauzeert en begint dan te lachen, alsof hij het grappig vindt dat ik erop doorga.

'Nee,' geeft hij toe.

Ik ook niet.

'Dit is wat ik wil doen,' zegt hij en staart door de voorruit.

✳✳✳

Hij parkeert de auto. Als de avond valt, gaan we zitten aan de mozaïektafel in zijn achtertuin. Hij praat over de nieuwe generatie popsterren. Het is duidelijk dat hij geen hoge pet op heeft van wat zij tot dusverre hebben gedaan, maar hij kan zich wel in hen vinden. 'Omdat ik Hear'say *ben* geweest, ik ben Steps geweest en ik ben Gareth of die andere jongen, Will, geweest,' zegt hij. 'Ik heb gewild wat zij willen. Ik heb de dromen gehad die zij hebben. Ik heb me ook zo klein gevoeld en ik wilde mezelf ook bewijzen. Ik vond dat ik een gave had en ik wilde die laten zien, net als zij.'

En, net als zij, wist hij niet waar het hem zou brengen.

'Ik denk niet dat je echt weet wat je wilt als je zestien bent en je je ergens helemaal op stort. Ik ben echt ongelooflijk blij dat het mij is overkomen. Zoals sommige mensen allergisch zijn voor alcohol of voor olijven, zo ben ik allergisch voor veel van wat dit met zich meebrengt.'

Ook al, zegt hij, 'is het resultaat dat ik nu hier zit en ik een leven heb dat verdomde fantastisch is'.

Het heeft je veel tijd gekost om ervan te kunnen genieten, zeg ik.

'Ja,' zegt hij. Hij aarzelt even, vraagt zich af of hij dit wel moet zeggen, en steekt dan van wal. 'Om je de waarheid te zeggen, ik ben depressief geweest.'

Hij beschrijft een avond kort geleden, toen hij hier, waar wij nu ook zitten, zat met zijn vader.

'Ik ben 's avonds vaak depressief, pa,' zei Rob, in een poging het uit te leggen.

Zijn vader probeerde het te bagatelliseren. 'Wanneer je depressief bent,' zei hij, wijzend naar het huis, het zwembad, het uitzicht, 'kijk dan eens om je heen, naar wat je hebt.'

'Het is alsof je iemand die kanker heeft, vertelt dat hij het niet mag hebben,' stelde Rob, maar hij weet niet zeker of zijn vader dat heeft begrepen. Hij weet dat veel mensen dat niet doen en ook nooit zullen doen.

'Mensen denken dat als je depressief bent, dat je dan gedeprimeerd bent om *iets*,' legt hij uit. 'Vaker wel dan niet, is dat niet zo. Ik voel me gewoon... *vreselijk*. En het gaat niet om platenverkoop of om media of om familie. Dat zijn dingen die ik de schuld kan geven. De echte oorzaak van alles is dat ik een ziekte heb die depressie wordt genoemd.'

En wat kun je daaraan doen?

'Medicijnen slikken,' zegt hij.

En doe je dat?

'Ja.' Weer een lange pauze. Hij heeft hier nog nooit eerder over gepraat. 'En ik zeg dit alleen maar omdat, als het op papier staat, iemand die het leest, misschien denkt "zo is het bij mij ook en als hij dat heeft gedaan, ga ik dat ook doen". Over al die therapieën, medicijnen of behandelingen voor zoiets wordt in Engeland niet gepraat en het wordt allemaal zo gebagatelliseerd. Iedereen vraagt "hoe gaat het me je", maar ze verwachten niet dat je de waarheid zegt.'

Hij heeft lang geweigerd om antidepressiva te slikken nadat hij was gestopt met drinken – 'Omdat ik vastbesloten was dat ik op een dag wakker zou worden en dat het dan zou zijn verdwenen, en ik kon het zelf wel' – maar het laatste halfjaar slikt hij wel antidepressiva.

'Daarom ben ik vandaag gelukkig,' zegt hij. 'Dat is echt zo. Daarom is vandaag een goede dag. Daarom kan ik waarderen wat ik in mijn carrière heb gedaan en kan ik mijn oude albums nu waarderen en ze leuk vinden, en kan ik trots op mezelf zijn. Weet je, het feit dat mijn vader hier is, heeft veel te maken met de medicijnen die ik slik.'

Hij heeft een zin in z'n hoofd, een zin die hij al een tijdje wil gebruiken, maar waarvoor het goede moment zich nog niet had voorgedaan.

'Je hebt medicijnen nodig,' zegt hij, 'als je records wil breken.'

Hij is niet graag alleen. Hij vertrouwt zijn eigen gezelschap niet. 'Ik ben er vreselijk slecht in,' zegt hij. Hij heeft altijd graag mensen om zich heen. 'Veel,' benadrukt hij. 'Veel, heel veel mensen.'

Ben je tegenwoordig nog wel eens alleen?

Hij schudt zijn hoofd. 'Nee,' zegt hij.

Nooit meer?

Hij schudt nadrukkelijker zijn hoofd.

Is dat niet raar?

'Ja,' zegt hij, maar hij meent het niet. 'Het is niet vreemd, weet je. Het is gewoon zo. Ik ben voor mezelf geen goed gezelschap. Ik wou dat ik dat was. Sinds mijn zestiende, zeventiende reis ik al met een enorm gevolg.' Hij glimlacht. 'Je kunt het vergelijken met technologie die zo geavanceerd wordt dat je het niet meer met de hand kunt.'

Dit is het eerste echte gesprek dat we die zomer in Los Angeles hebben. Vervolgens houden we anderhalf jaar lang niet op met praten.

3

Rob is niet tevreden met de tekst die hij heeft geschreven voor een nummer met de titel *A Time To Die* en hij wil een stuk ervan herschrijven. Hij en Guy zitten aan de mengtafel en breken hun hoofd erover. Na een poosje vragen ze iedereen om ideeën: zijn vader, de programmeur Richard Flack, mij. Vrij lang wordt er gezocht naar een woord dat rijmt op 'emotional' en aangezien dit het type popmuziek is waar niet-perfecte rijmwoorden acceptabel worden gevonden, zijn enkele voorstellen 'fall', 'crawl', 'ball', 'indestructible', 'cannonball', 'dismal', 'curtain call', 'fuck all', 'whore', 'casual' en 'wonderwall'. Ze werken allemaal niet. Ik vraag wat het nummer probeert over te brengen in de hoop dat dat helpt.

'Eigenlijk,' zegt Rob, 'is dit een sarcastisch nummer over iedereen die cynisch is geweest over mij – haat de speler niet, haat het spel. Van elk album werden er meer verkocht dan het vorige, ik ben er nog steeds, en ik heb jullie waardeloze bandjes zien komen en gaan, dus ben ik een beetje giftig. Het is geschreven toen ik Robbie Williams niet meer wilde zijn. Het afgelopen jaar.'

Die opmerking blijft in de lucht hangen en wordt nu niet nader verklaard.

Guy begint zich af te vragen of deze regel eigenlijk wel moet rijmen.

'Waarom denken we er zoveel over na,' vraagt Rob geïrriteerd.

'Jij begon ermee,' zegt Guy.

'Laat me niet zoveel nadenken over deze onzin,' zegt Rob.

'Jij begon ermee,' herhaalt Guy.

'Nou, hou me dan tegen', zegt Rob. Hij zegt dat ze het gewoon laten zoals op de demo. '*I won't let you down,*' zegt hij ineens. '*I will not give you up. I've got to have faith in my sound. It's the one good thing that I've got.*'

'Wie is dat?' vraagt Guy, terwijl hij z'n oren spitst voor wat klinkt als een bruikbare tekst.

'Dat ben ik,' zegt Rob. 'Dat is mijn eerste single, *Freedom.*'

Ze proberen heel lang andere regels te verzinnen. 'Het is supervervelend als we vast komen te zitten,' zegt Guy. 'Het gebeurt niet vaak. De meeste nummers op dit album hebben we in hoogstens twee uur geschreven. Sommige sneller.' Rob zegt uiteindelijk: 'Ik ben gewoon niet in de stemming' en rent weg. Het nummer wordt niet afgemaakt.

Rob heeft het zelden over zijn eerste solosingle, een cover van *Freedom 90* van George Michael. Het is uit zijn verleden geschrapt. Het nummer staat op geen van zijn albums en het komt niet op zijn *best of* te staan. Hij heeft het nooit gezongen tijdens een concert.

Het markeert de periode toen hij net soloartiest was. Dat stond in ieder geval in zijn contract en zo vertelde hij het iedereen, maar in werkelijkheid moest hij er nog een worden. Hij had geen eigen nummers, alleen een paar gedichten. Het eerste jaar sinds het op een rotmanier uiteengaan van Take That was hij op zoek naar een manager, heeft hij er een paar ontslagen, moest hij dingen uitvechten voor de rechter en was hij, boven alles, bezig met uit z'n bol gaan.

Er is een verhaal dat hij graag vertelt, omdat daaruit blijkt hoe weinig hij betrokken was bij het middelmatige begin van zijn carrière; hoe leeg zijn ambities waren om een artiest van enige naam te zijn in plaats van een waardeloze zanger uit een gefabriceerd jongensbandje. Voor de videoclipopname voor zijn eerste single in Miami was hij er nog niet eens aan toegekomen om zijn eigen versie van *Freedom* op te nemen, dus heeft hij maar geplaybackt op de versie van George Michael.

✳✳✳

Guy verlaat de studio.

'Heb je de demo van *Come Undone*?' vraagt Rob. 'Snel. Doe de deur op slot voordat Guy terugkomt.'

Er zijn een paar nummers opgenomen die eventueel voor het album worden gebruikt, maar waaraan Guy niet heeft meegeschreven en *Come Undone* is daar de beste van. De omstandigheden die hebben geleid tot het ontstaan ervan, en de woordenwisselingen die erdoor ontstonden, vormden de kern van de spanningen tijdens de totstandkoming van dit album, en hoewel iedereen zegt dat die spanningen voorbij zijn, is er nog steeds iets van blijven hangen. Vooral als het om *Come Undone* gaat. Guy is alweer terug voordat *Come Undone* in de computer is geladen. Ze luisteren naar het nummer zoals het nu is en Rob zegt tegen Guy, op de manier waarop je iemand iets vertelt wat je al heel vaak hebt gezegd, dat hij wil dat het meer klinkt als de demo. Dit geruzie is al wekenlang bezig.

'Het *klinkt* als de demo,' volhardt Guy met een enigszins wanhopige toon in zijn stem.

Guy probeert Rob zover te krijgen om naar de tweede studio te gaan waar Steve Power bezig is met het mixen van het nummer *Something Beautiful*. Rob zegt dat hij erheen gaat, maar maakt geen aanstalten en begint over iets anders te praten.

'Concentratievermogen van een mug,' zegt Chambers.

Uiteindelijk gaat hij met Guy naar de andere ruimte, waar het terugspelen in de soep loopt. Chambers zucht. Het is weer zo'n dag.

'Krijg een toeval, Guy,' spoort Rob aan. 'Toe dan.'

Chambers trekt zijn wenkbrauwen op. 'Ik heb in zes jaar geen toeval gehad,' zegt hij.

✳ ✳ ✳

Aan het begin van dit jaar, niet lang na ons potje backgammon, gingen Rob en Guy samen naar de Bahama's voor een schrijfvakantie. Het was geen succes. Rob was uitermate kritisch over alles wat ze bedachten. Hoewel ze zich later zouden realiseren dat ze niettemin de basis hadden geschreven voor twee nummers die ze mooi vonden, namelijk *Monsoon* en *Love Somebody*, hadden ze op dat moment allebei het gevoel dat ze weinig hadden gedaan. Een tweede schrijfweek in Los Angeles werd geannuleerd.

Wat Guy betrof, gingen ze gewoon door een van hun moeilijke periodes. Maar in de nasleep ervan nam Rob een drastische beslissing. Hij wilde af van Robbie Williams. Hij had vier albums gemaakt met amper een pauze ertussen en hij had er genoeg van. 'Het is te veel, echt,' legt hij uit. 'Voor het hoofd. Vooral als je mij bent, ik kan sowieso niet veel hebben. Ik was alles gaan haten wat Robbie Williams was. Ik wilde gewoon alles stoppen wat Robbie Williams was.'

Zijn laatste album met originele nummers, *Sing When You're Winning* uit 2000, was opgedragen aan 'Guy Chambers, die net zozeer Robbie is als ik.' Rob zegt dat hij zelfs toen hij dat schreef al wist dat het een uitspraak was met twee betekenissen. Het was een openbare uiting van dank maar ook, voor Rob, een aanklacht. Het maakte duidelijk dat, zoals hij het zegt, 'Guy Chambers een van de hoofddaders van Robbie Williams was.' Dat dit alles net zo zeer de fout van Guy was als van hem. 'Hij moest weg,' legt Rob uit, 'omdat ik alles wat met mij te maken had zo verdomd haatte.'

Hij wilde Robbie Williams opsplitsen. Hij wilde een band beginnen. Alle bandleden zouden nummers schrijven en hij kon zichzelf in hen verliezen. Hij was van plan Dave Navarro te vragen om gitaar te spelen en hij had een paar andere mensen in gedachten voor de rest van de band. In New York had hij een paar nummers geschreven samen met een Noor genaamd Boots Ottestad en dat wat ze hadden bedacht sprak hem aan.

Ondertussen was Guy, aangespoord door hoe slecht hun vakantie op de Bahama's was gegaan en door hun gebrek aan toekomstplannen, met andere mensen gaan schrijven. In maart had Rob een afspraak met Guy in zijn villa bij Sunset Marquis om hem te vertellen dat hun partnerschap voorbij was. 'Ik zei,' vertelt Rob, 'dat ik mezelf voor mijn eigen geestelijke gezondheid compleet opnieuw moest uitvinden en dat we helaas niet meer konden samenwerken.' Ze zouden nog enkele nieuwe nummers afmaken voor een *best of*-album. Hij wilde nog wel dat Guy musical director zou blijven tijdens de afscheidstournee van Robbie Williams en dat was dat.

'Het ging erin als een broodje poep,' zegt Rob. 'Ik zag aan zijn gezicht dat de grond onder z'n voeten wegzakte... Volgens mij was hij vreselijk ongelukkig en heel bezorgd, over heel veel dingen.' Maar hij zegt ook dat Guy het, aan de buitenkant, 'briljant opvatte.'

In de maanden daarna liep het allemaal iets anders. Met z'n tweeën zouden ze nu een heel nieuw album opnemen, waarbij ze de reservevoorraad aan nummers zouden gebruiken die ze hadden geschreven, en enkele van de andere nieuwe nummers van Rob. Deze zouden ze, samen met de grootste hits, uitbrengen als een dubbel-cd.

Ondertussen waren er andere gespannen gesprekken. Rob vond dat Guy onvoldoende enthousiast was over de nummers die Rob zonder Guy had geschreven – Guy zei dat hij ze gewoon niet snapte, dat de akkoorden te voorspelbaar waren – en hij was bang dat Guy ze geen recht zou doen. Hij zei ook tegen Guy dat hij achteraf niet gelukkig was met de geliktheid van *Sing When You're Winning*. Toen Guy aanvoerde dat ze het tot nu toe altijd eens waren geweest over alles, was dit Robs botte weerwoord: 'Luister, ik was bezopen en het kon me geen hol schelen hoe die klotealbums klonken.' Voor die tijd had hij altijd gevonden dat zijn taak erop zat wanneer de nummers waren geschreven en – op de pijnlijke periode na waarin ze hem dwongen zijn uiteindelijke zang op te nemen, meestal met extreme tegenzin – zijn werk begon pas weer als hij het album moest promoten. Het daadwerkelijke proces van het maken van een plaat had hij altijd saai en eenzaam gevonden, iets om te vermijden. Maar toen hij zijn swing-album aan het opnemen was, in een ruimte met een orkest bestaande uit zestig man, merkte hij dat het ook leuk kon zijn. Hij was nu nuchter, geïnteresseerder en geconcentreerder, en hij wilde er meer bij betrokken worden.

In juni repeteerde Chambers deze nieuwe nummers een week lang met een band en daarna gingen ze met Rob de studio in om met de opnames te beginnen. De eerste dag was een ramp. 'We waren gewoon allebei ongelooflijk slecht in communiceren,' zegt Rob. Ze doorliepen *Something Beautiful*, dat prima klonk, hoewel Rob zich ongemakkelijk voelde bij hoe serieus iedereen was. Toen stelde Guy voor om *Come Undone* te proberen. Een van de nummers die hij niet had geschreven. Rob dacht nog hoe volwassen en onzelfzuchtig dit van Guy was, totdat de band begon te spelen en bij het refrein aankwam...

Guy had de akkoorden veranderd zonder het te vertellen. Rob heeft geen idee of de band het nummer nog heeft afgemaakt. Hij was allang uit het gebouw vertrokken. Hij is niet gebleven om te luisteren of te discussiëren. In de auto zei hij tegen Chris Briggs en David Enthoven dat het voorbij was tussen hem en Guy. Ze vertelden hem dat het een kwart miljoen dollar zou kosten om op dat punt alles te annuleren. Hij zei dat het hem niets kon schelen. Hij wilde er niets meer mee te maken hebben.

✳ ✳ ✳

In de opnameruimte zingt Rob *Love Somebody*. Bij het tweede couplet tilt hij zijn armen op naast zijn hoofd, alsof hij een gospel zingt. Aan het einde zegt hij 'Ik twijfel over de tekst in het middenstuk.'

'Dat kunnen we niet veranderen, maat,' zegt Guy. 'Verdomde gospelkoor.'

Rob heeft de oorspronkelijke zang een paar maanden terug ingezongen, waarna Guy en Steve Power in Londen een maand lang hebben gewerkt aan de nummers. Toen hebben ze het gospelkoor eraan toegevoegd, die tekst van de zang van Rob weerkaatsen: *Help me feel the power, you just got to set me free, there's a love that lives forever in me.*

Rob houdt vol dat hij ze wil veranderen.

'Dan moet er een koor komen hier en dat kost veel geld,' legt Guy uit.

'Je had het me moeten vragen,' zegt Rob.

'Wat had ik je moeten vragen?' zegt Guy.

'Vaker "Hoe gaat het met je?",' mompelt Rob. Hij bedoelt dat ze bij hem hadden moeten navragen of de tekst de definitieve versie was voordat ze het gospelkoor gingen inhuren. 'Ik moet er maar mee leren leven, denk ik,' zegt hij. 'Het is alleen maar mijn album. Alleen voor de rest van m'n leven. Vind dat we gewoon wat meer hadden moeten praten.'

'Ik denk niet dat het de verkoop beïnvloedt,' zegt Chambers plagend.

Hij gaat terug naar de opnameruimte en krabbelt wat op een tafelkleed. Later, wanneer hij naar het toilet gaat, neem ik er een kijkje. Hij heeft een mannetje getekend voor een huis, zijn arm uitgestrekt, in de tekstballon staat het woord KLOTE.

De track begint en hij boert hard voor de eerste regel.

'Dat is lekker,' mompelt Guy. '*Dat* kan de verkoop wel beïnvloeden.'

Ze zijn eraan gewend om deze geluiden eruit te halen. Rob heeft altijd al de neiging gehad om zich op de gevoeligste momenten op zulke manieren te uiten. Zelfs op de mastertape van *Angels* staat een luide en goed hoorbare scheet.

***

In juni, na de aankondiging dat het voorbij was met Guy, wat het ook zou gaan kosten, stemde Rob erin toe om er nog een nachtje over te slapen. 's Morgens was hij van gedachten veranderd.

'Ik gedroeg me als een diva,' zegt hij nu. Hij ging met Guy praten, aan wie niet was verteld hoe weinig het had gescheeld of alles was voorbij geweest, en kondigde aan dat ze het *best of*-idee maar moesten vergeten. Ze moesten maar gewoon een nieuw album maken. 'Ik zei: "Ik hou van je en je bent briljant, je bent verdomme geniaal en samen zijn we fantastisch",' herinnert hij zich. 'En sindsdien gaat het als een trein.'

Ondanks dat hij af en toe een nummer had geschreven met Guy, en ondanks de nummers die hij met anderen had geschreven, vond Rob dat hij de afgelopen anderhalf jaar een writer's block had gehad. Guy en hij hebben nu nog snel drie nummers geschreven en enkele andere hebben ze afgemaakt of radicaal omgegooid. Alles is goed tussen hen en het heersende gevoel is dat het aanhoudende zware kritiek leveren van beide kanten, en het regelmatige onvermogen om effectief met elkaar te communiceren, erop wijzen dat hun gecompliceerde, disfunctionele en productieve relatie weer net zo gezond is als vroeger. Ze hebben, zo schijnt iedereen te denken, zo'n soort moeizame fase gehad die een huwelijk eerder sterker maakt dan duidt op een op handen zijnde ineenstorting.

'De neuzen staan weer dezelfde kant op,' vertelt Rob. 'We zijn weer het schrijfteam.'

✹ ✹ ✹

Een Amerikaanse sessiezangeres, Darlene, komt de studio binnen. Zij gaat een regel zingen in *Feel*, een nummer dat Rob en Guy twee jaar geleden hebben geschreven. Guy probeerde iets te spelen dat volgens hem klonk als Moby en Rob zong iets over hoe depressief hij was en hoe graag hij gered wilde worden van die depressie: een nummer over de hoop van een man met te weinig daarvan. 'Het is niet blije Robbie, het is verdrietige Robbie,' vertelt Guy. 'Wat ik zo fijn vind, is dat wij vijf verschillende soorten nummers kunnen doen. Veel artiesten kunnen er maar één. Er is de ballade: *Sexed Up, Nan's Song*. Dan is er de *dirty rocker*: *Song 3, Cursed. Hot Fudge* is het feestnummer. *Feel* is het introspectieve nummer. En dan hebben we nog brutale Robbie met *World's Most Handsome Man.*'

Nu zijn ze op zoek naar een interessante manier om enkele van die leemten in het nummer te vullen, vandaar Darlene. Ze geeft Rob en Guy wat chocolaatjes die ze voor hen heeft meegenomen en ze krijgt de Italiaanse vertaling van de tekst die net is binnengekomen:

Voglio solo provare vero amore
Nella case in cui vivo
Perche ho troppa vita
Che mi scorre nella vene
E va sprecate

'Wil je zingen wat jij in gedachten had?' vraagt Guy aan Rob.

'Uit het blote hoofd,' mompelt hij tegenstribbelend.

'Een paar dagen geleden zong je iets,' dringt Guy aan. Hij speelt het instrumentale gedeelte waar ze nog iets willen, waarop Rob plotseling begint, alsof dat het meest voor de hand liggende en eenvoudigste ter wereld is, een prachtige opera-achtige melodie te zingen.

Darlene gaat de opnameruimte in en zingt een paar keer, in verschillende variaties, wat hij heeft voorgesteld. Het klinkt fantastisch. Af en toe maakt Rob een complimentje of zingt een nieuwe optie die zij dan kan proberen, maar de hele tijd zonder op te kijken van de voetbalpagina's van de krant die hij aan het lezen is. Wanneer ze aan het einde wordt gevraagd om een improvisatie, legt hij iets meer uit over de sfeer van het nummer, om haar te helpen: 'Heel spiritueel, heel verheffend – er is absoluut hoop in deze gekke wereld die we aarde noemen.' Guy zegt, buiten haar gehoorsafstand, dat er een ander idee is voor dit nummer. Ze hebben Ms Dynamite gevraagd een rap te doen, maar ze hebben nog niets van haar gehoord.

Darlene gaat weer bij hen zitten en zegt hoe mooi ze het nummer vindt. Ze complimenteert hem met hoe emotioneel de zang is.

'Ach, het is van voor de medicijnen,' zegt hij, zonder zich nader te verklaren en zingt nietszeggend op fluistertoon, '*I just want to feel... your bum.*'

Ze gaat weg en Guy vraagt of hij een paar harmonieën wil doen.

'Wat denk je?' antwoordt Rob. 'Denk je dat het me ook maar iets kan schelen?' Hij is in een vreemde, rare bui. Hij verwerpt elk idee waar

Chambers mee komt – 'Donder op! Donder op! Donder o-o-o-o-p!!!' –
en pakt dan een akoestische gitaar en doet alsof hij die kapot gaat
smijten.

'Heb ik je wel verteld dat ik de twaalfsnarige gitaar van Guy in het
Comomeer heb gegooid?' vraagt hij aan mij.

Waarom deed je dat?

'Hij was niet gestemd,' grijnst hij.

Serieus, waarom?

'Omdat ik dronken was,' zegt hij bedeesder.

'Latente haat,' mompelt Guy.

'Niet voor jou, schat,' zegt hij.

Als Chambers nog een keer voorstelt op een paar harmonieën te
zingen, weigert hij weer – 'donder *op*' – en gaat naar de opnameruimte
om ze te doen.

'Hij is vandaag in een tegendraadse bui,' zegt Chambers. 'Ik vind het
te gek als hij in zo'n bui is.'

In de opnameruimte pakt Rob zijn aansteker en steekt het tafelkleed
in brand, doet dan een paar harmonieën, die hij moeiteloos inzingt,
hoewel hij er geïrriteerd uitziet wanneer Chambers zegt dat een ervan
vlak is. Wanneer hij er nog een mist, gooit hij de microfoonstandaard
op de vloer. Een paar minuten later pakt hij hem weer op, maar zegt
dat hij er geen meer wil doen.

'Het is jouw album,' zegt Chambers.

Rob komt terug in de regelkamer en pakt wat fruit.

'Heb je me al eens zien jongleren?'

Chambers rolt met zijn ogen. 'Ja' zegt hij.

Rob vraagt zich af wat hij die avond zal gaan doen. 'Ik kan naar Le
Deux gaan,' zegt hij. 'De maandagavondkliek is er. De ijdele lui en de
chic.' Hij loopt op en neer. 'Ik voel me zo ongelooflijk raar,' zegt hij.
Kort daarna gaat hij weg.

✳ ✳ ✳

Hij heeft Pompey, of een vervanger, elk uur van de dag en nacht bij
zich of in de buurt. Hij snapt niet dat mensen het moeilijk snappen.
Voor hem is het gewoon logisch. Het gaat niet om het hebben van een
bodyguard. Het gaat, vrij letterlijk, om *veiligheid*.

'Ik ben altijd paranoïde geweest,' zegt hij. 'Zelfs als kind al. Mijn oma
vertelde me altijd verhalen over het zandmannetje – hij kwam en nam
kleine kinderen mee – en dat maakte me doodsbang. Ik denk altijd dat
er iemand aan het inbreken is, weet je. Ik zou niet alleen in dit huis
kunnen slapen; ik zou te bang zijn.'

Een poosje, voordat hij interne beveiliging had, heeft hij met een hamer naast zijn bed geslapen. Hij heeft met een startpistool geslapen. En een busje Lynx en een aansteker. (Geïmproviseerde vlammenwerpers hebben hem al eerder uit de moeilijkheden gehaald. Een keer toen een paar kerels dreigden de beroemde Robbie Williams in elkaar te slaan op het terrein van een garage in Stoke-on-Trent pakte hij ze terug door zijn aansteker bij zijn aanstekerbenzine te houden en te dreigen het aan te steken.)

Maar zelfs dag en nacht beveiliging kan je niet tegen je dromen beschermen en hij heeft soms hele erge. 'Ik word altijd achternagezeten, ik zit altijd in de gevangenis,' legt hij uit. 'Ze vinden altijd coke bij me en ik word gearresteerd. Geesten. Smack. Ik droom er veel over dat ik mezelf in de nesten werk. Ik had er laatst weer zo een dat ik in de kerk zat en ik onder de heroïne zat en in m'n broek scheet. Ik heb dromen waarin ik mensen vermoord. En ik heb een steeds terugkerende droom waarin ik iemand heb begraven onder de garage bij het huis waar ik ben opgegroeid en ze zijn me op het spoor. Ze weten dat ik het ben. En dan stop ik er lichamen bij. En zij hoeven alleen maar onder de struiken te kijken om ze te vinden.'

4

De honden ravotten en vechten buiten op het gras om een enorm paardenbot. Hij wilde altijd al honden hebben en heeft het in Engeland twee keer geprobeerd, maar beide keren ging het mis. Hij heeft ongeveer drie weken een rottweiler gehad. En twee Deense doggen voor een nacht. 'Een kleine flat en Rob werd wakker naast twaalf drollen,' legt David uit.

Hier in Los Angeles heeft hij er drie en hij aanbidt ze. Sammy, een kruising tussen een pitbull en een labrador, heeft hij uit het asiel gehaald. Het oorspronkelijke idee was dat hij de tweede hond Davis zou noemen en de derde Junior. 'Maar dat was wel een beetje stom,' zegt hij nu. Hij noemde de Duitse herder naar het skanummer *A Message To You, Rudy* (maar nu zijn liefde voor Ruud van Nistelrooy van Manchester United steeds groter wordt, probeert hij zichzelf ervan te overtuigen dat Rudy vernoemd is naar Ruud). En dan is er nog Sid, de wolf.

Sid Vicious? vraag ik.

'Sid James,' zegt hij.

Pompey rijdt hem boven langs de Hollywood Hills om het middag-verkeer te vermijden en dan via de vallei naar Hollywood en naar de studio. Ik volg in mijn auto. Rob loopt naar binnen en gaat achter de studiocomputer zitten om de websites van de populairste Engelse rod-delbladen vluchtig door te lezen. Nog steeds niets over de verhalen die hij heeft verspreid. Guy vertelt hem dat het twintigduizend pond kost om een koor te laten komen om de tekst van *Love Somebody* te maken. 'Laat ze maar komen,' zegt hij direct. 'Want ik vind het een fantastisch nummer en ik zou het vreselijk vinden als die tekst erin blijft.' Hij begint een oude *News Of The World* te lezen die naast mij ligt, op de bank achter in de regelkamer waar ik meestal stilletjes zit toe te kijken en notities zit te maken.

'Waar ga je het in veranderen?' vraagt Guy.

'*Up your cunt, you silly fucks*,' mompelt hij, niet op- of omkijkend.

'Dat is *heel* gospel,' zegt Guy.

Ze werken weer aan *Come Undone*. De stemming is alweer een beetje prikkelbaar. Rob blijft nors beschuldigende dingen zeggen als: 'Heb *jij* die piano gedaan?' en Guy zegt: 'Nee, het is oude piano.' De cameraploeg die Josie een paar dagen geleden heeft geboekt, komt en begint te filmen. Uiteindelijk gaat Rob de opnameruimte in.

Wanneer hij klaar is met een eerste lezing, zegt Guy tegen hem dat hij het beter kan. 'Doe er nog een paar en dan gaan we ze compileren en dan maken we er het beste van,' zegt hij.

Dit moment wordt later gezien als een omslagpunt. Het is onmid-dellijk duidelijk dat Rob echt *ontzettend* geïrriteerd is, hoewel hij, zoals hij zo vaak doet, de volgende berisping met een half grappig stemmetje zegt: een groot deel van de serieuze zaken in Robbie Williams' leven vindt plaats in de schaduw van een niet zo heel onschuldige humor. 'Het spijt me heel erg dat je je best hebt moeten doen, jij verdomde klootzak,' zegt hij joviaal. 'Het is vast moeilijk om nog wat te maken van een drol.' Gelach, met een randje nervositeit, klinkt in de regelkamer. 'Heb je Jack Nicholson gezien in *As Good As It Gets*?' vraagt Rob aan Guy. 'Dat ben jij, maar dan een paar niveau-tjes lager.'

'Soms komt het er gewoon verkeerd uit,' zucht Guy, als een soort van verontschuldiging. 'Jij hebt hetzelfde gedaan.'

'Niet zo vaak als jij,' werpt Rob tegen. 'Er zitten een paar goede uit-spraken in *As Good As It Gets*. Ik heb hem gisteravond nog gezien.'

'Ik zal er nog eens naar kijken,' zegt Guy. 'Maak aantekeningen en probeer je niet zo aangevallen te voelen.'

Rob vertelt over een groep mannen die hen eens aanschoten in Notting Hill en aan Guy vroegen of hij hun demo had gekregen en dat Guy toen heel laatdunkend zei: 'Ik vind hem niet heel erg goed.'

'Ik doe mensen niet opzettelijk pijn,' zegt Guy.

'Ik weet dat je het niet expres doet,' zegt Rob. 'Jij hebt gewoon last van OCD.'

'Wat?'

'Obsessive Compulsive Disorder.'

'En jij niet?' zegt Guy.

'Ik ook,' zegt Rob. 'Alleen weet ik het. Het is geen rivier in Egypte, weet je?'

✳✳✳

Rob begint vaak over de tactloosheid van Guy. Hij heeft een hele lading favoriete voorbeelden. Op een middag in de studio begint hij over die keer toen een Duitse hotelmanager tegen Guy zei dat het woord 'gedeprimeerd' niet kon worden vertaald in het Duits en Guy reageerde met, 'O ja, dat is waar ook, wanneer jullie gedeprimeerd zijn, vallen jullie Polen binnen, toch?'

'De laatste tijd gaat het beter,' zegt Guy droogjes.

Rob is nog niet klaar. Hij gaat verder met die keer dat ze in Zuid-Frankrijk waren met de vrouw van Guy, Emma, en Geri Halliwell. Guy vroeg Rob of hij Nick Drake kende en Rob zei dat hij een cd van Nick Drake bij zich had.

'Van wie heb je die gekregen?' vroeg Guy.

'Amanda de Cadenet,' zei Rob.

'En toen zei Guy: "Heb je...?"' en maakte een obsceen gebaar.

'Nee,' zei Rob.

'Dus,' ging Guy door, 'je kon haar niet toevoegen aan je lijstje met beroemdheden die je hebt geneukt?'

Guy hoort deze verhalen in een redelijk opgewekte stemming aan. 'Momenten van gekte,' zegt hij. 'Ik ben een creatieveling.'

Een andere dag, als Guy er niet is, beklaagt Rob zich over het gebrek aan respect dat Guy volgens hem de producer van Frank Sinatra, Al Schmitt, betoonde. 'Hij heeft net zulke omgangsvormen als Fred West. Na dit project gaat hij trouwens de Fred West Side Story schrijven.'

✳✳✳

Hij heeft net gehoord dat Coldplay vanavond optreedt in Los Angeles. Het is bijna zes uur. 'Ik wil er absoluut naar toe,' zegt hij. Het is het meest gewilde kaartje in de stad, maar Coldplay staat ook onder contract bij EMI, het label dat wanhopig probeert hem opnieuw te contracteren. Er worden telefoontjes gepleegd; hemel en aarde worden bewogen. Hij heeft wat tijd over, dus stemt hij erin toe om eerst uit eten te gaan met David en Josie en mij.

Ik rijd. Onderweg vraagt hij welke vrouwen ik heb ontmoet in de beroemdhedenwereld die wel 'een goeie' leken. Het duurt even voordat ik doorheb dat hij het heeft over een mogelijk toekomstige mevrouw Williams. 'Ik weet het niet,' zegt hij in de auto. 'Ik heb altijd gedacht dat dit alles op de sprookjesmanier zou eindigen en natuurlijk zou dat met liefde zijn. En ik dacht dat er dingen bij hoorden als "ze is in Los Angeles... en ze heeft haar eigen carrière... en ze begrijpt mijn carrière... en ze is niet op haar achterhoofd gevallen". Maar het wonen hier heeft die mythe ontkracht.'

Er is hier heel veel gekte, zeg ik, terwijl we over Santa Monica Boulevard rijden.

'Ja,' zegt hij. 'Deze stad wordt geregeerd door kinderen.'

De zoektocht naar liefde is een terugkerend thema in zijn laatste nummers. Soms praat hij alsof het een zoektocht is die voorbij is en dan weer alsof het er een is die maar doorgaat. 'De afgelopen tien jaar ben ik de meeste avonden op zoek geweest naar mevrouw Williams,' zegt hij, 'en gek genoeg heb ik haar niet gevonden in Stringfellows of Spearmint Rhino. Ook in de andere plaatsen waar ik naar haar heb gezocht, is ze niet komen opdagen. Ik wil niet meer op stap. Ik wil me gaan settelen. Ik heb drie honden – ik zou graag drie kinderen willen. Ik wil gewoon relaxen. Ik zou een bierbuikje helemaal niet erg vinden en een lekker kleurtje, wat backgammon spelen en sigaren roken. Dat is het. Lekker op m'n luie reet zitten aan de Middellandse Zee.'

Voordat we naar het restaurant gaan, stopt hij bij een chique kledingwinkel, H Lorenzo. Hij heeft besloten dat hij een jasje nodig heeft om te kunnen dragen naar het concert van Coldplay. Hij kiest een bruin met een lange flap achter en een wit hemd. Iets meer dan duizend dollar in iets minder dan vijf minuten.

Dan besluit hij dat hij niet in het restaurant wil zitten, dus gaat hij ergens anders koffie drinken en komt weer bij ons zitten als we bijna klaar zijn met eten. Hier zegt hij dat hij zich heeft bedacht wat het concert van Coldplay betreft. Hij en zijn nieuwe jasje gaan naar huis. 'Ik denk dat ik me toen druk maakte over thuisblijven,' legt hij uit. 'Nu maak ik me druk over uitgaan.'

Pompey heeft een film aangeraden, *Desperado*, dus heeft hij die gehuurd. Hij vond er niets aan.

***

Een van de vele tegenstrijdige waarheden over Robbie Williams die vol overtuiging en herhaaldelijk worden genoemd of geïmpliceerd in de Engelse roddelbladen over het deel van zijn leven dat ze nog steeds het lef hebben om privé te noemen – dat hij een onstuitbare Don Juan is; dat hij eeuwig eenzaam, alleen en ongeliefd is; dat hij overduidelijk stiekem homo is – is dat hij een relatie heeft met Rachel Hunter, model en ex-vrouw van Rod Stewart. Zaken zijn zelden zo eenvoudig, hoewel ze absoluut soms bij hem thuis is als ik er ben, en wanneer hij aan het bellen is, heeft hij vaak haar aan de lijn.

In de loop van deze periode vertelt hij me vier dingen die met haar te maken hebben.

De eerste is dat 'we niet eens weten wat we hebben – het enige wat ik erover wil zeggen, is dat we echt, echt van elkaars gezelschap genieten.'

De tweede, als de roddelbladen hebben gesuggereerd dat wat er dan ook tussen hen is een schijnvertoning is: 'Ik zal dit zeggen – ik ben als de dood om me te binden. Ik word claustrofobisch en loop hard weg, en als ik me dan realiseer dat zij de meest fantastische vrouw is en dat we het samen altijd zo gezellig hebben, mis ik haar echt. Het enige wat ik nog kan zeggen is dat zij de prachtigste vrouw is met wie ik ooit het genoegen heb gehad tijd mee door te brengen.'

De derde is zijn huidige favoriete mop. 'De seks is niet om over naar huis te schrijven.' Pauze. 'Dat is zo jammer, want mijn moeder houdt van zulke brieven.'

En de vierde is een lang en smerig verhaal, bedoeld als waarschuwing.

***

In deze eerste maanden in Los Angeles heeft hij twee keer geprobeerd het voortouw te nemen in de onevenwichtige relatie die hij met de media heeft. Hij deed dat op manieren die nu minder slim lijken dan toen.

De eerste is de onbelangrijkste. Twee van zijn vrienden in Los Angeles, die tot voor heel kort bij hem in huis woonden, vormen een stel – Billy Morrison (tot voor kort drummer in de tourband van The Cult) en Jen Holliday. Ze waren hun huwelijk aan het voorbereiden en Billy vertelde dat je op internet tot priester kon worden gewijd. Waarom liet Rob zich niet inwijden, zodat hij ze kon trouwen? 'Ik dacht, laten we het gewoon maar doen, dat is briljant,' vertelt hij. Hij werd een geestelijke in de Church of the Universal Life en afgelopen maart heeft hij ze getrouwd in de tuin van het Sunset Marquis-hotel op de muziek van *Sweet Emotion* van Aerosmith en *White Wedding* van Billy Idol. Het was prachtig. Verrassend genoeg stelde hij voor dat ze de trouwfoto's zouden aanbieden aan het tijdschrift *Hello* en dat de opbrengst zijn huwelijkscadeau voor het paar zou zijn. Hij werd er zelf niet beter van en hij vond het fijn om hen te helpen. Op dat moment leek het een leuke, onschuldige overwinning, zorgen voor een appeltje voor de dorst voor zijn vrienden door iets wat zo eenvoudig was. Pas later besefte hij wat hij had gedaan. Voor de eerste keer had hij een van de tijdschriften die hij zo haatte, een dienst bewezen; de bladen die ook een van de belangrijkste markten waren voor de paparazzi die hem steeds maar weer kwelden.

Maar het was zijn andere poging, die waar Rachel Hunter bij betrokken was, die er veel meer toe deed.

Je moet weten hoe gek hij die zomer werd van de paparazzi in Los Angeles. (Hoewel hij hier veel minder beroemd is, weten ze allemaal hoeveel geld ze internationaal kunnen verdienen met een Robbie Williams-kiekje.) Als hij bij een AA-bijeenkomst vandaan kwam, stonden daar vier auto's vol paparazzi die foto's van hem maakten terwijl hij de trap afliep. Hij was boos namens zichzelf en woedend namens de mensen om hem heen die in deze situatie werden meegesleept door zijn beroemdheid. 'Er staan veel mensen op die foto die niet willen dat iedereen weet dat zij een drank- of drugsprobleem hebben,' zegt hij, 'maar ze staan op de foto met mij omdat ik er helaas ook zo eentje ben.'

Op een dag, toen hij naar zijn therapeut reed, werd hij gevolgd door drie auto's. Hij kon ze niet naar zijn bestemming leiden – 'Zij had andere beroemde cliënten, ze wil niet dat iemand in de prullenbakken gaat graven en ik persoonlijk wil niet dat ze erachter komen dat dit de plek is waar ik al mijn diepste, intiemste, donkerste geheimen vertel' – dus ging hij naar Saks, het warenhuis. Hij kon ze daar niet afschudden, dus ging hij naar Neiman Marcus en vroeg de vrouw achter de cosmeticabalie een taxi te bellen. Hij liet zijn eigen auto staan, dook weg op de achterbank van de taxi en slaagde erin zijn therapeut ongezien te bereiken.

Een tijdlang leken ze overal te zijn. Het begon hem steeds meer te irriteren en hij wilde steeds meer een manier vinden om ze terug te pakken. 'Ik ben nogal prestatiegericht,' zegt hij. 'Verdomde prestatiegericht trouwens. En als ik denk dat iemand bij mij de overhand krijgt, hoe dan ook, wil ik een manier vinden om ze te verslaan. Dus, dit speelt allemaal en ik ben altijd wanhopig op zoek geweest naar een manier om te winnen. Een manier om het spel te winnen dat ze met me spelen. Ik ben een *pion* in het spel dat ze met me spelen, ik ben geen mens, weet je. Ze denken niet na over de gevolgen van een artikel over mij en mijn vader, ze denken niet aan de gevolgen als ze schrijven over de inhoud van mijn moeders huis terwijl zij daar in haar eentje woont, ze denken niet na over de gevolgen als ze vermelden waar Geri Halliwell woont en er wordt de volgende dag bij haar ingebroken. Ik bedoel, als ik dood zou gaan, zou het een goed stuk opleveren, snap je wat ik bedoel? En ik kan niet snel genoeg op m'n bek gaan. Dus je hebt eigenlijk te maken met de duivel, vind ik. Je hebt te maken met mensen die je willen zien sterven. En om dat 24 uur per dag om je heen te hebben, zoals toen het geval was, kan heel frustrerend zijn als je op geen enkele manier kunt winnen. En de enige manier waarop je kunt winnen, is door het gewoon maar te accepteren, maar dat is zo verrekte moeilijk.'

Die zomer was dat niet de weg die hij had gekozen.

Hij begon net wat meer tijd door te brengen met Rachel Hunter, hoewel het allemaal nog heel pril was en ze nog niet wisten of dit iets meer dan een vriendschap zou kunnen worden. Ze had kaartjes voor de Lakers. Hoewel de Lakers verloren, vond hij de ervaring fantastisch, zo dicht bij het veld. Maar toen ze het Staples Center met zeventienduizend mensen verlieten, liepen ze tegen zo'n vijftien paparazzi aan. 'Ze waren allemaal aan 't flitsen,' zegt hij. 'Ze noemen het flitsneuken. De zeventienduizend mensen die uit het Staples Center weggaan, denken allemaal "Wie is dat?" en iedereen wil even kijken en het is zo claustrofobisch als de hel en het is zo ongelooflijk gênant en daarnaast heb je nog eens vijftien kerels die zich aan je opdringen. Ze behandelen me als uitschot, alsof ze geen hol om me geven. En dat doen ze ook niet. En ik kan er niets aan doen, want als ik een van hen sla, word ik afgevoerd en kost het me vijfhonderd mille en misschien zelfs een gevangenisstraf.'

En een betere foto voor de andere veertien. Hij droeg zijn petje laag, zodat ze geen goede foto konden maken van zijn gezicht. 'Wat ze vreselijk vinden,' zegt hij. 'En plotseling krijg ik een mep op mijn achterhoofd.' Een van hen was langs hen heen gelopen en had z'n pet gepakt en was ermee weggerend. Nu was hij zo boos dat hij maar stopte. Hij stond daar maar, ziedend, verslagen, maar uitdagend. 'Goed,' zei hij tegen hen. 'Neem je foto's.' Hij bedacht zich dat het gewoon niet de moeite waard was; niets. Uiteindelijk stapte hij in de auto. Het enige wat hij wilde doen, was huilen.

Toen hij daar zo stond voor de camera's dacht Rob ook na over de gevolgen. Tot dusverre hadden hij en Rachel een paar onschuldige avonden gedeeld, een paar potjes scrabble gespeeld en een beetje handjes vastgehouden. Nu zou het in alle bladen komen te staan en iedereen zou erbij worden gehaald: haar ex-man, haar kinderen.

Later bleek dat het toch al te laat was. Een fotograaf had een dag eerder, toen ze aan het bowlen waren, al foto's van hun tweeën genomen. Hun vermeende affaire stond in alle roddelbladen en tijdschriften. Hij hoorde dat de bowlingbaanfoto's wereldwijd een miljoen pond hadden opgeleverd. 'Ben je ooit wel eens lastiggevallen voor een miljoen pond?', vraagt hij. (David Enthoven zegt dat hij denkt dat de opbrengst eerder iets als honderdduizend pond was: ook heel veel geld.)

Toen kreeg Rob het idee. Het leek een prachtidee – een manier om ervoor te zorgen dat de paparazzi hem met rust zouden laten en waarbij hen tegelijkertijd een kunstje werd geflikt: 'Ik zei, kijk, als we ze geven wat ze willen – *precies* wat ze willen – dan zou er geen reden zijn voor hen. Als we ze alles geven, gaan ze niet rondhangen en kunnen ze er geen geld mee verdienen.' Hij en Rachel praatten erover en het leek zo'n grappig en goed idee. 'We waren opgewonden als schoolkinderen,' zegt hij. De volgende dag deden ze het.

Ze poseerden op een ligstoel bij Robs zwembad, Rachel topless en Rob streelde en kuste haar op verschillende manieren: de beste, intiemste, heimelijke paparazzifoto's die je je kunt voorstellen en die een nieuwe affaire onthullen. 'We deden het in onze broek van het lachen,' herinnert hij zich. 'Het was allemaal heel onbezonnen.'

Vanaf het begin waren enkele mensen tegen dit plan; Tim Clark protesteerde het felst. Hij waarschuwde Rob dat hij een pact sloot met de duivel en zei dat er ongelukkige gevolgen zouden kunnen zijn, maar uiteindelijk realiseerde hij zich dat Rob vastbesloten was om het op deze manier te doen, met of zonder de hulp van IE. De zwembadfoto's zouden worden aangeboden aan de roddelbladen als authentieke paparazzifoto's en er ontstond een biedoorlog. 'Iedereen wilde ze,' zegt Rob. '*Ieeeedereen.*'

In Groot-Brittannië werden ze gekocht door *News of the World*, waardoor Tim Clark zich ineens in de zeer vervelende positie bevond om aan de telefoon te moeten liegen tegen de redacteur van *News of the World* en moest bevestigen dat de foto's echt waren en geen doorgestoken kaart. 'Het druiste tegen al mijn principes in,' weet hij nog. 'Maar uiteindelijk zou Rob ermee doorgaan en wij vonden dat het dan op een zo veilig mogelijke manier moest gebeuren. Natuurlijk had ik veel begrip voor zijn gevoelens over hoe de pers hem had behandeld en dat maakte het iets gemakkelijker. En volgens mij was ik degene die zei dat het geld naar een goed doel moest, maar ik voelde, en voel, me er heel ongemakkelijk bij, dat hele gedoe van het verlagen tot hun niveau.'

Het werd met schreeuwende koppen gebracht op de voorpagina van *News of the World*. Ze schreven gewoon een verhaal bij de foto's en vertelden uitvoerig wat er volgens hen aan de hand was en beschreven de verschillende stadia van de twee nieuwe minnaars knuffelend bij een hotelzwembad – wat zij veronderstelden – terwijl gasten af een aan liepen.

Het voelde op dat moment misschien als een triomf, maar later veranderde dat in een rotgevoel. De andere overtroefde roddelbladen roken lont of ze compenseerden eenvoudigweg voor het feit dat de scoop aan hun neus voorbij was gegaan. 'Het was allemaal "ziekelijke stunt", "Robbies seksschandaal", "publiciteitsstunt",' zegt hij. 'Het ging helemaal verkeerd.' De spijt kwam. 'Ik voelde me heel erg smerig,' zegt hij. 'Ik had het gevoel dat we een gigantische fout hadden gemaakt. Ik dacht: wat moeten de mensen wel niet van me denken?'

Drie dagen lang spookte het verschrikkelijk door z'n hoofd en daarna besloot hij dat het hem niets kon schelen. Maar hij besloot wel de vervolgen te annuleren die ze hadden gepland. De eerste hadden ze al gefotografeerd. Als iedereen er zo van overtuigd was dat hij homo was, besloot hij om ze dat verhaal dan maar te geven en dus poseerde hij met een mannelijke vriend hand in hand terwijl ze uit Gay Mart kwamen. (Ze hadden ook al nagedacht over andere vervolgen. Misschien kon hij ruzie maken met Rachel en dan haar zuster kussen.) 'Mijn gedachten hierachter waren,' herinnert hij zich, 'om de markt met zoveel materiaal te overspoelen dat ze niet meer weten wat ze kunnen vertrouwen en dat ze dan stoppen met het nemen van foto's.' Ze kunnen de pot op. 'Bijna iedereen denkt toch al dat alles wat ik doe een publiciteitsstunt is,' zegt hij. 'Als ik zogenaamd een relatie met Nicole Kidman heb, is het een publiciteitsstunt. Als ik met Rachel Hunter omga, is het een publiciteitsstunt. Als ik 's morgens m'n bed uitstap en naar de wc ga, is het een publiciteitsstunt.'

Maar de Gay Mart-foto's werden vernietigd, alle andere plannen werden ingetrokken en er werd nooit over de kwestie gesproken. Hij heeft de opbrengsten – een bedrag van zes cijfers – niet voor zichzelf gehouden. 'Ik heb een harde les geleerd,' zegt hij.

Ironisch genoeg heeft het op een bepaalde manier wel gewerkt. Hoe dwaas het ook was, de markt voor foto's over zijn leven had er wel een tijdje onder te lijden. Niemand verwachtte nog iets sensationelers te krijgen dan wat er al was en in de paar maanden daarna zag hij minder paparazzi dan jarenlang het geval was geweest.

5

We leven in psychotische tijden wat roem betreft, een vreemde en onstabiele periode in de geschiedenis van faam. Een periode waarin er te veel roem is en te veel nonsens en hysterie eromheen. Een periode waarin te veel mensen te onhoudbaar en te onoprecht opgewonden raken van roem en beroemdheden.

Op een gegeven moment werden roem en succes losgekoppeld. Toen het nog was gekoppeld aan succes, werd roem op de een of andere manier in toom gehouden – het werd veranderd door behoefte aan een collaterale prestatie en fungeerde als een soort van *reality check*. Het verband tussen roem en prestatie mag dan allang een onstabiele zijn – vooral omdat de hoge kringen die traditioneel het oordeel over prestatie bepaalden, weinig waarde zagen in degenen die het publiek het beroemdst vond (popsterren, televisieacteurs en -actrices, bijvoorbeeld) – maar er was nog steeds een soort van tegenzin om iemand als beroemd te beschouwen, tenzij die persoon iets had gedaan dat op z'n minst een beetje opmerkzaam was.

Maar in de afgelopen tien jaar is de band tussen prestatie en roem verbroken. Een beroemdheid kan nu plotseling iemand zijn die *bekend* is, en ze hoeven alleen maar bekend te zijn omdat ze een beroemdheid zijn. (Het gedoe over Elizabeth Hurley aan het begin van de jaren negentig toen dit verband begon te vervagen en de ogenschijnlijke verontwaardiging dat ze beroemder zou zijn door het dragen van een jurk die niet veel voorstelde dan door een bescheiden acteercarrière, lijkt nu ongepast en curieus.) Roem is lelijk geworden. Het is verachtelijk geworden, zowel door de invloed als door de zinloosheid ervan.

Dit heeft consequenties voor mensen als Rob, die zouden willen dat de roem die ze hebben van het ouderwetse soort is. In dit tijdperk van oververhitte roem is het niet gemakkelijk voor iemand met zijn karakter om beroemd te zijn. Er zijn meer tijdschriften, en meer bijbehorende media, dan ooit tevoren die verslag uitbregen over de handelingen, bewegingen en tekortkomingen van de beroemdheden, en meer paparazzi en roddelverspreiders die er voedsel aan geven. Daarnaast is er meer dan ooit tevoren een wijdverspreid scepticisme in deze schaamteloze tijden ten opzichte van iedereen die beweert zich ongemakkelijk te voelen bij zijn roem. Ook, zelfs nu steeds meer mensen worden beschouwd als beroemdheden, lijken ze gedevalueerde bankbiljetten te zijn in een land dat heeft geprobeerd een recessie te voorkomen door geld te drukken: niet alleen lijkt elke beroemdheid minder waard te zijn, maar de hele wereld van beroemdheden lijkt te zijn gedevalueerd en bezoedeld.

Vervelender is dat onder de schaduwen van deze uit de hand gelopen toename van interesse in beroemdheden er een opleving van vijandigheid tegen beroemdheden is geweest. Terwijl meer en meer mensen al dit gedoe over roem – de tijdschriften en de televisieprogramma's – tot zich nemen, hebben ze in toenemende mate afkeer van roem en de beroemdheden. Ze kopen de tijdschriften en tegelijkertijd roepen ze in koor dat het belachelijk is hoeveel eindeloze, zinloze nonsens er is over roem; ze reageren hun verlangen af op het onderwerp.

Het is alsof wij, als maatschappij, verslaafd zijn geraakt aan roem en nu het onderwerp en het wezen van onze verslaving verafschuwen. We haten de beroemdheden omdat ze onze aandacht vragen, zelfs als ze dat niet doen. We zijn boos dat ze ons vijftienhonderd kilometer hebben laten rijden en toen weigerden ons een handtekening te geven, zelfs als dat niet het geval was. We zijn altijd aan het mopperen. 'Hoe durven jullie ons zo te behandelen?', zelfs als ze dat niet doen. En als dit – de absurde aandacht zelf of de minachting die daardoor ontstaat – de beroemdheden op de een of andere manier kwetst of slecht van pas komt, wat kan het schelen? Zij hebben al het geld en de roem en zij schitteren overal en voelen zich de hele tijd goed en ze wilden dit allemaal zelf.

Steeds meer is de afschuw te lezen in de tijdschriften. De laatste rage zijn foto's van beroemdheden als ze er op hun slechtst uitzien: elke zweetvlek, elke dubbele kin, elk vlekje, elke rimpel achter op de dijen wordt tot groot genoegen voorgeschoteld als amusement. Er wordt een allegaartje aan excuses gebruikt om dit alles te rechtvaardigen: dat beroemdheden beroemdheden zijn en dus immuun zijn voor het leed waarmee ze worden overladen; dat de meesten nutteloos, talentloos en ijdel zijn en het dus verdienen om te worden gedwongen een paar toontjes lager te zingen; dat deze foto's aantonen dat ze, in de briljant cynische en onoprechte zin die werd gebruikt om een minder onge-cultiveerde versie hiervan te rechtvaardigen in het Amerikaanse tijd-schrift US, 'net als wij' zijn. Naast zijn intrinsieke gemeenheid heeft deze nieuwe fase ook een nieuwe markt gecreëerd en heeft de paparazzi nieuwe prikkels gegeven: een fotograaf hoeft niet langer te hopen op een nieuw kapsel of een kus of een ruzie om een 'big money'-foto te kunnen maken. Als hij z'n camera maar lang genoeg gericht houdt op de beroemdheden, is hij maar één rare gezichtsuitdrukking of onbe-waakt neuspulkmoment verwijderd van een goed betaalde werkdag.

Het is niet dat Rob altijd een perfect afgewogen, heilig pad heeft geko-zen. Soms lijkt hij op een behoeftig, onzeker, tegenstrijdig egoïstisch iemand die geliefd wil zijn en die met rust wil worden gelaten, op de momenten die hem passen. Hij weet dat; hij is de eerste die dat geheim zal doorvertellen. Maar dit zijn ongewone en moeilijke tijden om beroemd te zijn en om een veilig, verstandig en waardig pad te vinden door de onverzadigbare en onlogische eisen, vooral als je kwetsbaarheid toont wanneer je je geconfronteerd ziet met de aanvallen ervan.

✳✳✳

Op een dag kom ik bij zijn huis, zoals afgesproken om twee uur 's mid-dags, maar er is niemand die ik ken – zelfs Pompey is er niet. Zijn kok brengt me naar de tuin en biedt me een kop koffie aan. Later blijkt dat hij dacht dat ik een nieuwe bodyguard was.

Ik ga lezen en kijk hoe een werkman morrelt aan de pomp die water via een goot en een rotsformatie naar het zwembad laat gaan. Ongeveer een uur later hoor ik een stem van boven die me roept. Door de takken heen zie ik Rob op zijn balkon staan. Hij begint te kletsen. Na een poosje lijkt het me wel zo beleefd om even te melden dat hij naakt is.

'Dat werkt heel bevrijdend,' legt hij uit.

Een paar minuten later is hij beneden en vraagt of ik kan pokeren. We zitten buiten. Op zijn pak kaarten staan foto's van beroemde vrouwen die op de cover van het Britse tijdschrift *Esquire* hebben gestaan, wat iets vreemds toevoegt aan het spel: vaak hangt dertig of veertig dollar af van een paar Gwyneth Paltrows of drie Nicole Kidmans.

Hij kan er niet over uit hoe rustig het is. Hij lijkt er heel blij mee te zijn, maar ook bezorgd.

'Voor de storm?' vraagt Pompey, die halverwege aan het spel komt meedoen.

'Waarschijnlijk,' zegt hij.

Rob staart naar de noordelijke heg van zijn terrein, een paar meter bij ons vandaan.

'Wat is dat voor stenen ding?' vraagt hij.

'Weet ik niet,' zegt Pompey.

'Heb je het al wel eens eerder gezien?'

'Nee,' geeft Pompey toe.

We leggen onze kaarten neer en sluipen ernaar toe – we gedragen ons als personages uit een Peter Sellers-film – alsof het verweerde beeld 'm plotseling kan smeren als het ons ziet aankomen. Wanneer we er zijn, staren we er alleen naar. Het is nog steeds een standbeeld. Het zal er altijd wel hebben gestaan, hoewel Rob en Pompey het nog nooit eerder hebben gezien. Wanneer je een groot huis en een druk leven hebt, is het moeilijk om zulke dingen bij te houden. Rob haalt z'n schouders op. 'Het is wel mooi, of niet?' zegt hij.

Pompey wint met pokeren, maar na een poosje heeft Rob er genoeg van en begint te wedden met zijn kaarten zonder ze te bekijken. Hij is al snel platzak. Pompey en ik gaan door totdat hij de rest van mijn geld heeft. Na een paar minuten kijk ik naar Rob. Hij zit in een stoel in de zon, achter zijn Hollywood-huis, bij zijn zwembad, te bladeren door een pak bankbiljetten. (Het is maar een paar honderd dollar, veel biljetten van vijf en één dollar van de incidentele blackjackavonden die hij thuis organiseert, waarbij hij meestal fungeert als gever en bank.) Ik staar naar hem. Hij kijkt op, ziet wat ik zie en begint te lachen: de popster in Los Angeles naast zijn zwembad in de zon die zijn geld telt.

✳✳✳

De telefoon gaat. Het is Steve Jones van The Sex Pistols, iemand met wie hij hier een tijdje omging. Rob was eens uitgenodigd om bij Jones thuis naar een wedstrijd van Chelsea te kijken. Jones deed de deur open, volledig naakt, en nodigde Rob uit binnen te komen. Geen van hen begon over zijn gebrek aan kleding. 'Hij zit bij het zwembad, krabt aan zijn lul en dan gaan we naar het voetbal kijken,' zegt Rob en voegt er dan aan toe, alsof hij denkt dat dat van hem wordt verwacht: 'ik zou dat heel graag willen doen, maar mijn lul is niet zo groot als die van Steve Jones.'

Rob vertelt dat hij zijn laatste erge terugval had na het zien van de film van The Sex Pistols, *The Filth And The Fury*, tijdens de première in Londen. Hij was al acht of negen maanden clean. 'Als het die avond niet was gebeurd, was het de week daarop gebeurd, omdat het me niets kon schelen,' zegt hij. 'Ik had het waarschijnlijk gewoon gehad met het gevoel normaal te zijn.' Er is iets met de geest van punk die dat in hem naar boven brengt. Hij moet oppassen met dat grote koffietafelboek over punk dat hij heeft; het brengt denkpatronen op gang die hij niet vertrouwt. 'Ik denk dat rigoureus afstand doen wel eens de sleutel kon zijn tot alle kwaaltjes,' zegt hij. 'Maar ik weet dat het niet zo is. Soms moet ik stoppen met het kijken naar dingen.' Hij draaide *Sex and Drugs and Rock and Roll* van Ian Dury heel veel, omdat de tekst zei dat *'sex and drugs and rock and roll are very good indeed'* en het zou hem onveranderlijk inspireren om zich dienovereenkomstig te gedragen. Toen beschouwde hij veel nummers als instructiehandleidingen, directe bevelen om in actie te komen. Hij was behoorlijk van z'n stuk gebracht toen hij er later achterkwam dat Ian Dury, met wie hij vriendschap mee sloot toen ze allebei voor Unicef in Mozambique waren, helemaal geen drugs gebruikte.

✳✳✳

Na het kaarten zitten we in de zon en praten we over toen hij voor het eerst op zichzelf stond en beroemd was; hoe boos en wantrouwig hij leek te staan tegenover zijn roem.

Het was, zeg ik, alsof je het te gek vond, maar er geen minuut in geloofde...

Hij knikt. 'Nee,' zegt hij.

... maar er tegelijkertijd wel intrapte.

'Ja. Natuurlijk. Daarom deed ik het.' Hij denkt even na. 'Ik probeer me te herinneren waarom ik het deed toen ik een kind was.' Hij denkt nog meer na. 'Omdat ik er goed in was.'

: 44 :

Om mensen van je te laten houden?

'Ik kan niet zeggen omdat ik het al doe vanuit de kinderwagen. Blijkbaar lachte ik al veel in de kinderwagen omdat ik wist dat ik dan een ijsje kreeg van vreemden die voorbijkwamen op Guernsey waar mijn vader een zomerseizoen werkte. Ik danste altijd in de kinderwagen. En toen zingen. Ik kan me daarom niet herinneren waarom, o... dit is hetzelfde als liefde.'

Ik vraag hem – het is een rare vraag, maar ik wil het antwoord wel horen – of hij in bepaalde opzichten nog steeds probeert een ijsje te krijgen van die vreemde op Guernsey?

'Waarschijnlijk wel.' Hij lacht. 'Ik weet het niet.' Hij begint te giechelen. 'Vijf jaar geleden zou ik waarschijnlijk hebben gezegd dat het allemaal een wanhopige behoefte aan liefde was.'

En zou je dat hebben gezegd omdat het wel grappig was, omdat het eigenlijk waar was of omdat het mensen ervan weerhield dieper te spitten in dingen die niet waren te bevatten of die niet konden worden verteld?

'Ik zie het zo... mijn moeder hield echt van mij en mijn oma's waren dol op me en wanneer mijn vader er was, hield hij ook van mij. Ik werd niet verkracht. Ik was gewoon – ik weet dat het klinkt als "steek je vingers achter in de keel" – verdomde gevoelig. Ik ben gevoelig geboren.'

❋❋❋

Een helikopter vliegt laag over de kam van de heuvel.

'Neeeee...' zegt Rob, en zijn gezicht betrekt volledig, alle humor waarmee hij zich altijd redt, lijkt compleet te zijn verdwenen. Hij kijkt omhoog. 'Als hij gaat cirkelen, is het zover,' zegt hij.

Als ze hem hebben gevonden, verandert alles.

Hij vliegt door. Deze keer.

❋❋❋

Hij laat me de tatoeages zien die hij aan de binnenkant van elke pols heeft. Rechts 'Jack', links 'Farrell'. Jack Farrell, de vader van zijn moeder.

'Hij overleed toen ik vijf jaar was,' zegt Rob. 'En hij was helemaal fantastisch. Hij was een prachtvent. Ik denk dat toen mijn vader wegging en ik alleen met mijn moeder en mijn zus was, hij bang was dat ik homoseksueel zou worden, dus lokte hij me steeds uit om met hem te vechten. Weet je, hij kwam uit Stoke-on-Trent. "Spring op en neer op het bed, jongen! Nu, boksen! Boksen! Boksen!"'

Als hij de studio binnenloopt, zegt hij, 'Laten we *Nan's Song* doen voordat ik te onrustig word.' Hij zegt tegen Guy: 'Vandaag is een goede dag in LA, man. De vibes zijn goed.' Hij legt het nummer snel en op een ontroerende manier vast; wanneer hij klaar is, klinkt er applaus.

'Zo,' zegt Guy, 'van het sublieme naar het absurde.' Het is tijd om het nummer *The World's Most Handsome Man* te zingen, dat wordt gezongen in de eerste persoon. 'Het is gewoon zelfspot,' legt Rob uit. 'Mensen hebben dit beeld van me: ik ben verdomde arrogant, laat-dunkend, heb te veel zelfvertrouwen en denk dat ik het helemaal ben.' Dus is dat precies hoe hij zichzelf presenteert, tot de stukken van het nummer waarin hij enig licht laat schijnen op de leegte te midden van al die bravoure. '*If you don't see me, I don't exist,*' zingt hij op een gege-ven moment. '*It's not very complicated,*' zingt hij op een ander moment, '*I'm just young and overrated.*'

'Dat is er maar ingezet voor het geval iemand volledig de ironie mist van wat er wordt gezegd,' zegt hij. 'Omdat heel veel mensen het gaan horen die niet goed luisteren en dan denken "verwaande klootzak".'

Denk je in je donkere momenten echt dat je 'jong en overschat' bent?

'Ja. Ja. Dat was altijd al zo.'

Hij gaat de opnameruimte weer in, het licht gaat uit en zijn stem weerklinkt uit het duister.

'*… it's hard to be humble when you're so fucking big… did you ever meet a sexier male chauvinist pig…?*'

Aan het einde van de opname doet de studioassistent het licht weer aan zonder Rob te waarschuwen. Hij is naakt.

Terug in de regelkamer krijgt hij abrikozen en pompoenpitten aange-boden. De pitten roepen herinneringen op.

'In Take That at ik altijd pompoenpitten met Jason Orange,' zegt hij. Hier ziet hij de kans voor een beetje melodrama om de middag door te komen. 'Dat is alles wat we hadden,' zucht hij. 'Vogelvoer en water als ontbijt. Brood en azijn. Dat was het. Ze sloten ons op in een garage-box in Salford.'

'Ik dacht dat jullie altijd hondenvoer kregen,' zegt zijn vriend Max Beesley die binnen komt wippen.

'Hondenvoer kregen we toen we onze eerste nummer één hit hadden,' corrigeert Rob. 'Nigel Martin-Smith dwong ons al zijn onder-broeken te wassen.'

***

'De eerste keer dat Gary Barlow op televisie kwam,' zegt hij, 'was hij zo onsexy dat ze hem moesten opnemen vanaf zijn middel naar beneden.'

Hij is gek op die uitspraak. Hij heeft hem een tijdje geleden bedacht. Hij is er alleen nog niet over uit of hij het liever zegt over Gary Barlow of over Noel Gallagher.

Barlow... Gallagher... Barlow... Gallagher...

Noel Gallagher, besluit hij.

'De eerste keer dat Noel Gallagher op televisie kwam,' zegt hij, 'was hij zo onsexy dat ze hem moesten opnemen vanaf zijn middel naar beneden.'

'Het is zo ontzettend grappig,' zegt hij. 'Vergeleken met "hij is een dikke danser uit Take That". Dus ik win weer...'

***

Zijn korte vriendschap met Oasis begon aan het einde van zijn tijd bij Take That. In eerste instantie kon hij beter opschieten met Noel, maar dat veranderde al snel. 'Eerst was ik Noels maatje, hij belde me op, klopte op mijn hoteldeur – "Kom naar *Top Of The Pops* met ons" – daarna hield hij me op een afstandje en sloot ik vriendschap met Liam.' Een tijdje was het fantastisch. 'Liam en ik gebruikten volop drugs en zongen dan samen *Sgt Pepper* in de keuken. Maar Liam was zo ongelooflijk paranoïde over alles en ik was gewoon iemand anders over wie hij paranoïde kon doen, ook al waren we vrienden. Het is vreselijk sneu voor hem. Hij was op dat moment de grootste icoon ter wereld en hij zat er echt doorheen en ik zag dat hij er doorheen zat. Het was gewoon triest om te zien dat hij niemand vertrouwde en dat ook niet kon. In Londen heb je zo'n kerngroep met de beste bloedzuigers en ze zogen zich aan hem vast.' Hij zucht. 'Een hele treurige periode, trouwens, omdat ik naar de klote was. Ik moest dinsdags om vijf uur 's middags cocaïne hebben. Ik was gewoon het vermogen om nee te zeggen kwijt.'

De hatelijkheden begonnen al snel. Rondhangen met die vroegere Take That die naar de klote was, was niet grappig meer. 'Daar wond ik me het meeste over op,' zegt Rob, 'omdat ik een tijdje echt gek op ze was en ze bewonderde.' De strijd escaleerde het duidelijkst met Liam. Ze wisselden gemene beledigingen uit via de pers en Rob bood aan om het in de ring uit te vechten voor een bedrag van honderdduizend pond, dat naar het goede doel zou gaan. Toen raakte het vroegere vriendinnetje van Rob, Nicole Appleton, zwanger van Liam en plotseling leken alle vijandigheden idioot. Rob en Liam praatten met elkaar en ze besloten ermee te stoppen.

Noel is echter nooit gestopt. Het lijkt hem razend te maken dat Oasis ooit werd geassocieerd met Robbie Williams (en dat ze zelfs kort een podium hebben gedeeld in Glastonbury). 'Hij hakt er nog steeds expres op in,' zegt Rob. 'Ik word in elk interview genoemd. Ik vind het wel grappig dat ik zoveel ruimte in beslag neem in zijn hoofd.'

En daarom mag hij, af en toe, graag terugslaan.

✳✳✳

In de regelkamer van de studio, buiten gehoorafstand van Rob, bespreken de aanwezigen de voor- en nadelen van nieuwe, hyperactieve, alom aanwezige Robbie Williams.

'Hij was veel beter toen hij dronken was.'

'Hij kwam binnen en maakte een nummertje met de receptioniste...'

'... en kraste dan weer op.'

'Bemoeide zich met z'n eigen zaken. Hij lag altijd onder de mengtafel.'

'Blikken Guinness.'

'Dat waren nog eens tijden. Nu is het "hier moet een tekstwijziging komen... daar een extra string..."'

'"De hi-hat is te hard..."'

✳✳✳

Rob wil aan het einde van de studiodag nog niet naar huis en neemt ons daarom mee naar de Coffee Bean op Sunset Boulevard – David, Pompey, Chris Briggs en ik.

Voordat hij zijn vierdubbele espresso op heeft, is hij al behoorlijk opgefokt. Hij leunt achterover in de stoel – we zitten buiten, het is nog lekker warm – en zegt met een grappig stemmetje: 'Zie je die wolk boven de maan? Weet je, als je creatief bent, zie je dingen die andere mensen niet zien. Ik zie de wereld anders. Echt. Ik zie vreemde *nuances* in de nacht...'

Plotseling kondigt hij aan dat hij wil dat de producers op zijn album worden vermeld.

'Zal dat problemen geven?' vraagt hij.

'Hoe wil je worden genoemd?' vraagt David voorzichtig.

'Ik wil mijn naam zien staan in *Music Week*: "Power/Chambers/Williams",' zegt hij. 'Ik heb dingen gezegd als "zet dat zachter, zet dat harder, laat dat erin, haal dat eruit". Dat is toch productie, of niet?' Hij ziet de uitwisseling van nerveuze blikken over de tafel. 'Gaat dat gedoe veroorzaken?' vraagt hij.

Niemand zegt ja, maar ook niemand zegt nee.

'Oké,' zegt Rob, 'wat valt er onder productie?'

'De hele dag in de studio zitten, je doodvervelen,' zegt Chris Briggs.

'Dat heb ik gedaan!' zegt hij.

'Productie is wat Guy en Steve hebben gedaan,' zegt Chris. 'Al het gedoe met de technicus, hoe het moet worden opgenomen...'

'Ja en, dat heb ik gedaan,' werpt hij tegen. Hij ziet iets in Davids blik wat hij interpreteert als afkeuring. 'Kijk verdomme niet zo!' zegt hij tegen David. 'Dat heb ik *gedaan*.' Aan Davids gezicht valt nog steeds af te lezen dat dit een onrealistische eis is. 'Wat moet ik de komende twee weken doen om die namen genoemd te krijgen?' vraagt Rob, maar er komt geen antwoord en daarna is het moment voorbij. (*Escapology* wordt uitgebracht met de gebruikelijke vermelding op de albums van Robbie Williams, namelijk 'geproduceerd door Guy Chambers en Steve Power'.)

Rob drinkt met kleine teugjes van zijn espresso. 'Ik mis Jonny,' zegt hij en er klinkt instemmend gemompel. Hij en Jonathan Wilkes kennen elkaar al sinds Rob acht was en Jonny drie. Ze zijn al bijna tien jaar elkaars beste vriend; Jonny was bij hem tijdens de meeste ups en downs van de afgelopen paar jaar. Maar hij is in Los Angeles en Jonny zit voornamelijk in Groot-Brittannië vanwege zijn carrière. Een poging om popster te worden, is mislukt nadat de ene single van Jonny, *Just Another Day*, wel een hit werd, maar niet groot genoeg; ze lieten hem vallen en het album dat hij had gemaakt, werd nooit uitgebracht. Maar nu gaat het de goede kant op – hij is een groot deel van het jaar in Groot-Brittannië op tournee geweest met *Godspell* en hij bereidt zich nu voor op de hoofdrol in *The Rocky Horror Picture Show*.

Rob verandert van onderwerp. De onderhandelingen over een platencontract zijn in volle gang, maar elke voorlopige afrondingsdatum verstrijkt. Rob legt nu uit aan David Enthoven dat hij weigert te tekenen bij EMI in Amerika omdat ze in het verleden zulk slecht werk voor hem hebben gedaan. Weer zijn er blikken. Niemand spreekt hem tegen, maar uit de stiltes wordt heel duidelijk dat het ze wel eens in een heel lastig parket kon brengen wanneer ze de optie om opnieuw te tekenen bij EMI van tafel vegen.

'Het is *mijn* contract,' zegt hij resoluut.

De tafel valt stil.

'Ik zit alleen maar te ouwehoeren, stuk gereedschap,' zegt hij tegen David.

✳✳✳

Zijn slaapkamer is de grootste kamer in het huis; een groot tweeper-soonsbed in het midden, vanwaar je, wanneer het intrekbare projec-tiescherm omhoog is, uitzicht hebt op de vallei en de bergen erachter. Hij heeft geprobeerd daar te slapen, omdat hij denkt dat het de kamer is waarin hij zou moeten willen slapen, maar wanneer hij alleen in dat bed ligt, heeft hij er moeite mee. Te groot. Te veel dingen om te zien. Te veel ruimte in de ruimte om over na te denken. Hij is opgegroeid in een bergruimte en hij is eraan gewend om te slapen met een muur naast hem en een muur naast die muur. Steeds vaker – net als van-avond – geeft hij voor zonsopgang het gevecht op en kruipt hij in een van de kleinere slaapkamers. Dan voelt hij zich pas veilig genoeg om te gaan slapen.

6

Vandaag komt hij rechtstreeks vanuit een vergadering met een van de vijf grootste platenmaatschappijen ter wereld naar de studio. Rob bevindt zich op dit moment in een ongebruikelijke positie voor een succesvolle artiest. Hij is een 'free agent' en iedereen wil hem hebben. De meeste succesvolle artiesten onderhandelen regelmatig opnieuw over hun contracten, waarbij ze toekomstige vrijheid ruilen voor grotere directe beloningen. Hij heeft dat niet gedaan. Hij heeft zijn eerste contract met EMI afgemaakt en betaalt zelf voor dit nieuwe album terwijl hij en zijn managers rondkijken naar de beste nieuwe deal. EMI zou hem graag opnieuw willen vastleggen, maar alle andere grote platenmaatschappijen zijn ook geïnteresseerd.

Deze andere maatschappijen zijn voornamelijk gevestigd in Ameri-ka, een van de weinige landen waar hij tot nu toe weinig succes heeft gehad en waar niet elke platenbons hem dan ook automatisch kent. Dit heeft enkele typische, amusante voordeeltjes. Er zijn niet veel ande-re bedrijfstakken waarin iemand zo hard z'n best doet om een bedrag van acht cijfers uit geven, terwijl ze het geen probleem vinden dat ze zo weinig afweten van het onderwerp van hun voorgenomen investe-ring, maar de platenwereld blijft een vreemde, ouderwetse mix van passie, flair en potentie vermengd met onvoorstelbare onwetendheid, inefficiëntie, bluf en geouwehoer. Dus, tijdens de vergadering van van-daag, die volgens Rob tot dan toe goed was gegaan, noemt hij zijn idee dat hij, als onderdeel van een poging om door te breken op de Ame-rikaanse markt, een nieuwe versie wil opnemen van *Angels*.

'Welk nummer is dat?' vraagt een van de belangrijkste mensen uit de Amerikaanse platenwereld.

Het is natuurlijk zijn bekendste nummer en het is het nummer dat zijn solocarrière lanceerde. Veel erger dan het feit dat ze dat niet weten, is dat het ze volledig onverschillig laat dat ze het niet weten. Ze verkopen hun grote plannen die ze met hem hebben aan hem, terwijl ze niet eens schijnen te weten wat hij doet, wat hij heeft gedaan of wie hij is. Hoe kunnen ze zijn waarde voor hen beoordelen als zij hier geen idee van hebben? Specifieker nog, hoe kunnen ze zijn kansen op Amerikaans succes inschatten als ze geen idee hebben waarom zijn meest commerciële nummer *Angels* in Amerika niet deed wat het wel deed in zo veel andere landen? Ze lijken alleen een klein deel van zijn verleden te kennen, de videoclip bij *Rock DJ*, waarin hij zichzelf helemaal uitkleedt en dan doorgaat met zich uitkleden en zijn huid, vlees en spieren eraf rukt in een wanhopige poging om een verwaande vrouwelijke DJ te imponeren. Daarin lijken ze te zijn geïnteresseerd. 'Heel cathartisch, huid eraf trekken,' zeggen ze.

'Nee,' corrigeert hij ze. 'Ik wilde gewoon dat mensen misselijk zouden worden.'

Hij laat ze enkele ruwe mixen horen van zijn nieuwe album. Wanneer hij dat doet, gebeurt hetzelfde als tijdens vorige vergaderingen. De mensen hier vinden de stilistische diversiteit van de muziek en zijn verwarrende zangstem – is hij serieus? – verbluffend. Hij is nog steeds gekwetst door een opmerking die werd gemaakt bij een van de andere platenmaatschappijen, waarvan de baas zei: 'Ik snap dat zonderlinge Robbie Williams-gedoe niet.' De dwarse reactie van Robbie Williams: 'In dat geval is het veel geld om in te zetten op iemand die vooral zonderling is.'

Vandaag waren ze weg van de mogelijk eerste single *Feel*, met zijn klassiek, oprecht, meeslepend melodrama, zoals iedereen, en lijken zich dan minder bezig te houden met wat volgt. Rob zegt dan, zoals hij ook tegen anderen heeft gezegd, dat dit zijn beste album is en dat als ze niet direct drie nummers horen die ze mooi vinden, hun label niet voor hem is weggelegd. Zodra hij dat heeft gezegd, vinden ze de twee volgende nummers die ze horen heel mooi.

Deze vergaderingen zijn af en toe onwerkelijk en amusant. Vorige week stuurde Sony een vliegtuig om hem naar New York te brengen om een vergadering te hebben met Tommy Mottola. Mottola, die ook de ex-man van Mariah Carey is, was onlangs in het nieuws als het voorwerp van Michael Jacksons toorn. Jackson maakte hem uit voor racist en verscheen boven op een bus in Manhattan met een foto in zijn hand van Mottola met duivelshoorns.

Tijdens zijn vergadering met Rob zou Mottola net gaan luisteren naar de nieuwe nummers toen hij plotseling wegdraaide, iets deed wat Rob niet kon zien en zei: 'Maar voordat we verder gaan...'

'Hij had rode hoorns op en een witte handschoen aan,' beschrijft Rob.

Rob vindt het voorlopig prima om ze allemaal te ontmoeten en te luisteren naar wat ze hebben te zeggen, terwijl zijn managers de biedoorlog aanwakkeren. 'Ik ben gewoon blij,' zegt hij, 'dat ze allemaal enorme ego's hebben en niet voor elkaar willen onderdoen.'

✹✹✹

In het algemeen – en dat is de houding die het beste bij hem past – minacht Rob rocksnobisme. Hij steek tirades af over zijn met drugs doorspekte nachten midden jaren negentig met de rocksnobs: 'Lullen over *Pet Sounds* en het leek belangrijker dat ze veel wisten over het album dan het *gevoel* dat de nummers opriepen.' Over wat er gebeurde toen hij probeerde zich te verdiepen in Nick Drake. 'Ik vond hem een deprimerende idioot,' zegt hij. 'Ik heb hem geen eerlijke kans gegeven – ik heb er één keer naar geluisterd – maar weet je, ik ben depressief genoeg, snap je wat ik bedoel?' Over hoe hij aarzelend ging zitten voor een interview met *NME* in het begin van zijn solocarrière en bijna het eerste wat ze zeiden was 'Dus, Glastonbury...' – toen hij, net voordat hij uit Take That stapte, op het festival had geparadeerd, helemaal van de wereld, met een zwarte gemaakte tand, en kort op het toneel was verschenen met Oasis – '... was toen je een van ons werd,' en hij was zo razend: 'Ik dacht, ik ga *nooit* een van jullie worden...' Over hoe hij 'vaker naar Dr Hook heeft geluisterd dan naar The Who, snap je wat ik bedoel? Het is gewoon een grote incestueuze rukpartij.' (Niet The Who, waarvoor hij een redelijk respect heeft, maar al die regels waarom iets wel of niet cool is.)

Hij heeft het altijd leuk gevonden om de ernst en de kunstzinnigheid van wat hij doet te bagatelliseren. Dat is de reden dat hij, wanneer zijn materiaal door een Amerikaanse hoge ome wordt uitgemaakt voor eigenaardig, de beschrijving omarmt in plaats van er tegenin te gaan, hoewel hij zeker niet vindt dat zijn muziek eigenaardig is, en zeker niet op zijn oprechte manier. Hoewel er misschien wel eigenaardige momenten zijn, is hij is oprechter en resoluter wat het beschrijven van zijn levenservaring betreft dan de meeste mensen die popmuziek maken. Maar wanneer de lichten aangaan en iedereen zich verbergt achter de overkoepelende term van serieuze kunst, heeft hij er altijd van genoten trots zijn plek in te nemen onder de noemer oppervlakkig entertainment.

Bovendien heeft hij een heftige haat-liefdeverhouding gehad met zijn eigen creaties. (Hoewel hij het in de regel niet op prijs stelt als andere mensen zijn twijfels delen. Als iemand de fout maakt om te denken dat, omdat hij zichzelf zo gemakkelijk en streng bekritiseert, zij zich dezelfde vrijheid wel kunnen veroorloven, hebben ze het heel erg mis en komen ze van een koude kermis thuis.)

En toch... hoewel de meeste triomfen van Robbie Williams afkomstig zijn van dingen die je volgens de hippe gemeenschap niet geacht wordt te doen, en een veel groter deel van hem het wereldje veracht dan het deel dat hunkert naar het lidmaatschap ervan, is het soms moeilijk dit niet te wensen wanneer je bijna alles behalve cool hebt overwonnen. Niet dat hij iets zou opgeven van wat hij heeft – zijn publiek, zijn succes – voor hun goedkeuring. Maar nu is hij op een behoorlijk ondubbelzinnige manier trots genoeg op de albums die hij maakt; trots genoeg om zich, af en toe, af te vragen waarom hij niet gewoon zijn zin kan doordrijven.

'Ik ging bij mensen langs en zag dat ze een fantastische platenverzameling hadden,' vertelt hij me deze middag, 'en ik stond er nooit tussen. Dat maakte me van streek. Ik wilde er ook bij staan.'

Hij vraagt zich of dit nieuwe album misschien daarvoor kan zorgen.

✳✳✳

Steve Power is bijna klaar met de mix van een ballade, *Sexed Up*, die is gered uit de in eerste instantie onopgemerkte verschijning in demovorm als een b-kant een paar jaar geleden.

'Kan ik genoemd worden voor iets wat ik niet heb gedaan?' vraagt Rob aan Steve. 'Laten we een instrument verzinnen dat niet bestaat. Een 'melotonin'. Ik wil op elk nummer een vermelding hebben voor het bespelen van een instrument dat niet bestaat. De 'variathon'. De 'frumpy pony'. Ik wil ook de 'effexor' bespelen.'

Effexor is het antidepressivum dat hij slikt.

In de andere studio luistert hij naar nummers van iTunes van Richard Flack. Hij zet *If Dolphins Were Monkeys* van Ian Brown op. 'Zo moet het volgende album klinken,' kondigt hij aan. 'Zoals dat en zoals Soft Cell.'

'Ik wil al heel lang een elektronisch nummer doen,' zegt Guy.

'Een heel elektronisch album,' corrigeert Rob.

'En dan kun je robots van jezelf hebben die over de wereld touren,' stelt Guy voor.

'Heb je het laatste album van Rufus Wainwright gehoord?' vraagt Rob aan Guy. 'Het is heel goed. Ik moest gisteren huilen van nummer drie.'

Pauze.

Wanneer twee paden voortkomen uit een oprechte opmerking en een van die paden leidt naar het vertrouwde land van de grove, zichzelf omlaag halende grap, is dat meestal het pad dat Robbie inslaat. 'Het heet "Robbie Williams Is A Cunt",' legt hij uit.

✸✸✸

Er zijn in de wereld van het entertainment maar weinig woorden viezer dan het woord *entertainment*. Dat is een van de dilemma's die hem verstikt. In dit moderne tijdperk moet je, om de oprechtheid van je bedoelingen duidelijk te maken, eigenlijk te kennen te geven dat de reactie van het publiekje je onverschillig laat.

Het is komisch hoe algemeen verbreid en onbetwist dit is. De muziekwereld geeft bijvoorbeeld elk jaar miljoenen ponden uit aan billboards en advertenties van somber kijkende mannen die proberen een blik te veinzen waaruit blijkt hoe weinig het ze interesseert dat ze worden gefotografeerd (in het ideale geval zijn ze er zich *niet van bewust*), terwijl zij en iedereen die erbij betrokken is, weten dat ze worden gefotografeerd zodat bakken met geld kunnen worden uitgegeven om toeschouwers foto's als deze te laten zien om een publiek ervan te overtuigen dat dit serieuze, somber kijkende artiesten zijn die zelf nooit bewust zouden meewerken aan de schande van marketing, of erin berusten dat ze zichzelf opofferen als entertainment. Op een bepaald moment is een onlogisch idee geaccepteerd: als je entertaint, geef je toe dat je een gebrek aan diepgang hebt. Entertainers handelen in algemene, glimmende, oppervlakkige gemeenplaatsen; artiesten handelen in diepe, oprechte, individuele waarheden.

Robbie Williams past slecht in zo'n wereld. Hij schaamt zich er niet voor om te entertainen. (Hoewel hij het, ironisch genoeg, verafschuwt om te worden gefotografeerd.) Verwarrend genoeg heeft hij duidelijk voldoende zelfreflectie, pijn en demonen die van alle kanten uit zijn muziek blijken, maar hij schaamt zich er nog steeds niet voor om al die gemengde gevoelens te etaleren en ermee te entertainen. Een van de redenen waarom veel mensen zich aan hem ergeren, is dat hij veel van de esthetische regels overtreedt die mensen tegenwoordig gebruiken om wat ertoe doet en wat er niet toe doet van elkaar te scheiden. Hij overtreedt de regels van oprechtheid en hij overtreedt de regels van onoprechtheid.

✸✸✸

Hij heeft gehoord dat David Beckham wil dat hij belt. 'Hij wil mij niet opbellen omdat hij bang is en ik wil hem niet opbellen omdat ik bang ben,' legt Rob uit. Volgens hem hebben ze beiden groot ontzag voor elkaar. 'Ik vind hem briljant. Hij gaat er zo goed mee om. Hij laat het gewoon allemaal over zich heenkomen. De media-aandacht en het feit dat je David Beckham bent. Het lijkt alsof er geen barstjes zijn.' Ze zijn elkaar een keer tegengekomen bij *Top Of The Pops*, maar toen hebben ze alleen maar een beetje naar elkaar gezwaaid. Sindsdien heeft David Beckham indirect contact gezocht, door te informeren naar de jeans die Rob droeg voor een bepaalde fotoreportage. De jeans is naar hem toe gestuurd, maar er is geen direct contact geweest.

En, ga je hem bellen?

Rob lijkt geschokt. 'Nee.'

Hoe heb je deze boodschap gekregen?

'Op de showbusinessmanier, schat. Via Patsy Kensit.'

Momenteel heeft Beckham dezelfde uitgegroeide hanenkam als Rob, dus ik zeg dat ik denk dat hij misschien zijn haar terug wil. Rob zegt dat hij eerlijk gezegd af en toe toegeeft aan een haarwedstrijd en toen hij zag dat Beckham zijn haar weer liet groeien, zag hij dat zijn haar al langer was en dacht: Ik ga het gewoon verrekte snel laten groeien en dan heb ik lang haar voordat hij lang haar heeft. Maar Rob vond toen dat zijn gezicht eruit ging zien als een voetbal en liet het afknippen. 'Maar,' bluft hij, 'ik heb mensen in dienst om het haar van David Beckham in de gaten te houden.'

Courtney Love wordt genoemd en hij praat over die keer dat hij met haar opgescheept zat in Londen. Hij herinnert zich dat ze opperde dat ze wel met hem naar bed wilde, maar dat ze 'een probleem had met dat popgedoe'. Hij beantwoordde het compliment met zijn eigen bepaling: 'Ik heb een probleem met lelijkheid.'

Hij heeft een verzoek aan me. 'Kun je me vragen of ik naar bed ben geweest met Courtney Love?' vraagt hij. 'En dan kan ik zeggen, "Donder op, ik ben een knappe vent."'

7

Rob en ik praten in de studio met elkaar wanneer Guy binnenkomt.

'Mond houden,' snauwt Rob. 'Mijn interview.'

Hij maakt een grapje. Guy maakt toch aanstalten om weg te gaan, maar dan zegt Rob: 'Kom, ga zitten, lieverd.'

'Weet je het zeker?' vraagt hij.

'Ja,' zegt Rob.

Dit gesprek met z'n drieën begint slecht. Rob zegt dat hij gisteravond thuis naar zijn eerste album *Life Thru A Lens* heeft geluisterd, omdat

Rachel en Max Beesly, die bij hem logeert, het nog nooit hadden gehoord. Rob zegt dat hij was verrast door het feit dat hij het zo goed vond. Guy is het met hem eens, maar vindt dat ze beter zijn geworden. 'We waren lang niet zo goed als nu,' zegt Guy, 'vooral jij. Op zanggebied.' Rob, die er heel bedreven in is om uit een compliment de onderliggende kritiek te filteren, zegt dat Guy hem weer eens gevoelloos beledigt. Guy houdt vol dat het alleen maar was bedoeld als een compliment. Rob zegt dat het zinnetje 'vooral jij' beledigend was en laat me het bandje terugspoelen waarop ik dit gesprek heb opgenomen om aan Guy te bewijzen dat hij het echt heeft gezegd.

'Ik weet dat hij me heel kritisch vindt,' zegt Guy.

'Nee, ik vind dat je een…', begint Rob.

'… slechte manier hebt om complimentjes te geven?' vraag Guy.

'Nee,' zegt Rob. 'Ik denk dat je verkeerd kan worden begrepen vanwege je gebrek aan fijngevoeligheid zoals je praat.'

'Juist,' zegt Guy. 'Oké. Misschien heb je gelijk.'

Ik vraag hoe de relatie is veranderd. Rob beschrijft hoe ze hielden van feesten ('Guy niet zo veel als ik'), maar hij is nu nuchter en Guy is een huiselijk iemand. 'En er is nu een verschil in de dynamiek tussen ons tweeën,' zegt Rob, 'omdat hij heel erg gesetteld is en ik nog niet.'

'En natuurlijk zie ik Rob niet zoveel meer als vroeger,' zegt Guy. 'We hebben een behoorlijk raar jaar gehad, toch?'

'Mmmmm,' zegt Rob.

'Het was heel erg op- en neergaand dit jaar,' zegt Guy.

Zien jullie elkaar veel buiten het werk om?

'Hij woont in Engeland, ik in LA, dus nee,' zegt Rob. 'En hij gaat graag naar restaurants en ik niet.'

'Dat klopt,' zegt Guy.

'Je zou elke avond wel naar een restaurant willen, of niet?' zegt Rob, die de toon van verbazing niet uit zijn stem weet te houden.

'Ik *ga* elke avond naar een restaurant,' zegt Guy. 'Dat is jouw beeld van de hel, of niet soms?'

'Het is niet mijn beeld van de hel,' zegt Rob. 'Het is gewoon… heel volwassen. Het is waarschijnlijk iets wat op een bepaald moment heel goed in m'n leven past, maar nu ga ik eerst een vierdubbele espresso bij Coffee Bean halen en ga ik even lekker stuiteren.'

Waarom ga je niet graag naar restaurants?

'Gewoon, voor het geval ik word opgezadeld met iemand met wie ik niet wil praten,' zegt Rob.

'Misschien met mij,' zegt Guy.

Ze praten over hoe fijn het is om even geen druk te hebben om nummers te schrijven en ze bespreken enthousiast hun plannen om toekomstige Robbie Williams-albums op te nemen met nummers van anderen.

Wat hebben jullie met elkaar gemeen?

'Niet veel,' zegt Guy.

'Niets eigenlijk,' zegt Rob en Guy lacht.

'We houden allebei van muziek,' zegt Guy. 'Dat is het wel zo'n beetje, of niet?'

'Ja.'

Mogen jullie elkaar?

'Ja,' zegt Guy. 'Natuurlijk. We zouden absoluut niet met elkaar in één ruimte zitten als we elkaar niet mochten, niet na al deze tijd. Hij kan die kwelling niet gebruiken en ik ook niet.'

'Ik hou van Guy,' zegt Rob rustig.

'Ik hou van Rob', zegt Guy.

✳✳✳

'Mijn vader zei toen hij hier was: "ik heb hem nooit iets laten winnen toen hij klein was – nooit",' zegt Rob. Het is duidelijk wat zijn vader wilde zeggen. Dat Rob, doordat z'n vader hem nooit liet winnen, heeft geleerd dat hij moet werken om iets te bereiken. Misschien was er zelfs wel iets van: *zie waar deze opvoeding hem heeft gebracht.*

Maar dat is niet echt wat Rob ervan heeft opgestoken. Niet echt wat hij dacht toen zijn vader het zei.

'Weet je, het zal wel goed voor me zijn geweest,' zegt hij. 'Maar ik wou dat hij me een paar wedstrijdjes had laten winnen toen ik een kind was. Een potje biljarten, ofzo. Een potje tennis.'

✳✳✳

Rob besluit dat hij vanavond uit eten moet gaan. In Koi, een van de huidige hippe restaurants van de stad, zit Rob met Pompey en Max. Hij komt een beetje gespannen over. Als ik kom, staat hij erop om een glas rode wijn en een sakecocktail voor me te bestellen, wat ik vreemd vind. Ik had mezelf voorgenomen, op basis van wat goed voelde voor mij en beleefd was ten opzichte van hem, om niet te drinken in zijn gezelschap, behalve toen ik hem een keer toevallig tegenkwam in de bar van mijn hotel. Zelfs toen voelde ik me een beetje ongemakkelijk. Maar hij dringt me deze drankjes min of meer op. Even later komen Guy en Steve Power aanzetten en de sfeer is gemoedelijk. Terwijl Rob naar het toilet is, merkt Steve op hoe iedereen weer dichter bij elkaar lijkt te komen. 'Het begint weer te worden zoals het was toen we aan het eerste album werkten,' zegt hij.

Even later wil Rob weg. Buiten staan nu paparazzi, dus we verlaten het restaurant door de achterdeur om ze te vermijden. Een van de onvermelde waarheden over het leven van beroemdheden is dat als je de ene helft doorbrengt in privé-jets en dure hotels, je de andere helft doorbrengt in keukens en smerige dienstliften en steegjes, wachtend naast de vuilnisbakken terwijl iemand je auto ophaalt.

Zijn avond is nog niet voorbij. Hij gaat naar de Whiskey-bar in het Sunset Marquis-hotel waar ik logeer. Hij houdt zich afzijdig van de andere gebeurtenissen. Matt Sorum, die ooit drumde bij Guns N'Roses, zegt in het voorbijgaan gedag. Mickey Rourke zit aan de bar. Rob ziet er alleen op z'n gemak uit wanneer *Stuck In A Moment* van U2 wordt gedraaid. 'Ik wil Bono zijn,' mompelt hij, 'later als ik groot ben.'

Hij merkt de tics en het komen en gaan op van de mensen van wie hij constateert dat ze in de toiletten verdwijnen om cocaïne te nemen. 'Weet je wanneer ik mijn eerste lijntje coke nam?' zegt hij. 'Twee minuten voordat ik het toneel op ging tijdens de eerste arenatournee van Take That.'

Ze waren in Manchester. Hij vroeg of iemand wat voor hem wilde halen. 'Ik had wel eens speed gehad en ik had wel eens pillen genomen.' Hij begon met drugs toen hij veertien was. 'Iemand rookte speed,' herinnert hij zich. 'Hij was een heel veelbelovende sporter, die jongen. Hij was verdomd goed. Hij heeft zijn leven heel snel geruïneerd.' Na marihuana kwam voor Rob de speed. Hij was aan het trippen toen hij eindexamen deed. Toen hij klaar was voor de arena's, vond hij dat hij ook klaar was voor cocaïne. 'Ik dacht eigenlijk dat het net als speed zou zijn,' zegt hij. 'Ik dacht gewoon dat het een lekker pepmiddel zou zijn om me door de show te slepen.'

Die avond had hij het mis.

'Ik kwam door de gordijnen en het was alsof negenduizend mensen hun zaklampen aandeden,' herinnert hij zich. 'Ik werd er panisch van. Het eerste nummer liep ik drie passen achter op iedereen.'

✸✸✸

Ik ben al enkele weken in Los Angeles. Een gedeelte van de tijd heb ik gewerkt aan andere verhalen, maar tussendoor zie ik Rob vaak. Wanneer ik vrij ben, ga ik even langs de studio. Af en toe spreken we af bij hem thuis om een beetje te kletsen, te kaarten en te tafeltennissen. Soms, laat in de avond, als ik net naar bed wil gaan in mijn hotelkamer, belt hij me op vanaf de huistelefoon in de lobby naast de Whiskey-bar waar hij dan naartoe is gekomen met Pompey om de tijd te verdrijven; ik trek dan mijn schoenen aan en ga naar ze toe. We weten allebei dat ik allang meer dan voldoende materiaal heb om een artikel over zijn nieuwe album te schrijven (wat ik uiteindelijk ook doe, in de zaterdag-bijlage van de *Telegraph*), maar ik neem nog steeds elke keer mijn

schrijfblokje en cassetterecorder mee als we elkaar zien en ik gebruik
ze in voorkomende gevallen. Ik denk niet dat een van ons hier een
reden voor hoeft te hebben; als er iets interessants is om te worden vastgelegd, vinden we het allebei logisch dat ik het opschrijf. Het voelt niet
als een inbreuk op onze vriendschap, maar het maakt er juist deel van
uit, en voorlopig denken we er allebei niet al te veel over na.

8

Deze middag komt Rob de studio in en vraagt Guy of hij zin heeft
om een nummer te schrijven. Eigenlijk heeft Guy daar geen zin in,
maar hij weet dat dat niet het juiste antwoord is, dus gaat hij achter de
piano zitten, terwijl hij nog steeds denkt dat er geen inspiratie in zijn
vingers zit. Amper een halfuur later hebben ze een nummer geschreven met de titel *Blasphemy* en dicteert Guy de slordig geschreven tekst
aan de studioassistent.

No, it's not the heathen in me
It's just that I've been bleeding lately
Internally
So turn to me
But bite your tongue, your torrid weapon…

'Heel veel dure woorden in dit nummer,' zegt Guy. 'Het is een volwassen nummer, geen popsong.'

I could learn a useful lesson
What's so great about the great depression?
Was it a blast for you?
Because it's blasphemy

'Het gaat over het maken van heel veel vrienden en dan achteraf
beseffen dat ze allemaal klootzakken zijn,' zegt Rob.

Wish I was here
Well, I wish you weren't
Your gift of anger's better burnt
If nothing's said then nothing's learnt
I thought I wasn't, but I'm really hurting
Our dead and dumb dinners
There's gravy in the mud…

Ze nemen het twee keer op en klaar is Kees.

'Te gek, man,' zegt Guy. Hij en Rob omhelzen elkaar.

'Ik hou van je, klootzak,' zegt Rob.

Ze luisteren ernaar in de regelkamer, helemaal enthousiast.

'Ik denk dat we ons echt moeten concentreren op… ' zegt Rob.

'… de musical,' zegt Guy.

'Nee,' zegt Rob. 'We zouden een album moeten maken met nummers uit shows. Nummers uit niet-bestaande shows. Iets wat ik niet hoef te promoten.'

Ze luisteren nog een keer naar *Blasphemy*.

'Het is echt een openingsnummer voor een show, of niet soms?' zegt Rob zo blij als een kind, en hij loopt naar de gang en weg van het laatste nummer dat hij en Guy Chambers ooit samen zullen schrijven.

✹ ✹ ✹

Ik heb een brunchafspraak met Guy bij het zwembad van het Beverly Hills Hotel, waar hij verblijft, om hem een paar vragen te stellen. Zijn kijk op dit jaar tot dusverre lijkt veel op van die Rob; zij tweeën hebben een moeilijke periode gehad en ze hebben hun relatie moeten aanpassen, maar ze zijn nu weer op de goede weg. We praten over hun ups en downs, het samen schrijven en Guy zegt alle dingen die een wijs man zou zeggen. 'Als iemand naar me toe zou komen met een fantastisch nummer voor Rob, is dat in het voordeel van het hele album,' zegt hij. 'Ik ben niet gek. Als hij met iemand anders een gigantische hit schrijft die helpt het album te verkopen, helpt dat onze nummers.'

Ik vraag naar hun problemen eerder in het jaar en Guy lijkt er in eerste instantie van op te kijken dat ik ervan weet. Hij vertelt dat toen Rob tegen hem zei dat ze niet meer samen zouden werken, Rob twee uur te laat was voor hun afspraak omdat hij naar de Oscaruitreiking had zitten kijken op televisie. 'Helemaal niets voor hem, trouwens,' zegt Guy. 'Hij is nooit zo onbeleefd. Hij is altijd punctueel en respectvol.' Hij beschrijft hoe Rob recht op de man af was. 'Hij zei: ik wil niet meer met je samenwerken, ik wil deze band doen. Ik wil Robbie Williams vermoorden, ik ben hem zat, ik heb genoeg van mijn imago. Maar tegelijkertijd wilde hij die stadionconcerten het volgende jaar doen. De afscheidstournee. Het tijdelijke met het eeuwige verwisselen was volgens mij de uitdrukking die hij gebruikte.'

En wat dacht jij toen hij dat zei?

'Ik dacht dat hij gek was geworden. Volgens mij dacht ik dat.'

Maar wat was je reactie?

'Ik moedigde hem aan. Ik probeerde heel positief te zijn, dus zei ik: fantastisch. Doe de band. Doe het. Je zult er veel van leren.' Pauze. 'En dat deed hij.'

Maar diep vanbinnen dacht je....?

'Dat het heel jammer was dat het zover was gekomen. Ik vond het jammer dat hij het me op een vrij agressieve en kwetsende manier vertelde. Maar hij was in een rare bui. En ik vergeet nooit dat hij degene is die beroemd is. Ik ben niet beroemd. Ik kan overal gaan zitten en een kop koffie drinken en normaal zijn. En dat kan hij niet. Die hele roem deed hem toen echt de das om op dat punt. Het probleem met de kwetsende dingen die hij zei was dat hij in een band met vrienden wilde. Hij had niet het gevoel dat de bandleden zijn maten waren. En dat vond ik jammer, omdat ik denk dat hij een paar goede vrienden heeft in zijn band. Als band hebben we samen heel wat meegemaakt en we zijn erg loyaal naar hem toe.'

Hij zegt dat het na alles wat er gebeurd is anders was om dit album te maken. 'Hij was absoluut zelfverzekerder, geïnteresseerder in het proces,' zegt Guy. 'Eerder wilde hij eigenlijk helemaal niets zeggen over instrumentatie of over het gevoel bij een nummer en zo; hij wilde gewoon doorzingen. Letterlijk. Hij was een uur in de studio. Hij kwam ook niet opdagen voor het mixen.' Guy zegt het niet, maar ik krijg heel sterk het gevoel dat de nieuwe, meer betrokken Rob zo z'n voor- en nadelen heeft voor Guy en dat hij compromissen heeft moeten sluiten die hij liever niet had gesloten, maar hij praat nog steeds vol vuur over hun gezamenlijke toekomst.

Voordat ik Guy bij de studio afzet, zeg ik dat veel van de spanning volgens mij wordt teweeggebracht door Robs gevoel dat Guy niet voldoende stimulerend is.

'Mmmmm,' zegt Guy en lacht. 'Ja. Ik snap het. Het moet heel saai zijn om naar mijn gezicht te kijken terwijl hij aan het zingen is. Volgens mij komt het ook een beetje door het wonen hier. Iedereen is zo positief en alles is zo fantastisch hier, of niet? En ik ben niet zo. En als ik hem niet aanmoedig, dan ben ik aan het nadenken over wat hij aan het doen is, in plaats van te zeggen dat "alles fantastisch" is. Ik ben sowieso niet zo'n "alles is fantastisch"-persoon. Ik ben behoorlijk kritisch. Maar dat maakte volgens mij onze relatie goed. Het is soms alleen een beetje pijnlijk voor hem omdat ik niet zo uitbundig ben als hij misschien zou willen… Maar elke relatie heeft zo z'n ups en downs. Maar ik werk eraan, laat ik het zo zeggen.'

✻✻✻

Later in de week belt Rob me op en zegt dat hij zich steeds meer zorgen maakt over de verslechterende situatie in Irak, maar om absoluut de verkeerde redenen. 'Altijd,' zegt hij, 'voordat een album uitkomt, denk ik: ik hoop dat de wereld nog bestaat als dit album uitkomt.' Hetzelfde heeft hij laatst tegen zijn therapeut gezegd toen ze hem vroeg of hij bang was om dood te gaan. Hij zei dat hij er niet bang voor was, maar dat hij eerst nog twee dingen wilde. Verliefd worden. En zijn nieuwe album uitbrengen.

***

Er moeten nog enkele obstakels worden genomen voordat het album, dat nu de titel *Escapology* heeft, kan worden uitgebracht. Ten eerste heeft Rob nog steeds geen platencontract. Soms zie ik zijn advocaten aan de andere kant van het terras van mijn hotel 's morgens aandachtig lange documenten bestuderen, maar er ligt nog steeds niets vast. Zijn managers laten weten dat, mocht dat nodig zijn, ze het album zelf uitbrengen en risicodragend kapitaal afkomstig uit het bedrijfsleven gebruiken om de onderneming te financieren: ze moeten een complete spookplatenmaatschappij bemannen, die ze hopelijk nooit nodig hebben.

Ondertussen, op een zondag, barst de bom tussen Guy en Rob. Die ochtend praat Josie met Guy over iets anders en ze vraagt hem naar zijn plannen voor die dag. Ze is verrast als hij zegt dat hij naar de studio gaat, maar niet om aan Robs album te werken. Hij is van plan een nummer te schrijven met Natalie Imbruglia en om te werken aan demo's voor de meidenrockgroep The Licks die hij bijeen heeft gebracht.

Ze weet dat hier problemen van komen. Zondag mag dan wel een vrije dag zijn, maar ze zijn minder dan een week verwijderd van het einde van een hectische worsteling om Robs album af te maken. Bovendien is het nog maar een paar dagen geleden dat ze een twintig minuten durende tirade van Guys manager, zijn broer Dylan, heeft moeten aanhoren over het feit dat Guy overwerkt was en dat er te veel druk op hem lag. Rob had Guy de vorige vrijdag naar huis gestuurd omdat hij er zo uitgeput uitzag. Het lijkt niet echt gepast dat hij nu extra tijd besteedt aan andere projecten. En of Guy nu wel of niet heeft besloten dat hij niet onder druk stond, hij maakt ook gebruik van Richard Flack, die zeer lange dagen heeft gemaakt voor Robs album en die nog lange dagen heeft te gaan. Het belangrijkste is dat het gewoon onprofessioneel en onbeleefd is van Guy om plotseling zijn aandacht aan iets anders dan Robs album te besteden, vooral omdat hij het er niet met hem over heeft gehad en niet om zijn goedkeuring heeft gevraagd.

Ze zegt tegen Guy dat hij Rob moet opbellen en hem moet vertellen wat er aan de hand is. Hij zegt dat hij dat niet wil en vraagt of zij het wil doen.

Rob is zoals verwacht boos. Hij is al een tijdje geïrriteerd over The Licks, omdat hij erachter is gekomen dat zij later in de maand zijn geboekt voor repetities in dezelfde ruimte in Londen als zijn band; hij is woedend dat Guy schijnt te denken dat hij *musical director* kan zijn van de Robbie Williams-band en dat hij dan ondertussen even bij zijn nevenprojectjes kan binnenwippen.

Rob weet dat Natalie Imbruglia om vier uur 's middags wordt verwacht en hij besluit Guy te jennen. Hij wandelt om kwart voor vier de studio binnen en veinst onschuld. Hij begroet Dylan hartelijk en zegt tegen Guy dat hij vandaag veel wil doen; de tekst van *Hot Fudge* veranderen, een nummer opnemen dat hij de avond ervoor heeft geschreven, daaraan werken, dat verbeteren…

Hij ziet het gezicht van Guy betrekken. Rob loopt naar de studiokeuken en even later volgt Guy hem.

'Hé, joh,' zegt Rob opgewekt. 'Waar ben je vandaag mee bezig?'

Hij laat het klinken alsof hij bedoelt: met welk nummer van mijn album?

'Ik… werk niet aan het album,' zijn de woorden die Rob als antwoord krijgt. Wanneer Rob hem vraagt waar hij aan werkt, probeert hij het te zeggen, maar Guy kan de naam Natalie Imbruglia niet over z'n lippen krijgen.

De houding van Rob verandert onmiddellijk. 'Goed,' zegt hij en sommeert Guy en Dylan naar boven voor 'een praatje'. Hij vertelt ze hoe hij erover denkt: dat dit het belangrijkste album van al hun albums is, dat hij meer gefocust en betrokken is dan hij ooit is geweest en dat er nog maar zeven dagen zijn te gaan. Dus waarom heeft Guy hem hierover niets verteld? Guy zegt iets over het feit dat hij net werd gemasseerd en vraagt of Rob het al wist toen hij de studio binnenkwam.

'Ja,' zegt Rob.

'Waarom zeg je dan al die dingen?'

Op dat moment komt Natalie Imbruglia de trap op, merkt iets van wat er aan de hand is en voelt de spanning. Ze keert zich om en loopt weer naar beneden.

Daarna – het enige waar Rob spijt van heeft, alleen maar omdat hij over de schreef gaat en zich moet verontschuldigen – geeft hij Dylan ervan langs in de trant van 'hoe meer ik over jou hoor, jij klootzak'. Niettemin komen ze tot een soort van ongemakkelijke wapenstilstand.

✵✵✵

Rob neemt de volgende dag vrij, maar daarna maken ze het album af. De nacht voordat Guy naar huis gaat, praat Rob met hem in de studio. Hij wil alles rechtzetten, dus legt hij weer uit waarom hij zo boos was, hoewel Guy zich niet verontschuldigt en hij het gevoel heeft dat Guy het niet echt snapt. Rob heeft het ook over de The Licks en dat ze in hetzelfde gebouw repeteren en Guy ontkent dat hij daar iets van afweet. (Rob gelooft dat.)

Guy vertelt hem ook dat hij hem het moeilijkste vond om mee te werken aan dit album; Rob zegt dat hij dat heel alarmerend vindt, omdat iedereen, niemand uitgezonderd, hem juist heel gemakkelijk vindt om mee te werken. Hij zegt tegen Guy dat het hem paranoïde maakt, omdat Guy misschien de enige is die de waarheid zegt, maar het niet meent. Hij denkt dat Guy onzin uitkraamt en dat zijn nieuwe betrokkenheid bij zijn albums Guy slecht uitkomt en hij er zich door bedreigd voelt, dat Guy zich beledigd voelt door het feit dat Rob allerlei meningen heeft waar hij nooit eerder mee te maken had.

Ze praten over toekomstplannen. Rob krijgt de indruk dat Guy op promotiegebied het beste van het beste wil en dat hij pas met Kerstmis wil beslissen in hoeverre hij zich volgend jaar wil vastleggen. Rob zegt dat hij niet tot dan kan wachten omdat hij dan het risico loopt in de steek te worden gelaten. Guy moet maar thuis blijven bij zijn kinderen en zijn eigen bedrijf opbouwen of hij moet meegaan en Robs band produceren zoals hij altijd heeft gedaan. Hij zegt tegen Guy hoe vreemd het zou zijn als hij er niet bij is voor Knebworth.

En in zijn hart gelooft hij nog steeds dat Guy er zal zijn.

9

Voordat hij naar Londen teruggaat, vliegt Rob naar Calgary in Canada om de videoclip voor *Feel* op te nemen, dat de eerste single van *Escapology* gaat worden. De theatrale passages zijn er uitgehaald, evenals de bijdrage van Ms Dynamite. Hoewel ze een rap heeft geschreven en opgenomen die iedereen te gek vindt, is besloten dat het verstandiger is dat alleen Robbie Williams is te horen op de grote comeback-single van Robbie Williams. De single wordt al over een paar weken uitgebracht, maar er is nog steeds geen platencontract. Rob betaalt de volledige zevenhonderdduizend pond eerst uit eigen zak. Hij speelt een eigenwijze, maar zwijgzame knecht op een ranch die iets krijgt met de eigenaresse van de ranch. Het terugkerende thema voor de meeste videoclips, wat de verhaallijn of het scenario ook is, is dat hij aan het einde iemand zoent, bij voorkeur iemand op wie hij in het echte leven ook zou kunnen vallen. Hij had nog geen castingideeën voor die rol in deze videoclip, totdat hij Daryl Hannah ontmoette tijdens een diner in Los Angeles en haar in een opwelling vroeg of zij het wilde doen.

Dit brengt zo zijn eigen problemen met zich mee. Zij is momenteel bezig met de opnames voor *Kill Bill* van Quentin Tarantino en is van plan in het weekend heimelijk naar Canada te komen. De afspraken worden gemaakt, maar op het laatste moment krijgt Quentin Tarantino lucht van het plan en geeft haar geen toestemming de set te verlaten. Het wordt later en later op de dag en ze is nog steeds niet weg uit Los

Angeles. Dan heeft ze de laatste lijnvlucht gemist en moeten ze een privé-jet charteren. (Tegen die tijd overwegen ze al een Canadese plaatsvervanger te casten.)

Uiteindelijk komt ze om twee uur 's nachts aan om 's morgens om zeven uur te beginnen. Op de set zegt ze, voor de gein, met een uitgestreken gezicht tegen de filmploeg die de videoclipopname vastlegt dat ze dacht dat ze was gekomen om met Robbie Williams te filmen.

Rob wordt ondertussen wakker met een enorme bult op de kant van zijn gezicht waar hij heeft zitten peuteren aan een ingegroeid haartje. Hij ziet eruit als de *Elephant Man*. Gina, zijn visagiste, laat een dokter komen, maar tegen de tijd dat de arts er is, heeft Rob de bult zelf al weggehaald. De hele badkamer zit onder het bloed. 'Volgens mij is-ie weg,' zegt hij, niet denkend aan de diepe snee die achterblijft. Tijdens de opnames vermijden ze het wondje zo goed en zo kwaad als ze kunnen.

✳✳✳

Ondertussen is hij in Engeland volop in het nieuws vanwege de publicatie van het boek *Together* van de zusjes Appleton. Rob heeft ongeveer een jaar lang een knipperlichtrelatie gehad met Nicole Appleton toen zij en haar zus Natalie nog in All Saints zaten; de langste relatie van zijn leven tot dusverre. In het boek bespreekt ze uitgebreid de tijd die ze samen hebben doorgebracht en onthult ze dat ze een abortus heeft gehad – onder druk, zegt ze, van haar platenmaatschappij, bandmanagement en enkele bandleden. Ze vertelt dat ze hun baby Grace wilden noemen en dat zij het niet openbaar gemaakte onderwerp was van het nummer *Grace* op het tweede album van Rob. (Toen de situatie veranderde, is de tekst ervan iets aangepast voordat het werd opgenomen.)

Rob zegt dat ze hem lang geleden heeft opgebeld om te vertellen dat ze het boek aan het schrijven was en dat ze de baby zou noemen. Hij zei alleen maar tegen haar dat hij haar moedig vond. Tijdens het tumult na de publicatie van het boek spreekt hij weer met haar, voor de eerste keer in meer dan een jaar, om te corrigeren wat in de bladen stond, namelijk dat hij boos zou zijn. 'Gewoon om te zeggen, hoor eens, ik ben niet woedend, zo denk ik erover en veel geluk verder.' Hij leest niet het hele boek, alleen de fragmenten die in de Engelse bladen staan; hij vindt ze vrij nauwkeurig. Het herinnert hem aan veel dingen die hij al was vergeten. 'Ik was heel verdrietig,' zegt hij. 'Ik had medelijden met ons allebei. Omdat er nu een kind zou zijn, drie of vier jaar oud, en ik weet niet wat ik ervan moet denken. Ik begrijp volledig waarom Nic het moest doen, maar ik was heel verdrietig. Ik had medelijden met haar omdat zij toen een relatie had met een idioot. Ik was niet echt de vreedzaamste persoon om mee om te gaan. Ik had medelijden met iedereen die erbij betrokken was. Ik had medelijden met de All Saints. Ik had medelijden met mezelf. Ik had medelijden met het ongeboren kind. Ik begon me af te vragen wat dat allemaal betekent, wat God ervan vindt, wat mijn rol erin was, wat ik moet accepteren en wat ik moet rechtzetten.'

✳✳✳

In Londen werpen andere gebeurtenissen hun schaduw vooruit.

De managers van Rob – Tim en David – hadden vergaderd met Guy en zijn broer Dylan voordat *Escapology* werd opgenomen en Guy had gezegd dat hij een betere deal wilde, een royalty hoger dan de 5,7 procent (waarvan een deel gaat naar zijn co-producer Steve Power) die werd betaald voor de vorige albums. Ze hadden tegen Guy gezegd dat ze deze discussie moesten uitstellen terwijl ze onderhandelden over het nieuwe platencontract van Robbie maar dat, hoewel Guy en Steve niet moesten rekenen op een hoger percentage, ze wel evenredig zouden profiteren van alle andere verbeteringen in dat contract.

Wanneer Guy terugkomt in Londen, het album is af, is er weer een vergadering waarin hij zijn eisen herhaalt. Hij stelt een royalty van zeven procent voor en krijgt, zoals eerder, te horen dat dat niet gaat gebeuren. ('Weet je wat het was?' kijkt Tim Clark later terug, '*Hij heeft Rob gemaakt.* Dat heeft hij in zijn hoofd zitten. Wat hem betreft, is de band zijn band. En wat hem betreft, heeft hij ervoor gezorgd dat de dingen gebeurden.') Tim wijst Guy erop dat hij praat alsof hij een partnerschap had met Rob als het gaat om de muzikale carrière van Rob, en dat dat niet het geval is. Hij heeft een partnerschap samen met Rob voor het schrijven van nummers, waarin ze een gelijk aandeel hebben, maar Robbie Williams heeft als opnemende artiest geen partners. Ze zeggen dat hij heel dankbaar zou moeten zijn, als songwriter en ook als iemand met een hoge producerroyalty, en dat Rob zijn nummers promoot.

In reactie daarop doet Guy drie omstreden uitspraken. De eerste, als argument waarom hij beter beloond zou moeten worden, is dat hij 'het album heeft gered'. Zijn redenering komt erop neer dat Rob zonder hem een paar opnames heeft gemaakt in New York die niet helemaal klopten en dat Guy te hulp kwam snellen. De tweede is dat als *Come Undone* een single gaat worden, hij het nummer niet gaat promoten; hij vindt het niet goed. (Hij zegt zonder omwegen dat hij de tekst haat en erdoor is 'geschokt'.) De derde is dat hij vindt dat hij beter moet worden beloond – bovenop zijn normale percentage – als onderdeel van het aanstaande platencontract. Tijdens de discussie of hij een passende vergoeding krijgt, noemen de managers de honderdduizend pond die Rob hem in 2000 heeft gegeven zodat hij het huis kon kopen dat hij wilde. Guy lijkt geïrriteerd door het feit dat ze dit erbij halen.

Rob wordt na deze vergadering eerst niet op de hoogte gebracht, terwijl Tim en David proberen alles op te lossen, omdat ze weten dat hij uit zijn slof zal schieten en dat er dan geen weg terug meer is. (Hoewel Guy ervan overtuigd lijkt te zijn dat Tim en David expres hebben geprobeerd de relatie tussen hem en Rob te ondermijnen, is er weinig bewijs daarvan en hebben ze ook geen redenen om dat te doen.) Maar aan het einde van de tweede opnamedag in Calgary, als Tim weer een weinig succesvol gesprek heeft gehad in Londen, wordt besloten dat het onderwerp niet langer kan worden vermeden.

David en Josie gaan naar Rob in zijn hotelkamer. Hij merkt dat ze heel nerveus zijn over iets en hij weet dat het ernstig is. 'Kom binnen,' zegt hij. 'Ik ben gek op drama.' Ze zitten aan het voeteneinde van zijn bed en ze vertellen alles. Zoals verwacht is Rob woedend. Om heel veel redenen, maar ik denk vooral omdat elk teken van hebzucht in zijn omgeving hem woedend maakt en irriteert. Het is alsof hij direct naast de plek in zijn hersenen, die hem genoegen verschaft omdat de mensen om hem heen er beter van worden door met hem te werken, nog een andere plek heeft. Een plek die altijd bang en ontzet is om te worden beschouwd als een product en een melkkoe, en die walgt van de manier waarop iemands rijkdommen kunnen bepalen als hoe menselijk iemand wordt gezien. Zodra hij merkt dat iemand meer gefocust is op het geld dan op wat ze voor hem doen, voelt hij zich verraden. Hij is vaak heel gul, maar hij is ook enorm gevoelig voor zelfs maar de kleinste aanwijzingen dat hij wordt gebruikt. Een verhaal vertelt hij me in de loop van vele maanden minstens vijf keer. In het begin van zijn solocarrière ging hij elke dag met de taxi en dat kostte hem dan vijf pond. Op een dag vroeg een chauffeur die hij nog nooit eerder had gezien hem om vijftien pond. Hij protesteerde. 'Nou en,' zei de chauffeur, 'je kunt het toch betalen.'

Hij kan zich er nog steeds kwaad om maken. Iedereen die hem hetzelfde gevoel geeft als die taxichauffeur verdwijnt meestal snel uit zijn leven.

En dus wordt die avond in Calgary de beslissing genomen. Hij geeft Tim de boodschap voor Guy dat hun relatie voorbij is. Omdat Tim Guy in het weekend niet kan vinden, wordt het hem pas verteld wanneer hij maandagochtend komt opdagen voor bandrepetities, waar hem wordt meegedeeld dat hij niet langer nodig is.

Wanneer Tim met hem belt en de situatie uitlegt, lijkt Guy het nieuws kalm op te nemen, maar dan doet hij iets wat Rob onvergeeflijk vindt. Het platencontract van Rob is eindelijk rond na weken van crisismanagement; hij tekent toch weer bij EMI. Het contract staat op het punt te worden getekend en zal de volgende dag bekend worden gemaakt. Guy pakt de telefoon en belt de hoofddirecteur van EMI in Groot-Brittannië, Tony Wadsworth (een man en een bedrijf, waar hij totaal geen directe contractuele relatie mee heeft) om hem te vertellen dat de samenwerking tussen Guy en Rob is beëindigd en dat hij vindt dat Tony dat zou moeten weten. Wat verwacht hij toch hiervan? Dat EMI eist dat hij weer wordt aangenomen of dat de deal er op de een of andere manier afhankelijk van wordt gemaakt, of dat ze zeggen dat een Robbie Williams zonder Guy Chambers minder geld waard is? Het bezorgde telefoontje dat Tim Clark krijgt onderweg naar de sportschool is het eerste van een lange stroom van zulke telefoontjes die dag, maar EMI wordt snel gerustgesteld en de deal gaat door zoals was afgesproken.

✳✳✳

Begin oktober gaat Rob terug naar Londen. Hij heeft vele weken van promotie voor zich om *Feel* en *Escapology* te promoten. Zijn eerste openbare optreden als hij weer thuis is, is het ondertekenen van het platencontract en de aankondiging ervan. De persconferentie wordt gehouden in het kantoor van zijn management. Er wordt hem gevraagd wat hij ervan vindt. Hij heft zijn armen op als in een deels ironisch triomferend gebaar.

'Ik ben rijker dan ik ooit heb kunnen dromen…' zegt hij lachend.

Wanneer ze dit melden, bestempelen de kranten het contract onmiddellijk als een 'deal van tachtig miljoen pond'. Het is een getal dat duidelijk uit zijn kamp afkomstig is, om de overeenkomst zowel te beschrijven als spectaculairder te maken, en het blijft hangen; vanaf nu wordt de deal zo genoemd. De realiteit is dat het moeilijk is om een eenvoudige geldwaarde toe te kennen aan zelfs eenvoudig opgezette platencontracten en deze overeenkomst is verre van eenvoudig. Door opnieuw te tekenen bij EMI is hij overeengekomen dat hij zich verbindt voor vier verschillende nieuwe albums, waarvan *Escapology* de eerste is, plus een *best of*-album, overgehouden van het vorige contract; door dit te tekenen, heeft hij een enorm voorschot gekregen, met verdere grote voorschotten voor elk nieuw album. Er is ook een bedrijf opgericht, onder de naam In Good Company, waar al zijn andere inkomsten – publicatie van muziek, concertopbrengsten, merchandise, endossementen, enzovoort – vanaf nu naartoe gaan, en voor een verdere aanzienlijke som heeft EMI erin toegestemd om een aandeel van vijfentwintig procent van het bedrijf van hem te kopen. Hij krijgt deze week niet een cheque van tachtig miljoen pond in handen, maar het bedrag geeft wel een goede indicatie van wat hij nu ontvangt en zal ontvangen in de loop van de tijd.

Het voordeel van het vertellen van mensen over zo'n deal (mensen weten dan dat je aan de winnende hand bent) is bijna gelijk aan het nadeel (het verlegt de focus van wat je hebt gemaakt en gaat maken, naar je financiële overwinning). Toch is het een goed contract en het voelt goed. Twee dagen later wordt hij wakker en merkt dat hij *And I thank EMI for the money and giving it to me* aan het zingen is op de melodie van *Thank You For The Music* van Abba. Daarna loopt hij zingend rond in huis: *Have I told you lately about my lump sum?* Maar hij merkt ook, tijdens bandrepetities, dat wanneer hij begint te zingen hij een hinderlijke stem in zijn hoofd moet uitzetten die roept: 'Tachtig miljoen! Tachtig miljoen! Tachtig miljoen'. En hij moet steeds maar denken: hoe treed je op als man van tachtig miljoen? Een tijdje nam het de wind uit zijn zeilen. 'Daarom,' zegt hij, 'moest ik doen alsof ze me twee pond hadden gegeven.'

De dag nadat hij de deal heeft getekend, hoort hij dat *The Sun* een verhaal gaat publiceren dat hij om één uur 's nachts de Groucho-club al feestend en aangeschoten had verlaten, duidelijk implicerend dat hij dronken was. Hij was er niet eens.

'De waarheid is,' zegt hij, 'dat ik voor de televisie zat te kijken naar de hoogtepunten van het Europese voetbal met een afstandsbediening rechts van me en een grote zak chips links van me. Daarna ben ik naar bed gegaan en heb ik nog naar een paar afleveringen van *24* gekeken.'

✳✳✳

Guy stuurt Rob een gepijnigde handgeschreven brief. Het meeste is bedoeld om iets recht te zetten wat volgens Rob nooit een kwestie is geweest – dat tijdens het *Escapology*-feestje dat Guy had georganiseerd voor zijn vrienden, hij *Come Undone* en *Nan's Song* had overgeslagen, de twee nummers waaraan hij niet heeft meegeschreven. Guy legt uit dat hij de eerste had overgeslagen bij wijze van grapje en dat ze het album voor het einde af hadden gezet, waardoor *Cursed* ook niet werd afgespeeld, omdat het feest toen in volle gang was en mensen niet meer luisterden. (Voordat hij de brief kreeg, wist Rob trouwens alleen dat hij *Come Undone* had overgeslagen.) In de ogen van Rob is de brief vooral opmerkelijk vanwege de kwesties waarover niet wordt gesproken, vanwege de kwartjes die blijkbaar niet zijn gevallen, dus vraagt hij om een laatste ontmoeting. 'Ik had het idee dat hij niet begreep waarom de relatie werd beëindigd en dat ik het hem persoonlijk moest vertellen,' zegt Rob. 'Ik wilde hem vertellen: kijk, het is niet omdat je die verrekte nummers hebt overgeslagen. Het is omdat je een buitensporig hoog geldbedrag vraagt van je vriend om wie je zegt te geven, en dat je denkt dat je het verdient, wat me de stuipen op het lijf jaagt. En het feit dat je *Come Undone* niet wilt doen.'

De dag nadat de deal is aangekondigd, heeft hij een afspraak met Guy. Guys advocaat is aanwezig tijdens de vergadering, op aandringen van Guy en Dylan. Wanneer de situatie gespannen begint te worden en Guy uitroept: 'We hadden alleen een gesprekje verwacht,' wordt hij erop gewezen dat hij degene is die een advocaat bij zich heeft. (De advocaat gaat uiteindelijk naar een andere kamer.) Rob is rustig, van buiten dan, maar achteraf zegt hij dat hij vanbinnen 'zo ongelooflijk kwaad was en het zo jammer vond wat er allemaal gebeurde'. Wanneer Guy terloops begint over de honderdduizend pond die hij voor zijn huis kreeg en dan zegt dat hij daar niet op wil ingaan, staat Rob erop dat ze dat wel doen. Hij zegt tegen Guy dat hij niet vond dat het voldoende werd gewaardeerd. Hij zegt dat dit de eerste keer was dat Guy over de schreef ging.

Rob bespreekt de dingen die hem irriteerden. Wanneer hij de *Come Undone*-weigeringen van Guy noemt, protesteert Guy. 'Ik heb Tim en David gevraagd dat niet tegen je te zeggen.' Na een poosje protesteert Guy: 'Ik kan niet omgaan met confrontatie – ik ben schrijver,' en op een gegeven moment voert hij aan: 'Kom op, Rob, je denkt toch niet dat ik een egoïst ben, of wel?' Rob lacht, maar geeft geen antwoord. Dylan stelt op een gegeven moment voor om de vergadering te schorsen, maar dat wil Rob niet. 'Dit is de laatste vergadering die jullie ooit met me zullen hebben,' zegt Rob, 'dus jullie kunnen maar het beste alles op tafel gooien.'

Guy stuurt later een e-mail waarin staat dat hij het geld voor zijn huis terug wil geven. Ze vragen hem het over te maken naar Robs goede doel.

Deel een

1

Iemand die is onderworpen aan de dwaasheid en verstorende invloed die roem met zich meebrengt, zal minder snel warmlopen voor het idee om een gecontroleerd, opgeschoond verslag van zijn leven te schrijven dan je denkt. Waarom zou je ook, als het uiteindelijk vanaf het begin de bedoeling is om de waarheid te verdraaien; weer een lachspiegel, ook al is deze bedoeld om hen te flatteren. Voor de meeste onderwerpen verbleekt de aantrekkingskracht van het welwillend verkeerd worden voorgesteld, omdat het niet echt tegengas geeft aan de stortvloed aan nonsens, halve waarheden, onzorgvuldigheden, leugens en misverstanden waarmee ze worden omringd. Vaak hunkeren ze na een tijdje juist naar stilte of een beetje waarheid.

Het is zelfs niet per definitie zo dat ze willen, of verwachten, dat de meeste mensen hun leven en de vreemde situaties begrijpen; het is misschien gewoon dat het fijn zou zijn dat er iets betrouwbaars en eerlijks zou zijn aan de hand waarvan iemand die om je geeft zich een nauwkeurige mening kan vormen. Ik denk dat mensen die beroemd zijn en te vaak onder een vergrootglas zijn gelegd, vaak ook alleen maar de waarheid over zichzelf willen zien, gewoon voor zichzelf, zodat ze voor een keer, wanneer ze zichzelf terugzien of -horen, ze in ieder geval zichzelf erin kunnen herkennen. In dat opzicht kan beroemd zijn misschien wel worden vergeleken met een echoput die niet helemaal werkt zoals het hoort: wanneer je schreeuwt, gebruikt de echo die je hoort dezelfde stem, maar weerkaatst andere woorden, of je hoort dezelfde woorden, maar een andere stem. Soms zou het fijn zijn om gewoon iets te horen wat je herkent als zijnde van jezelf.

Mensen die getrouwe weergaven van hun leven en werk stimuleren, zeggen soms ook dat ze alle feiten op een rijtje willen zetten, na alle leugens en verkeerde beoordelingen waarmee ze te maken hebben gehad. Soms is dat het geval, maar ik denk dat het zelden hun belangrijkste motivering is. De grote leugens doen, natuurlijk, pijn; ze kunnen enorm zeer doen. Maar je kunt wijzen op een grote leugen; je kunt er tegenin gaan en misschien kun je hem weerleggen. Mensen zullen in ieder geval naar je luisteren wanneer je zegt: 'Ik ben niet naar bed geweest met hem of haar, heb dat niet kapotgegooid, heb hem niet geslagen, heb niet kwaadgesproken over haar, heb dat niet gekocht, heb niemand bedrogen...'

Ik denk dat het op de lange termijn de kleine leugentjes zijn die meer schade toebrengen, omdat je er weerloos tegen bent. Dit zijn niet de smadelijke aantijgingen en lasterpraatjes. Het zijn de kleine onwaarheden, de eindeloze kleine verkeerde voorstellingen van feiten over waar je was en wat je deed en waarom je het deed en wat er gebeurde en wie je bent. Als je probeert te attenderen op een kleine leugen, luistert meestal niemand en als ze al luisteren, denken ze dat je gek bent om zoveel drukte te maken over iets wat zo onbelangrijk is. Zij zijn de zandkorrels die een gebouw aantasten; als je een leven lang binnen de muren woont, zie je de vernieling die ze aanrichten, maar voor alle andere mensen zijn ze alleen maar stofjes in de lucht. Maar dit zijn de leugens die de persoon over wie wordt gelogen vertellen dat alles waarvan zij denken dat het waar is op een listige manier toch een leugen blijkt; uiteindelijk zijn het de kleine onwaarheden die je vertrouwen in de werkelijkheid en je relatie met de buitenwereld kunnen ondermijnen.

Beroemd zijn in de 21e eeuw is worden beschoten met kleine leugentjes, dag in, dag uit. Beroemd zijn in de 21e eeuw is gevangenzitten als een personage in een boek met een onbetrouwbare verteller die heel hard schreeuwt vanaf de bladzijden om duidelijk te maken hoe het echt zit. Hoe kun je niet willen wensen dat het anders zou zijn?

***

Twee dagen nadat hij zijn nieuwe platencontract heeft getekend, ga ik naar het huis van Rob in West-Londen. Het nieuws van zijn breuk met Guy is net bekend geworden. Buiten op straat wachten de paparazzi. Zo meteen maken ze foto's van zijn nieuwe tafeltennistafel die wordt bezorgd. Hij drinkt thee in de woonkamer, pakt een akoestische gitaar en begint een nieuw nummer te spelen dat hij vandaag heeft geschreven. Alleen. Misschien voelt hij zich aangespoord door de huidige ontwikkelingen. Het nummer heeft een ongebruikelijke, droevige, indringende melodie. Het ontstond door de woorden 'soft corrosion' op een vintage-T-shirt van Vivienne Westwood/Malcolm McLaren dat in de wc beneden in een lijstje hangt, maar het is nu iets geworden wat klinkt als een nummer tegen de oorlog.

Singing, we won't go to war
Lay down your guns
What are we fighting for?

I wouldn't know how to use 'em
I wouldn't know how to kill
I wouldn't want to anyway
And I never will

We gaan naar de tuin. Hij wijst naar de flat aan de overkant van de weg die kort geleden in *The Times* te koop werd aangeboden, waarbij hij correct, maar goedkoop werd aangeprezen als 'uitkijkend op de achtertuin van Robbie Williams'. Een vriend van hem komt naar buiten en Rob vraagt of ik bezwaar heb tegen gezelschap terwijl we praten. Als jij er ook geen bezwaar tegen hebt, zeg ik.

'Hé, ik ben het,' spot hij. 'Ik ben Robbie Williams. Open de koelkastdeur, het licht gaat aan, ik doe drie uur...'

We hebben het voornamelijk over Guy. 'We zingen niet meer uit hetzelfde liedjesboek,' zegt hij. Hij denkt niet dat Guy ooit gelukkig was met het werken aan nummers van anderen. Het tegenvoorbeeld dat Guy hem altijd gaf – 'Kom op, Rob, zo ben ik niet,' zei hij dan – was *She's The One*, geschreven door Karl Wallinger, in wiens band World Party Guy op een gegeven ooit zat. 'Volgens mij had hij zo'n hekel aan Karl Wallinger,' denkt Rob,' dat hij van *She's The One* een grotere hit wilde maken dan Karl Wallinger ooit is gelukt.'

Voor Rob was Guys weigering om *Come Undone* te promoten de laatste druppel. 'Ik had zoiets van, goed, donder direct maar op dan.' En dat Guy gechoqueerd zou zijn door de tekst, daarvan denkt hij dat het gewoon een excuus was. 'In *Feel*,' verklaart hij, 'zeg ik: "*I don't want to die but I'm not keen on living either*". Dat is veel schokkender dan welke regel dan ook uit *Come Undone*.'

Hij praat over hun laatste vergadering. 'Ik vroeg hem op de man af,' zegt Rob, 'staat het geld dat ik verdien je tegen? En hij zei, "Absoluut niet." Maar het was absoluut wel het geval.' Het is sneu. 'Weet je, toen we elkaar ontmoetten, lag ik op m'n gat – ik had geld, maar ik lag op m'n gat – en zijn dak lekte. En nu woont hij in een huis van een paar miljoen pond en heeft hij een heerlijke levensstijl, en het is Robbie Williams die de platen verkoopt. Het is niet Guy Chambers die voor al die duizenden mensen gaat staan en ze entertaint. En dat is de vent die niet naar buiten kan, omdat de paparazzi voor zijn huis staan...' Maar goed, als de andere dingen niet waren gezegd, denkt hij dat ze financiële meningsverschillen hadden kunnen overbruggen. 'Ik had naar hem toe kunnen gaan en kunnen zeggen: "Jij stomme grote klootzak – onvoorstelbaar dat je om zoveel geld durft te vragen – je krijgt het niet, en dit gaat er gebeuren en dat gaat er gebeuren..." en dan hadden we wat bij elkaar kunnen schrapen.'

Maar nu niet meer.

'Het werd beter bij dit album,' zegt hij. 'Het niveau was hoger. En het maakt me woedend. En ik ben verdrietig, ja. Het is zo verdomde jammer omdat het laatste nummer dat we samen schreven verrekte fantastisch was.' Hij past er wel voor op een mogelijke samenwerking helemaal uit te sluiten. 'Wij vormen een fantastisch schrijfteam. En er moet een musical worden geschreven die ik met Guy moet schrijven. Maar dat zal niet zomaar gaan. En hij moet punt voor punt zeggen "het spijt me van dat" en "het spijt me van dit" en hij moet het menen. Anders gaan we nooit meer schrijven.'

Veel later, als we al deze woede bespreken, voegt hij dit nog toe. 'En ik hou van Guy. Wat er ook gebeurt. Echt. Hij is een ongelooflijke idioot, maar ik hou van hem.'

Nu maakt hij andere plannen. 'Ik ben er heel enthousiast over,' zegt hij, 'omdat het me dwingt om mijn veilige zone te verlaten, om dingen te veranderen.' Hij windt zich op over de zinspelingen in de media dat hij zonder Chambers in de problemen komt en dat EMI zich heel veel zorgen maakt over hoe deze bom hun investering beïnvloedt. Hij ergerde zich vooral aan een zinspeling in *The Daily Mail* over hoe de 'melodieën van Chambers direct te neuriën zijn', alsof Rob alleen maar een paar woordjes toevoegde. 'Ze vergelijken mij met Bernie Taupin en Guy met Elton John,' zegt hij. 'Ik zou het enorm onbeleefd vinden wanneer iemand van mijn platenmaatschappij denkt dat het leeuwendeel van de nummers niet door mij is gemaakt.'

Ogenschijnlijk ben ik er om de laatste details en perspectief te verzamelen voor het artikel dat ik aan het schrijven ben, maar het voelt niet alsof we aan het afronden zijn. Het voelt alsof we doorgaan. Hij zegt – bijna terloops, alsof het zo serieus of zo licht kan worden opgevat als we zelf willen – dat ik wel een boek kon gaan schrijven. Ik zeg iets over dat ik daar eigenlijk pas aan kan gaan denken als mijn artikel af is. Dan begin ik te denken over het boek dat ik ga schrijven.

Als we genoeg hebben gepraat, gaan we spelen op zijn nieuwe tafeltennistafel met zijn nieuwe roze tafeltennisballetjes en dan zegt hij dat hij zin heeft in wat eten. We kuieren al kletsend door de straten in de buurt van zijn huis, terwijl hij maar van gedachten blijft veranderen over wat en waar we gaan eten. Ten slotte staan we voor het gekozen restaurant, op het punt om naar binnen te gaan. Abrupt zegt hij dat hij van gedachten is veranderd. Hij wil in plaats daarvan naar het nieuwe televisieprogramma *Fame Academy* kijken. En hij loopt weg.

✱ ✱ ✱

Hij belt in het weekend, boos over een stuk in *News Of The World* waarin een citaat van Guy staat waarin hij beweert dat Rob een exclusiviteitsbeding had geëist en Guy had gevraagd te garanderen dat hij met niemand anders zou gaan werken. Rob zweert dat dit nooit is gebeurd. Het is niet duidelijk of Guy het inderdaad zo heeft gezegd, maar bij gebrek aan nauwkeuriger informatie wordt het de officiële roddelbladreden voor de breuk.

In alle huidige roddelbladverhalen staat dat Guy zich gaat richten op zijn meidengroep The Licks. Ondertussen haalt het nummer dat Guy in Los Angeles schreef met Natalie Imbruglia de filmsoundtrack niet waarvoor het was bedoeld. Misschien kunnen sommige groepen een ironisch genoegen ontlenen aan het feit dat wanneer de desbetreffende film, *Johnny English*, wordt uitgebracht het themastuk *A Man For All Seasons* nu is gezongen, en mede is geschreven (met de componist van de film, Hans Zimmer) door Robbie Williams.

✳ ✳ ✳

De avond van Halloween. Voordat hij met Jonny zijn huis in Holland Park verlaat, pakt hij de jas en de pet die hij altijd draagt en zet hij een doorzichtig masker op. Het masker is gemodelleerd naar zijn eigen gezicht – het is in de videoclip *Eternity/The Road To Mandalay* gebruikt als een rekwisiet voor de bankroverscènes – en wanneer hij het opzet, ziet hij er eng maar uitdrukkingsloos uit. Hij doet het voor de paparazzi; die zitten de hele tijd buiten in hun auto's of hangen een beetje rond. Robbie kan niets doen om ze ervan te weerhouden hem te fotograferen als hij van de voordeur naar de auto loopt, die net voor het huis staat geparkeerd en alleen door spijlen wordt afgescheiden van het trottoir. Maar door tussen de voordeur en de auto het masker te dragen en altijd dezelfde jas aan te hebben, kan hij wel proberen ervoor te zorgen dat hun foto's waardeloos zijn. Hij hoopt ook dat als ze alleen maar vrijwel identieke foto's kunnen krijgen van iemand die waarschijnlijk Robbie Williams is, in dezelfde kleren, steeds maar weer, dat ze het wachten hier uiteindelijk beu worden. En ondertussen voelt elke keer dat hij het doet als een kleine overwinning. Hij komt naar buiten, ze beginnen te klikken, maar je weet dat zij weten dat ze geen foto hebben die ze kunnen verkopen.

'Jullie krijgen geen reet, zoals altijd!' zingt Rob, terwijl hij het portier opent. 'Jullie krijgen geen reet, zoals altijd!'

Er lopen een paar kinderen voorbij in Halloween-kostuums.

'*Trick or treat*,' schreeuwt Rob opgewekt.

Pas als hij in de auto zit, komt er een enge gedachte in hem op.

'Weet je wat hun verhaal nu gaat worden?' zucht hij. '"Robbie Williams verliet het huis toen jonge kinderen "trick or treat" riepen en schreeuwde, 'Jullie krijgen geen reet, zoals altijd'."'

Dat gebeurt in ieder geval niet.

Soms probeert hij vrede te hebben met de paparazzi en de roddel-bladen. Hij probeert ze op de een of andere manier te accepteren. Maar meestal voelt hij alleen een diepe en intense afkeer van ze. Hij is woe-dend om om hoe ze zijn, om de manier waarop ze hem behandelen en om de manieren waarop ze zijn herstel in gevaar hebben gebracht. En niet alleen door hem buiten te fotograferen na AA-bijeenkomsten. In Londen is vorig jaar een opnameapparaatje gevonden, dat zat vast-geplakt onder een tafel die werd gebruikt voor een bijeenkomst ver-gelijkbaar met waar hij heen ging. Alleen al daarom – en er zijn nog talloze andere redenen – haat hij ze. 'Ik werd niet met rust gelaten om ermee aan de slag te gaan en me te wagen in deze nieuwe wereld zon-der chemische hulp of zonder dat alcohol mijn toeverlaat was,' zegt hij. 'Ik vond het oneerlijk. En het *is* oneerlijk, weet je, maar de wereld is niet eerlijk.' Zelfs nu probeert hij het om te draaien: 'Als de wereld wel eerlijk zou zijn, zou ik geen tachtig miljoen pond krijgen. Ik zou geen popster zijn. Ik zou nu in een of andere pub in Stoke-on-Trent staan te praten over hoe ik altijd zong toen ik een kind was. Dus godzijdank dat de wereld niet eerlijk is.'

✹✹✹

Dit weekend jubelt de voorpagina van *News Of The World* dat ze een complot om Victoria Beckham te kidnappen hebben ontmaskerd. Voor veel lezers is het verhaal een absurditeit – een conflict tussen de onnozelere, minder plausibele periferie van roem en criminaliteit; entertainment dat weinig betrekking heeft op hun levens – maar Rob windt zich er enorm over op. Hij denkt aan de publiciteit die is gege-ven aan de som geld rond zijn platencontract en hij begint zich zor-gen maken over de mensen die hem na staan. Het dwingt hem ook na te denken over hoe hij praktisch aan huis gebonden is geweest, op zijn werkexcursies na, en dat hij alleen ermee om kan gaan omdat hij weet dat hij binnen afzienbare tijd weer teruggaat naar zijn nieuwe, vrijere leven in Amerika.

Deze twee standpunten komen samen in een nieuwe gedachte, een-tje waar hij al een tijdje mee speelt. Het huidige plan is dat als *Esca-pology* eenmaal met succes is uitgebracht in de rest van de wereld, het de volgende lente wordt uitgebracht in Amerika en Rob een gerichte poging gaat doen om het enige continent dat tot dusverre vrij immuun is geweest voor hem te charmeren. Maar hij vraagt zich nu al af of het de moeite waard is.

'Wat heeft het voor zin om door te breken in de VS?' zegt hij. 'Ik zat zo te denken, ik wil kinderen en ik wil niet dat ze opgroeien achter rookgordijnen en dat ze hun eigen beveiliging hebben.' Hij vraagt om een vergadering met David en vertelt hem zonder omhaal dat hij niet naar Amerika wil om zijn album te promoten. Zijn leven in Engeland is niet leuk; waarom zou hij dat herscheppen aan de andere kant van de Atlantische Oceaan? 'Er kunnen twee dingen gebeuren,' redeneert hij. 'Het ene is: gigantisch. En de andere manier is, ik ga gigantisch op m'n bek. Wat een deuk voor mijn ego is. En ik word er waarschijnlijk de rest van mijn carrière aan herinnerd, weet je. Maar als ik daar wel succes heb, wat voor leven heb ik dan? Omdat ik weet dat het in Amerika alles of niets is.'

David antwoordt dat zijn enige zorg is of Rob over tien jaar misschien spijt heeft, als zijn collega's daar zijn doorgebroken en hij niet. Rob zegt dat hij zeker weet dat dat niet zal gebeuren.

De volgende ochtend staan er vijf paparazzi voor zijn huis wanneer hij wakker wordt. Een van hen neemt een foto op het moment dat hij door de gordijnen gluurt, met vandaag een ander resultaat. 'Ik dacht, jullie kunnen me allemaal de pot op, ik ga doorbreken in de VS en dan ben ik niets meer verplicht aan dit land,' zegt hij. 'Wanneer ik het over "dit land" heb, bedoel ik "deze media".'

Hij heeft zich ook, als gevolg van de plannen om Victoria Beckham te kidnappen, gerealiseerd dat er tenminste één voordeel kleeft aan het feit dat er constant paparazzi voor je huis staan. Het feit dat verschillende cameralenzen continu op je huis zijn gericht, maakt misschien wel je leven kapot, maar het is ook een effectieve en gratis manier om je beveiliging te verbeteren.

Er gebeurt deze week nog iets wat hij pas maanden later vertelt. Er worden twee kleine kogelgaten gevonden in een van de voorramen.

2

Er is een zin die Rob nooit tegen me zegt, naarmate ik steeds meer tijd doorbreng in zijn wereld als een getuige, in het kielzog van al deze luxe en opdringerigheid en verbazing en gekte en succes en plezier en zinloosheid en privileges. Het is de zin die niet hoeft te worden uitgesproken, want als hij eenmaal zou moeten worden gezegd, moet hij elke dag tientallen keren worden gezegd en als hij moet worden gezegd, zou het betekenen dat ik niets opmerkte, me niets realiseerde. Het is de niet uitgesproken zin die wordt geïmpliceerd door elk gelaten schouderophalen, geïrriteerde stilte en sluwe glimlach:

Zo is het nu eenmaal.

***

Hij leest een brief voor die vanmorgen bij de post zat.

Lieve Robbie of wie dit leest.

Ik vind je fantastisch. Veel geluk met alles wat je doet. Vind de look van je nieuwe videoclip met paarden te gek. Kun je me meer informasie geven over het paard waarop je rijd. Mijn vader en moeder proberen hun bugalow te verkopen foor £130.000. Wilt U het kopen als 'n infestering of om door te verkopen want zei hebben een huis gezien in onse buurt die ze willen kopen. Mijn vader is zeventig mijn moeder is 68 denk ik. Het waren moeilijke tijden voor hen. Ik weet niet hoe ik hunnie moet helpen. Kunt u, want u verliest geen geld maar geeft hun wel de kans om te kopen wat ze willen. Ik snap het als u dit in de prullebak gooit maar we houden allemaal van onze mama's en papa's en wil alleen maar helpen.

Hoogachtend...

De schrijver heeft heel attent een foto bijgesloten van de bungalow die ze verwacht aan hem te verkopen. Het ergste is niet hoe idioot deze brief is, maar hoe gewoon Rob het schijnt te vinden. Een van de vele onverwachte gevolgen van roem is dat je een magneet wordt voor dromen, hoop, gekte en waanideeën. Het gevolg daarvan is dat je altijd mensen moet teleurstellen. Als je eenmaal beroemd bent, sla je altijd dromen stuk die je nooit hebt aangemoedigd, trek je hulp in die je nooit hebt aangeboden en breek je beloften die je nooit hebt gemaakt.

***

Vanavond is het tweede van twee optredens voor een publiek in de Pinewood-studio dat wordt gefilmd voor een televisiespecial, *The Robbie Williams Show*. De sfeer is een beetje geïnspireerd op de Elvis 1968 Comeback Special. Vooraf laat hij mij een opname horen van een nieuw nummer dat hij vorige week alleen heeft geschreven, *One Fine Day*, en zingt dan de laatste versie van het akoestische nummer dat hij voor me speelde bij hem thuis. De tekst is iets veranderd en nu lijkt het deels gebaseerd te zijn op de ervaringen van Mohammed Ali. '*No Viet Cong called me nigger, don't bother me,*' zingt hij. Hij vraagt zich af of hij die regel moet veranderen. 'Denk je dat mensen daar aanstoot aan nemen?'

Hij komt het podium op, staand op een gigantische RW, op het thema van *Rocky*. Halverwege de set pakt hij zijn gitaar, voor de eerste keer in een show, om *One Fine Day* te spelen. 'Er is onlangs iemand bij ons ontslagen,' zegt hij. Dit is zijn standaardregel geworden na het vertrek van Guy. 'Dus, ja, ik moet nu zelf nummers schrijven. Geen probleem hoor. Ik kan het wel. Je hebt maar drie akkoorden nodig. Er zijn hele carrières uit voortgekomen. Ik noem geen namen.' Pauze. 'Oasis.'

Even later vraagt hij het publiek: 'Zijn jullie wel eens echt geobsedeerd geweest door iemand?' zegt hij. Ze gillen als gekken; stomme vraag. 'Dan zijn jullie stalkers,' zegt hij en gaat verder. 'Ik heb een nummer geschreven over een bepaald persoon wiens naam ik niet zal noemen – alleen al omdat als ik een scheet laat het in de bladen staat – maar ik heb dit geschreven omdat elke keer dat ik bij haar in de buurt was me voelde als een jochie van zeven jaar en ik niets kon uitbrengen…' Hij lacht. 'En uiteindelijk heb ik gewoon mijn penis uit m'n broek gehaald. Dit nummer gaat daarover.'

Hij speelt het openingsnummer van zijn nieuwe album, *How Peculiar*.

Na het nummer zegt hij: 'Dank je wel. Jullie snappen wel dat ik met haar naar bed ben geweest.'

✳ ✳ ✳

Hij en zijn band komen bijeen in de Townhouse-studio om een nummer op te nemen dat hij gisteravond heeft geschreven met Boots: *Get A Little High*. Eerst moeten ze een arrangement uitwerken. Claire Worrall, zijn toetseniste, vraagt Rob wat zij moet spelen op het nummer.

'Borsten,' zegt hij. 'Je zou gewoon kunnen gaan zitten en ze een heel nummer vasthouden. Je weet dat Yoko Ono ooit een dode duif heeft opgenomen voor een heel nummer. Toen ik dat voor het eerst hoorde, dacht ik: ze is knettergek. Nu denk ik: hmmm, grappig. Ik wil een dode muis en drie kaketoes.'

Claire laat hem geduldig uitpraten.

'Dus wat moet ik spelen?' vraagt ze.

'Borsten,' antwoordt hij.

Tussen de opnames door vertelt hij Chris Briggs over het interview dat hij die ochtend had met Sara Cox op *Radio One*.

'Ik ga haar steeds beter waarderen,' zegt Chris Briggs.

'Ik ga haar ook steeds beter waarderen' zegt Rob. 'Ik had haar niet meer gezien sinds *The Girlie Show*. Ze was heel lief. Ik ben een beetje verliefd op haar geworden.'

'Getrouwde vrouw,' zegt Chris.

'Daarom kan ik nog wel een beetje verliefd op haar zijn,' zegt Rob. 'Betekent niet dat ik achter haar aanga. Ik kan het in een hokje stoppen en zeggen: mooie vrouw, fantastische tieten. Ze lijkt ook wel een beetje op het meisje van om de hoek. Ze is gewoon verdomd fantastisch. Ze is het buurmeisje dat voor het eerst haar poes aan je liet zien.' Pauze. 'Er werd natuurlijk geïnformeerd naar Guy.'

'Alles wat je nu doet...' zegt Chris.

'Ik heb het heel goed gedaan,' zegt Rob. 'Heb gezegd dat hij een klootzak was en dat ik hem ging vermoorden. Nee, ik was heel waardig.'

Er werd ook gevraagd naar iets wat de manager van Westlife, Louis Walsh, had gezegd in de interviews die hij heeft gedaan om het nieuwste televisieprogramma *Pop Rivals* te promoten. 'Louis Walsh zei dat ik niets meer was dan een omhooggevallen karaokezanger en dat ik de eerste ronde van *Pop Idol* niet zou doorkomen,' vertelt hij. (ROBBIE IS EEN FLUTSTER was de kop van *The Sun* toen Walsh met ze had gesproken. 'Hij heeft maar twee dingen die in zijn voordeel zijn – zijn brutaliteit en Guy Chambers, en nu heeft hij Chambers niet meer,' citeren ze Walsh. 'Zonder Guy is hij niets.')

'Dus,' gaat Rob verder, 'ze vroegen: wil je iets zeggen over dat Louis Walsh-gedoe? Ik zei: hij heeft gelijk, hij heeft er een handje van om één en één bij elkaar op te tellen zodat het klopt. Ik denk vaak dat ik de eerste ronde niet zou doorkomen.' Hij lacht. 'Ik heb het oprecht gedaan. Het voelde goed, hem vermoorden met vriendelijkheid. Een jaar geleden zou ik de confrontatie met hem zijn aangegaan, bij hem thuis, in een tijgerpakje.'

Hij komt weer terug op Sara Cox. 'Volgens mij was zij tegen het einde ook een beetje verliefd,' zegt hij. 'Ze zei: "ik ben helemaal in verlegenheid gebracht – ik heb dezelfde kleur als mijn moeder als ze bij de kassa van de supermarkt twaalf cent te kort komt..."'.

Voordat hij weggaat, deelt hij met Chris Briggs nog een recent moment van zelfontdekking.

'Ik zei vorige week tegen Rachel: ik realiseer me net dat ik van drama hou,' zegt hij. 'Ze keek me zo aan van "duh!". Het was vreselijk. Dat besef dat iemand anders het wist voordat ik het wist.'

✳✳✳

De paparazzi voor zijn huis hebben er voor vanavond genoeg van, maar een Italiaans meisje staat te wachten met een roos die ze hem door de spijlen in handen duwt wanneer hij uit de auto stapt. Hij accepteert de roos, zijn gezicht staat op onweer, maar hij weigert om een handtekening te geven. Dit is zijn huis, probeert hij uit te leggen. 'Het gaat om privacy,' zegt hij.

Ze zegt dat ze niet weer komt, alsof dat voldoende reden is om haar te geven wat ze wil.

Hij knikt. 'Maar als jij weggaat, komt er iemand anders voor je in de plaats.'

Ze smeekt hem. Hij weet dat het geen verschil maakt, maar in plaats van naar binnen te gaan, vertelt hij wat hij ervan vindt.

'Je denkt dat je me kent,' zegt hij, zijn stem ergens tussen woede, uit-putting en wanhoop, 'maar je kent me niet. Ik wil dat je weet dat je niet welkom bent. Ik geef je een hand, maar ga alsjeblieft weg.'

Ze mompelt iets door de spijlen heen.

'Compliment ontvangen, laat me alsjeblieft met rust,' zegt hij en stormt naar binnen.

3

Laatst liep Rob weer tegen een homevideo aan die Gary Barlow had gemaakt toen ze samen in Take That zaten. 'Ik dacht echt dat ik er naar zou kijken en medeleven zou voelen,' zegt hij. 'Dat was niet zo.' Hij lacht. 'Wat me wel opviel, was hoe camp ik was. O, mijn god!'

Het gelach duurt niet heel lang. Zelfs nu kan hij maar heel even grap-jes over Take That maken voordat de afschuw en angst al weer in hem opwellen. 'Het heeft eeuwen geduurd voordat ik eroverheen was,' zegt hij. 'Zelfs bij successen. Het was altijd vol verdeel-en-heers-gedoe, heel veel paranoia, 24 uur per dag. Heel vormende jaren – volgens mij is er toen veel gedaan op psychologisch gebied. De werkdruk, en hoe on-zeker ik was, manifesteerde zich honderdvoudig toen ik wegging. Ik wist al wel dat ik onzeker was, maar ik had niet die hevige onzekerheid die het werd. Ik zoog alles – kritiek – op als een spons en ik kon niet goed tegen roem. Toen ik in Take That stapte, dacht ik dat ik alles kon en toen ik eruit ging, dacht ik dat ik niets kon.' Hij geeft hun manager, Nigel Martin-Smith, het meeste de schuld. 'Hij was altijd bezig met ver-delen en heersen,' zegt Rob. 'Hij bezorgde ons allemaal een vreselijke tijd. Vooral Jason en mij. Maar, weet je, die verhalen van mensen die klo-ten met je gevoel, zijn er dertien in een dozijn. Hij was de persoon in mijn leven die het voor mij als persoon onmogelijk maakte omdat ik er gewoon niet mee kon omgaan. Ik was er gewoon niet klaar voor. Ande-re mensen kunnen het zo weer loslaten. Ik kon het niet loslaten. Aan het begin van Take That verdween ik in een groot gat waarin ik pro-beerde om te gaan met leven met een lege gereedschapskist. En toen ik 28 jaar oud was, begon ik net een beetje omhoog te krabbelen.'

Josie vraagt naar de andere vier. 'Ik vraag me af hoe het voor hen was,' zegt ze, 'het in de schoot geworpen krijgen en dan…' Ze hoeft haar zin niet af te maken.

'Precies,' zegt hij. 'Op deze videoband staan beelden van zijn eerste huis, de bungalow. Vreselijk. Close-ups, in- en uitzoomen op kaarsen. Er zijn geen beelden van mij, heel, heel, weinig beelden van mij, zag ik. Veel van Howard, veel van Jason.'

'Net genoeg om op te merken dat je camp was?' vraagt Josie.

'Ik had een sigarettenhouder,' zegt hij. 'Ik had de hele tijd een sigaret in mijn mond. Er verandert niets.'

'Alles verandert,' mompelt Chris Sharrock, zijn drummer.

We zitten in een privé-jet en zijn op weg naar de MTV-awards in Barcelona. Hij denkt nu aan andere dingen. Rob bladert door een Frans tijdschrift, *Voici*, en vindt een artikel met de kop 'Las Ketchup Accusées de Satanisme!'. Vreemd. Hij zegt dat hij over een maand zijn volgende album wil gaan maken en vertelt wat hij vond van het optreden van The Prodigy dat hij zag tijdens het Coachella-festival in de woestijn van Californië. 'Het begint een beetje op Gary Glitter te lijken, een beetje pantomime,' zegt hij. Pauze. 'En dat is mijn taak…'

Josie vertelt hem dat Steve Coogan een Alan Partridge-sketch met hem wil doen voor Comic Relief. Het is niet verrassend dat hij er enthousiast over is, aangezien hij op sommige dagen de stem van Alan Partridge bijna net zoveel gebruikt als zijn eigen. 'Ik doe hem na en dan kan hij woest worden,' stelt hij voor.

✳ ✳ ✳

Even later hoort hij de band, die achter in het vliegtuig zit, lachen en kijkt op van het tijdschrift dat hij aan het lezen is. 'Ik weet dat jullie om mij lachen,' zegt hij voor de gein en dit voert hem weer terug naar de Take That-dagen. 'Dat komt door Nigel Martin-Smith,' zegt hij. '1993. Stopte de auto op de vluchtstrook: "Ik weet dat jullie me allemaal uitlachen. Ik heb jullie zover gebracht, maar ik kan er ook weer een einde aan maken. Het zal echt niet zo moeilijk zijn om een andere vent met de naam Robbie uit Stoke-on-Trent te halen." Zeg dat wel. En als je zestien bent en je hebt geen tachtig miljoen pond op de bank staan…'

Hij praat over die keer toen Take That in Derby bij een *Radio One*-evenement was en een meisje hem om zijn telefoonnummer vroeg. Nigel Martin-Smith reageerde pas toen ze allemaal samen op weg naar huis waren: 'Hij zei: "We hebben het allemaal heel erg goed gedaan vandaag, jongens. Op één jongen na. En we weten allemaal wie dat was. Robbie Williams. Hij gaf zijn telefoonnummer aan een meisje." Ik wist dat het doorgestoken kaart was. De avond daarvoor, in het restaurant in Brighton, zei ik tegen dit meisje: "Je bent heel erg mooi – hoe heet je?" en hij zei: "Wie denk je wel dat je bent? Ga terug naar het hotel."'

'En ging je?' vraagt Chris Sharrock.

'Ja,' zegt hij. 'Ik was niet altijd zo zelfverzekerd.'

De herinneringen beginnen nu los te komen. De meeste aan de vernederingen van de twee mensen die hij duidelijk verantwoordelijk houdt voor veel van de pijn in zijn late tienerjaren, Nigel Martin-Smith en Gary Barlow. Op een dag als deze, vliegend boven Spanje in een privé-jet, vertelt hij deze verhalen omdat ze onderhoudend zijn – iedereen komt erbij zitten – maar volgens mij ook omdat hij nog steeds niet kan geloven wat er allemaal is gebeurd en hoe hij zich daardoor is gaan voelen.

Hij begint met een lijst van de zonderlinge eigenschappen en de gierigheid van Gary Barlow. Dat Gary Barlow Take That zo'n duizend pond per week in rekening bracht voor het gebruik van zijn keyboard tijdens tournees en hun altijd vertelde dat 'het goedkoper is dan A1-muziek'. Dat hij een Mercedes 250 kocht en er Mercedes 500-stickers op liet plakken. Dat hij Rob een pond vroeg voor het gebruik van zijn mobiele telefoon. Dat hij binnen zijn jas aan had en zei: 'Waarom zou ik de kachel aanzetten? Draag een jas en laat de fluitketel een paar keer stomen.' Dat hij niet altijd de richtingaanwijzers gebruikte en uitlegde dat hij dat opzettelijk deed om de accu te sparen. Dat hij eens opschepte tegen de band, die toen nog geen salarissen hadden om over naar huis te schrijven: 'Dit is niet te geloven, jongens! Ik heb net een cheque gekregen voor tweeënhalf miljoen pond.' Dat hij als je bij hem langsging zijn eigen speciale koffie had en z'n bezoek een kopje Nescafé gaf. Dat hij begon al het buitenlandse eten te weigeren en dat hij het onvoorstelbaar vond wanneer iemand meer dan dertig pond uitgaf aan kleding, en dat hij toen, nadat hij had gezien hoe Elton John leefde, alles omgooide – als je bij hem langsging, stond er plotseling een butler in uniform die je Baileys met ijs aanbood in een kristallen glas. Dat, nadat Rob een rap had gedaan op de derde single van Take That, *Once You've Tasted Love* – 'ik was gewoon zo in m'n nopjes dat iets wat ik zei voor een nummer werd gebruikt,' herinnert Rob zich, 'en ik had geen idee dat je betaald kon worden voor zoiets' – Gary naar hem toe kwam en hem liet weten dat als hij vijf procent wilde hebben voor het nummer dat Gary de rap er dan uit zou halen 'omdat het nummer er toch niet beter van wordt.' 'Daarna,' zegt Rob, 'wilde ik niet meer schrijven in Take That.' (Nou, niet helemaal. Hij en Mark Owen mochten uiteindelijk het refrein schrijven van de nummer-één-hit, *Sure*, en nu kregen ze elk hun vijf procent. En hij had Gary eens gebeld om hem zijn eerste compositie voor te zingen door de telefoon. Het ging over een hoer. Toen hij klaar was, was er stilte. 'Wat denk je?' vroeg Rob opgewonden. 'Leuk als je in een rock-'n-rollgroep zit,' zei Gary Barlow uitdrukkingsloos.)

Rob legt uit – met zulke verse pijn dat het klinkt alsof hij bang is dat het vanavond weer kan gebeuren – hoe hij altijd werd afgezet bij het pompstation Trust House Forte aan de snelweg M6 wanneer Take That terugkwam van reisjes. Zijn moeder moest hem dan ophalen of hij moest een taxi bellen, ook als het drie uur 's nachts was en ook al had hij verteld dat het maar een paar minuten zou kosten om door Stoke te rijden. 'Ik tekende plattegronden en alles,' verzucht hij. (Hij voegt er wel 'in alle eerlijkheid' aan toe dat als ze in Manchester aankwamen, de andere leden werden gedropt op een centraal punt en maar moesten zien hoe ze thuiskwamen.)

Hij herinnert zich nog een keer, tegen het einde, toen Take That optrad in het populairste televisieprogramma van Duitsland, *Wetten Dass...?*, Nigel Martin-Smith enorme ruzie kreeg met zijn ex-vriend, hun visagist. Er vloeiden tranen en Nigel Martin-Smith stormde beledigd weg. Terug in het hotel kwam de band bijeen en ze waren het erover eens dat dit zo niet meer ging. 'Iedereen zat te klagen, heel veel gepraat maar weinig doen,' herinnert Rob zich. 'Iedereen vond dat het te ver ging, dus ik ging zitten en zei: goed! We ontslaan hem en we huren een andere manager in. Barlow wendde zich tot mij en hij zei, aanhalingstekens openen, aanhalingstekens sluiten: "Dat moet jij nodig zeggen. Het slechtste bandlid. De persoon die alleen opbloeit als de schijnwerpers op hem zijn gericht."'

'Hij wist het,' zegt David.

'Hij moet het geweten hebben,' zegt Rob.

Rob beschrijft hoe het voor hem eindigde. Op een dag was er na tourneerepetities een vergadering bij Gary thuis. 'Ik zei dat ik er na de tournee uit wilde,' herinnert hij zich. 'En ik zat op zijn schommel in zijn boom. Ik had mijn voeten op de grond en leunde achterover. En ze gingen stuk voor stuk opnoemen wat ik verkeerd deed, wat ze wel niet van me dachten...'

'Had jij gevraagd om die vergadering of zij?' vraagt Josie.

'Zij,' zegt Rob.

'Omdat ze boos op je waren?' vraagt Josie.

'Ja, omdat ze boos op me waren.'

'Was je dronken toen je kwam?' vraagt David.

'Ja, ik was zat...' Hij stopt en corrigeert zichzelf. 'Ik was niet dronken, nee. Ik had mezelf zo'n beetje in slaap gehuild in het Midland-hotel na de repetities, omdat ik er zo ongelooflijk genoeg van had. Ze zeiden: jij kunt misschien wel doorgaan, jij komt wel goed terecht, maar kun je je, in ons belang, twee jaar gedeisd houden, dan kunnen we elk twee miljoen verdienen. En ze hadden allemaal systematisch alles besproken en aan het einde tilde ik gewoon mijn voeten op en ging "joepie". En toen had iedereen zoiets van "hij is weg".' We aten een curry en daarna ging ik terug naar het hotel en buiten mijn medeweten hadden ze een vergadering dat ik moest vertrekken voordat de tournee begon. En ze hebben het heel slim aangepakt, zoals ze het hebben verwoord, want ik kwam binnen zoals altijd, deed een halfbakken repetitie de ochtend voor de tournee – ik zou het nooit halen, ik zou het nooit gaan doen – maar ik repeteerde zoals gebruikelijk en toen moesten ze iets hebben gehoord van de advocaten, over wat er zou gebeuren en hoe ze het moesten aanpakken, en tijdens de lunch gingen ze van, "Hoor 's, we hebben geluisterd naar wat je zei en we denken dat het het beste is dat je voor de tournee weggaat zodat wij kunnen bewijzen dat we het met z'n vieren kunnen doen – wat denk je ervan?" En ik zei: "Goed, als dat zo is, dan ga ik maar."

'Was je verdrietig?' vraagt Josie.

'Ik was opgelucht.'

'En bang, zou ik denken,' zegt David.

'Opgelucht en bang. Ik ging weg en ik stapte in de auto en de beveiligingsman Paul zei: "Ik haal je donderdag op." "Ik: ik kom donderdag niet." "Vrijdag dan." Ik zei: "Paul, ik kom niet terug." En ik kwam thuis en mijn moeder was op zolder in het nieuwe huis. En ik wilde gewoon dat iemand zou zeggen: "het komt wel goed". En ik zei: "Dit geloof je niet – ik ben ontslagen." En ze liet bijna de pot vallen die ze vast had en ze zei: "O mijn god, alle advocaten, alle honoraria, alle…" En ik dacht: *pffffff*. Op dat moment dacht ik: ik denk dat ik dronken ga worden… ik denk dat ik maar dronken blijf worden…'

'Lijkt het nu allemaal lang geleden?' vraagt Josie.

'Ja, totdat ik laatst die video weer zag,' zegt Rob. 'In het begin, als ik naar de wc ging als we ergens waren – de jongens hebben het me verteld – zei Nigel altijd: "Ik haat die verrekte Robbie – we zouden hem moeten ontslaan."'

'Maar waarom?,' vraagt Josie.

'Omdat ik uit het waardeloze Stoke-on-Trent kwam. En ik was een waardeloze hetero,' zegt hij. 'Ik denk omdat alle krachten in mij te sterk waren. Beetje een buitenbeentje. "Weet niet of ik ze lang in bedwang kan houden."'

'In dat busje naar al die mannenclubs, dat was zeker behoorlijk naar, of niet?' zegt David. In het begin was Nigel Martin-Smiths plan om door te laten breken via homoclubs en hij boekte ze opzettelijk niet voor evenementen voor onder de achttien.

Rob denkt er even over na en schudt dan zijn hoofd. 'Het was hartstikke leuk. Toen we de homoclubs deden, zaten we heel vaak met z'n vijven in de XR3i van Nigel Martin. En toen kregen we dat gele huurbusje, en dat was heel leuk.'

'Wie reed? Nigel?' vraagt David.

'Nee, iedereen om de beurt, behalve ik omdat ik niet kon rijden. Dus moest ik tanken. Maar ik weigerde. Iets als: "Omdat ik het verdomme niet doe!" Vrij vaak. Zorgde voor *mega*problemen. En ze hadden megavergaderingen over tournees enzo met de choreografen enzo en ik was er gewoon niet. Omdat het mij geen hol interesseerde. Het was niet mijn muziekstijl. "Wat jullie ook beslissen, ik vind alles wel goed."'

'Dat irriteerde hem waarschijnlijk het meeste,' zegt David. 'Jij zag de droom niet. Jij zag zijn droom niet. Of je wilde zijn droom niet.'

'Ja,' zegt Rob.

'Wilde je de lead zingen?' zegt David.

'Nee! God nee. Ik kan me herinneren dat ik de zang deed voor *Everything Changes But You* en ik heb wel twintig stickies gerookt in de twaalf uur die ik in die opnameruimte was. En we deden het nog een keer... en we deden het nog een keer...en we deden het nog een keer...En we deden het nog een keer...En we *hoefden* het niet nog een keer te doen.... en nog een keer... en nog een keer.'

David vraagt of de anderen meededen aan zijn drugsuitspattingen en hij zegt dat zelfs Gary tegen het einde een beetje relaxter werd. Hij staat op en doet na hoe zijn oude bandleider danste op ecstasy: hij demonstreert het verliezende gevecht tussen een drug die mensen zich vrij laat voelen en een lichaam dat wantrouwig staat tegenover alle vrijheden.

Rob heeft een vraag voor David.

'Moet je je excuses aanbieden aan iemand als Gary Barlow?' vraagt hij.

'Vind je dat je iets verkeerd hebt gedaan?' zegt David.

'Waarschijnlijk,' zegt Rob.

'Zou je je beter voelen als je hem een brief zou schrijven?' vraagt David.

'Nee,' zegt Rob abrupt. 'Ik zou me beter voelen als ik zijn rotkop kapot kon schoppen.' Het ontglipt hem gewoon, en zelfs hij lijkt verrast door de gewelddadigheid ervan.

'Zo,' zegt David. 'Waar komt dat ineens vandaan?'

Hij denkt erover na. 'Doordat ik laatst naar die video heb gekeken,' beslist hij.

'Je moeten absoluut wat aan die wrok doen,' adviseert David.

'Ja,' zegt Rob, terwijl hij alles nu rustig analyseert. 'Het voelt niet goed als ik hele erge dingen zeg. Ook al zijn ze gerechtvaardigd. Trouwens, toen ik zei dat ik zijn rotkop kapot wilde schoppen, kwam dat omdat ik zo ongelukkig was. Gewoon zo ongelukkig zijn, echt bang, en eigenlijk niemand hebben om mee te praten. Ik ben niet begonnen als een verslaafde. Het ging alleen maar van kwaad tot erger; ik ging me steeds ellendiger voelen. Het was er altijd. Ik denk dat de woede van de uitspraak "Ik zou zijn kop in elkaar willen schoppen" komt van het feit dat ik zo'n medelijden had met iedereen die erbij was betrokken.'

David vertelt over de enige keer dat hij Gary Barlow heeft ontmoet, tijdens een Prinses Diana-benefietavond in Battersea, toen de solo-carrière van Gary Barlow nog erg succesvol was, maar achteraf al begon te wankelen, en Robs carrière pas begon. 'Hij had geen idee van wat hem stond te wachten,' zegt David.

'Ik kwam binnen, omhelsde hem,' herinnert Rob zich. 'Zong *Angels*, *No Regrets* en kraakte hem af toen ik wegging, wat niet cool was. Ik had nog steeds niet de moed om iets tegen hem te zeggen. Ik was eigelijk nog heel... *bang* voor hem.'

Dat was de laatste keer dat ze elkaar spraken.

4

Wanneer hij om ongeveer elf uur 's morgens z'n ogen opendoet op de dertigste etage van het Hotel Des Artes in Barcelona, waar de Middellandse Zee zich uitstrekt onder zijn raam, heeft hij geen idee waar hij is. Hij weet niet eens wie die man is die hem wakker maakt. Langzaam schiet alles hem weer te binnen.

Pompey. De MTV-awards. Robbie Williams.

O.

Dit gebeurt soms. Een keer, in Milaan met Take That, werd hij wakker in een bed en wist even niets meer. Hij stond op, keek de kamer rond. Hij wist zelfs niets eens wie hij was. Hij voelde zich zo vreemd; dat wist hij wel. Maar veel meer wist hij niet. Hij liep naar het raam en opende het.

Beneden gilden vijfduizend meisjes zijn naam.

Toen hij terugdeinsde, drong het tot hem door.

Ik ben *hem*...

✳✳✳

'Ik ben zo moe,' zegt hij. Hij trekt zijn T-Rex T-shirt aan, vraagt om een zonnebril en wordt naar beneden geëscorteerd naar de wachtende auto. Hij ziet er nog steeds uit alsof hij nog maar net terug is van een lange zware reis naar een bestaan ver van dit. 'Geen zelfvertrouwen deze ochtend, mensen,' mompelt hij. 'Geen zelfvertrouwen.'

'Dat komt wel terug,' belooft Josie. 'Je zelfvertrouwen is er niet aan gewend om zo vroeg op te staan.'

'Inderdaad,' zegt hij instemmend.

Zijn humeur wordt er niet beter op door de manier waarop de chauffeur de bochten van de kustweg neemt en de andere auto's inhaalt, alsof hij meedoet aan een slalomwedstrijd. Mensen die beroemdheden rijden, gaan er vaak van uit dat ze snelheid belangrijker vinden dan veiligheid. Misschien komt het omdat beroemdheden altijd laat zijn en altijd ongeduldig zijn en altijd iemand de schuld willen geven; ik heb ook in zulke auto's gezeten. Maar sommige chauffeurs, zelfs wanneer hun is verteld rustig en veilig te rijden, zoals tegen alle chauffeurs van Rob wordt gezegd, lijken de verleiding niet te kunnen weerstaan.

'Ik vind het te gek wanneer ze zo dicht op de auto ervoor rijden, met hoge snelheid,' mompelt Rob op sarcastische toon. 'Heen en weer zwenken. Het is *heerlijk* om te worden rondgesmeten. Machtsvertoon? Kan Mika Hakkinen ons weer naar huis brengen?'

Deze chauffeur komt niet meer terug.

✳✳✳

Als hij bij de MTV-repetities komt, ziet hij Chris Martin, zanger van Coldplay. Ze hebben elkaar nog nooit ontmoet. Rob gaat naar hem toe om hem te begroeten en ze raken aan de praat. Chris Martin speelt de underdogrol van wat-doet-een-serieuze-band-als-wij-op-een-met-beroemdheden-doordrenkt-evenement-als-dit uitstekend. Het tweede album van Coldplay is net uit, maar het is nog te vroeg om te weten hoe groot het ze gaat maken.

'Het is voorbij voor ons,' zegt hij tegen Rob. 'Eendagsvlieg.'

'Ja,' zegt Rob op sarcastische toon. 'Hou maar op.' Hij stelt voor om een kop koffie te gaan drinken in het hotel. 'Ben je onder je eigen naam ingeschreven?' vraagt Rob.

'Onder de naam Bono,' zegt Martin en geeft Rob dan zijn echte pseudoniem.

'Het is nog midden in de nacht voor mij,' verontschuldigt Rob zich.

'Is dat zo?' zegt Chris. 'Waar kom je vandaan dan?'

'Londen,' zegt Rob en loopt naar zijn kleedkamer. Chris Martin kijkt beduusd.

In de kleedkamer denkt Rob na over deze ontmoeting.

'Ik mag hem wel,' zegt hij.

'Hij is vriendelijk, of niet Rob?' zegt David.

'Ja,' zegt Rob. 'Heel vriendelijk.'

Rob legt zijn visagiste Gina uit hoe leuk Chris Martin is. 'Hij doet me aan mezelf denken,' zegt hij. 'Maar dan niet zo gespierd of zo groot geschapen.'

Hij gaat het podium op en doet *Feel* een paar keer met een norse stem. Aan het einde van elke opname introduceert hij een nieuwe Europop-ster uit het recente verleden – Dr Alban, Technotronic, 4 Non

Blondes – totdat hij de echte introductie van Puff Daddy op de auto-cue ziet staan en emotieloos begint voor te lezen: 'Mijn volgende gast zei dat hij MTV wilde bedanken voor zijn twee huizen, drie auto's, zijn vriendin het supermodel... de deal van tachtig miljoen... hij leeft de P Diddy-droom...'

In de gang komt hij Chris Martin weer tegen.

'Jij schijnt het wel goed te doen,' plaagt hij Chris. 'Ik noem geen namen.'

(Het pikante, tot nu toe onbevestigde, gerucht in de bladen is dat Martin een relatie heeft met Gwyneth Paltrow.)

'Nee joh,' pareert Chris. 'Bon Jovi en ik zijn alleen maar goede vrienden.'

Rob vraagt Chris of hij gaat lunchen in het hotel, maar Chris zegt dat hij naar de catering achter de schermen gaat. 'Niet goed genoeg voor jou?' vraagt hij.

'Ik heb een nieuw platencontract,' zegt Rob plagend. 'Misschien heb je er al over gelezen. Catering is verleden tijd.'

'Ja,' zegt Chris. 'Er blijft minder over voor bands zoals wij.' (Minder geld bij de platenmaatschappijen bedoelt hij. Hij heeft het niet over het eten van de catering. Vermoedelijk is er daar meer dan genoeg van.)

Rob gaat naar de wc en denkt na over deze laatste opmerking als hij aan het plassen is. Als hij er weer uitkomt, is hij een beetje geïrriteerd. 'Wat bedoelde hij – "bands zoals wij"?' zegt hij. Er zijn maar weinig mensen die gevoeliger zijn voor een eventuele kleinering dan hij is. Wanneer ik hem vraag wat hij denkt dat Chris Martin bedoeld kan hebben, zegt hij: 'Coole, geloofwaardige bands – niet zoals jij, jij debiele Take That-mislukkeling.'

Uiteindelijk besluit hij naar de catering te gaan en praat dan al snel weer, voor de derde keer vandaag, met Chris Martin. Ze kletsen nog een beetje. 'Je hebt medicijnen nodig,' zegt Rob.

'Medicijnen wil zeggen: je bent een popster en je bent een knappe vent en je moet je niet zo druk maken,' zegt Chris Martin. 'Ik maak me ook altijd overal druk om,' voegt hij eraan toe.

'Echt waar?' vraagt Rob. 'Kun je 's nachts ook niet slapen en...?'

Chris Martin onderbreekt hem. 'Laten we er geen wedstrijd van maken,' zegt hij met een verlegen glimlach...

'Ik ben suïcidaal,' zegt Rob opgewekt.

'Ik heb nog wel een scheermesje...' biedt Chris Martin aan.

Rob wordt uitgenodigd om aan tafel te komen zitten bij de rest van Coldplay. Tegen de tijd dat hij met hen heeft gepraat en gegeten, en in een langzamer busje onderweg is naar het hotel, denkt hij na over andere mogelijke uitingen van minachting. 'Aan het eind, zei hij, "We kunnen gewoon niet concurreren met jullie," en ik zei: 'Wie zijn "jullie'?" en de hele tafel deed...' – na hoe het gesprek stilviel en ze hem met open mond aankeken – '... en ik kreeg het uit hem.'

Maar het bracht hem wel uit zijn evenwicht. 'Het is absoluut "ons kamp, en dan is er Britney Spears en jullie",' zegt hij. 'Wat ik wel een beetje jammer vind. Het heeft me een beetje van m'n stuk gebracht.'

Ik zeg dat het misschien gewoon slordig gekozen woorden waren.

'Waarschijnlijk,' zegt hij, terwijl hij het overduidelijk niet meent. 'Het was meer een gevecht dan een gesprek. Het zijn echt heel leuke mensen – begrijp me niet verkeerd. Maar ik bevond me in een positie waarin ik bijna mijn eigen bestaan moest rechtvaardigen. *Bijna.*'

'Goed, dat is al een vooruitgang,' zegt David.

'Dat zal wel,' zegt Rob, 'als je het hebt over gevoelens en zo en ze zijn niet wederzijds... omdat ik alleen in gevoelens kan spreken, anders is veel wat ik zeg onzin. Vooral in aanwezigheid van een band.'

Hij zegt dat ze het er nog over hebben gehad dat ze niet gelukkig zijn met aspecten van wat ze doen en Chris Martin zei: 'We praten er niet over, om platen te verkopen.' 'Dat is wel heftig, of niet?' zegt hij. Ze hebben ook gepraat over Amerika. 'Ook zij delen overal handjes uit, Dave,' zegt hij en vertelt dat ze zijn gecontracteerd voor zes albums. 'Zes verdomde albums!' zegt hij. 'Hadden geen idee dat dat veel was.' Hij lacht. 'Ik heb het ze ook niet verteld.'

✱✱✱

In de lounge van zijn presidentiële suite heeft hij een interview met Kyle en Jackie O van Sydneys 1041 Hot 30 countdown. Ze zeggen dat alle Australische roddelbladen een hele heisa maken over de theorie dat zijn nummer *How Precious* over Nicole Kidman gaat.

'*How Peculiar*,' corrigeert hij.

'Ja. Gaat het over Nicole?'

'Nee.'

'Nee?'

'Nee.'

De Australiërs zeggen nog dat de laatste keer dat hij in hun radioprogramma was, hij zo vriendelijk was om een van zijn schaamharen eruit te trekken om weg te geven, maar een van hun werknemers heeft hem meegenomen toen hij bij de zender wegging. Ze vragen om een nieuwe.

'Ik zou het nu niet kunnen doen,' zegt hij. 'Het voelt niet goed.'

✱✱✱

Hij neemt zijn backgammonbord mee naar de hotellobby. Hij wil hier zitten, backgammon spelen, de Slimfast drinken die Pompey door de aarzelende ober heeft laten klaarmaken ('Het zijn geen drugs,' stelt Pompey hem gerust), en zien hoe de wereld voorbijtrekt. (Rob heeft van die perioden dat hij alleen maar spelletjes wil doen. Het is nu backgammon en niet voor de eerste keer. Een keer, niet lang nadat hij het spel had geleerd en toen hij net uit het afkickcentrum kwam, heeft hij meegedaan aan een backgammonwedstrijd in de Groucho-club en werd derde van ongeveer 35 deelnemers. Zijn prijs: twee flessen champagne.)

Shiara, de vroegere assistente van Nicole Appleton, die nu voor de Sugababes zorgt, komt gedag zeggen. 'Heb je het boek gelezen?' vraagt ze.

'Ik heb fragmenten gelezen,' zegt hij. 'Heel pijnlijk. Het is nu eenmaal zo. Kranten liggen alweer bij het oud papier.'

Ze praten er nog over door.

'Ik heb vier jaar na Nic eigenlijk geen relaties gehad,' zegt hij.

Puff Daddy ziet hem, komt naar hem toe en ze omhelzen elkaar.

'Lang niet gezien,' zegt Puff Daddy en ze geven elkaar complimentjes. Puff Daddy gaat dan Chris Martin begroeten, die daarna naar ons toekomt. 'Het lijkt hier wel Madame Tussaud,' zegt hij. 'Deze plek is volkomen geschift.' Chris Martin gaat kleding kopen en Rob begroet de Sugababes – 'Een paar wijze woorden voor de jeugd,' zegt hij later – gaat dan naar buiten, kleedt zich uit tot op z'n onderbroek en gaat in het bubbelbad zitten. 'o,' zegt hij. 'Het is niet warm genoeg. Klootzakken.' Hij kleedt zich weer aan, kletst met Kelis onderweg naar het restaurant van het hotel, waar hij de uitnodiging voor het feest van Puff Daddy bestudeert – *Please Join Sean "P Diddy" Combs As He Continues His Worldwide Crusade To Help Preserve The Sexy*, staat erop, met de instructies aan vrouwen om zich te ontharen en aan mannen om een manicurebeurt te nemen als ze willen komen – terwijl twee tieners een paar meter verderop steeds maar weer proberen een intro op te nemen voor een televisiecamera. Ze zijn er niet erg goed in en ze blijven maar in de lach schieten. Langzaam dringt het tot Rob door dat dit de nieuwe Russische lesbische popsensatie moet zijn, Tatu, die net zijn gepromoot in West-Europa. Rob lacht om hun gelach en zij lachen daar weer om.

Onderweg naar de lift loopt hij Marilyn Manson tegen het lijf die voorstelt om een portret te schilderen van Rob.

'Van mijn pik?' vraagt Rob.

'We vinden dezelfde meisjes leuk,' vertelt Marilyn Manson hem.

Sophie Ellis Bextor zit een paar meter verderop, met haar rug naar hem toe. Ze doen net alsof ze elkaar niet kennen.

*** *** ***

De lijst met mensen van wie Rob vindt dat ze hem onrecht hebben aangedaan, is niet lang, maar een paar namen staan er onuitwisbaar in. Die van Sophie Ellis Bextor is er een. De eerste keer dat ze hem kleineerde bleef niet zonder gevolgen, anders zou hij het haar niet kwalijk hebben genomen, hoewel hij het wel zou hebben onthouden. Zij was toen de leadzangeres van een indie rockgroep, The Audience. Rob vond hun single *If You Can't Do It When You're Young When Can You Do It?* leuk en hij vond het vooral leuk dat ze *There Are Worse Things I Could Do* van Stockard Channing uit *Grease* zong aan de b-kant, dus nodigde hij hen uit om zijn voorprogrammaband te zijn tijdens zijn eerste solotournee. Hij hoorde later dat de rest van de band graag had gewild, maar dat zij haar veto had uitgesproken. 'Omdat ik "ruk" was, was volgens mij het woord dat ze had gebruikt,' zegt Rob. 'Dus dat werd in de oren geknoopt.'

In 1998 overleed de oma van Rob, die een belangrijke rol had gespeeld in zijn opvoeding. De nacht voor de begrafenis lag hij in zijn oude slaapkamer in Stoke – 'Sowieso al kapot,' herinnert hij zich – televisie te kijken. Hij stuitte op het muziekdiscussieprogramma van Jo Whiley, waarin de videoclip *Millennium* werd vertoond, die werd besproken door Whiley, Neil Hannon, James Lavelle en Sophie Ellis Bextor. Alleen Lavelle was positief en zei dat hij niet wist wat Rob had meegemaakt maar dat hij hem bewonderde voor het feit dat hij zich er doorheen had geslagen. Neil Hannon, die Rob onlangs had uitgenodigd om te zingen op *No Regrets*, zei dat hij dat alleen had gedaan om het aan z'n nichtjes te kunnen vertellen. (Dat zorgde al voor het nodige tumult. De groep van Hannon, The Divine Comedy, stond op het punt om met Rob op tournee te gaan als voorprogrammaband; Rob heeft hem er hierna uit gegooid. Toen Hannon belde om zijn verontschuldigingen aan te bieden en hem smeekte om The Divine Comedy weer terug te nemen, vertelde Rob hem hoe hij bijna had moeten huilen omdat Hannon niet voor hem was opgekomen.)

Maar wat Sophie Ellis Bextor zei, kwam het hardste aan. 'Wat zij zei, kwam dieper, harder en gemener dan alles wat journalisten ooit hebben gezegd,' zegt hij. 'En daar lig ik in mijn bed. Volgens mij noemde ze me "de hoerenzoon van Jimmy Tarbuck".' Pauze. 'Wat zowel beledigend is voor mij als voor Jimmy Tarbuck.'

De volgende dag, tijdens de begrafenis, net toen ze de kist zouden laten zakken, begon een plaatselijke paparazzifotograaf als een gek foto's te maken van een afstandje van ongeveer vijftien meter. 'Had niet eens het fatsoen om zich te verstoppen of zo,' herinnert hij zich. 'Hij stond er gewoon.' Een ellendige tijd en voor hem zijn de hatelijkheden van Sophie Ellis Bextor er voor altijd mee geassocieerd.

Een tijdje later zag hij haar tijdens een Capital Radio Award Show. Het blijkt dat wanneer hij op z'n kwaadst is, zijn eerste aanpak meestal een verzoenende is. Hij tikte haar op de schouder en zei: 'Haat je me nog steeds?' Hij herinnert zich dat ze bijna sprakeloos was. Maar ze zei nee, ze haatte hem niet. 'Want,' ging hij verder, 'wat je zei, heeft me echt pijn gedaan. Maar goed, veel geluk met alles.'

Daarna kreeg hij een brief van haar. Het was niet echt een excuus, maar er stond in dat ze zich nu realiseerde, nu ze een tijdje in het wereldje zat, dat artiesten elkaar moeten steunen. Diezelfde ochtend, een zaterdagmorgen, zag hij haar in een kinderprogramma op televisie, waarin ze hem weer afkraakte.

'Ik vind haar een verderfelijke heks,' zegt hij nu. 'Ik vind haar gemeen.' Pauze. 'En ik vind dat ze eens wat aan die heupen moet doen.'

✳ ✳ ✳

De hele dag zegt Rob al dat hij niet naar het MTV-feestje wil, maar op het laatste moment besluit hij toch even te kijken. Het is in Gaudí's Casa Battló. 'Een van de mooiste gebouwen ter wereld,' zegt hij als we er naartoe afrijden. Eenmaal binnen loopt hij recht op Jon Bon Jovi af, die hem complimenteert met *Feel* – 'Het is echt heel anders,' zegt hij – terwijl iemand van Vanity Fair zonder succes probeert Rob over te halen om te poseren voor een foto. 'Ik heb geen make-up op,' voert hij aan. 'Ik kwam alleen een worstje halen.'

Hij staat, opnieuw, bij Chris Martin en Anastacia.

'Weet je dat je op mijn ex-vriendin lijkt?' zegt Rob tegen Anastacia.

'Ja,' zegt ze en doet alsof ze geïrriteerd is. 'Betekent dit dat je me wilt bespringen?'

Iemand biedt aan om het privé-gedeelte van het huis te laten zien en plotseling krijgen we onze eigen Gaudi-rondleiding met Moby en Tico Torres van Bon Jovi. Al lopend vertelt Rob Moby hoe, terwijl hij en Guy *Feel* schreven, het 'het Moby-nummer' werd genoemd. Wanneer we weer terug zijn bij het feest, praat Jon Bon Jovi met Rob over doorbreken in Amerika. 'Je bent zo'n goede performer,' zegt hij. 'Je moet jezelf gewoon meer voor 't voetlicht brengen. Zelfs als je met een grotere performer optreedt.' Jon Bon Jovi vertelt dat zij elke tournee 250 shows deden en dat de kortste tournee die ze ooit hebben gedaan, bestond uit zestig shows. Rob, die in zijn solocarrière nog geen 250 shows heeft gedaan, kijkt geschokt. 'Zestig shows?' zegt hij. 'Ik doe vijf weken.' Jon Bon Jovi legt uit dat ze morgen direct na de MTV-show op het vliegtuig stappen en de volgende ochtend moeten verschijnen in een radio-programma in Miami. Rob luistert en denkt: dat wil ik nooit.

Een vrouw wordt aan Jon Bon Jovi voorgesteld met de woorden 'weet je nog, die keer in het Witte Huis', en dat is het moment dat Rob besluit dat het tijd is om weg te gaan. We glippen naar buiten door een zij-ingang voordat het diner en de toespraken beginnen. Hij is er niet langer dan een halfuur geweest.

✱✱✱

Hij gaat weer op z'n plekje in de lobby zitten en spelen nog een potje backgammon. Een tijdje later komt Chris Martin terug van het feest. Rob vraagt of hij zin heeft in een spelletje. 'Ik ben er gek op, om eerlijk te zijn,' antwoordt Chris Martin. Rob staakt onmiddellijk eenzijdig het spel waar hij en ik mee bezig waren en legt de stenen klaar.

'Waar spelen we om?' vraagt Rob.

'Eerst maar gewoon voor de lol,' zegt Chris en gooit de dobbelstenen. 6 en 2.

Vrij lang staart hij alleen maar naar het bord.

Rob, die nooit lang treuzelt, staat perplex.

'Ik speel graag met beleid,' legt Chris uit.

Rob knikt. 'Jij bent de Steve Davis van het backgammon.'

Plots doet Rob zijn hoofd naar beneden en vraagt ons om te doen alsof we diep in gesprek zijn. Hij zag net Nellee Hooper, legt hij uit. Ik trek vragend m'n wenkbrauwen op. Een verhaal voor later, zegt hij.

Rob is al snel aan de winnende hand.

'Dit is de eerste van een paar spelletjes, toch?' vraagt Chris.

'Ja, natuurlijk,' zegt Rob. 'Hierna gaan we om geld spelen.' Pauze. 'Of gewoon om de eer.' Hij verdeelt zijn laatste stenen. 'Zullen we dat de opwarmronde noemen?' stelt hij voor.

'We noemen het je overwinning,' zegt Chris.

Spel 2 begint.

'Waarom gooi ik steeds maar weer 6 en 3?' vraagt Chris.

'De duivel probeert je iets duidelijk te maken via de dobbelstenen,' zegt Rob.

'Het is niet goed,' zegt Chris.

De ober komt. We bestellen koffie; Chris Martin bestelt water.

Een paar worpen later bekijkt hij het bord eens.

'Dit is shit,' zucht hij.

'Ik hoor je nummer zo hard in mijn hoofd, het is onvoorstelbaar,' zegt Rob. Hij hoort de regel *Oh yeah… how long must you wait for it?*, die steeds maar weer wordt herhaald, maar hij legt dat niet uit. 'Overkomt jou dat ook wel eens wanneer je mensen ontmoet?' vraagt hij.

Uit de blik van Chris blijkt dat het waarschijnlijk niet zo is. Hij staart naar het bord en zegt: 'Ik ben eraan.' Hij kijkt op. Om de tafel zitten Rob, Pompey, de plaatselijke beveiligingsman en ik.

'Ik kan hier niet tegen,' zegt hij. 'Jullie zitten me allemaal aan te staren.' Hij lacht. 'Het is alsof ik met de Godfather speel. Het zet je spel onder druk. Ik kan het niet winnen. Ik ben een lul. Ik was altijd de *don*.'

Hij zegt dat hij weg moet. De drankjes zijn er nog niet. Hij loopt naar de lift, maar komt dan weer teruglopen.

'Sorry van het water,' zegt hij.

'Dat is wel goed,' zegt Rob. En voegt er dan aan toe, wanneer Martin buiten gehoorsafstand is: 'dat is de beleefdste man ter wereld'. Hij lacht. Aan de ene kant was het een beetje raar dat Chris Martin het spel zo serieus nam. Aan de andere kant kan Rob het zich permitteren om dat te denken, en om te doen alsof hij er niet veel belang aan hechtte, omdat hij heeft gewonnen. 'Dat,' verkondigt hij, 'was een gigantische slag voor mij als volk tegen de intellectuele "indie kid".'

✳✳✳

Twee meisjes proberen hem over te halen naar een club te gaan. 'Ik ben niet zo'n clubganger,' zegt hij. 'Ik ben meer iemand van de minibar leegeten, televisie kijken en naar bed gaan.' Ze geven het snel op. 'Weet je,' zegt hij als ze weg zijn, 'volgens mij ben ik mijn neukschoenen ontgroeid.' Hij realiseert zich dat dit veel gevolgen heeft. 'Als het niet om de seks gaat,' zo redeneert hij, 'en het gaat niet meer om het geld, dan moet het wel om de muziek gaan.'

Bij de liften botst hij bijna tegen Enrique Iglesias aan. 'Leuk om je eindelijk 's een keer te ontmoeten,' zegt Enrique.

Het plan wordt opgevat om met enkele bandleden van Coldplay in de kelder naar het casino te gaan, om een beetje te gokken. We gaan naar beneden, maar de toegang wordt ons geweigerd omdat we onze paspoorten niet bij ons hebben. Rob zegt tegen de Coldplay-afvaardiging dat hij z'n pas gaat ophalen, maar in plaats daarvan gaan we terug naar de lobby. Pharrell Williams komt eraan lopen. Rob laat hem de tatoeage zien op de binnenkant van zijn linkerpols. Farrell.

'Farrell Williams,' zegt hij.

Pharrell Williams lijkt tegelijkertijd volkomen verbijsterd en amper geïnteresseerd, bijna alsof hij denkt dat Rob zijn naam wilde tatoeëren maar hem verkeerd heeft gespeld. 'Ging erin als een broodje poep,' mompelt Rob later.

Chris Martin belt vanaf zijn kamer – Rob zou eigenlijk daar zijn om nog wat backgammon te spelen, maar ging weg omdat Chris bezig was met een lang, persoonlijk telefoongesprek – en tegelijkertijd komt Kylie

Minogue eraan lopen. 'Twee minuutjes, bel je terug,' zegt hij tegen Chris Martin en zegt dan tegen Kylie: 'Je ziet er prachtig uit,' en hij loodst haar mee naar het balkon om even te kletsen, weg van al het rumoer. (Hij laat nu twee verschillende onderdelen van Coldplay zitten.)

Even later gaat hij wel naar de kamer van Chris Martin. In dezelfde lift staan toevallig ook Kylie en Pharrell; Pharrell luistert naar dit gesprek zonder mee te doen.

'Wat doe je morgenavond?,' vraagt Rob aan Kylie.

'Top secret,' zegt ze.

'*Best Year Off?*' vraagt hij. Ze gaan in stilte een paar verdiepingen omhoog. 'Je hebt een geel strikje op je onderbroek,' merkt Rob op.

'Hé!' zegt Kylie. 'Gluurder.'

'Ik was gewoon aan 't spotten,' zegt Rob.

De lift stopt en als Pharrell uitstapt, mompelt hij 'trusten' tegen Rob.

'Wat is dat voor koffer?' vraagt Kylie aan Rob.

'Backgammon,' zegt hij. 'Ga wat geld winnen.'

Dat doet hij. Als hij de kamer van Chris Martin verlaat, staat hij honderd euro voor. Uit de vragen die Chris Martin stelt tijdens het spelen kan hij afleiden dat hij zich afvraagt of Rob wel echte vrienden heeft. Rob vertelt hem over Jonny, maar hij heeft niet het gevoel dat Chris Martin gelooft dat Jonny zijn beste maat is.

Maar hij vond het wel leuk dat Chris Martin een half broodje tonijn voor hem had bewaard. Het was een lekker broodje.

5

Op de dag van de MTV-awards spelen Rob en ik weer backgammon in de lounge, met goed zicht op de hotellobby, wanneer Rob, die zachtjes het nummer *The Majesty of Rock* van Spinal Tap zingt terwijl hij zich concentreert op het spel, wordt benaderd door Dominic Mohan, popcolumnist van de *Sun*.

'Goed album,' zegt Dominic Mohan. '*Me And My Monkey*. Fantastisch nummer. Waar gaat het over?' (Al die korte zinnetjes die hij moet schrijven, hebben duidelijk zijn spraak beïnvloed.)

'Ik ken mezelf niet,' zegt Rob. We gaan door met spelen.

'Heb je het naar je zin?' vraagt Dominic.

'Ja.'

'Het wordt geen herhaling van Stockholm?'

Stockholm was de plaats van de vorige MTV-awards waar Rob aanwezig was als drinkebroer. Het was geen vrolijk bezoek.

Rob zegt dat hij niet naar feestjes gaat. 'Ik overwin mijn verleden en ga naar huis,' zegt hij.

'Ik hoop je snel te zien, dan doen we dat interview waar we het over hebben gehad,' zegt Dominic.

'Voor een van de singles misschien,' zegt Rob.

Ze schudden elkaar de hand. Dominic Mohan zegt dat hij *Me and My Monkey* heeft gedraaid in zijn radioprogramma bij Virgin; Rob zegt dat hij het weet, omdat hij het heeft gehoord. Dominic Mohan gaat weg.

Dominic Mohan heeft dat interview waarschijnlijk niet meer nodig. Want blijkbaar heeft hij er net een gehad. Het verhaal domineert de volgende dag zijn pagina in *The Sun*. ROBBIE: IK BEN HIER OM MIJN DEMONEN TE VERSLAAN. *Robbie Williams gaf gisteravond toe dat hij vastbesloten was om de demonen te verdrijven die zijn vorige MTV Europe-optreden ruïneerden. In een exclusief interview in zijn hotel in Barcelona biechtte Robbie op dat hij werd gekweld door de schaamte van zijn door drank ingegeven knokpartij in Stockholm in 2000. Hij zwoer om dit jaar tijdens de awards de verleiding van de alcohol te weerstaan – door onmiddellijk na zijn optreden naar huis te vliegen en zelfs niet te wachten op het einde van de ceremonie. Een tot inkeer gekomen Robbie vertelde me: 'Ik ben hier gekomen om mijn demonen te overwinnen.' Hij zag er ontspannen uit toen ik met hem sprak tijdens een spelletje backgammon in de loungebar van het elegante Hotel Arts in de stad. Hij zei: 'Dit jaar wordt geen herhaling van twee jaar geleden. Ik zet m'n beste beentje voor en ik blijf niet rondhangen als mijn act erop zit. Om drie uur vannacht, als iedereen nog aan het feesten is, lig ik al lekker in bed.'*

Enzovoort.

***

Hij gaat naar de wc. Onderweg wordt hij benaderd door een man die hem vraagt: 'Kan ik een quote krijgen voor *NME*?'

'Ja,' zegt Rob. 'Opzouten.'

Het citaat wordt netjes op de website gezet.

***

In het busje onderweg naar de show zegt hij dat hij zich niet lekker voelt. '*Remember when you used to say,*' zingt hij zachtjes, '*everything will be OK.*' Hij staart uit het raam. 'Ik heb nog nooit gezien hoe een hijskraan uit elkaar wordt gehaald,' zegt hij. 'Hoe krijgen ze hem naar beneden?'

Onderweg naar het gedeelte achter de schermen begroet hij Jade Jagger en Patrick Kluivert. Chris Martin komt zijn kleedkamer in met in zijn hand, middelvinger opgestoken, een biljet van honderd euro. Eminem schuifelt door de gang, omringd door grotere mannen, met zijn hoofd naar beneden. Rob gaat naar het toilet en loopt op de terugweg Mel C tegen het lijf. Hij zegt tegen haar hoe goed ze eruitziet en vraagt of de man die bij haar is haar vriendje is.

'Ja,' zegt ze. 'Ik heb eindelijk iemand gevonden die geen klootzak is.'

Dan komt Marilyn Manson erbij staan. 'Melanie,' zegt hij. Manson heeft het over het feest van gisteravond – 'Ze hadden parmezaanijs; ik heb het menu bewaard' – en zegt dat hij Puff Daddy heeft ontmoet.

'Was je bang?' vraagt Rob.

'Nee,' zegt hij. 'Ik heb een foto genomen met hem. Heb hem afgetrokken.' Het is zo'n opluchting dat, net als je denkt dat Marilyn Manson is vergeten wie hij hoort te zijn, hij weer het juiste niveau van ongepastheid terugvindt.

Maar toch, terug in zijn kleedkamer, geeft Rob toe dat hij deze hele ontmoeting met Manson en Mel C gênant vond. Niet om de dingen die zijn gezegd. Gewoon omdat hij de hele tijd een hand over z'n kruis had moeten houden. 'Ik had nagedruppeld,' legt hij uit.

❋❋❋

Hij sluit zijn computer aan op het geluidssysteem van zijn kleedkamer en zet zijn muziek keihard aan: om te beginnen met Eazy E's *Nobody Move*. Hij zeept zich in, zonder shirt, en scheert zich in de spiegel; vraagt Josie om koffie; zet *Ain't No Love* van Jay Z heel hard. De kleedkamers zijn alleen maar hokjes met heel dunne muren, de muren zijn ongeveer drie meter hoog en de hokjes zijn samengeklonterd in groepen, afgescheiden door gangen, en daarboven is er misschien nog zo'n twaalf meter gemeenschappelijke ruimte tot het plafond. Als iemand alle scheidingswandjes ineens op zou tillen, zou je veel van de beroemdste entertainers ter wereld zien in verschillende stadia van ontkleding, gemoed en nuchterheid, allen opeengepakt op de vloer van een enorm pakhuis. Het gevolg is dat de muziek van Rob veel verder gaat dan zijn kleedkamer en de soundtrack wordt voor de meeste gasten van vanavond. Een kerel steekt zijn om hoofd om de deur en knikt.

'Puff wilde weten wie het was,' zegt hij.

Rob draait nog wat meer Jay Z, dan *Diddly* van P Diddy. Twee van de dansers van Christina Aguilera komen voorbij, die ook willen weten waar de muziek vandaan komt. 'Hij is aan het *jammen*,' zegt de een. Hij speelt iets van L'il Rob; *Dolphins Are Monkeys* van Ian Brown; *Pump Up*

The Volume. P Diddy verschijnt in de deur en wil op de foto met Rob, die daarna naar buiten schiet om Ronan Keating te begroeten. Als hij terug is, kiest hij *Waterfall* van The Stone Roses, een beetje ZZ Top, *Maggie May, No One Knows* van Queens Of The Stone Age.

Chris Martin stormt naar binnen. 'Snel een potje backgammon,' zegt hij en gaat zitten. Hij vraagt wanneer Rob zijn binnenkomst doet. De artiesten worden verzocht, lang nadat ze zijn aangekomen, om terug naar buiten te gaan en voor de televisiecamera's te doen alsof ze binnenkomen over de rode loper.

Rob kijkt hem aan alsof hij gek is.

'Doe je het niet?' vraagt Chris Martin.

'Moet *jij* de binnenkomst doen?' vraagt Rob, net zo ongelovig. Chris Martin knikt. (Ik kan het niet helpen dat ik het idee krijg dat hier een schaduwgevecht aan de gang is: wie gooit zichzelf nu in de uitverkoop?) Een paar minuten later haalt zijn beveiligingsman Chris Martin op zodat hij zich van zijn looptaak kan kwijten.

Jenson Button komt langs om te kletsen, met in z'n hand een Red Bull. 'Ik kan je zeker niet interesseren in een Slimfast?' vraagt Rob.

'Heerlijk,' zegt Jenson, van z'n stuk gebracht, maar hij neemt hem toch niet aan.

Rob zet *Paradise City* van Guns N'Roses op.

'Miss Pink,' roept hij wanneer ze op hem afloopt in de gang.

'Goed nummer,' zegt ze. 'Leuk je te ontmoeten.'

Ik volg hem terwijl hij heen en weer schiet, zenuwachtig en ongeduldig. Hij trekt zich terug in de kleedkamer waar hij een stoel met enige agressiviteit tegen de kledingkast gooit. Dan doet hij hetzelfde weer. Dan nog een keer. Nergens om. Zet *It's So Easy* van Guns N'Roses op, loopt dan de gang in en praat met Rupert Everett. Marilyn Manson verschijnt weer. 'Zet die verdomde muziek zachter,' zegt hij op vrolijke toon tegen Rob, die *Voodoo Ray* draait, iets van Ms Dynamite en dan *Under Pressure*. Taylor Hawkins, de drummer van de Foo Fighters, begint te drummen op de openstaande kleedkamerdeur van Rob. 'Ze willen dat jij hun zanger wordt,' zegt hij. (Hij bedoelt Queen en dit is gedeeltelijk waar. Toen Rob met twee Queen-leden *We Are The Champions* had gezongen als het thema voor de film *A Knight's Tale*, vroegen ze hem mee op tournee te gaan door Amerika als hun leadzanger. Hij heeft het serieus overwogen.)

'Maar ze gingen duetten doen met boybands en zo,' zegt hij tegen Taylor.

Taylor knikt. 'Ze zouden het niet moeten doen.'

In de zaal is de show begonnen. We kunnen ernaar kijken op een monitor in de gang, net buiten de kleedkamer van Marilyn Manson. Rob loopt Pierce Brosnan tegen het lijf. Marilyn Manson verschijnt weer ten tonele en vertelt over het gesprek dat hij net had met Kylie. 'Ze zei: "Ze lieten me op een doos staan – ik hoop niet dat iemand mijn doos weghaalt." Ik zei: "Zeg dat niet in Amerika. Ik neem zo je doos mee."'

'Robbie, ik heb op het vliegtuig naar je Sinatra-ding gekeken,' zegt Taylor. 'Het was te gek man.'

'Je hebt een *Truth of Dare* gedaan,' merkt Manson op, verwijzend naar *Nobody Someday*.

'Ja,' zegt Rob. 'Ik speelde een ellendige, klagende klootzak.'

Hij neemt snel een kijkje in de arena en een Spaanse travestiet begint hem te interviewen. 'Heel blij om hier te zijn en heel blij dat ik ben genomineerd voor een award – volgens mij moet ik dat zeggen,' zegt hij tegen haar. Rond tien uur is z'n make-up klaar en begint hij vreemde opwarmgeluiden te maken. Gina klaagt dat hij een teennagel in z'n mond heeft. 'Hij doet het alleen maar omdat ik er een hekel aan heb,' zegt ze. 'Spuug hem uit!' gilt ze, wanneer ze ziet dat hij een nieuwe teennagel heeft gepakt. 'Je kunt niet een pak dragen en een verdomde teennagel in je mond hebben.'

Hij zegt tegen Josie dat hij naar Ms Dynamite toe wil. Hij heeft haar een brief geschreven, waarin hij zijn excuses aanbiedt omdat haar *Feel*-rap niet is gebruikt, maar hij wil even zeker weten dat ze het begrijpt.

In de gang loopt hij Dave Grohl tegen het lijf die zegt dat hij op de foto wil met hem. 'Je bent vanavond net een politicus,' zegt Grohl tegen hem. 'Je ziet er heel goed uit.' Rob poseert met hem. Hij denkt dat Grohl hem een beetje voor de gek zit te houden, maar het kan hem niet schelen. Hij zat in Nirvana. (Trouwens, het bluffen en het opscheppen en de zogenaamde complimenten compenseren elkaar. Hij was Grohl eerder dit jaar tegengekomen op het Coachella-festival en zei tegen hem: 'Op mij na, ben jij de beste.' Grohl was even van z'n stuk gebracht en zei toen: 'Bedankt, man.')

Rob gaat naar zijn kant van het podium en zegt fluisterend de tekst van *Feel* op. Hij kent hem niet echt. Hij schrijft de eerste regel '*Come on hold my hand*' op zijn hand, als geheugensteuntje en ook als een soort van eerbetoon aan Chris Martins handgraffiti.

'Mijn volgende gast zei dat hij MTV wilde bedanken voor zijn twee huizen, drie auto's, zijn vriendin het supermodel,' zegt P Diddy. 'Hij is binnengelopen, heeft net een groot platencontract binnengesleept, tachtig miljoen pond – hoeveel is dat in Amerikaanse dollars? Mag ik er een beetje van, jongen? Maar nu kun je lid worden van de P Diddy club en van het echte leven proeven, jochie. Geef een warm applaus voor mijn held… Robbie Williams!'

Rob hoeft zijn spiekbriefje niet te gebruiken.

Come on hold my hand... I want to contact the living...

In het nummer vormen deze woorden een treurig en serieus begin van een serieus en treurig nummer. Hij vertelt niet vaak dat ze afkomstig zijn van de aansporing van een oude komiek wanneer hij sterft op het toneel – 'Kom op, allemaal! Geef elkaar een hand, laten we proberen contact te maken met de levenden!' – hoewel zowel de bron als de toepassing die hij ervoor heeft gevonden typisch Robbie Williams is.

Het optreden – de vier minuten die de reden vormden voor deze hele reis – gaat prima, hoewel Rob niet goed kan horen en zijn toonhoogte daaronder te lijden heeft. Wanneer hij een grote noot verkloot, vangt de camera een close-up van zijn grimas. Tegen het einde houdt hij hooghartig zijn hand boven zijn hoofd op een manier die hij bewust heeft geleend van Perry Farrell. Als hij van het toneel afgaat, wordt zijn plaats voor de camera's ingenomen door de mogelijk satanische Las Ketchup.

✹✹✹

Onderweg naar zijn kleedkamer stopt hij bij de kleedkamer van Ms Dynamite. Hij wil haar nog graag zien voordat hij weggaat, maar de deur is op slot en er is taal noch teken van haar. Hij klopt en wacht even. Niets.

Z'n make-up wordt net verwijderd wanneer hij hoort dat Ms Dynamite in de gang loopt en hij rent naar buiten om haar te spreken.

'Heb je mijn brief ontvangen?' vraagt hij haar.

'Nee,' zegt ze.

'Ik heb hem naar je kantoor gestuurd,' zegt hij. 'Omdat ik wilde dat je wist...' Hij geeft een korte verklaring. 'Maar ik wilde alleen maar zeggen dat je er fantastisch uitziet.'

'Dank je,' zegt ze.

Het lijkt niet op een grote ontmoeting van intellectuelen en zij kijkt een beetje gereserveerd en achterdochtig, maar er niets wat duidt op wat komen gaat.

Maar nu wacht het privé-vliegtuig. Hij kleedt zich om in de kleedkamer. Op het laatste moment, als we op punt staan te vertrekken, zegt hij dat hij weer moet pissen. Hij zou naar het toilet op de gang kunnen gaan, maar dat doet hij niet. Er staat een prullenmand in de hoek van de kamer achter de spiegel, dus pist hij daarin.

'O!' zegt Gina wanhopig. 'Viespeuk.'

Als we wegrijden in het busje, zegt hij: 'Ik voel me altijd vreselijk op zulke plekken.'

Om drie uur 's nachts is hij thuis.

✱✱✱

De volgende dag staat er een artikel over zijn reisje naar Spanje in de *Evening Standard*. ROBBIE WORDT AFGEPOEIERD DOOR MS DYNAMITE is de kop. *Hoogmoed komt voor de val – dat was zeker het geval voor Robbie Williams gisteravond... hij probeerde zijn geluk met Ms Dynamite tijdens de MTV Europa-awards in Barcelona... en werd prompt volkomen weggeblazen... hij mag zich vandaag gelukkig prijzen dat maar een handjevol beroemdheden getuige was van de vernedering die de Londense rapsensatie hem liet ondergaan.*

Er staat dat hij van het podium afkwam en rechtstreeks naar haar kleedkamer liep, op de deur trommelde, merkte dat ze er niet was en zei: 'Jezus, ze is weg! Ik geloof het niet! Waar ben je Ms Dynamite, joehoe? Ik moet je vinden!' Hij zocht twintig minuten lang in het labyrint van kleedkamers voordat hij haar vond. Hij vloog op haar af en zei: 'Godzijdank dat ik je heb gevonden! Ik wil al maanden even met je praten.' Er staat dat zij een scheef gezicht trok toen hij haar omhelsde en wilde weten waarom ze niet op zijn brieven had gereageerd: *'Heb je hem niet gekregen?' vroeg hij bijna smekend... Hij voegde eraan toe: 'Ik vind je werk te gek – ik ben echt voor je gevallen'... Ms Dynamite werd toen vuurrood, ontkende ooit iets te hebben ontvangen via de post, maakte rechtsomkeert en begon te kletsen met Chris Martin van Coldplay. Robbie stond alleen. Hij liep toen weg, trok een trainingspak aan en meed de party na de show.*

Voor de goede orde volgt hier de exacte tekst van de desbetreffende brief – er is er maar één – die volgens de *Standard* een van een reeks arrogante flirtzieke liefdesbrieven is. Rob heeft hem in blokletters geschreven op een stuk papier en hij was al enige tijd voor de MTV-awards verzonden.

Beste Miss D.

Ten eerste wil ik u feliciteren met al uw awards. Sinds een paar weken ben ik terug in het land en u bent altijd op tv... de videoclip is fantastisch, u ziet er mooi uit en de nummers zijn te gek... gefeliciteerd, gefeliciteerd, gefeliciteerd.

Ik wilde u alleen even laten weten wat er is gebeurd met uw wijze woorden in mijn nummer Feel. Ik vind het vreselijk dat ze niet zijn gebruikt en ik schaam me een beetje omdat misschien niemand het er met u over heeft gehad.

Iedereen vond het te gek, en ik dacht dat het nummer er beter door werd... maar er gingen stemmen op in mijn kamp die zeiden dat de eerste single alleen 'Robbie' zou moeten zijn. Na veel lange vergaderingen en een paar door mij kapotgegooide theekopjes moest ik toegeven.

: 102 :

Ik wilde u deze brief schrijven, want na ons korte gesprekje en na naar uw teksten te hebben geluisterd, klinkt u net zo gevoelig als ik ben! En ik wilde u niet boos maken. Ik hoop echt dat dit niet een toekomstige samenwerking verpest...
Met veel respect en bewondering
Robbie Williams

✸✸✸

Hij gaat naar Radio Two waar hij in de hal Alice Cooper tegenkomt ('Hoi, meneer Cooper,' zegt hij en wordt uitgenodigd om een keertje golf te komen spelen in Arizona), een vreemde ontmoeting heeft met Steve Wright die Rob vraagt om in zijn programma te komen en hem vier stukjes kauwgum in zijn hand drukt, en een interview doet met Jonathan Ross waarin Ross vraagt: 'Hoe zit het met die homo met wie je samenwoont? Ik bedoel, mist hij je wanneer je weg bent?'

Rob besluit er maar in mee te gaan. (Als het niet duidelijk is geworden uit deze onnauwkeurige beschrijving, Jonathan Ross heeft het over Jonny.) 'Elke relatie die we lijken te hebben, schijnt overduidelijk een rookgordijn te zijn,' zegt hij. 'Het is een grote dekmantel en ik kan dat net zo goed zeggen in de show van Jonathan Ross... weet je wat het is, dit is morgen nieuws. Dat weet je, toch? Dat is het: Robbie geeft eindelijk toe dat hij homo is.'

Het komt trouwens helemaal niet in de bladen te staan. Het is heel goed mogelijk dat de roddelbladpers gewoon niet naar Radio Two luistert, maar het kan ook zijn dat ze zich veel meer op hun gemak voelen in het land van insinuaties en verborgen geheimen. Misschien zijn ze gelukkiger in een wereld waar ze hun drie of vier favoriete dingen (hij is met Rachel Hunter, hij duikt met iedereen het bed in, hij is verdrietig en eenzaam en ongeliefd, hij is stiekem homoseksueel) kunnen blijven suggereren zonder dat het ze ook maar iets kan schelen dat ze elkaar tegenspreken. En als er dan hard bewijs komt dat een ervan (harder dan iemand die zit te geinen tijdens een radioprogramma), dan kunnen ze vol trots roepen: 'Zie je wel.'

✸✸✸

Op dit punt in het leven van Robbie Williams beginnen de meeste dagen laat, met een kom cornflakes en de post. Vandaag heeft de volgende brief op de een of andere manier de weg naar zijn huis gevonden. Hij is geschreven aan beide kanten van een stukje papier van een schrijfblok waarop een foto staat van een nieuwsgierig leeuwenwelpje dat de lezer aankijkt. Het is persoonlijk briefpapier – er staat op 'Dit schrijfblok is van…' – maar de schrijver heeft de naam doorgekrast en heeft de brief niet ondertekend of er een adres opgeschreven. (Ze hebben het niet heel goed gedaan, want als je brief tegen het licht houdt, kun je de naam nog zien.) De brief is geschreven in een vreemd handschrift met onvaste, wilde, cursieve hoofdletters. Wat opmerkelijk is, is niet zozeer wat er is geschreven – mensen denken zulke dingen nu eenmaal – maar dat iemand de moeite neemt om het te schrijven en te versturen:

Dit is maar één bericht over jou! een bejaard echtpaar, we waren een keer lang opgebleven, toen een programma met jou erop was! Het enige wat je deed, was praten over jezelf, anderhalfuur lang! die jonge meisjes moeten net zo erg zijn als jij bent om in je te zijn geïnteresseerd, geen wonder dat ze je even later mijden, arrogant, vreselijke taal, ging, of lie-ver gezegd, kan blijkbaar niet zingen, ze hebben vast geen idee wat echt zingen is, zoals je zei "tja, ik ben een popster!, kan niet door je uiterlijk komen!? Geld misschien. Sommige Rijke mensen zijn net als jou, waarom ze jou tachtigduizend pond betalen snapt niemand, als wij uw ouders waren, je had het over je oma, je bent vast heel erg verwaand geworden, we zouden niet willen dat een zoon of kleinzoon van ons zich zo gedraagt, en je taal? Mensen die vloeken zoals jij hebben geen zelfver-trouwen, geen respect. Goed dat klinkt als jou, geen wonder dat sommi-ge meisjes bij je weggaan als je zulke taal gebruikt. Nic was verstandige meid. Wat heeft Rachel Hunter in vredesnaam in je gezien? We weten dat je het niets kan schelen, maar we moesten het tegen je zeggen."

6

Op de dag dat *Escapology* uitkomt, vliegt hij in een privé-vliegtuig naar Berlijn voor een persconferentie om de tournee van de komende zomer aan te kondigen. 'Blijkbaar ben ik druk geweest met vriendjes worden met Eminem en met uitbranders krijgen van Ms Dynamite,' zegt hij, nadat hij de roddelbladen tijdens de reis even heeft doorgebladerd. (Gewoonlijk zoekt hij de roddelbladen niet op. Hij pro-beert te vermijden dat ze in zijn huis liggen en ziet er dagenlang geen. Maar als er één bij de hand is – er ligt er bijvoorbeeld één op een tafel, of in een auto of vliegtuig, of er steekt net een hoekje van uit de tas van iemand – leest hij ze meestal wel even.

'Op mijn volgende album ga ik een heel lage stem gebruiken,' ver-kondigt hij plotseling, 'en ga ik heel veel tekst spreken.' Dan leest hij de recensie van zijn album van Stuart Maconie in *Q*. 'Klootzak,' zegt hij als hij het stuk heeft gelezen. 'Hij bespreekt het album niet eens.' Dit brengt hem op een gedachte. Het is allang geleden dat hij naar zijn plaat heeft geluisterd. Hij vraagt of David een exemplaar heeft, wat het geval is, en hij luistert de rest van de reis naar zichzelf.

Als hij een paar nummers heeft gehoord, doet hij een uitspraak: 'Mijn album schijt op alles – dat is mijn recensie.' Hij haalt zijn schouders op. 'Ik denk niet dat deze nummers vijf jaar lang worden gerespecteerd. Ik bedoel, het is zo moeilijk om niet gedemoraliseerd te raken door het media-imago van Robbie Williams, want dat is bij mij wel het geval. Soms kan *ik* me er niet overheen zetten.'

Hot Fudge is het volgende nummer. *'Ik ga verhuizen naar LA! LA! LA!...'* zingt hij. Ik breng een van de vervelendste dingen van de albumrecensies ter sprake – dat de meeste recensenten klakkeloos aannemen dat het een album is dat is gemaakt om door te breken in Amerika. Ze doen alsof Rob dit luid en openlijk heeft gezegd, terwijl hij nooit zoiets heeft gezegd, het is niet waar, en het is niet eens logisch wanneer je naar het album luistert, zelfs muzikaal gezien niet. Als iemand van plan zou zijn om Amerika te verleiden, waar een veel beperktere muzikale focus niet alleen beter past bij de muziekwereld, maar wordt gezien, meer dan ergens anders, als een teken van de oprechtheid en authenticiteit van de artiest, zou je geen album uitbrengen dat zo gevarieerd is als *Escapology*.

Maar ook dat is niet het idiootste aspect van hun veronderstelling. Bijna elke recensent heeft geciteerd uit de nummers waarin Los Angeles en Amerika worden genoemd, zoals *Hot Fudge* en *Song 3*, alsof dat hét bewijs is van zijn bedoeling om Amerika het hof te maken. Vermoedelijk vinden zelfs hun redacteuren dat het commentaar hout snijdt en toch is de logica imbeciel. Denk maar eens na. Wie kan zich in 's hemelsnaam, als ze hun Robbie-Williams-probeert-wanhopig-door-te-breken-in-Amerika oogkleppen even afzetten, voorstellen dat dé manier om in Amerika door te breken is *door nummers te schrijven over hoe fantastisch Amerika wel niet is*? Het is absurd. Waarom zou het Amerikaanse publiek zitten te wachten op de een of andere Engelse vent die zingt over hun land? We praten hierover terwijl het album op de achtergrond te horen is, tot Rob zich tot David wendt.

'Heb je nog wat gehoord van Guy?' vraagt hij.

'Nog geen kik,' antwoord David.

✳ ✳ ✳

Iets in het comfortabel rondhangen in een luxueus privé-vliegtuig zet aan tot het vertellen van anekdotes. Als we het Duitse luchtruim in vliegen, begint Rob te praten over zijn ontmoetingen met Bono. Hij vertelt eerst een van zijn favoriete anekdotes uit zijn drugsdagen. Hij was naar het huis van Bono in Dublin gevlogen voor een feestje. Patsy en Liam zaten in het vliegtuig en tijdens de reis had hij Liam ervan weten te overtuigen dat wanneer Bono zich wil ontspannen hij graag gaat bingoën. Tijdens het feest ging Rob uit z'n dak door paddestoelen en Bono vond hem toen hij naar de muur zat te staren. Rob had al eeuwen naar hetzelfde zitten staren, omdat hij ervan overtuigd was dat het het mooiste schilderij was dat hij ooit had gezien.

'Bono,' zei hij, 'dat schilderij is *fantastisch…*'

'Robbie,' zei Bono geduldig. 'Dat is het raam.'

Rob verbleef in het gastenhuis. Alle vorige gasten hadden iets op de muren geschreven en van hem werd verwacht dat hij hetzelfde zou doen. Voordat hij wegging stond hij daar een tijdlang te kijken naar de woorden van Salman Rushdie en Kofi Annan en al die anderen. Hij was geïntimideerd door alle gekrabbelde wijsheden en poëzie en probeerde te bedenken hoe hij dat kon evenaren. Ten slotte pakte hij zijn pen.

'Voor Bono,' schreef hij. 'Liefs Robbie.'

Hij is gek van Bono en U2. Hun concert in Anaheim, Californië, in april 2001 was voor hem een van de belangrijkste drijfveren om zijn solocarrière op te willen geven en een band te beginnen. Een tijdlang zou hij in zijn gebeden letterlijk smeken: 'God, mag ik ook een Edge, alstublieft? En kunt u me helpen om hele diepzinnige teksten te schrijven die mij net zo ontroeren als die van Bono?'

Na de Anaheim-show ging hij backstage en zei tegen Bono: 'Later als ik groot ben, wil ik zijn zoals jij.' Bono gaf hem een blik waaruit sprak dat hij niet zo zou moeten denken. Bono kan hem dat gevoel heel gemakkelijk geven.

Van een van zijn ontmoetingen met Bono heeft hij het meeste spijt. Bono kan je op een bepaalde manier aankijken waardoor je gegrepen wordt. Hij kijkt je recht in de ogen en praat echt tegen je. Als Rob bij hem was, wilde hij dat Bono het zou doen, maar was er tegelijkertijd ook als de dood voor. Op een avond, aan het begin van Robs solocarrière, sprak Bono zo tegen hem en zei: 'Als je wilt, kun je enorm groot worden.'

En Rob antwoordde: 'Ja, ik word de grootste beroemdheid ooit.'

Ik word de grootste beroemdheid ooit.

'Zodra ik het had gezegd, wist ik dat het verkeerd was,' zegt Rob. 'En hij keek naar me alsof ik een van zijn kinderen had gestolen. En hij zei nee, nee, nee… En ik zei nee, nee, nee…'

✳✳✳

Josie vertelt hem wat hij kan verwachten tijdens de persconferentie, die wordt gehouden in de Britse ambassade: 269 media, een inleidend woord van de ambassadeur, ontmoetingen met de toursponsors Xbox en Smart. Rob loopt het podiumpje op en staat voor een enorm schermdoek met daarop een foto van zichzelf terwijl hij een sprong in de lucht maakt. 'Bedankt dat u ons uw theater laat gebruiken,' zegt hij tegen de ambassadeur. Hij pakt een microfoon en gaat op een kruk zitten, als een variétéartiest uit de jaren zeventig. Hij legt aan de 269 media uit dat hij griep heeft, dat hij twee uurtjes heeft geslapen en dat hij zich een beetje geïntimideerd voelt. 'Oké, vragen?' vraagt hij.

Hij zet onmiddellijk de toon door de manier waarop hij antwoord geeft op een onschuldige openingsvraag over waarom hij openluchtshows doet. Omdat dat de grote concerten zijn, begint hij. 'Ik hou van een grote schnabbel,' legt hij uit en voegt er dan ongevraagd aan toe: 'Ik denk dat mensen nu moeten komen, omdat ik denk dat het na deze tournee en na dit album alleen maar bergafwaarts gaat, dat denk ik echt, omdat ik denk dat dit het hoogtepunt van mijn carrière is en ze moeten er nu bij zijn, nu ik nog hot ben. Of ze moeten naar de shows komen kijken die ik over vijf jaar elke zomer in Engeland ga doen in de Butlins-vakantieparken. Met Oasis.'

Hij wordt gevraagd naar Amerika en gedeelten van ons gesprek in het vliegtuig worden herhaald. 'Ik vond het heel, heel erg interessant om van alles over mezelf te lezen, vooral nu het album is uitgebracht. In de media hebben jullie kunnen lezen dat dit album zo duidelijk gericht is op een Amerikaans publiek. En de reden waarom ik daar zoveel tijd heb doorgebracht is omdat ik zo wanhopig graag in de VS wil doorbreken. Ze maken een halve waarheid en een halve leugen mooier... de echte waarheid is: het kan me niet schelen. Ik heb heel hard gewerkt sinds mijn zestiende met Take That en voor mijn solocarrière...de echte waarheid is, ik ben er niet echt in geïnteresseerd om door te breken in Amerika. Het is veel te hard werken, ik ben daar dan een nieuwe artiest, het zal me aan m'n reet roesten. Het is een te groot gevecht. Ik heb nu mijn geld. Dank je wel. Voor de goede orde: het kan me niets schelen. Ik heb een fantastisch publiek dat hier en in Azië en in andere landen naar mijn albums luistert. Ik hoef niet weg.'

Gewoon, zomaar. Deze woorden worden de volgende dag in de kranten herhaald zonder dat ze een daling in de aandelenprijs van EMI veroorzaken.

Hij kletst erop los, corrigeert verhalen – de afwijzing van Ms Dynamite, het exclusiviteitsbeding met Guy Chambers – en praat over zijn penis. Alle gebruikelijke zaken.

'Thomas van *Bravo* – wat doe je met al het geld dat je van EMI hebt gekregen?'

'Ik ga een kamer volstorten met snoepjes,' antwoordt hij, 'en dan ga ik mijn weg naar buiten eten.'

Er wordt een beetje gelachen, maar er is meer verbijstering om dit antwoord.

'Ik weet het echt niet,' gaat hij verder. 'Ik ben een beroemdheid. Daar heb je veel scheidingen. Een groot deel ervan zal vast gaan naar toekomstige ex-vrouwen. Er is al een rampenplan opgesteld voor de tournee van over ongeveer vijftien jaar wanneer ik het echt moet doen omdat twee van mijn vrouwen alle poen hebben.'

In een achterkamertje wordt hij geïnterviewd door twee journalisten van het Duitse weekblad *Der Spiegel*. Ze vragen naar het cd-boekje bij *Escapology* en zeggen dat hij een beetje lijkt op Jezus. Ze wijzen erop dat hij op de cover ondersteboven hangt van het hoogste gebouw in Los Angeles met zijn armen omhoog, als in een omgekeerd kruis. En in het boekje waar zijn lichaam is omcirkeld door verschillende ringen van licht, loopt er een gelijk met zijn haarlijn, waardoor hij eruitziet alsof hij een halo heeft. 'Nee,' zegt hij. 'Echt niet.' Dit is de eerste keer dat deze interpretatie naar voren komt. Ze vragen naar de titel en hij vertelt over zijn plannen om Robbie Williams af te maken en hoe hij van gedachten is veranderd. 'De vlucht is gewoon een ontsnapping die voorkomt dat ik mezelf om zeep help,' zegt hij. 'Het is me in m'n hoofd gelukt om weer gelukkig te zijn met wie ik ben.'

'Vluchten kan een fout woord zijn, weglopen,' zegt een van hen eerlijk.

'Ja, het hangt ervan af hoe je ernaar kijkt,' zegt hij. 'Je zou kunnen zeggen dat het een vlucht is voor dingen die er echt toe doen, je kunt zeggen dat het een vlucht voor verantwoordelijkheid is. Maar je kunt ook zeggen dat het een vlucht is voordat ik mijn alter ego zou ombrengen, wat naar mijn idee de echte betekenis is.'

Ze vragen naar zijn ouders en hij praat eerst over zijn moeder. 'Ze zegt: "Ik ben heel trots op de manier waarop je alles hebt aangepakt en wat je hebt gedaan," en dat betekent ontzettend veel voor mij,' legt hij uit. 'Dat betekent meer dan een platencontract van tachtig miljoen.' Hij grijnst breed en uitdagend. 'Maar dat kun je niet uitgeven.'

'Geeft je vader je advies over optreden?' vragen ze.

'Eh, kijken naar mijn vader is al advies,' antwoordt hij. 'Hoe hij zich gedraagt en zijn maniertjes. Ik heb heel veel gestolen uit acts van een heleboel mensen – Freddie Mercury... Axl Rose, Tina Turner, Mick Jagger, David Bowie, Dean Martin, Sammy Davis Junior, Frank Sinatra, mijn vader, andere komieken die ik ken, Steve Coogan, Eddie Izzard... Ik heb gewoon al die acts gestolen en mezelf toegeëigend.'

Ze vragen hem wat hij op een gewone dag in Los Angeles doet. 'Niets,' zegt hij. 'Helemaal niets. En ik ben er heel erg goed in. Af en toe ga ik wat winkelen. Maar meestal hang ik gewoon rond en doe ik niets, misschien een beetje tokkelen op de gitaar, af en toe wandelen met de honden. Ik heb *gigantisch veel* dingen gedaan sinds mijn zestiende en nu is het heerlijk om gewoon rond te hangen in een trainingspak en niets te doen. En ik heb er een schone kunst van gemaakt. Ik ben een man die de hele dag niets doet.' Hij legt uit dat dit een belangrijke ontwikkeling is geweest wat betreft zijn rust en geluk. 'Sommige mensen zijn heel geschikt voor roem en kunnen er heel goed mee omgaan,' zegt hij. 'Ik niet.'

'Kun je niet gewend raken aan roem?' vraagt een van hen.

'Nee,' zegt hij. 'Weet je wat het is met roem? Aan het begin probeer je het te krijgen en de rest van je carrière probeer je het te overleven.'

✳✳✳

In de auto herhaalt David om het gesprek op gang te houden een deel van het gesprek dat hij eerder had met hun gastheer. 'De ambassadeur zei dat dit het hoogtepunt van zijn carrière was…' vertelt hij.

'Heb ik daarvoor gezorgd?' vraagt Robbie serieus. 'Dat is mooi.'

'Nee,' zegt David, 'dat hij gestationeerd is in Berlijn.'

Onder het gelach, ook van hem, verschijnt er op het gezicht van Rob de zo typisch brede grijns die je aanneemt als je zelfverzekerd iedereen een straat hebt ingestuurd die vervolgens doodloopt, en er niets anders opzit dan weer terug te keren naar waar je vandaan kwam. 'Kunnen we weer teruggaan naar het begin van dit gesprek?' stelt hij voor.

Weer thuis wil Rob blackjack spelen, maar we hebben geen fiches. Hij wil naar Hamleys om nieuwe te halen, maar ze zijn gesloten, dus zitten we allemaal om de tafel kleine stukjes papier uit te knippen. Dit werkt niet echt en uiteindelijk geven we het maar op. Helaas herinnert Rob zich te laat dat ze in Amerika ook eens zonder fiches hebben gezeten en toen maar pillen hebben gebruikt.

'Vitaminepillen en antidepressiva,' zegt hij. 'Vitaminepillen waren vijf punten en antidepressiva vijftig.'

7

Terwijl Rob ontbijt, nummers van Coldplay neuriet en het cd-boekje bij *Escapology* bestudeert, vraagt Pompey zich af wat hij aan zal trekken voor het uitstapje van vandaag. 'Het is te warm voor een trui,' peinst hij.

'Wat dacht je hiervan,' zegt Rob. 'Koud in Stoke.'

We vertrekken vanaf de helihaven van Battersea en vliegen naar het noorden. Het is niet hetzelfde als in een vliegtuig; het voelt alsof het landschap zich ontvouwt onder je voeten en langzaam afloopt naar het zuiden. Het duurt ongeveer veertig minuten om het racecircuit van Uttoxeter te bereiken, een landingsplaats die is gekozen uit veiligheidsoverwegingen, in de hoop dat dit bezoek aan Stoke stil kan worden gehouden en alleen bekend is bij de direct betrokkenen.

'Wat een verdomd fijn vluchtje was dit,' zegt Rob als we landen. 'Opmerking voor mezelf: Altijd rijk blijven...'

Als het op liefdadigheid aankomt, worden beroemdheden altijd veroordeeld, wat ze ook doen. Als ze niets doen, worden ze bestempeld als rijk, egoïstisch en slecht. Maar als ze proberen iets te doen, begint de ellende pas echt. Er zal ooit een tijd zijn geweest dat de onschuldigste, meest logische vergelijking nog opging: iemand wordt rijk en beroemd; hij wil vervolgens, door een combinatie van dankbaarheid en schuldgevoel, iets 'teruggeven'; hij wil iets goeds doen voor de minderbedeelden en misschien gaat hij zichzelf er een beetje beter door voelen. Het was altijd een teken van onbaatzuchtigheid en deugd om geen aandacht te vestigen op je gulheid.

Maar voor alle beroemdheden die op een stille manier nog iets goeds willen doen, is het verpest, vooral in de afgelopen twee decennia, waarin het verschil tussen liefdadigheid en schaamteloze zelfpubliciteit kleiner is geworden en soms zelfs zo goed als verdwenen is. Tegenwoordig hoeft een beetje cynisch ingesteld persoon het woord 'liefdadigheid' maar te horen in combinatie met de entertainmentwereld en hij vraagt zich meteen af wat de motieven zijn van de artiest. En meestal hebben ze daar gelijk in. Liefdadigheid is steeds meer verworden tot een andere manier van promotie; de wereld van liefdadigheidsevenementen, premières, party's, geldinzamelingen en fotomogelijkheden biedt een nieuwe manier om hogerop te komen en een andere manier om niet al te snel in de vergetelheid te geraken. De wekelijkse roddelbladen als *Hello* en *OK!* staan vol met foto's van evenementen waarvan niemand hier meer wakker ligt of nog probeert de egoïsten te scheiden van de onzelfzuchtigen; in plaats daarvan accepteert iedereen de verschrikkelijke status-quo, waar sterren en charitatieve instellingen elkaar helpen om de media-aandacht te krijgen die ze allebei zo hard nodig hebben.

Het is een dilemma voor iedereen die iets wil doen zonder te worden meegezogen in deze draaikolk. Eén manier is om gewoon te zwijgen over wat je doet, maar het wel doen, en als je jezelf af en toe aanbiedt om publiciteit te krijgen voor een bepaald evenement of een bepaalde situatie, moet je ervoor zorgen dat dit zo ver mogelijk afstaat van je eigen commerciële carrière. Dit is meer wat Rob geprobeerd heeft te doen. In de afgelopen jaren heeft hij zeker een paar miljoen pond weggegeven, maar de enige keer dat ik hem er zelfs maar een toespeling op heb horen maken (los van een aantal geërgerde uitbarstingen in de privé-sfeer toen, omdat hij het zelf niet rondbazuint, mensen suggereerden dat hij niets zou geven), was toen hij de bestemmingen noemde van zijn diverse charitatieve Robbie Williams-projecten. Een deel van het geld is gegaan naar Unicef, waaraan hij doorlopend verbonden is, maar het meeste geld gaat naar zijn eigen liefdadigheidsinstelling, Give It Sum, die hij in 2000 heeft opgericht. Het werk is volledig gericht op het gebied rond Stoke, waar hij is opgegroeid.

Het bezoekje aan Stoke van vandaag geeft hem de mogelijkheid om een kijkje te nemen bij enkele van de projecten waarmee Give It Sum werkt: om betrokken te blijven bij wat ze hebben gedaan, om zijn steun te tonen en om te poseren voor de incidentele foto die kan worden gebruikt om te promoten wat ze lokaal doen. Deze reis is omgeven met meer geheimzinnigheid dan de meeste van zijn zakelijke afspraken, omdat de hele dag verpest is als de plaatselijke pers of één lokale fotograaf lucht krijgt van wat er aan de hand is. Iedereen beseft ook heel goed dat het feit dat dit de enige dag dat hij tijd heeft om dit reisje te maken, valt in de eerste week van de release van zijn nieuwe album; het zou vreselijk zijn als het reisje bekend zou worden en het zou lijken alsof deze twee zaken met elkaar samenhangen en dat hij datgene doet wat hij zo ijverig probeert te vermijden – een goed doel gebruiken als een ongepast promotiemiddel. Op de auto na die ons staat op te wachten om ons op te pikken – waarvan de chauffeur, heel surreëel, probeert de helikopter binnen te loodsen voor de landing – en een paar vrouwen na die werken op het raceterrein van Uttoxeter, is de boel toch verlaten als we aankomen. Tot dusver is alles in orde.

We rijden naar het huis van zijn moeder Jan en komen samen in de keuken. (Jan zit in het comité Give It Sum en is tot over haar oren betrokken bij de uitbetaling van de subsidies en het controleren van de resultaten. Rob gaat de cd's in het rek na en zet een Mantronix-mix van *Millenium* op. (Om technische redenen werd hij niet uitgebracht. 'Het was waardeloos,' zegt hij.) Hij steekt zijn vingers in de kom met 'Angel'-kaarten op de eettafel van zijn moeder. De eerste kaart die hij eruit trekt, is leeg. Op de tweede staat 'vergiffenis'.

✳✳✳

De eerste stop van de dag is een kindertehuis, geleid door de Donna Louise-trust, voor kinderen die naar verwachting hun tienerjaren niet overleven; het gebouw is nog steeds in aanbouw, maar de voltooiing nadert. De mensen daar nemen Rob mee naar boven, vertellen hem over hun werk en laten hem een knipsel zien uit de lokale krant toen zijn betrokkenheid bekend werd gemaakt. *Patroonheilige Robbie klaar om geld binnen te halen.* In hetzelfde knipsel worden een paar meisjes van dertien beschreven die hun mond hadden dichtgeplakt om geld in te zamelen omdat hij erbij was betrokken. 'Een gesponsorde stilte,' merkt hij glimlachend op. Dat vindt hij wel leuk. Hij bekijkt de half afgemaakte slaapkamers en speelkamers, stelt rustige, betrokken vragen en lijkt opgelucht wanneer hij de hond van een bouwvakker ziet waar hij even z'n aandacht op kan richten. Als hij een andere kamer inloopt, komt hij een schilder tegen die hij nog kent uit zijn jeugd.

Buiten de voordeur gaat hij klaarstaan voor een foto met de directeuren.

'Kin naar beneden, ogen omhoog,' zegt hij.

Een van zijn gastvrouwen zegt dat ze het vreselijk vindt om op de foto te komen.

'Het wordt nooit gemakkelijker,' voelt hij met haar mee.

In het busje kletst hij met Jan over de homoseksuele burgemeester van Stoke. Ze zei dat de burgemeester haar had gevraagd Rob te bedanken omdat hij z'n nek heeft uitgestoken door een subsidie te geven aan de plaatselijke informatie- en adviesorganisatie voor homoseksuelen. 'Ik zei dat hij zijn nek niet had uitgestoken, dat het heel natuurlijk was,' zegt ze. Tussen de bestemmingen door geeft Josie hem in het busje informatiefolders om hem op de hoogte te brengen. De volgende stop is Old Blurton Community Centre. Er is een collectieve zucht te horen wanneer hij binnenkomt.

'Een echte popster!' roept een vrouw uit. 'Ik kan het niet geloven.'

'Ik ook niet,' zegt Rob.

Ze geven hem een kop koffie en vertellen hem over wat hier gebeurt en hoe het heeft geholpen het gebied terug te winnen door dit inloopcentrum te openen.

'Het leek hier wel op Beiroet,' zegt iemand.

'Je was zo bang dat je de deur niet meer uitging,' zegt iemand anders.

'Wat het betekent,' zegt iemand, 'om weer controle te krijgen.'

'Ik zeg het niet zomaar,' zegt Nina, de oudere vrouw die de leiding heeft, waar de spirit en vastberadenheid van afdruipt, 'maar zonder jou had het de afgelopen twee jaar niet open kunnen blijven.'

Rob zegt dat zijn moeder hem alles heeft verteld. 'Mijn moeder moest huilen aan de telefoon en toen moest ik huilen aan de telefoon,' zegt hij.

Ze nemen hem mee naar de speeltuin aan de andere kant van de weg, die is gebouwd op de plek waar de gemeente een parkeerterrein had willen maken voordat deze bewoners zich ermee gingen bemoeien, en ze leggen hun plannen uit voor een wijkcentrum en sportveld. Nina zegt dat ze meer dan honderdduizend pond moeten inzamelen. 'Dat lukt wel,' zegt ze.

'Dat weet ik,' zegt Rob. 'Ik vind jullie fantastisch… en ik regel dat wel.' Dit wordt niet op een opvallende of demonstratieve manier gezegd. Ik vraag me af hoelang hij voordat hij het zei, wist dat hij het ging zeggen. Het duurt in ieder geval even voordat deze woorden doordringen.

'Echt waar?' zegt ze, op een toon die aangeeft dat ze bang is om hem te beledigen doordat ze hem verkeerd heeft begrepen, bang om te veel hoop te hebben, maar ook bang om te zwijgen en zo alles mis te lopen.

'Echt waar,' zegt hij. En ze begint te huilen en al snel is ze niet de enige.

'Ik moet een sigaret hebben,' zegt ze uiteindelijk.

'Ik ook,' zegt hij en ze lopen arm in arm weg om te roken en te praten. Wanneer ze terugkomen, huilt ze nog een beetje en hij zegt: 'Hou nou op, want anders begin ik ook en dan kan ik de hele dag niet meer stoppen.'

Ze gaan naar binnen en ze laat hem de bouwtekeningen zien; hij vraagt wat er in alle kamers gaat gebeuren en ze praat over yoga en vechtsporten, over alle praktische aspecten en over hoop. Het nieuws verspreid zich en er vormt zich een menigte. De reactie hier is anders dan in grote steden waar je op elke hoek beroemdheden tegenkomt. Daar doen mensen alsof ze verbijsterd zijn, maar ze *verwachten* iets. Hier lijken ze alleen maar verbijsterd. Twee tienermeisjes rennen naar hem toe en gaan dan alleen maar dicht bij hem staan, hem aanstarend. 'Leuk om jullie te ontmoeten,' zegt Rob. Ze zoeken naar woorden, maar ze kunnen ze niet vinden en blijven hem dan maar staan aangapen. Hij steekt zijn duim op. 'Fantastisch,' zegt hij met een grijns.

Een van de oudere vrouwen loopt schuchter naar hem toe en zegt: 'Mag ik u een persoonlijke vraag stellen?'

'Ja,' zegt hij en wacht.

'Hoe oud bent u?' vraagt ze.

'28,' zegt hij. 'Dat is niet heel erg persoonlijk! Dat kan diepzinniger.'

Hij ontmoet een baby van een halfjaar oud die Robbie heet. De telefoon van een van de tieners gaat. De ringtone is *Dilemma* van Nelly. Een vrouw van middelbare leeftijd, die het risico loopt te worden ontslagen door het plaatselijke café te sluiten en hiernaartoe te komen, vraagt: 'Mag ik een knuffel? Ik weet dat ik naar spek en eieren ruik.'

'Ik wilde dat ik naar spek en eieren rook,' zegt Rob en geeft haar een knuffel.

Hij zegt gedag en er vloeien meer tranen.

'Ik voelde de liefde zodra ik binnenkwam,' zegt hij. Vanuit het raam van het busje schreeuwt hij: 'Doe je best, dames' en we rijden weg. 'Ze zijn fantastisch, of niet,' zegt hij. 'Pittige dametjes… weet je, het is veel beter om iets voor deze mensen te doen dan een speler te kopen voor Port Vale.

✳✳✳

De volgende bestemming is een wijkcentrum, Sutton Trust, in de wijk Abbey Hulton. 'De grootste wijk van Europa,' zegt Rob, 'en zeker niet de netste.' (Zijn vader, die bij Rob logeert in Londen, vertelde vanmorgen een mop over Abbey Hulton. 'In Abbey Hulton was een kroegquiz,' zei hij. 'De eerste vraag was 'Wie zit er tegenover je?' en de tweede was "Wie is de beveiligingsman in Marks & Spencer?"')

'Wist je dat je elk huis een brandalarm hebt gegeven?' vraagt Jan aan haar zoon.

'Is dat zo?' zegt hij.

'Het kostte een pond en nog wat per huis,' zegt ze. 'Het kwam in totaal uit op ongeveer tienduizend pond. Er was bijna elk maand wel ergens brand en de gemeente wilde het niet doen.'

. In Sutton Trust krijgt hij het computercentrum boven te zien dat vol staat met computerapparatuur die Give It Sum heeft betaald. In een krantenknipsel staat: *Rockster Robbie helpt cybercentrum.* Hij kletst met iedereen en vraagt of alles hier nu beter gaat.

'Abbey redt zich wel,' antwoordt een vrouw vol trots.

'Mag ik een handtekening voor mijn dochter?' vraagt iemand anders.

'Ja,' zegt hij. 'Dat is een eerlijke ruil.'

Hij gaat terug naar boven om een ontvangstpraatje te filmen voor een aanstaande plaatselijke prijsuitreiking waarin hij de onderscheiding krijgt voor 'de persoon die het aanzien van Stoke het meeste heeft verhoogd in het afgelopen jaar'. Ik zie hem nooit iets als dit voorbereiden. Ik zie zelfs nooit enige aanwijzing dat hij erover heeft nagedacht, totdat hij in de cameralens kijkt.

'Hallo allemaal,' zegt hij. 'Ik ben Robbie Williams en ik wil jullie heel, heel erg bedanken voor mijn prijs vanavond... Ik ben nu bij de Sutton Trust Community Group in Abbey Hulton en ben een tijdje niet in Stoke geweest omdat ik het land uit ben geweest om dingen te doen. Toen ik hier opgroeide, is mij ingeprent dat mensen uit Stoke-on-Trent de beste mensen zijn – de vriendelijkste, de gulste, de liefste, het beste in staat om moeilijke tijden te doorstaan. En, ik moet zeggen, ik heb over de wereld gereisd, en het klopt – dat zijn we. Dat zijn we echt. En ik heb het alleen maar gemerkt omdat ik heel veel tijd buiten Stoke-on-Trent heb doorgebracht en als je dan weer terugkomt – en ik ben vandaag op een paar plekken geweest en ik heb gedag gezegd tegen een aantal mensen – en ik krijg alleen liefde en warmte terug en een gevoel voor humor dat Stoke-on-Trent me heeft gegeven... ik ben er heel trots op dat ik uit Burslem kom, ik ben er heel trots op dat ik uit Tunstall kom. Zolang als ik leef zal ik nooit mijn wortels vergeten, omdat het voor een groot deel heeft bepaald wie ik ben en wat ik ben. Ik ben er heel trots op dat ik de aandacht kan vergroten voor mijn stad en ik wil actiever zijn in Stoke-on-Trent, de stad waar ik van hou, de stad waar ik vandaan kom en de stad waar ik uiteindelijk terugkom... ik bedank jullie uit de grond van m'n hart. En ik hou van de plek waar ik vandaan kom. Heel erg bedankt.'

Hij staat op en loopt uit beeld.

✱✱✱

Hij wordt gevraagd of hij iemand kent die Margaret heet.

'De moeder van Rachel,' helpt de persoon.

'O,' zegt Rob. 'Rachel.' Hij knikt. Even later wendt hij zich tot mij en zegt: 'Ze was mijn eerste liefde.'

'Heeft Rachel verkering, mam?' vraagt hij aan zijn moeder als we in de auto zitten.

'Ze is nog steeds bij die jongeman,' zegt Jan.

✱✱✱

Van de meisjes die hij heeft gekend voordat hij uit Stoke wegging, is Rachel Gilson degene aan wie hij de beste herinneringen heeft. 'Zij was de eerste, zo van: "Ik zou acht kilometer fietsen op m'n mountainbike om je te zien." Wat ik ook deed,' zegt hij. Zij heeft hem twee akkoorden op de gitaar leren spelen – C-majeur en A-majeur – en ze heeft hem geleerd hoe hij het begin van *The Cross* van Prince moet spelen, een nummer dat hij nog nooit had gehoord. Ze speelden tennis en hingen gewoon een beetje rond. 'Ze had kort zwart haar, vergelijkbaar met wat ik nu heb, maar iets langer,' zegt hij. Hoewel hij het jaar daarvoor zijn maagdelijkheid had verloren, hebben zij nooit seks gehad. Een van zijn nummers, *Win Some, Lose Some* gaat grotendeels over haar. Hij ging bij Take That en zij ging modellenwerk doen in Manchester en op de een of andere manier zijn ze elkaar uit het oog verloren. Soms denkt hij nog wel aan haar. 'Ik ben nog steeds gek op Rachel. Ik denk dat er nog steeds iets is, het zou misschien ooit nog wat kunnen worden,' zegt hij. 'Ze houdt van me,' gaat hij door. Hij lacht. 'Ze is gewoon het liefste, meest bescheiden, vrolijkste, goedaardigste, mooiste meisje in Stoke-on-Trent.'

Met een vriend, help ik hem herinneren.

'Ja,' zegt hij op zogenaamd smalende toon. 'Ze houdt niet zoveel van hem als van mij.'

***

We rijden voorbij de afslag naar Fenton College, waar hij als student staat ingeschreven, maar nooit is komen opdagen. Het feit dat hij popster werd, ging in de weg zitten. 'Als ik nu verschijn, krijg ik een flinke uitbrander.' Om de zoveel meter is er een herinnering. Hij schreeuwt het uit wanneer we langs het café rijden waar hij eens *Mac The Knife* heeft gezongen.

Het laatste bezoek is aan een jeugdproject, de 7Cs in Hanley Park, waar hij leert naaien, jonge dj's aan het werk ziet, kijkt naar een demonstratie touwtjespringen en zelf een mislukte poging doet tot touwtjespringen. Het was een goede dag en succesvol in alle aspecten. (De media hebben er tot nu toe nog geen lucht van gekregen en dat gebeurt ook niet meer.) Het was ook een inspirerende dag, onder mensen die proberen levens beter te maken op reële, verstandige, onopvallende manieren. 'Ik word er ook geconcentreerder door,' mompelt hij.

Hij is net op tijd thuis in Londen om samen met Chris Sharrock en zijn vader naar *Top Of The Pops* te kijken. Kylie Minogue treedt op met Fischerspooner. Het contrast op één dag is net een beetje te groot.

'Dit,' roept hij uit, 'is conceptuele troep.'

8

Hij gaat naar buiten, naar het ronde binnenpleintje van de BBC, om een sigaret te roken. Vanavond treedt hij op in *Later... With Jools Holland* in de studio's van de BBC, niet om zichzelf te promoten, maar om zijn zang te doen in het nummer *My Culture* van 1 Giant Leap. Het publiek dat in de rij staat voor de show van vanavond valt hem niet lastig. 'Zie je dat het platenkopende publiek dat er is voor Coldplay en de Datsuns mijn handtekening niet wil,' merkt hij op. Chris Martin slentert voorbij terwijl hij aan het bellen is. Wanneer hij Rob ziet, zegt hij iets tegen de persoon met wie hij spreekt en geeft de telefoon aan Rob. Rob loopt weg met de telefoon; het laatste wat hij zegt in de hoorn wanneer hij hem teruggeeft aan Chris Martin is: 'Fijn dat je geen hekel aan me hebt'. Het is duidelijk wie dat was. Ze heeft hem verteld dat ze hem mogen en achteraf is hij er niet zeker van of hij zich nu wel of niet beledigd moet voelen.

Chris Martin gaat naar binnen en er komt een kerel aan die Rob hartelijk begroet. 'Wat vind je van het shirt?' vraagt Rob. Hij draagt zijn

T-Rex T-shirt met het hoofd van Marc Bolan erop. De kerel is de zoon van Marc Bolan, Rolan.

'Mijn neukschoenen,' zucht hij in de kleedkamer. 'Het was heel moeilijk gisteravond, maar ik was sterk. Er was een meisje... maar ik heb het de kop ingedrukt.'

Niemand vraagt wat hij bedoelt en hij verklaart zich niet nader.

Hij treedt op met 1 Giant Leap, Baaba Maal, de Mahotella Queens en Maxi Jazz. Als hij op het punt staat te vertrekken, herinnert Josie hem eraan dat hij nog steeds is uitgenodigd om zich vanavond aan te sluiten bij Kevin Spacey in het Sanderson Hotel.

'Ik heb het *letterlijk* te druk,' zegt hij opgetogen. Deze boodschap was al doorgegeven aan Spacey toen Rob werd gevraagd om te komen. Hij is natuurlijk zo verrukt, omdat z'n leven langzamerhand begint te lijken op de tekst van *I Will Talk, Hollywood Will Listen*, het enige originele nummer op zijn swingalbum. Dit is het eerste couplet:

I wouldn't be so alone
If they knew my name in every home
Kevin Spacey would call on the phone
But I'd be too busy
Come back to the old five and dime
Cameron Diaz give me a sign
I'd make you smile all the time
Your conversation would complement mine

Ik vraag wat hij vanavond dan gaat doen.

'Mijn vader is thuis,' zegt hij, 'en er is voetbal op televisie.'

***

De meeste kaartjes voor de tournee van Rob de volgende zomer zijn al verkocht – zevenhonderdvijftigduizend in de eerste paar dagen nadat ze vorig weekend in de verkoop gingen – maar de plannen voor de tournee zelf zijn nog in het beginstadium. Er is een vergadering aan Robs keukentafel waarin de hoofduitvoerenden hun ideeën kunnen voorleggen aan Rob. Lee Lodge, de creative director, praat het meeste.

Het is een bravourevoorstelling, een stortvloed aan ideeën, beelden, zinnetjes en meningen: 'Donkerdere, bozere kant van de muziek die recent niet is vastgelegd... de energie van *Escapology* vertalen... krachtige beelden... opera... deze band tussen confrontatie en verdeeldheid, zowel emotioneel als fysiek... terug naar een punkmentaliteit... deze reis naar volwassenheid... mensen die denken dat ze *Let Me Entertain You* krijgen, worden geconfronteerd met een agressiever, meer confronterend image... blokken kleuren... iets revolutionairder... dat dit geen tournee is, maar iets sinisters... aanlokkelijke advertenties... het is de grootsheid van het beest... wanneer je naar een dier kijkt, kan hij je inpakken met z'n charme, maar hij kan je doden... boosheid en eenvoud... dit is niet de Rob die je kent... als Rob een pretpark is, is het uitgewoond en van daaruit bouwen we de show op.'

Rob krijgt beelden te zien van *Twelve Monkeys* van Terry Gilliam, werk van de graffitikunstenaar Banksy en een graphic voor *Angels* met woorden afkomstig van John Lydon: THIS IS NOT A LOVE SONG. 'Elke keer als we een beeld tonen, is er een draai. Het is niet wat je denkt dat het is. Net als je teksten – je denkt dat het een liefdesliedje is, maar dan is het dat niet,' legt Lee uit.

Jason Mullings, een van de art directors van de tournee, laat hem een beeld van een panter zien. 'Hetzelfde idee van het ongetemde beest,' zegt hij. 'Een prachtig dier, maar je weet niet wat het hierna gaat doen.'

'Beminnelijkheid en boosheid gaan zij aan zij,' vat David samen.

'Tegelijkertijd,' zegt Lee, 'is er die angst. Hetzelfde met een aangename boosheid.'

Jason houdt een tekening omhoog.

This

Is

Not

A

Con

Cert

Rob knikt. 'Je kunt "con" en "cert" veel meer scheiden,' zegt hij.

'Het is uitverkocht,' zegt Jason, 'dus we kunnen een campagne maken: JIJ GAAT NIET NAAR DEZE SHOW. Het mes kan aan twee kanten snijden. Sommige mensen kunnen denken "ik wel". En HET CIRCUS KOMT IN DE STAD. Ik vind het een fantastisch idee om een billboard te kopen en die steeds te veranderen.'

'JIJ BENT GEEN BEROEMDHEID – JIJ KOMT NIET,' stelt Lee voor.

'DIT IS GEEN FOTOMOMENT – NEEM GEEN FOTO VAN ME,' zegt Jason.

'We kunnen het verouderen, het er vervallen uit laten zien,' zegt Lee. 'Mensen denken dat ze weten wat Rob is. En ze hebben geen idee wat Rob is.'

'Wat vind je ervan?' vraagt Josie. Rob heeft voornamelijk toegekeken terwijl dit alles wordt voorgesteld, zonder opmerkingen te maken.

Hij knikt nog een keer. 'Ik vind het fantastisch – tekeergaan,' zegt hij. 'Precies wat ik wilde. Ik wist niet wat ik wilde en dit is wat ik wil.'

Pauze. 'Waar ik me meer zorgen over maak, is wat ik tussen de nummers zeg. Ik denk na de eerste drie nummers, die allemaal grote rockers zijn, *Let Me Entertain You, Let Love Be Your Energy, Monsoon...*' – hij zegt dit alsof iedereem hier al wist dat hij hierover had nagedacht, maar het is nieuw voor iedereen – '... krijg ik ook een van die dingen?'

Iedereen wacht tot hij gaat zeggen wat 'een van die dingen' is.

'Een preekstoel!' roept hij uit. 'Na de eerste drie nummers komt er een preek, waarin ik in priesterskledij ben gehuld, over wat er deze avond staat te gebeuren: "Een mis bijwonen in de tempel van licht entertainment..."' Pauze. 'We kunnen Bono elke avond opbellen vanaf het podium.' Hij staat op. 'Ik wil ook de allergrootste karaokewedstrijd houden,' kondigt hij aan en staat op van de tafel.

✱✱✱

Begin december gaat hij weer naar Stoke met de helikopter en heeft een vroeg kerstdiner bij zijn zus thuis met zijn moeder én met zijn vader, de eerste keer in 25 jaar dat ze allemaal bij elkaar zijn.

Misschien stelt hij zich soms wel voor hoe het zou zijn. Hij heeft eens een testament opgemaakt – 'Het was,' legt hij uit, 'in mijn "ik hou je op een afstandje omdat jij me er misschien van weerhoudt om cocaïne te nemen"-fase' – waarin stond dat als er iets met hem zou gebeuren, zijn ouders samen een week in een tent moesten doorbrengen op de noordpool voordat ze het geld zouden krijgen.

'Ik denk dat ik te veel films heb gezien,' zegt hij. 'Ik vond het wel lief en grappig. Mijn moeder kon er trouwens niet om lachen.'

Tijdens het vroege kerstdiner van dit jaar luisterde de verzamelde familie naar *Swing When You're Winning* op de achtergrond tijdens het eten.

'Het was verrekte goed,' zegt Rob later. 'Ik had het nog niet gehoord.'

✱✱✱

Terwijl ze in de lounge van Northolt wachten om in het vliegtuig te stappen voor een promotietour van tien dagen door Europa, beschrijft Rob opgewekt zijn laatste plannetje om Noel Gallagher te tergen. Hij heeft een brief geschreven, die hij backstage wil laten bezorgen met dansschoenen en taarten net voordat Gallagher het podium opgaat voor de eerste avond van de Britse tournee van Oasis in Cardiff volgende week.

Beste meneer N Gallagher,

Je zei dat twee avonden in Knebworth iets uit het verleden is. Nou, ik denk dat drie gewoon hebberig is. Dacht dat je deze misschien kon gebruiken. Begin met badminton, verander en ontwikkel jezelf. Mis onze babbeltjes.

Hoogachtend,

Rob

P.S. Vind het moeilijk om goede support te vinden voor de show. Wat doe je op de 1ᵉ en de 2ᵉ? O, en de 3ᵉ.

'Omdat,' zegt Rob, 'hij me een dikke danser uit Take That heeft genoemd. Omdat het grappig is. Omdat hij me zo haat en bij elke gelegenheid zegt hoe zeer hij me haat. Hij zei dat hij liever dood was dan Robbie Williams te moeten zijn. Ik wil hem gewoon laten weten...'

Hij staart uit het raampje van het vliegtuig en ziet hoe Nederland onder ons begint. 'Teruggewonnen land,' roept hij uit. 'Altijd goed om te zien. De mens die wraak neemt op moeder Natuur...' Hij wendt zich tot Josie. 'Geen vla,' verduidelijkt hij. 'Vlees en aardappels.'

Hij zegt dat hij gisteravond naar *The Entertainers* heeft gekeken, het televisieprogramma dat de carrières van een bonte verzameling verlopen sterren onder de loep houdt: Leo Sayer, Bernie Clifton, Bernard Manning...

'Ik word er zo depressief van als ik ernaar kijk,' zegt hij.

Waarom?

'Weet ik niet,' zegt hij.

'Je wordt depressief voor hen,' denkt Josie.

'Ze zijn allemaal zo eenzaam,' zegt hij, 'en ze zijn er nog steeds mee bezig.' Hij merkte dat hij duistere gedachten begon te krijgen over zijn eigen mogelijke toekomst. 'Ik moest gisteravond echt mezelf even toespreken: geen van deze mensen heeft stadions gedaan...' Hij staart naar de ruimte voor hem, zijn ogen nergens op gericht. 'Ze zijn allemaal zo eenzaam,' herhaalt hij.

❋❋❋

Hij leest de bladen van vandaag. In een staat dat de *Pop Rivals*-band One True Voice weigert om zichzelf een boyband te noemen. Ze laten er zich een beetje suf op voorstaan dat ze een 'vocal harmony group' zijn.

'Ik ben een complete boyband in één,' merkt Rob op. 'Er is de lieve, de ondeugende, de denker en de knappe. Wanneer ik op het podium sta, ben ik altijd multifunctioneel bezig.'

Ik zeg dat er in een boyband ook altijd die andere is – degene van wie de poppen niet verkopen.

Hij knikt. 'Zoals bij mij in Amerika,' zegt hij.

Gisteravond heeft hij Amerika weer geannuleerd. Anderhalfuur later – hij had niemand gebeld, maar in zijn hoofd was de beslissing definitief geweest – had hij het opnieuw geboekt. 'Ik dacht: wie ben ik als ik het niet doe?' zegt hij. 'Je gaat omdat je erheen moet. Ik denk echt dat ik een stuk gelukkiger zal zijn als het me is gelukt. De grote vraag is – eigenlijk stelt het helemaal niets voor – is wat ze zullen zeggen in de *NME*. "Robbie geeft mislukking in Amerika toe". En ik dacht, ha...'

✱✱✱

De eerste stop is Amsterdam, waar hij een concert doet voor een paar honderd fans. Amsterdam is een van de plaatsen waar de broodnuchtere Rob niet echt op z'n gemak is. Hij was hier een keer met Take That en ze werden allemaal stoned en deden toen een interview live op de radio: 'We konden niet rechtop staan, dus we gingen allemaal liggen en gaven de microfoon aan elkaar door.' Een andere keer raakte hij in paniek omdat hij dacht dat het hotel dreef.

Op de plaats van handeling pakt hij een cd met de nummers die hij in de Townhouse-studio's heeft opgenomen en zet het nummer *Do Me Now* op.

Prosecute Gandhi, persecute God, elevate Bono, eliminate Rod, I don't care... World War 4, the Beatles touring, Chernobyl fallout, Global warming, I don't care... oh, my head, I'm moving to the Med, those cats know how to boogie, this pill's done nothing to me... I've got to catch a plane, you'd better do me now... klinkt zijn stem uit de geluidsinstallatie.

Even later zet hij hem af en begint iets nieuws te schrijven op de gitaar. Hij mompelt op fluistertoon woorden die ergens liggen tussen zin en onzin: '*It's time... everyone knows...everyone's so... love you... you get the feeling you're invisible... radiation... coming round... listen to the radio... all of the time...*' 'Normaal gesproken komt het woord 'radio' in een nummer voor als ik het begin te schrijven,' zegt hij. 'En "pooh". "Pooh" rijmt met heel veel.' In de meeste nummers die zijn geschreven voor *Escapology* kwam in eerste instantie het woord 'satellite' voor, maar het woord is niet één keer te horen op het voltooide album.

Hij zingt verder en begeleidt zichzelf met een winderige, uit de toon klinkende percussie. Gina is ontsteld. 'Hoe kun je dat mooie nummer zingen en zo slecht scheten laten tegelijkertijd?' vraagt ze.

David komt langs voor een babbeltje. Hij heeft het over het optreden in *Later...* en ze praten over Maxi Jazz.

'Hij is geen groentje, of wel?' zegt David.

'Nee,' zegt Rob. 'Hij is een zwarte rapper.'

Aan het einde van de avond besluit Rob een wandelingetje te maken in Amsterdam. 'We gaan even kijken naar de naakte vrouwen, zien of ze er nog zijn,' kondigt hij aan. Het is een slecht idee. We lopen langs het kanaal buiten het hotel en hij houdt het minder dan vijf minuten vol. Deze stad geeft hem een onprettig gevoel. Hij vond het er ook al niet leuk toen hij jong was – hij ging naar de raamprostituees kijken omdat dat zo hoorde en hij had alleen maar medelijden met ze. Vanavond lijkt iedereen op straat compleet van de wereld te zijn. 'Weet je,' zegt hij, als we teruglopen naar het hotel, 'om veel redenen denk ik niet dat het goed is voor mij om hier te lopen.'

Hij gaat naar de hotelbar en bestelt een glas water, maar hij voelt zich daar ook niet op z'n gemak, dus gaan we naar boven om in zijn kamer naar de dvd met de natuurdocumentaire, *The Planets*, te kijken die hij laatst heeft gekocht in de BBC-winkel.

'Wist je dat Jupiter groter is dan alle andere planeten samen?' zegt Pompey.

'Echt waar?' zegt Rob. 'Kut. Stel je voor dat je daar promotie zou moeten doen.'

✸✸✸

Hij wordt wakker in Amsterdam met het nieuws dat Mark Owen *Celebrity Big Brother* heeft gewonnen. 'Dat betekent dat hij het nog een keer mag proberen,' merkt Rob op, 'en dat is te gek.' De dag eindigt vandaag voor Rob in Zweden, maar eerst moet hij naar Italië. Het is gepland als een dagtochtje, omdat Italiaanse bezoekjes niet echt favoriet bij hem zijn. Hij vindt de fans gewoon té gek, maar op een vervelende manier. Als we aan komen vliegen, past hij een grapje aan dat zijn vader vaak maakt: 'Italië, mijn tweede favoriete plek ter wereld. Na alle andere.'

Hij neemt een *New Woman* mee uit het vliegtuig om zijn gezicht mee te bedekken als hij langs de paparazzi loopt. Omdat hij hem toch in handen heeft, begint hij er in het busje in te bladeren en stuit op een interview met Tess Daly, de co-presentator van *CD:UK*, met wie hij een leuk gesprek had toen hij vorige week in het programma was. In het interview in *New Woman* zegt ze over Rob: 'Hij heeft een vriend gevraagd om mijn telefoonnummer – hij is een leuke vent, maar hij is niet mijn type.' Rob is ontstemd. 'Tot een paar weken geleden, toen Jonny met het programma begon, wist ik niet eens wie ze was,' briest hij verontwaardigd. 'Ik was in Amerika toen ze beroemd werd. Ik heb nooit om haar nummer gevraagd, omdat ik niet wist dat ze bestond.' Er gebeurt de laatste tijd zoveel van dit soort dingen; voor mensen is het zo'n gemakkelijke manier om publiciteit te krijgen en zo zelf belangrijker te lijken, op de een of andere vreemde manier, door te beweren dat iemand die beroemd is ze een oneerbaar voorstel heeft gedaan, dat ze hebben afgewezen. '*Ik ga* heel veel mensen vertellen dat ik mensen heb afgewezen,' zegt hij ziedend. Het is zo absurd. 'J Lo heb ik afgewezen. Cameron Diaz, het werd zo erg dat ik een straatverbod moest vragen.' Hij zucht. 'Josie, waarom doen mensen dat? Zoals Ms Dynamite.' Hij vraagt zich af of het vaak de publiciteitsmensen en managers zijn van de mensen en niet de mensen zelf. 'Ik ga bij al deze meisjes langs die zeggen dat ze me hebben afgewezen toen ze het uitmaakten met hun vriendjes,' zegt hij, 'en dan ga ik met ze op stap. Drie dagen lang.'

Wanneer we Rome in rijden, knaagt de opmerking van Tess Daly nog steeds aan hem en uiteindelijk besluit hij er iets aan te doen. Hij belt Jonny, die samen met haar *CD:UK* presenteert en legt de situatie uit. Rob vraagt hem inlichtingen in te winnen. '*Natuurlijk* ben ik haar verrekte type,' zegt hij met gespeelde bravoure. 'Ik ben verdomme ieders type.'

Een paar minuten later belt Jonny terug. De lichaamstaal van Rob verandert zichtbaar tijdens het gesprek. 'Ja...' zegt hij. 'Ja... juist... o... ja... o... zei ze dat?... o... dat meisje...'

Zijn algemene punt blijft staan, maar nu blijkt dat dit een minder goed voorbeeld is dan hij dacht. Hij moet toegeven dat hij zich vaag het scenario kan herinneren dat hem zojuist werd beschreven: restaurant 192, een paar jaar geleden; Mariella Frostrup, haar zus en nog een derde meisje tegengekomen; gevraagd om het nummer van het meisje.

Tess Daly.

✻✻✻

'Er ging vroeger een grapje rond over mij,' zegt hij in het vliegtuig. 'In '93, '94. "Welke openingsregel gebruikt Robbie Williams om een meisje te versieren?" "Jij kunt er wel mee door."'

Ik vraag of dat klopte.

'Ja,' zegt hij.

Waarom?

'Weet ik niet. We leefden van cocaïne, drank en seks.'

✻✻✻

'Vanaf het moment dat ik twintig werd, ben ik op zoek naar het gevoel dat ik had toen ik twintig was,' zegt hij. 'En ik kan categorisch zeggen dat ik me vanaf m'n twintigste ellendig voelde als ik dronk.' Af en toe waren er hele korte, goede perioden, althans dat leek zo destijds. 'Het werkte,' herinnert hij zich. 'Ik kon toen rondhangen met Oasis, ook al voelde ik me als die verdomde dikke danser uit Take That. Ik kon ook rondhangen met de aristocratie, met de beau monde in Zuid-Frankrijk. Omdat ik me zonder dat – en ik word er beter in – contactarm voel.' Hij beschrijft de neerwaartse spiraal waarin depressie en drugs hem brachten. 'En dan,' lacht hij, 'krijg je een akelig zenuwtrekje.' Of liever gezegd, dat kreeg hij. Elke keer als hij cocaïne nam, begon dat zenuw-trekje, zodat hij de mensen om hem heen niet eens hoefde te vertellen wat hij had gedaan. Maar het weerhield hem er niet van het te doen.

Zijn drinkgedrag was roekeloos en extreem. Soms dronk hij een fles Sambuca leeg in tien minuten, waarna hij triomfantelijk verkondigde: 'Ik ben zat.' Toen hij nog in Take That zat, begonnen hij en de voet-baller Neil Ruddock – hij kende behoorlijk wat voetballers die niet voor hem onderdeden wat drinken betrof – de avond om zes uur met elk een fles perzikenschnaps, die ze dan in één teug opdronken. 'Een keer heb ik 25 glazen Guinness leeggedronken,' zegt hij. 'Dat was het toppunt. Ik had een trucje waarvoor ik vijf glazen naast elkaar zette, die ik dan allemaal in één keer achteroversloeg. En dan kotste ik alles uit over de gordijnen van Liam Gallagher in New York. Hij was er niet blij mee.' Hij vertelt deze verhalen vaak met een bepaalde jongens-achtige bravoure, maar het duurt nooit lang voordat de echte emotie hem eronder krijgt. 'Het was een heel treurige tijd,' zegt hij. Het was niet zo dat hij iemand was die zijn problemen met drank en drugs kon laten verdwijnen. Er waren jaren van proberen, van stoppen en begin-nen. 'Ik snap niet hoe je het zo gemakkelijk vergeet, maar aan het begin van de avond kon het fantastisch zijn, maar heel snel daarna ga je door een hel,' zegt hij. 'Hoeveel paarden waren er in de Apocalyps? Waren het er vier? Bij mij waren het er ongeveer *vijftig*. En het duur-de langer dan de tijd dat ik wakker was geweest. En ik snap echt niet hoe je het zo snel weer vergeet. Het lichaam heeft blijkbaar geen geheugen voor pijn.'

✳✳✳

De avond eindigt in Zweden, waar Rob wordt geleid naar de prachtig-ste suite van het hotel, met meerdere kamers en veel beeldhouwwer-ken. Hij krijgt de videobanden van het Engelse voetbal van vandaag waar hij om had gevraagd. Hij bestelt een paar oesters en kreeftsoep – hij vindt oesters niet eens zo lekker, maar het lijkt zo te horen – en installeert zich om samen met Chris Sharrock naar Manchester United tegen Liverpool te kijken.

'Net als *Brewster's Millions*, of niet soms?' zegt hij.

Voordat we gaan slapen, kletsen we nog even over het verleden.

'Ik heb een keer de *FHM* Top 100 van de mooiste vrouwen beke-ken,' zegt hij, 'en er stonden er vijftien in.'

Gaf dat je een goed of een slecht gevoel?

'Toen gaf het me een slecht gevoel. Nu is het alleen maar grappig. Op een gegeven moment was het een beetje als bij Pokémon. *Je moet ze allemaal zien te verzamelen.*'

✻ ✻ ✻

's Morgens neemt hij drie nummers op voor de Zweedse televisie. Wan-neer hij op het punt staat *Come Undone* te zingen, vraagt hij nog even heel attent iets na. 'Mag ik vloeken?' vraagt hij. In Engelstalige landen zijn er twee regels – *so self-aware, so full of shit* en *so need your love, so fuck you all* – die hij op televisie meestal moet censureren.

'Als het maar niet in 't Zweeds is,' zegt de regisseur.

'Weet je het zeker?' zegt Rob.

'Niets over de duivel,' voegt de regisseur nog toe.

'Nee,' bevestigt Rob, 'niets over de duivel.'

De regisseur bedenkt dat er nog één voorwaarde is. 'En niet over de mmmm-hmmmm,' zegt hij.

'Nee,' bevestigt Rob. 'En vooral geen duivels die de mmmm-hmmmm doen.'

De regisseur knikt. Als dit is afgesproken, is Rob na een Zweedse 'shit' en een 'fuck' op prime time klaar.

9

'Ben je hier terechtgekomen?' vraagt Rob aan Pompey. 'Ja,' zegt Pompey. We zijn op het vliegveld van Oslo. Pompey wijst naar een paar hangars aan de andere kant. Toen hij bij de marine zat en in Noorwegen woonde, sprong hij van drie kilometer hoogte uit een vliegtuig. Zijn parachute ging niet open. Hij viel in een grote hoop sneeuw op dit vliegveld en overleefde het.

'Je bent als een kat die altijd op z'n pootjes terechtkomt,' zegt David, die niet helemaal doorheeft hoe ernstig dit was. 'Werd de lucht uit je lichaam geperst?'

'Nee. Zeker niet,' zegt Pompey, het niet verder verklarend.

'Hij brak z'n rug,' vertelt Rob. 'Hij heeft veertien maanden in het ziekenhuis gelegen. Serieus, maar Pompey was ooit net zo lang als ik.'

'Ik was altijd langer dan twee meter,' knikt Pompey. 'Nu ben ik een meter negentig.'

'Hoe ben je terechtgekomen?' vraagt David.

'Voeten eerst,' zegt hij.

'Wat is de beste manier?' vraagt Rob.

'Blijkbaar, als je rechtop staat en je benen kruist...' begint Pompey. We luisteren allemaal aandachtig, zoals dat het geval is bij wijze woorden en bij belevenissen uit een wereld die je je nauwelijks kunt voorstellen. '... dan is het gemakkelijker om je uit het asfalt te trekken,' zegt hij. Hij vertelt dat er een club is, de Terminal Velocity Club, voor mensen die een val hebben overleefd. 'Ik was de hele tijd bij bewustzijn,' zegt hij. 'Ik skiede weg, ging naar de hangar en zakte in elkaar. Ik wilde nog een keer omhooggaan.'

Ons busje rijdt in de richting van de hangars.

'Misschien staat er wel een standbeeld,' zegt Josie.

'Voor hen die vielen,' zegt Rob. 'En toen weer opstonden.'

✷✷✷

We hebben net gehoord over het Liam Gallagher-incident: een dronkemansgevecht in een hotelbar in München dat ervoor heeft gezorgd dat tanden zijn uitgevallen en concerten worden geannuleerd. (En naar aanleiding waarvan Rob uiteindelijk de taarten, schoenen en brief annuleert; het is nu niet meer zo grappig.)

'Het is zijn natuurlijke instinct om te vechten,' zegt Rob. 'Om te reageren op een reactie.'

Hij mijmert over het wonder van Oasis. 'Noel is een sombere tekstschrijver,' oordeelt hij. 'Maar de emotie van briljante liedjes schrijven kan dat tenietdoen.' Deze zin blijft in de lucht hangen, misschien een beetje te serieus. 'Zoals *Don't Look Back In Anglia*,' zegt hij. 'Het gaat over een hele televisieregio die z'n verleden niet kan verwerken.'

Hij herinnert zich de nachten vol excessen met Oasis die hij deelde in die korte periode dat hij er deel van uitmaakte. Zittend naast Noel, 'toen Noel mijn vriend was', *Ego A Go-Go* voor hem zingend in T in the Park en te horen krijgend 'Dat kun je beter in een nummer zetten voordat ik het jat,' een zak Es wegkanen. 'Toen kropen we achter in een verhuiswagen om terug te gaan naar het hotel,' vertelt Rob, 'en de hele weg zong ik de herkenningsmelodie van *Tales Of The Unexpected* en danste ik als de naakte vrouw die een beetje op prinses Diana leek. En we lachten allemaal. Maar altijd, altijd, altijd in die periode had ik dat gevoel dat ik er niet bij hoorde. Ik ging die avond met een meisje naar bed en activeerde het brandalarm, en het hele hotel moest worden geëvacueerd en ik kan me nog herinneren dat ik naar buiten ging en The Prodigy stond er, Elastica, Noel, zo'n beetje iedereen die aan 't schnabbelen was.'

'Heb je het opgebiecht?' vraagt Josie.

'Nee. Ik heb alleen tegen The Prodigy gezegd: "Ik zat net te kijken naar *Jobfinders*" omdat ik net uit Take That was gestapt. En ze lachten.'

Hoe heb je het geactiveerd?.

'Heel veel rook.'

Hij herinnert zich dat hij in de Brixton Academy in de toiletten was met Liam en Sean Ryder. Drugs gebruiken met Sean Ryder… 'Ik dacht dat ik het helemaal had gemaakt,' zegt hij. Rob had het concert van de Happy Mondays in G-Mexx op video opgenomen en hij keek er steeds maar weer naar. Een keer, in de Take That-dagen, had hij Sean Ryder op een treinstation overgehaald om een handtekening te zetten op zijn Toshini-jas.

'Voor Rob, beterschap, Sean,' schreef hij.

Meer verhalen, meer verhalen:

'Heb ik je wel eens verteld over die keer dat ik dat meisje in de trein heb opgepikt op de terugweg na het Oasis-concert?' vraagt hij. 'Ik zat met George Michael in die bus die hij had geregeld om naar een Oasis-optreden te gaan; ik was er al een paar dagen en moet gestonken heb-ben. Ik ging erheen, heb naar het concert gekeken, ging terug naar het hotel, ging compleet uit m'n dak, ging niet slapen, nam de trein om terug te gaan naar Londen. Oasis zou naar The White Room gaan of zo en ik sprak 's morgens met Liam en wist dat hij niet zou komen omdat hij er verdomme geen zin in had, dus ik pikte een journaliste op in de trein, en ik wist dat Liams pseudoniem toen Billy Shears was, en ik had een jasje aan als dit. Ik liep zo uit de trein met deze journaliste naar binnen en zei: "Billy Shears…" "Meneer Shears, komt u verder." Ging naar zijn kamer, neukte met haar op zijn bed, dronk de minibar leeg en ging weg.' (Toen Liam er later achter kwam, gaf hij hem een uit-brander via een derde: 'Zeg tegen die brutale klootzak dat hij een brutale klootzak is.')

'O, ik ben een ondeugend jongetje geweest,' zucht hij. 'Ik heb rock-'n-roll gedaan.'

'Je kunt niet zeggen dat je iets hebt gemist,' zegt Josie.

'Heb het gedaan,' zegt hij. 'Ik heb je toch verteld over die keer dat ik George en Bono meenam naar de toiletten?' Ja, dat heeft hij. High van de ecstasy en de cocaïne sleepte hij ze mee naar een hokje en zong toen *Ego A Go-Go* en *Life Thru A Lens* voor ze.

Hij lacht. 'Typisch. Typisch mij.'

✳✳✳

Hij staat op het balkon van zijn suite in het George V-hotel en kijkt naar de lichten van Parijs terwijl hij een appel eet.

'Wat zo raar is,' zegt hij, 'is dat ik in de lift begon te huilen. Ik ben hier eerder geweest. Ik weet zeker dat ik Fransoos ben geweest, ik ben zeker Ier geweest en zeker Egyptenaar.'

We spelen backgammon en kijken naar MTV. Madonna's *Die Another Day* begint.

'Ik denk dat ik graag met haar naar bed wil,' mompelt hij.

Waarom?

'Weet ik niet,' lacht hij.

Heb je haar wel eens ontmoet?

'Nee. Ik ben wel een paar keer in haar nabijheid geweest. Een keer in Italië toen ik de hele nacht niet had geslapen en ik was zo high als de pest en het was half tien 's morgens en ik liep naar de lift en zij liep naar de lift en ik gebaarde dat zij naar binnen kon en ik volgde niet. De andere keer was in de sportzaal en ik betrapte haar toen ze net tegen haar vriend zei: "Mijn god, het is Robbie Williams"... Hij gaat naar de wc en als hij terugkomt, zegt hij: 'Nee, ik neem het terug.' Hij wil niet echt met haar naar bed. 'Ik wilde alleen maar een beetje heibel schoppen in huize Ciccone. Maar ik heb in '95, '96 wel zo'n fase gehad waarin ik naar bed ging met sterren uit de jaren tachtig...'

Hij weidt er niet over uit.

Even later zegt hij: 'Dit boek zou *Bitchy About People, Apart From Eminem* moeten heten.'

Hij schudt heel lang met z'n ogen dicht met de dobbelstenen. 'Ik ben iets heel raars aan het doen,' zegt hij. 'Ik vertel het je als het spel is afgelopen.' Hij wint het potje met een dubbel vier. 'Volgens mij werkte het niet,' zegt hij niettemin. 'Ik probeerde mijn dobbelstenen te gooien met mijn derde oog.'

All My Life van The Foo Fighters komt op MTV. Meestal loodst MTV je van teleurstelling naar teleurstelling, maar de goede nummers komen vanavond achter elkaar. 'We moeten maar gaan slapen als er een slechte komt,' stelt hij voor. Er zijn nog een paar gemakkelijke winnaars en dan *Boys* van Britney Spears, dat ons alleen maar wakker houdt omdat ze ons fascineert, minder om wat ze heeft dan om wat ze niet heeft – ondanks haar Britney-schap komt haar persoonlijkheid niet helemaal naar voren. 'Ze ziet eruit alsof ze nog niet genoeg seks heeft gehad,' zegt Rob. 'Snap je wat ik bedoel?'

Een vreselijke Midden-Europese rap-meets-techno plaat wordt gestart.

'Bedtijd,' zegt hij.

✳✳✳

Om ongeveer kwart voor vier 's morgens, misschien een halfuur nadat ik naar bed ben gegaan, belt Rob naar mijn kamer. In plaats van in slaap te vallen, heeft hij een stukje van een nummer geschreven en hij wil het opnemen op mijn taperecorder. Hij zit aan de tafel, met ontbloot bovenlijf en zingt: '*What else can I say… about your daughter.*' Hij is opgewonden. 'En ik denk niet dat ik er nog veel meer aan moet doen. Het is als een Lou Reed-nummer…'

Ik laat de taperecorder bij hem, je weet maar nooit.

✳✳✳

De volgende middag rolt hij zo vanuit bed in een Japans interview in zijn hotelkamer. Soms is hij zo op z'n best, als hij te moe om iets anders te zeggen dan wat hij echt bedoelt. 'Robbie Williams ben ik, versterkt met honderd,' legt hij uit. 'En ik verzin heeft veel omdat ik graag overdrijf zodat ik me beter voel over mezelf. In mijn nummers is het uitvergroot. Dat ben ik niet. Maar het komt wel van mij. "De Mooiste Man Ter Wereld", mensen die de grap snappen lachen erom. Mensen die me niet mogen, zullen dat haten… en dat vind ik leuk. Als je boos bent, snap je het niet. En het is begrijpelijk dat mensen me verkeerd begrijpen en het verkeerd uitleggen want als ik aan het werk ben, geef ik ze niet de echte ik. Ik doe dingen om mezelf te beschermen, zodat ik mezelf niet saai ga vinden. Als Rob op het podium zou gaan staan, zou het een heel saaie show worden; als Robbie op het toneel staat, kopen mensen kaartjes en komen ze een volgende keer terug. Dus ja, ik word verkeerd begrepen en dat is prachtig.'

Japanse interviews zijn heel anders dan de meeste andere. Ten eerste wordt er veel respect getoond en de hele interactie is doordrenkt met beleefdheid. Ten tweede beheersen weinig Japanse muziekjournalisten het Engels goed genoeg om het interview rechtstreeks te houden en dus gaat het hele proces via een Japanse tolk. Soms vertaalt de tolk de antwoorden terwijl de popster erbij zit en soms gebeurt het dat de interviewer en de vertaler uitgebreid gaan discussiëren over de exacte betekenis in het Japans, terwijl de geïnterviewde zit te wachten op een uitnodiging om weer aan het gesprek mee te doen. Soms, zoals vandaag, worden alleen de vragen vertaald – vermoedelijk kan de journalist later, als het schikt, precies te weten komen wat Rob heeft gezegd.

'Een groot deel van het album gaat over het zoeken naar liefde,' vertaalt de vertaler. 'Wat bedoel je met liefde?'

'Ik denk dat ik een vrij romantisch beeld heb van wat liefde is,' zegt hij. 'Ik denk dat wat ik bij al mijn nummers over liefde probeer te zeggen is: *will somebody come and fix me*. Ik denk dat de nummers daar in feite over gaan: als ik jou vind, maak je me beter. Maar het romantische deel van mij denkt dat liefde het eind van het spel is. Weet je, liefde is de overwinning. Ik weet het niet – ik wil alleen maar iemand vinden bij wie ik thuis kan komen. Ik wil iemand vinden die thuis is – waar ze ook zijn of waar we ook samen zijn, we zijn thuis. Omdat ik al heel lang aan het rennen ben, sinds mijn zestiende. En ik heb altijd gedacht dat het een sprint was, maar ik wil dat het een marathon is. Met iemand. Weet je, ik zou liever lopen dan door blijven rennen. Het vergt gewoon te veel van je.'

Er wordt gevraagd waarom er niet meer van die entertainers zijn als de artiesten die hem inspireerden voor *Swing When You're Winning*.

'Vergeleken met Presley, Sinatra, Dean Martin en Freddie Mercury zijn mensen zich tegenwoordig heel bewust van zichzelf en zijn ze bang om iets te doen waardoor ze misschien raar lijken,' zegt hij. 'Ik denk dat er daarom niet zoveel entertainers zijn. Grote showmensen. En ik ben bang dat ik er raar uitzie, maar ik doe het uit naam van het lichte entertainment…' Hij lacht. 'Er zijn geen Elvissen. Er zijn geen Frank Sinatra's… Ik ben het, ik heb dingen gestolen uit de act van een heleboel mensen. Weet je, ik heb geprobeerd stukjes van iedereen te stelen: Freddie Mercury, Tom Jones, Elvis Presley, Dean Martin, Sammy Davis Junior, Frank Sinatra, John Lydon, Liam Gallagher, David Bowie. Heel veel mensen die ik bestudeer en ik denk: geef mij dat maar.' Er zit nog een ander aspect aan. 'Er is een uitspraak die al tien jaar wordt gebruikt: "Hou het echt",' legt hij uit. 'Hou het echt? Nee! *Zij* deden het niet. Wat ze jou gaven, was fantasie. Wat ze jou gaven, was romantiek. Was romantisch. Wat ze jou gaven, was een plek om te vluchten. Ze hielden het niet echt, weet je. Ze maakten het *onecht*. In het belang van entertainen en in het belang van hun eigen levensstijl. En ik vind dat te gek. Ik ben van plan het zo lang mogelijk onecht te houden.'

✳✳✳

In de auto onderweg naar een televisiestudio in Parijs vertelt David Rob dat Pat Leonard, de producer en medewerker van Madonna in het 'Like A Prayer'-tijdperk, graag met hem zou willen schrijven. Sinds zijn breuk met Guy openbaar werd, is er een constante stroom van zulke aanbiedingen en voorstellen.

'Nee,' zegt Rob. 'Dit zijn niet de juiste namen. Ik wil iets wat Primal Scream op hun best is, U2 op hun best, Massive Attack op hun best en The Prodigy op hun borst, allemaal aan 't zogen.' David knikt. 'Ik wil iemand die mijn ideeën perfect aanvult,' gaat Rob verder. 'Iemand die iets meer heeft dan Guy had. Ik bedoel, ik wil niets vreemds doen. Ik wil gewoon iets moois doen. Ik wil grote, grote popsongs schrijven en ik wil dat ze iets betekenen voor heel veel mensen. Heel veel mensen.'

In de studio wordt hij door de producer min of meer gedwongen tot een ontmoeting met de Franse superster Johnny Hallyday – 'ik had er niets over te zeggen, of wel?' zegt hij verbijsterd, nadat ze beleefdheden hebben uitgewisseld – en vertelt David dat Charles Aznavour een nummer met hem wil opnemen voor zijn album met duetten. Rob weet niet wat hij daarvan moet vinden. Hij is gevleid, maar kent eigenlijk helemaal geen nummers van Charles Aznavour en hij is bang dat hij het om de verkeerde redenen zou doen.

'Als hij *Thanks Heaven For Little Girls* heeft gezongen, doe ik dat,' zegt hij schalks.

'Dat was Maurice Chevalier,' zegt David.

✳✳✳

Terwijl hij in de kleedkamer wacht, maakt het terloops noemen van de naam Jimmy Sommerville een nieuwe stortvloed aan herinneringen los. Zoals toen hij een keer, in de begindagen van Take That, in het toilet was van de homoclub La Cage in Manchester – de club waar de audities voor Take That ook werden gehouden – en hij een stem uit een van de hokjes hoorde komen: 'Kan er niet uuit! Kan er niet uuit!' Het was Jimmy Sommerville, hij zat opgesloten.

'Ik heb hem eruit gelaten,' zegt Rob. 'Dat was een tijdje mijn *claim to fame*.'

En dit brengt hem op de eerste twee jaar van Take That toen de homoclubs hun thuis waren. 'Toen ik zestien was, vond ik de wereld van La Cage, of New York New York ernaast, of de woensdagavonden in de Hacienda eenmaal per maand – volgens mij werden ze Storm genoemd – briljant,' herinnert hij zich. 'Drinken in Stoke-on-Trent ging vaak gepaard met de vraag: "Ga ik in elkaar worden gemept, of niet?" Plotseling was ik in een volwassen wereld waar je geen gevaar liep om in elkaar te worden geslagen en iedereen was blij. Het was een fantastische tijd, echt, behalve dan dat ik te maken had met de persoon die volgens mij satansgebroed is. Dat is Nigel Martin-Smith. Voor de duidelijkheid.'

'Heeft hij ooit wel eens geprobeerd je te versieren?' vraagt David.

'Nee, nooit. Nooit,' zegt Rob. 'Maar hij was ervan overtuigd, omdat hij dat aan iedereen vertelde, dat ik homo was. Ik was absoluut homoseksueel.'

En waarom dacht hij dat?

'Waarschijnlijk omdat ik zo goed kon opschieten met mensen in die clubs. Omdat ik geen homohater was. Dat stond niet eens ter discussie. Het was net als de Japanners vandaag – de Japanners vandaag gaven me een heel leuk interview, dus reageerde ik oprecht. Er was geen sprake van vooroordelen van hun kant. Het was hetzelfde met de homoclubs. Er was geen vooroordeel. Helemaal niemand heeft geprobeerd me in die twee jaar te versieren. Die grote heteroseksuele ideeën van "Hé, ik ga daar niet heen, ze gaan proberen me te versieren, proberen met me te neuken" en al dat gedoe – wat heel stom is, vooral als het van een heel lelijke kerel komt... niemand heeft geprobeerd me te versieren, iedereen kletste met me en was vriendelijk...'

Pasten de andere bandleden ook net zo makkelijk in dat wereldje?

'Ja, volgens mij wel. Je zou denken dat vooral Gary – je weet wel, hij wilde geen buitenlands vreten eten, wilde niet meer dan twintig pond betalen voor een shirt, liet geen boeren en scheten, vloekte niet, rookte en dronk niet en gebruikte geen drugs, je zou denken dat hij er een probleem mee zou hebben, maar dat was niet zo. Niemand. We vonden het alleen maar leuk. Ik denk dat je jezelf verliest in het escapisme, omdat die clubs escapisme zijn, of niet?'

Hij zegt dat het enige geld dat ze, volgens hem, toen hebben verdiend, honderdveertig pond was toen ze in Schotland drie avonden lang vijf clubs per avond hadden gedaan. 'Ik denk dat we de eerste twee jaar, en ik overdrijf niet, vierhonderd pond hebben verdiend,' zegt hij. 'Mijn moeder moest elke dag het treinkaartje van achtenhalve pond betalen als we aan het repeteren waren. En Nigel Martin-Smith vroeg ons trouwens, toen we onze eerste videoclip *Do What U Like* deden, tien pond om een kopie van de video te kopen.'

Hij beschrijft de Take That-audities. De eerste was in het kantoor van Nigel Martin-Smith in Manchester. Er waren nog twee andere mensen: een man met heel veel puisten en een andere die Dr Martens aanhad, een korte broek droeg en die ook uit Stoke kwam. Hij leek wel een beetje op Robert Smith van The Cure en kon niet dansen. Rob en zijn moeder hadden een kort gesprek met Nigel Martin-Smith en hij werd opgebeld en gevraagd naar de laatste auditie te komen, die in La Cage. Het verhaal gaat dat de andere vier er al waren voordat Rob erbij kwam, maar, hoewel de band duidelijk werd gevormd rond Gary, kwamen alle anderen er bij. Hij herinnert zich dat toen hij binnenkwam, Mark probeerde zijn moeder zover te krijgen dat ze weg zou gaan, net zoals hij met zijn moeder probeerde. Inclusief Gary waren er maar zes jongens tijdens de laatste auditie – de vijf die de band werden en de Robert Smith-kloon. Rob herinnert zich nog hoe hij binnenkwam en deze vent zag zitten in een nis met een koffertje, een bril en stekeltjeshaar. Waar hij niet over uit kon, waren die vreselijk aanstellerige onhippe Converse-gympies die de vent aanhad. 'Ik ben altijd al een sneakersnob geweest,' zegt hij. 'Dus mijn eerste gedachten over Gary Barlow waren: je gympies zijn waardeloos, vriend.'

Hij danste op een nummer van Jason Donovan en deed net genoeg. In zekere zin begon hij zoals hij verder zou gaan. 'Ik weet nog dat ik doodsbenauwd was voor Nigel,' zegt hij, 'en dat ik het hele gedoe behoorlijk gênant vond.'

✹✹✹

Telkens als hij door de hotellobby loopt, staat daar een meisje met blond haar te wachten. Als ze ook maar een glimp van herkenning krijgt van Rob, is ze al tevreden. Tot de volgende keer.

Er zit een verhaal achter haar aanwezigheid. 'Zij is iemand met wie ik per ongeluk naar bed ben geweest,' zegt hij. 'Ik hield haar voor iemand met gezond verstand.' Het gebeurde tijdens de tournee die is vastgelegd in *Nobody Someday* en daarin zie je hem hun korte verbond bespreken. Toen hij 's morgens tegen haar zei: 'ik ga nu weg', na een nacht waarin ze amper met elkaar hadden gesproken, antwoordde ze: 'Robbie, hoe zit het met ons?' Iedereen kent haar nu dan ook als 'Hoe zit het met ons?' Ze komt al maanden opdagen en ze stuurt e-mailtjes naar kantoor om aan te kondigen wanneer ze naar Robs huis gaat om hem te zien. Ze laat zich niet afschrikken door het feit dat hij zich nooit aan deze afspraken houdt. Ze schijnt altijd te weten waar hij verblijft, maar als ze daar ook is, zit ze de hele dag in de receptie en 's avonds in de bar, schijnbaar tevreden dat hij in de buurt is. Hij heeft het geprobeerd met maandenlang negeren en hij probeert het af en toe ook uit te leggen, in de hoop dat ze deze illusie zal opgeven, maar wat hij ook doet of niet doet, ze is er toch. Ze lijkt te denken dat ze een relatie hebben en dat als zij nu niet zoveel tijd met elkaar doorbrengen als zij zou willen, dat dat komt omdat hij het nu een beetje druk heeft. Dat begrijpt ze wel en ze wacht.

✹✹✹

's Avonds gaan we ergens een kop koffie drinken en gaan we op de terugweg via de Champs Elysées naar de Virgin-winkel. Hij koopt cd's van Scott Walker, U2, Alison Moyet, Ronan Keating, Elton John, Jay Z en Kelly Osbourne. Als hij een muziekzuil voor *Escapology* ziet, zet hij de grote koptelefoon op en begint te grooven op *Something Beautiful*. (Hij ziet eruit als Craig David op de cover van zijn eerste album.) Robbie Williams is nog niet zo'n grote hit in Frankrijk en, misschien gelukkig, niemand herkent hem.

Terug in het hotel bekijkt hij zijn aankopen, draait een paar nummers en zet dan *Tiny Dancer* op van Elton John om aan te tonen hoe absurd laat het refrein begint. '2.34!' roept hij uit, als het eindelijk begint. Hij gaat verder naar *Rocket Man*. 'Ik moest altijd huilen van dit nummer,' zegt hij. 'Vanwege de tekst.'

I miss the earth so much, I miss my wife, zingt Elton John.

'Ja,' zegt hij. 'Dat doe ik ook.'

... it's lonely out in space...

'Ja,' zegt hij fluisterend. 'Dat was ik.'

... I'm not the man they think I am...

'Ja,' zegt hij. Hij gaat naar het toilet; Elton blijft doorzingen.

Mars ain't the kind of place to raise the kids, zingt Elton.

'Dat ook,' schreeuwt hij vanuit het toilet. 'Mijn romantische idee van alles aan de wilgen hangen en kinderen krijgen.' En Mars is deze buitenaardse wereld waarin hij z'n leven heeft geleid.

Hij pakt zijn gitaar en begint te werken aan zijn nieuwe nummer. Hij weet niet waar de tekst over moet gaan, totdat zijn blik valt op het schilderij achter de sofa in zijn suite. Er is een jongeman op een paard te zien, die is gestopt om met een oudere man en een jonge vrouw te praten. Het heet *Love's Barrier*. In de komende paar uur vult hij gewoon in wat volgens hem het verhaal is – de man op het paard vraagt een vader om de hand van zijn dochter voordat hij ten strijde trekt, speelt hij open kaart en probeert hem op alle mogelijke manieren van zijn liefde te overtuigen. Als hij klaar is, speelt hij het tweemaal, zegt dat hij tevreden is en gaat naar bed.

10

'Denk je dat God boos is?' vraagt Rob. We zijn met de auto op weg naar een volgend Frans televisieprogramma, voor repetities.

'Hoe dat zo?' vraagt David enigszins terughoudend.

Er ontspint zich een serieuze discussie, waarin van alles en nog wat de revue passeert – oorlog, hongersnood, woestijnvorming, de wezenlijke aard van de mens als dier. Na een tijdje knikt Rob, tevreden. 'Ik ga voortaan meer over dit soort dingen discussiëren,' kondigt hij aan. 'Daar hou ik wel van.'

Ik vraag hem of hij dan denkt dat God boos is.

'Of ík denk dat God boos is?' herhaalt hij, alsof het vreselijk onredelijk is om iemand in het nauw te drijven met dat soort vragen. Hij zegt dat hij het niet weet, maar dat hij loopt na te denken over dit soort dingen. Daarover en over de dood.

'Ik ben van plan eeuwig te blijven leven,' kondigt hij aan. 'Tot dusver gaat het prima.'

Bij aankomst in de televisiestudio vraagt hij het Gina. 'Is God boos?' wil hij weten.

'Wat nu weer,' zegt ze. 'Hij is in ieder geval niet boos op mij. Wat héb je?'

✱✱✱

Na het opstaan vanochtend heeft hij naar *Greatest Hits* van Dr Hook geluisterd en gitaar gespeeld. En nu gelooft hij, na er met de gekartelde plastic bovenkant van een Franse waterfles op getokkeld te hebben, dat hij op een innoverend, baanbrekend plectrumontwerp is gestuit. Hij laat Gary Nuttall, de bedaarde gitarist, die al bij hem is sinds het begin van zijn solocarrière, naar de kleedkamer komen en laat het hem zien. Gary is bang dat dit nieuwe flesplectrum misschien wat zwaar is en te plomp om expressief te zijn. Rob is niet van de wijs gebracht. 'Ik denk erover hem te patenteren en dan word ik er rijk mee,' verklaart hij.

Gary kijkt alsof hij voor het lapje wordt gehouden. 'Maar je bént al rijk,' merkt hij op.

Rob verstijft eventjes, knikt dan en lacht. 'Goed, dan laat ik het verder maar zitten, denk ik.'

Op de terugweg naar het hotel discussiëren we, geheel volgens Robs nieuwe policy, over de staking van de Britse brandweer, een gesprek dat een verrassend feit oplevert. 'Zelfs ik ging naar de "Maggie! Maggie! Maggie! Out! Out Out!"-marsen toen ik klein was,' zegt Rob. 'Met tante Jo, oom Don en tante Clare.'

Op zijn kamer draait hij cd's terwijl de televisie op de achtergrond flikkert. CNN. 'Dat is iets waarom promotietours nogal deprimerend worden,' zegt hij. 'Want het enige wat er in het Engels op tv is, is het nieuws, en het nieuws is gewoonlijk deprimerend.' Hij kijkt naar een reportage over de zonsverduistering in Zuid-Afrika en vraagt wat het woord 'landfall' betekent. Hij richt zich tot Pompey en vraagt: 'Wist je dat?'

'Ja,' zegt Pompey.

Rob kijkt een tikkeltje zuur. 'Dat weet je alleen maar omdat je bij de marine hebt gezeten,' argumenteert hij. 'Ik zat in Take That.'

Soms maakt hij zich hier echt zorgen over.

'Stilstand in de ontwikkeling,' zegt hij tegen mij. 'Als je lange tijd het alleen maar probeert te redden, heb je een lange tijd niets geleerd. Snap je wat ik bedoel? Wat ik de laatste tijd een stuk duidelijker ben gaan beseffen, is dat ik zoveel dingen niet geleerd heb terwijl ik me staande probeerde te houden.'

***

Zo er in zijn leven een periode is die Rob boven alles romantiseert, dan zijn dat zijn laatste jaren op school, net voordat Take That begon en hij in een draaikolk mee werd gezogen. Toen alles één grote lachpartij was en niemand hem raar behandelde en hij er één tussen een stel vrienden was. 'Het was de laatste keer dat ik echt gelukkig was,' verklapt hij vanavond. 'Terugdenken aan school stemde me, tijdens mijn depressie, alleen maar nog depressiever. Ik ging er kapot aan, want ik had toen een heleboel vrienden en we hadden de grootste lol en lachten ons een breuk. Het was pijnlijk om eraan terug te denken, want ik wilde zóveel opnieuw bezoeken en wenste dat ik weer op school zat.'

Onlangs heeft hij op Friends Reunited gekeken en weer contact opgenomen met een paar mensen. Zijn twee dikste maten waren Linno en Lee Hancock. 'Linno was erg grappig,' zegt hij. 'Hij was een einzelgänger en ik wilde altijd verschrikkelijk graag dat hij mijn beste vriend was. We dronken Thunderbird en Blue Nun en we namen, bij El Sheeks, allemaal curry, omdat dat ons vreselijk volwassen leek. Hij woonde boven op de heuvel en om naar zijn huis te gaan moest ik altijd mijn BMX pakken. En dan hingen we zomaar wat rond.' Hij heeft hem niet lang geleden gemaild, maar de computers aan beide kanten vertoonden kuren en Linno wilde dat hij belde. Maar hij wilde per se dat Linno in plaats daarvan iets typte. 'Ik had graag van hem gehoord via een brief, in plaats van dat hij met Robbie Williams sprak,' licht hij nader toe. 'Ik schreef heel veel over wat ik me van hem herinnerde en ik wilde dat hij mij heel veel terugschreef over wat hij zich van mij herinnerde.'

Lee Hancock en Rob verkochten vroeger samen dubbel glas en Lee was degene met wie Rob samen was op de dag dat hij bij Take That kwam. Het is het verhaal dat hij altijd verteld heeft, en het is waar. Ze kregen allebei hun examenuitslag te horen en het was ronduit beroerd. ('Niets boven de zes,' zegt hij. 'Een zes voor Engels, geloof ik.') 'En we realiseerden ons donders goed dat we een uitbrander zouden krijgen zoals we nog nooit gehad hadden – en we hadden al wat uitbranders gehad, hoor.' En dus deden ze wat iedere listige zestienjarige in die situatie doet. In plaats van naar huis gingen ze naar de slijter en kochten elk zes blikjes bier. 'We streken neer op het bowlingveld in Tunstall Park,' zegt hij, 'en dronken ons genoeg moed in om naar huis te durven.' Bij thuiskomst sprak zijn moeder als eerste – hij was aangenomen voor Take That, na zijn auditie daarvoor vier weken eerder. Hij houdt vol dat hij haar nooit zijn cijfers verteld heeft.

Na school probeerde hij in contact te blijven met Lee Hancock. 'In mijn ogen draaide onze vriendschap uiteindelijk puur om het drinken,' zegt hij. 'We hadden elkaar hopen te vertellen wanneer we aan het drinken waren. En mogelijk niet z'n hoop wanneer we dat niet deden.' Hij had hem misschien al een paar jaar niet gesproken toen hij op een dag Lee belde en zei dat hij langskwam. 'Het was eigenlijk erg triest,' vertelt Rob, 'want hij zei: "Nou, ik heb geen pak aan en ik heb het huis niet opgeruimd," en daarop besloot ik maar om het om te draaien – hij bij mij. Ik dacht bij mezelf: o nee... je staat op het punt Robbie Williams te ontmoeten, of niet soms?' Met dat gegeven maakte het 't misschien nog moeilijker dat hij bevriend was met Nicole Appleton. 'Het gesprek verliep stroef,' herinnert hij zich. 'Het kan een hoop te maken hebben gehad met het feit dat ik me in die tijd niet erg goed voelde. En we werden dronken en het werkte niet. Ik voelde me er onbehaaglijk bij.'

Aan de andere kant is hij onlangs wel per e-mail beginnen te corresponderen met een andere schoolvriend, Matthew Cooper, met wie hij vroeger veel golfde. Hij herinnert zich dat ze op een dag – vermoedelijk was hij toen vijftien – in de hal van school stonden en hun blazer aantrokken om naar huis te gaan en dat ze toen een weddenschap afsloten over wie van de twee het eerst beroemd zou worden. En Rob had gezegd: 'Ik wed met je om al het geld dat ik op zak heb.' Dat was ergens rond de 1 pond 70. En hij herinnert zich dat hij zichzelf bijna wel voor de kop had kunnen slaan bij de gedachte 'Stel dat het hem als eerste lukt?'

Onlangs heeft Rob hem een mailtje gestuurd met de vraag: 'Waar blijft mijn 1 pond 70?'

Hij heeft ook gecorrespondeerd met een andere jongen, Clinton Cope, die een klas hoger zat. Deze mailtjes staan op Pompeys computer en Rob opent ze en leest ze hardop voor. De eerste begint met: *Beste Clinton, ik ben de afgelopen acht jaar tegen mijn zin vastgehouden door een topplatenmaatschappij in Londen. Aangezien jij het losgeld niet wilde betalen, was ik gedwongen te ontsnappen en nu opereer ik in m'n eentje als huursoldaat. Alleen jij kent mijn ware identiteit en nu moet je dood. Aangezien dat niet mogelijk is – hoe gaat het met je, ouwe rukker?*

Hij stelt een paar vragen over mensen van toen en gooit er enkele geijkte moppen uit die tijd tussendoor, eentje over Clintons dove hond, zodat hij weet dat het mailtje echt van Rob komt.

Hoi daar, meneer de rockster. Hoe gaat het verdomme met je? begint het antwoord, waarna loftuitingen over zijn recente tv-optredens volgen. *Wat voor iemand was Mr Diddy?* vraagt hij. In het volgende mailtje meldt Clinton aan Rob, tussen geklets over computerspelletjes en tatoeages door, – die naar zijn oude schoolvlam, Lisa Parkes, had geïnformeerd – dat hij in de haverkoekenwinkel een bordje met 'Lisa Parkes kinderoppasservice' heeft gezien.

'Het was eigenlijk geschift, het versturen van die mailtjes vanuit een huis in LA,' zegt Rob nadenkend. 'Je staat erdoor bij stil wat je afkomst is en dat je nu in een omheinde wijk in de heuvels van Los Angeles woont. Bijna had ik gezegd: "Je raadt het nooit – Tom Jones woont hiernaast!" Tijdens het schrijven van het mailtje maakte het me ergens bang. Het besef van hoe ver ik precies gekomen ben.'

Hij beseft, uiteraard, dat alles toch veranderd zou zijn, ook al was Take That niet langsgekomen.

'Het is raar om te zien dat je groep, zodra de schoolpoort achter je dichtslaat, uiteenvalt,' zegt hij. 'Je denkt dat het nooit zal gebeuren en het gebeurt onvermijdelijk toch. En binnen nog geen paar jaar zie je dat je beste vrienden, met wie je zoveel gelachen hebt, volwassen zijn geworden en nu kinderen hebben en geen baan kunnen krijgen of ergens iets gestolen hebben. Hij zit in de gevangenis, hij heeft een drugsprobleem. Of: hij is Robbie Williams. Zo triest.'

✳✳✳

Hij bladert in de laatste *Heat*. In het blad duikt zijn naam op zeven verschillende plaatsen op: in een interview met Mark Owen, in een brief over Rachel Hunter, in de albumhitlijst, in een stuk over vochtinbrengende crème van Clarin's (waarin ten onrechte wordt gesteld dat hij de crème gebruikt), in een affiche over een volle pagina voor een denkbeeldige poppantomime (hij heeft de rol van Cinders), in een recensie van *Feel* ('gedurfd en aangrijpend'; de hoogst haalbare score van vijf sterren) en in een citaat dat verwrongen zijn weg van de persconferentie in Berlijn naar de voorlaatste pagina heeft gevonden: 'Ik ben een beroemdheid. En scheidingen zijn duur. Mijn meeste geld zal dus vermoedelijk naar ex-vrouwen gaan.'

Rond middernacht komt David weer in de kamer. Rob heeft nu twee jaar geen druppel aangeraakt. Hij geeft Rob een exemplaar van *The Places You Will Go* van dr. Seuss en Rob gaat aan de eettafel zitten en leest het hardop van begin tot eind voor. Een boek waarin dingen beter worden, vervolgens verslechteren en dan weer verbeteren, maar niet voor de volle honderd procent. Delen ervan die voor de meeste lezers waarschijnlijk eerder een metafoor zijn, spreken hem meer aan.

'*…je zult zo beroemd zijn als maar kan zijn, met de hele wereld die toekijkt hoe je wint op tv,*' leest hij voor. '*Behalve wanneer ze het niet doen, want soms doen ze het niet… Ik ben bang dat je soms ook eenzame spelletjes speelt, spelletjes die je niet kunt winnen, omdat je tegen jezelf speelt…*'

'Verdomme… ja,' zegt hij, wanneer hij het uit heeft.

Zijn ogen zijn vochtig. Hij zegt dat hij even naar de slaapkamer moet om een trainingsbroek te zoeken.

＊ ＊ ＊

Bij het wakker worden in zijn Parijse hotelkamer fluistert hij telkens weer het woord 'Mogadishu' en hij doet dat nog steeds terwijl hij zijn eerste spelletje backgammon van de dag speelt. Hij weet eigenlijk niet waarom. Misschien is hij in slaap gevallen met Fox News aan, denkt hij. Hij herinnert zich een verhaal waarin staat hoe weinig Amerikanen weten waar de verschillende staten van de Verenigde Staten liggen, laat staan andere landen. We zijn beiden ontzet, maar dan beken ik dat ik waarschijnlijk Wiltshire niet op de kaart zou kunnen aanwijzen.

'Ik weet waar Wiltshire ligt,' zegt hij. 'Want daar ben ik afgekickt.'

＊ ＊ ＊

In het busje op weg naar het concert van vanavond in Parijs draait hij op de cd-speler drie Scott Walker-vertolkingen van liedjes van Jacques Brel – *Jackie*, *Mathilde* en *Next* – en daarna zijn eigen *One Fine Day*.

'*It'd break my heart to make things right*,' citeert hij ietsje verkeerd. (In *Jackie* zingt Scott Walker '*and broke my heart to make things right*'.) 'Ik wou dat ik dat geschreven had,' zegt hij.

In de kleedkamer blijft hij maar zijn overhemd omhoogtrekken en over zijn buik wrijven terwijl hij hem in de spiegel inspecteert. Tussendoor doet hij constant iets anders: hij draait een Supergrass-cd, eet meloen, speelt luchtdrum, (inspecteert opnieuw de buik), draait een cd van zijn liedje *Peace, Man*, vraagt om een plectrum, pakt een akoestische gitaar, speelt het pas door hem geschreven liedje *Mr James*, laat Chris Sharrock hem *I Can't Explain* van The Who leren, (inspecteert opnieuw de buik), gaat op.

Na de voorstelling neemt hij in de kleedkamer de felicitaties in ontvangst.

'Cool,' zegt hij. 'Klus geklaard.'

Vanuit de kleedkamer hoor je het publiek gillen.

'Robbie! Robbie! Robbie!' roepen ze.

'Ik! Ik! Ik!' schreeuwt hij. 'Ik ben hem! Dat ben ik! Ik ben hem! Dat ben ik!'

Ze kunnen hem niet horen, natuurlijk, en hij keert niet terug.

11

Wanneer je eenmaal beroemd bent, kan er elk moment, als een donderslag bij heldere hemel, iets als dit gebeuren.

Weer terug in het hotel, na het Parijse concert, krijgt Rob te horen dat er een rare boodschap is achtergelaten op de telefoon van een van zijn veiligheidsmensen. Het telefoontje is van iemand die hij recent in Londen heeft ontmoet. 'Zij zegt dat ze achter haar aanzitten voor het verhaal,' zegt Pompey.

'Welk verhaal?' vraagt Rob.

Zij zegt dat de pers de details te weten probeert te komen van wat er tussen haar en Rob is gebeurd en dat ze zeggen dat ze het sowieso zullen publiceren. Kan hij helpen?

Hij is verbijsterd.

'Er is niets gebeurd,' zegt hij. 'Ik kreeg haar telefoonnummer. Dat is het wel zo'n beetje. Er is helemaal niets voorgevallen. Het enige contact dat we hadden, was dat we samen op de foto gingen, ik had mijn arm om haar heen, dat is alles.'

Eigenaardig blijft het niettemin. Hij vraagt Pompey Josie te halen. Iemand moet haar terugbellen. En er is nog iets. Zijn gezicht vertrekt alsof hij iets smerigs heeft gegeten. Het ligt bijna zo eenvoudig als hij net zei, maar niet helemaal. Een paar dagen nadat hij dit meisje had ontmoet, had hij haar inderdaad een keer laat op de avond gebeld en haar gevraagd naar hem toe te komen. Maar terwijl zij al onderweg was, was hij van gedachten veranderd. Hij had zichzelf voorgehouden dat ze misschien niets meer zouden doen dan samen wat kletsen, maar was gaan inzien dat hij zich dat maar wijsmaakte; hij was gaan beseffen dat waar het op uit zou draaien niet was wat hij wilde. En dus had hij haar teruggebeld en haar gevraagd niet te komen. En dat was alles. (Dit was het bijna-rendez-vous waarover hij het in de kleedkamer bij *Later... With Jools Holland* had.)

Josie arriveert en hij legt uit wat er aan de hand is. 'Iemand moet met haar praten en met degene, wie het ook is, die het gaat drukken,' zegt hij. 'Dat gaat verdomme niet gebeuren. Omdat er niets gebeurd is.'

Hier, in de kamer, belt Josie het meisje. 'Ik bel je eventjes om te kijken of ik je kan helpen,' zegt Josie. 'Klaarblijkelijk ondervind je problemen met de pers... hoe zijn ze aan je nummer gekomen?... en waarom zouden ze jou bellen... welk verhaal?... wat bizar... weet je toevallig hoe ze erbij kwamen jou te bellen?... juist... wie is je agent?... en hoe wisten ze van jou af?...'

'Vertel haar dat we ze een proces aan de broek doen,' fluistert Rob.

'...nee, absoluut, ik bied je onze verontschuldigingen aan als het je...' vervolgt Josie '...als ze dingen willen publiceren die onwaar zijn, spannen we een proces aan... bel me als ze je weer bellen...'

Dit is waar dingen echt in een donkere put van lelijke gekte storten. Omdat tijdens het gesprek het meisje, hoewel ze niet echt op een samenhangende manier vertelt wat er nu precies aan de hand is, terloops een nieuw detail toevoegt: zij zegt tegen Josie dat een ander meisje weer bij haar een boodschap heeft achtergelaten – namelijk dat Rob haar verkracht heeft.

Rob schudt het hoofd over de onwerkelijkheid van de situatie. 'Dat is me een fortuin waard,' zegt hij, terwijl hij zich probeert voor te stellen of iemand zo'n verhaal zou publiceren. Hij zegt het zonder lach, alleen maar om te laten blijken hoe vreselijk lasterlijk hij het vindt. 'Ik bedoel, ik hoef me nergens zorgen over te maken, omdat ik niemand verkracht heb. Er is geen verhaal...' Maar langzaam begint het te dagen hoe verschrikkelijk het zou zijn om valselijk beschuldigd te worden. 'Ik zou met alle plezier een miljoen van die meiden pakken,' zegt hij. Maar niet zo. 'Ik kan het missen als kiespijn dat iemand zoiets publiceert,' overweegt hij, 'waarna ik een proces tegen ze moet aanspannen.'

Al die tijd is op televisie, met het geluid uit, *Jackass* aan de gang.

Ze moeten meer weten. Josie belt het meisje opnieuw.

'Ik neem net deze verschillende verhalen door met Robs advocaten,' zegt ze. '...dat verhaal is erg bizar... heeft ze een telefoonnummer achtergelaten?... wat zeiden ze *precies*, want dat is nogal een bizarre boodschap om achter te laten... wat absurd... oké, hartstikke bedankt...'

Het meisje zegt dat het andere meisje een boodschap heeft achtergelaten met als strekking 'mijn verhaal is groter dan het jouwe' en dat zij denkt dat het andere meisje dat deed om haar op te fokken. En zij zegt dat direct na dat telefoontje een tabloid terugbelde en vroeg of ze nu bereid was haar verhaal te verkopen.

'De zaak wordt ingewikkelder,' zegt Rob.

Pompey vertelt Rob dat de door hem bestelde soep gearriveerd is.

'Die krijg ik nu niet naar binnen, makker,' zegt hij.

Hij zegt dat hij met Tim, die in het hotel is, wil praten. Josie belt en vraagt hem naar boven te komen. 'Hij heeft een paar erg bizarre telefoontjes gehad.' Zij vertelt dat Tim in bed ligt en overhandigt Rob de telefoon.

'Ik praat er niet via de telefoon over,' zegt hij.

Ze wachten tot Tim boven komt.

Denk je in hoe dit voelt. Nog maar net twintig minuten geleden zit je te relaxen in je hotelsuite na een geslaagd concert in Parijs en het leven is een en al rozengeur en maneschijn. En dan zoiets als dit. Wanneer je de rekening gepresenteerd krijgt van dingen die je gedaan hébt, dan zit daar in ieder geval nog enige gerechtigheid in, hoe zuur misschien ook, en je kunt jezelf ook nog tot op bepaalde hoogte wapenen tegen repercussies van misstappen in het verleden. Maar je kunt op geen enkele manier anticiperen, of je voorbereiden, op dingen die je níet hebt gedaan.

Rob begint een beetje door te slaan. 'Het punt is dat dingen als dit zullen blijven gebeuren,' verzucht hij, terwijl hij op Tim wacht. 'En dan moet je jezelf de vraag stellen: is het allemaal de moeite waard? Serieus. Is het allemaal de moeite waard?' Hij beantwoordt de vraag zelf. 'Nee,' zegt hij. 'Omdat ik dit soort dingen dus niet de moeite waard vind. Wat voor zin heeft het om je naam door het slijk gehaald te zien worden als een godverse verkrachter? In alle ernst. Als dat over jóu ging? Ik sta al met een half been buiten – ik zou ermee kappen.'

'Dat gaat nooit gepubliceerd worden,' merkt Josie op.

'Tuurlijk,' zegt hij, 'maar kwade geruchten...'

'Niemand kan die onzin insinueren,' zegt zij.

'Dat kunnen ze wel,' zegt hij. 'Ik maak me er niet echt druk over, maar als ze het doen, dan ben ik wel gedwongen. Dan kap ik ermee. Gebeurt het niet, dan ga ik door. Maar ik ben hoe dan ook toch al verdomd paranoïde. Ik ben het grootste deel van de tijd als de dood. Dan kap ik ermee. Ik maak de albums nog, maar je zult me niet meer zien in clips of op foto's...'

Tim arriveert.

'Hi, Rob, wat is er gebeurd?' vraagt hij. Hij heeft z'n pantoffels aan.

Rob vertelt hem het verhaal en Tim stelt Rob gerust dat het allemaal opgelost kan worden. 'Er lopen zoveel malloten rond,' zegt hij. 'Het is krankzinnig gewoon.'

Josie praat met hun publiciteitsagent in Londen en legt de situatie uit: 'We zitten hier te discussiëren over de vraag of zij deze telefoontjes nu gehad heeft of dat zij het verzint. Rob kan al het andere zonder meer aan, maar deze beschuldigingen zijn absurd.'

Rob neemt Tim mee naar de slaapkamer om onder vier ogen te praten.

'Ik heb er vreselijk de pest in,' zegt Josie, 'want er is niets wat je kunt doen om hem zich beter te doen voelen.'

Tim gaat terug naar bed. Jonny belt. 'Ben je klaar voor iets waarvan je oren zullen tuiten?' vraagt Rob, waarna hij zijn relaas van de ontwikkelingen van vanavond doet. 'Nee, ik ben niet zenuwachtig, ik voel me alleen raar... ik voel me heel erg raar... het is belachelijk... met mij is alles prima, maar ik weet niet hoe ik geacht word me te voelen... het enige wat je kunt doen, is simpelweg aanvaarden dat het oneerlijk is en dat dit nu mijn lot is en dat dit zal gaan gebeuren...'

We spelen backgammon, echter zonder onze gebruikelijke plagende schermutselingen. Vanavond kan er verder niets meer gedaan worden.

∗∗∗

Hij gaat naar bed, maar hij is niet gelukkig. Dezelfde gedachte maalt maar door zijn hoofd en frustreert hem en verhindert dat zijn gemoed tot rust komt. De gedachte die hij niet uit zijn hoofd kan bannen, is dat de film waarnaar hij kijkt, *Behind Enemy Lines*, met Owen Wilson en Gene Hackman, totaal nutteloos is.

✱✱✱

Bij daglicht lijkt het allemaal klinkklare onzin. Het betreffende boulevardblad heeft ontkend aan een verhaal te werken, wat doet vermoeden dat ofwel het meisje haar achtervolging verzonnen heeft of er een bedrieger aan het werk is of het blad opeens vlug het verhaal laat voor wat het is. Een van de dingen aan dit soort kwesties waar je nog het meest razend van wordt, is dat ze nooit opgelost worden. Ze vervagen gewoon langzamerhand, tot je je begint af te vragen of ze eigenlijk ooit wel gebeurd zijn.

Rob heeft al besloten het verder te vergeten. 'Het is allemaal gelul,' stelt hij. 'Ik kan weer verder gaan met gelukkig zijn.' Hij pakt zijn fles met antidepressiva van de eettafel en probeert ze als een weerbarstig plectrum te gebruiken op zijn gitaar. 'Ik vermoed zo dat ze een verhaal bij elkaar probeerden te verzinnen.'

'Misschien probeert ze alleen maar wanhopig met je in contact te komen, op wat voor manier dan ook,' werpt Josie op. 'Zoals dat meisje dat al dagen beneden zit. Ze zit er maar en zal dolgelukkig zijn wanneer je haar een hand geeft.'

Hij knikt. 'Misschien gaat ze weg en zegt dan: "Hij wilde me wel zien, maar ze stonden het hem niet toe." Het is als met die brieven waarin ze er *heilig van overtuigd* zijn dat het liedje over hen gaat.'

✱✱✱

In het vliegtuig naar Oostenrijk leest hij in diverse kranten dat hij gaat optreden in het toneelstuk *One Night Only* ('lulkoek,' merkt hij op), dat hij 'er geen geheim van heeft gemaakt graag te willen acteren' ('lulkoek'), dat hij acteerlessen heeft gevolgd bij het Lee Strasberg Institute ('lulkoek') en dat men hem onlangs op de M1 heeft zien rijden met zijn vader ('lulkoek'). Hij gooit ze weg. 'Ik moet je het Elton John-kidnapverhaal vertellen,' zegt hij.

'Ik heb nooit iemand ontmoet die zo blij was mij te zien,' zegt David.

'Pas geleden werd ik verteerd door vreselijke schuldgevoelens,' zegt Rob. 'Elton probeerde een heleboel voor mij te doen en ik heb hem niet genoeg bedankt.' Pauze. 'Maar wat hij deed was compleet mesjokke.'

***

Om het Elton John-knidnapverhaal volledig te begrijpen, moet er eerst een eerdere episode worden beschreven. Take That was dat jaar daarvoor uit elkaar gegaan en Rob had net gebroken met zijn toenmalige vriendin, Jacqui Hamilton Smith. Zijn eerste solohit, *Freedom*, was verschenen, maar hij moest Guy, of Tim en David, nog ontmoeten en miste nog alle stabiliteit en richting in zijn leven. 'Ik zat dus vreselijk in de nesten,' herinnert hij zich, 'en ik had net het ergste jaar ooit achter de rug wat mijn drugsgebruik betreft. 1995, '96. Op een ochtend stond ik op na de hele nacht wakker geweest te zijn en ik besefte dat ik het compleet verkloot had, weet je. Mijn slaapkamer was een zwijnenstal en er stonden een stuk of vier kommen met opgedroogde cornflakes, met daar peuken in uitgedrukt, en zo voelde het ook in mijn hoofd. Een of ander aangeboren gevoel dwong me ertoe mezelf te redden en ik opende mijn agenda en liep erdoorheen: juist…'

Hij bladerde door de pagina's en zag het nummer van Elton John. Ze hadden elkaar leren kennen toen hij in Take That zat en hij had een paar keer bij Elton gelogeerd. (Hij ging er, hoe gek dat nu kan lijken, heen met Gary Barlow.) 'Elton was reuzenaardig en een hoffelijke gastheer en hij steunde ons heel erg en was lief,' zegt Rob. Door de bezoeken vatte in Robs hoofd ook het idee post dat Elton een goede vent zou kunnen zijn om te bellen wanneer je in dit soort ellende zit.

'Ik belde hem op en zei gewoon: "Ik heb hulp nodig",' zegt hij. 'En Elton zat in Atlanta en hij zei: "Ga naar mijn huis toe." Ik dus naar zijn huis in Windsor. Ik dacht min of meer dat ik wilde afkicken of met drinken stoppen – ik besefte toen nauwelijks dat ik nog echt niet genoeg had gehad, vermoedelijk nog in geen vijf jaar. Als ik die nog had, althans. En Elton zorgde ervoor dat het me aan niets ontbrak bij hem thuis en stuurde me een zorgpakket op – een heleboel Nike-spullen in een doos. Ik had geen kleren meegenomen en ik was aangekomen en ik zag er allerberoerdst uit en ik voelde me vreselijk rot.'

Hij bleef er twee weken, 'opdrogen en rondscharrelen, lanterfanten in Eltons huis'. Hij had dan wel geen kleren meegenomen, maar wel zijn Playstation en daar speelde hij dus uren op en hij tenniste met de zoon van de mensen die voor het huis van Elton zorgden. Elton belde elke dag om te informeren hoe het met hem ging. Elton belde ook Beechy Colclough, de therapeut die zelf zo'n beetje een beroemdheid is geworden als verslavingsspecialist voor beroemdheden en als mediagoeroe. Dat zou Rob minder als een geschenk gaan zien. 'Hij kwam langs en maakte me die twee weken tot zijn patiënt,' zegt Rob. 'Maar hij deed een heleboel rare dingen, waarvan ik nu weet dat ze spiritueel waren… *fout*.' Een van de eerste dingen die Beechy Colclough tegen hem zei was: 'Zie je dit horloge – heeft Elton voor me gekocht' en voor Rob kleurde dat alles.

Maar buiten dat – hij had zich tot Elton gericht toen hij wanhopig was en Elton was er voor hem geweest. 'Het was zo vreselijk aardig van hem om dat voor mij te doen,' zegt Rob. 'Zoiets *fantastisch*. Maar ik voelde me niet goed genoeg en voelde me geïntimideerd door alles. Maar de essentie is dat Elton vreselijk, vreselijk gul is en me echt wilde helpen beter te worden en ik ben hem daar vreselijk dankbaar voor.'

Niettemin vertrok Rob na twee weken en belandde weer in dezelfde maalstroom. 'Ik moet besloten hebben dat ik me verveelde,' zegt hij, 'en ik besloot dat ik me nu goed genoeg voelde om te gaan en mijn kop weer te stoten, wat ik vervolgens ook deed.'

Maar dat is nog slechts het begin van het verhaal.

✱✱✱

'Maar goed, we gaan acht maanden, negen maanden vooruit in de tijd,' zegt Rob. 'Ik had Guy gevonden, we hadden het album geschreven, ik zit in de studio, ik ben er vreselijk aan toe, weet je. En ik werd geacht op een middag bij Elton langs te gaan om hem de nummers te laten horen die we gedaan hadden, en dit was een week voordat ik zou afkicken. Ik had een week om vier zangpartijen of zoiets af te maken. Ik weet zeker dat een ervan *Lazy Days* was, ik weet dat *Angels* er een was. De andere twee weet ik niet meer. Ik heb altijd *Lazy Days* proberen te zingen, ik heb altijd *Angels* geprobeerd en eerlijk gezegd, het was gewoon niet goed genoeg. Je kunt het zien. Er bestaat videomateriaal waarop ik het zing en onder het zingen rode wijn zo uit de fles drink – daarom was het niet goed genoeg. Maar goed, ik werd dus geacht naar Elton te gaan om hem deze liedjes te laten horen. Ik word wakker in Notting Hill en ik ben op weg naar de studio in Fulham Road, in een zwarte taxi. We leggen onderweg aan bij misschien vijf pubs, met de auto buiten wachtend. Flesjes. Halve liters. Uiteindelijk belandde ik in die pub in Chelsea en met de studio in zicht bleef ik domweg in die pub hangen en raakte bezopen met een paar mensen die aan Chelsea Village werkten – bouwvakkers. We poolden en ik werd verschrikkelijk afgedroogd. En toen ging ik verder naar de studio, ik liep naar binnen en viel in slaap onder het mengpaneel. Werd wakker, pakte de band, na er niets aan gedaan te hebben, en toog op weg naar Eltons huis. Het was vijf of zes uur. Misschien later. Het was in de zomer, het kan zeven of acht uur zijn geweest. Ik loop dus bij hem binnen – niet in Windsor, zijn huis in Londen – en ik heb deze band in mijn hand en ik ben straalbezopen...' – hij doet het waggelen en brabbelen na – '..."Ik wil je dit laten horen!" En hij vraagt: "Wil je wat drinken?" En ik zei: "Geef mij maar een spritzer." Omdat in die tijd spritzer de alcoholvrije drank was die ik dronk. Ik dronk spritzer omdat je er minder dik van wordt en er geen alcohol in zit. Ja, ja. En Elton keek me aan met betraande ogen en ik zag zijn tranen en ik begon ook te huilen. Je weet wel. En hij zei: "Je moet nu meteen afkicken." En ik van: "Dat weet ik." En ik begon te janken en hij begon te janken. En hij zei: "Ik ga het voor je regelen" en ik zei: "Oké" en hij dus naar de telefoon. Terwijl hij belt, loop ik binnen en zeg: "Ik moet het album afmaken, ik móet het album afmaken." En hij zei: "Je gaat er nog kapot aan – je moet er nu heen gaan." En ik stond vreselijk in tweestrijd met mezelf – ja, ik moet, nee, bekijk het even, zeg. "Ik kan niet gaan, niemand weet waar ik ben, mensen zullen zich ongerust maken over me en ik moet een album afmaken." En na alsmaar weifelen en weifelen en huilen elke keer als hij zei: "Je moet" stapte ik in een auto met David Furnish, Elton stapte in zijn auto en we reden naar Windsor. Dus ik zit in deze auto, op weg naar Windsor, de ene helft van me is vreselijk blij, omdat iemand voor me zorgt, de andere helft verzet zich a) omdat ik een album moet afmaken, b) omdat ik toch al ga afkicken en c) niemand weet waar ik ben. We komen dus bij Elton aan en ik kan me herinneren dat ik donders goed besefte in wat voor situatie ik zat toen ik wat at en me realiseerde dat ik strontbezopen was toen ik bij Eltons huis aankwam, het is geen goed idee en morgenochtend sta ik op en dan zeg ik: dank je wel dat je me geholpen hebt – ik heb een verschrikkelijke kater, maar er zijn dingen die ik moet doen voordat ik ga afkicken. Dus ik naar bed en ik dacht: morgen bied ik honderdmaal m'n excuus aan. Omdat ik al ongelooflijk geplaagd werd door schuldgevoelens en me kapot schaamde. Ik lig dus in bed en ik hoor "Rob! Rob!" en ik open een oog en ik zie vijf paar benen. Ik zie paardrijlaarzen, korte rijlaarzen, en ik heb een kater en ik weet niet waar ik ben en het is David Furnish en het is Elton en het zijn drie mannen die ik niet ken en allemaal staan ze naar me te kijken. En ik denk: o godver, ik heb het nu echt verkloot. Ik kreeg te horen dat dit dokter zus-en-zo was, dit meneer zus-en-zo en dit meneer zus-en-zo. Eentje was van de ontwenningskliniek – en ik ga ze bij hun naam noemen en aan de schandpaal nagelen – van de ontwenningskliniek in Churchill. We gaan dus allemaal naar beneden en we zitten in Eltons grote kamer op deze twee gigantische sofa's die tegenover elkaar staan – ik in m'n eentje op de ene sofa en de rest zat allemaal tegenover mij en Elton aan de zijkant. En, wat een vent, want hoe je het ook wendt of keert, het was heel erg zinnig wat hij aan het doen was en hij dacht het voor mijn eigen bestwil te doen. En in veel opzichten was dat ook zo. Maar ik ga van: kijk, ik kan vandaag niet naar de ontwenningskliniek en ik kan niet afkicken – ik moet de zang afmaken. En ik doe zo en ik doe zo…'

– hij heeft zijn armen gekruist, in elkaar gestrengeld, en wriemelt met zijn vingers aan de zijkanten van zijn armen – '…en een van hen zegt: "Nou, je hebt nu cocaïnepsychose – dat is een symptoom, wat je daar aan het doen bent." En met tegenzin, omdat ik inzag hoe verstandig het was om nu te gaan afkicken, ging ik mee naar de ontwenningskliniek. Het was een bordeauxrode Citroën waarin we stapten en daar stonden David en Elton bij de deur van het huis te zwaaien. Er zaten twee mensen achterin, tussen wie ik ingeklemd zat, de ander reed en de voorstoel was leeg. Vermoedelijk opdat ik geen zelfmoord zou plegen of ertussenuit zou knijpen. Ik kijk dus achter uit de Citroën en zwaai naar Elton, die een hand over zijn mond heeft, en David die staat te zwaaien, wat een mensen! En daar rijden we Londen in. Ik had geen flauw idee waar we heen gingen, ik wist niet wat een ontwenningskliniek was. En ik snapte niet erg goed waarom ik daarheen moest. En ik had geen flauw idee wat er met me aan het gebeuren was. Talloze ik-weet-niet-wats. En we rijden dus Londen in, naar het centrum en daarna het water over. Kom ik terecht in deze grote privé-kliniek tegenover dat oorlogsmonument met die twee kanonnen – dat is alles wat ik me kan herinneren. Ik liep naar binnen en de receptioniste nam me op en ze waren zo hooghartig daar, weet je, zo verdomd hooghartig. Ik herinner me dat ze naar me keek alsof ik een hoop stront was en ik moest mijn naam invullen en daar gingen we naar boven. En voor de ramen van mijn kamer zitten tralies en buiten voor het raam, op nog geen meter, staat een blinde muur. Ik zit op mijn bed en het is zo'n bed met plastic erover, zodat je niet in je eigen pis drijft. En eigenlijk had ik alleen maar een vette kater. Dat was er met me aan de hand. Toen ik uiteindelijk afkickte, ontwende ik niet, ik nam geen enkele pil. Ik kreeg de deliriums niet, ze hoefden me nergens van te laten ontwennen, ik had alleen maar een probleem met mijn drinken. Maar toen had ik gewoon te veel gedronken en ik had een vreselijke kater. Ik zat daar dus en deze nogal potige grote… niet bepaald een Hattie Jacques… zij komt binnen en ik word behandeld alsof ik een stout, vreselijk stout jongetje ben. Vreselijk stout. Geen greintje liefde of bezorgdheid of "het komt goed met je, alles komt goed, je bent op de juiste plaats". Niets van dat alles. Ze zeiden: schrijf op waaraan je verslaafd bent, dus ik schreef alles op, alles wat ik ooit genomen had – heroïne, ecstasy, marihuana, cocaïne, alcohol, amylnitriet, speed, da da da. Op de afdeling zat slechts één andere persoon en ik ging naar hem toe en kletste met hem. En Engeland speelde die dag tegen Polen en het was op Channel 5 en het ziekenhuis had geen Channel 5. Daar ging ik dus mooi niet blijven, geen denken aan – dat was de laatste druppel. Maar intussen hadden ze me een drankje gegeven. Ik probeer dus uit deze ontwenningskliniek weg te komen…'

Hij keert zich naar David, aan de andere kant van het gangpad.

'En toen gebeurde er?' vraagt hij

'Ik kreeg een telefoontje – "Kun je me hieruit komen halen?"' zegt David. 'Maar ik wist niet precies hoe ik dat ging aanpakken.'

David ging erheen, vergezeld van Robs toenmalige therapeute, en zij eiste dat Rob vrij werd gelaten. En dat gebeurde. Rob en David vertrokken en aten sushi en daarna keek hij bij David thuis naar het voetbal en viel in slaap. 'En ik was zo blij dat ik bij David was en ik was zo blij dat ik het album af kon maken, niet kapot ging en kon gaan afkicken,' herinnert hij zich. En toen, de week daarop, toen hij klaar was met de opnames voor het album en nadat hij een laatste grote fuif in de studio had gehad, vertrok hij naar de afkickkliniek waar hij het wilde doen, Clouds in Wiltshire.

'Het was de eerste keer dat ik mijn moeder als zevenjarige zag,' zegt hij. 'Zij besefte dat ze hulpeloos was en ik besefte dat ik hulpeloos was.' Buiten voor het huis stonden enkele paparazzi en één cameraploeg. 'Eigenlijk ben ik ontsteld,' merkte hij tegen hen op. 'Toen Michael Barrymore ging afkicken, stonden jullie met duizenden voor z'n huis.'

Na een korte stop in Stonehenge meldde hij zich in Clouds en begon weer gezond te worden. Ze hadden er geen tv of radio of tabloids, wel kranten en op zekere dag las hij tot zijn stomme verbazing in een daarvan een artikel over hem: 'Robbie Williams, die een opsomming geeft van zijn verslavingen aan…' en de lijst bleek precies dezelfde te zijn zoals hij hem opgeschreven had bij zijn opname in het centrum in Churchill.

'Het enige wat ik kan zeggen, is dat er op de weg naar beter worden, en op de weg naar het orde op zaken stellen in mijn leven, vreselijk veel verdomde charlatans waren, en ze zijn zelf ziek en dan kloten ze met mensen die oprecht beter willen worden en daar word ik zo verdomd pissig van,' vat Rob samen. 'Ik weet zeker dat het ook met anderen gebeurt en ik weet zeker dat ze eraan onderdoor gaan.'

'Ze lopen weg en gaan kapot,' zegt David.

'Maar goed,' zegt hij, 'Elton probeerde dus te doen wat hem het beste leek en het staat buiten kijf dat hij het uit liefde deed. Maar het hele geval is voor mij bezoedeld met het gebrek aan professionalisme, ook al deed Elton het dan puur uit liefde.' Ze hebben elkaar sindsdien niet echt meer gesproken. Ongeveer een jaar later wilde Elton met hem een duet doen op een album waar ook al de Backstreet Boys en Leann Rimes op stonden en Rob sloeg het af. 'Ik wilde niet geassocieerd worden met iets wat ook maar in de buurt van een boyband kwam,' zegt hij, 'want ik probeerde daar wanhopig van weg te komen en dus zei ik dat ik het niet wilde doen. En ik geloof dat hij daar erg van streek van was.'

***

Bij aankomst in het hotel in Wenen gaat hij naar het toilet – 'Er zitten pedalen in de plee; dat is ráár,' meldt hij – en daarna gaat hij op bed liggen. 'Gwyneth Paltrow zei in een interview iets wat ik tamelijk interessant vond,' zegt hij. '"Mensen blijven zo oud als op het moment dat ze beroemd werden." Wat zo'n beetje is wat ik gisteravond probeerde te zeggen.'

Dus je bent eeuwig zestien?

'Ja. "Tenzij je tegenspoed hebt gekend," zei ze. Ik denk dat ik nu ongeveer achttien ben.'

Er bestaat zoveel mallotigheid in de wereld. Hij brengt ter sprake dat de hertogin van York onlangs het kantoor belde en vroeg of Rob haar dochter Beatrice kon bellen, omdat ze ziek was. 'Dat is toch knots, of niet soms?' zegt hij. 'En dus belde ik niet. Ik voel me er vreselijk schuldig over.'

Op tv verschijnt een antirookreclame. 'Wees cool,' zegt Sophie Ellis Bextor. 'Rook niet.'

'Rot op,' zegt Rob.

Een tijdje later richt hij zich tot Pompey.

'Is mijn eten er al?' vraagt hij.

'Had je dan wat besteld?' repliceert hij.

Rob kijkt naar Josie.

'Je hebt me niet gevraagd iets te bestellen,' merkt ze op.

Hij kijkt geërgerd, zowel over het gemis aan eten als het gemis het iemand te kunnen verwijten. We gaan in plaats daarvan met ons allen naar het restaurant van het hotel, waar hij een steak eet. Daarna laat hij zijn lichaam slap hangen, waardoor hij op de vloer glijdt. 'Ik ben moe,' zegt hij.

'Het is net of je met een kind uit eten bent,' zegt Josie.

Hij gaat weer zitten en valt in slaap op Davids schouder.

***

Wanneer hij wakker wordt, geeft hij een interview voor de Duitse radio. Hij ligt op bed in de voor zijn promotietour geboekte suite en de interviewer gaat op de vloer zitten met zijn microfoon omhoog. Hij praat over zijn carrière, zijn lijf ('Ik wou dat ik een pond of veertien lichter was'), Oasis ('Noel haat me...') en de interviewer vraagt of de meeste popsterren niet denken dat ze beter zijn dan gewone mensen. 'Ik weet niet of dat noodzakelijkerwijs waar is,' werpt hij tegen. 'Volgens mij is dat propaganda die door de media begonnen is. En ik denk dat mensen graag geloven dat popsterren, rocksterren, acteurs, model-

len en musici denken dat ze beter dan gewone mensen zijn of ze vie-
zeriken vinden. Daardoor voelen mensen zich beter over zichzelf, als
ze kunnen denken dat er iets mis is met die vent. En dat is ergens triest.'

De interviewer vraagt of Rob dingen doet om met beide benen op
de grond te blijven en hij antwoordt: 'Nee – ik geloof niet dat ik geaard
ben. Ik kom uit een wijk met gemeentewoningen in Stoke-on-Trent, ik
kom van een arbeidersklasseachtergrond en binnen een paar jaar vlieg
ik in privé-jets en logeer in de duurste hotels en ontmoet koninklijke
hoogheden en regeringen en het is vreselijk raar. Dat moet wel invloed
op je hebben. En de publieke opinie over je moet wel op de een of
andere manier invloed op je hebben, totdat je er goed over nadenkt en
je realiseert dat het niets betekent. Maar ik geloof niet dat ik met mijn
voeten op de grond sta. Ik loop met mijn hoofd in de wolken.'

Zijn laatste vraag is of Rob van iets spijt heeft en Rob geeft het antwoord quasi-nonchalant terwijl hij van het bed opstaat.

'Nee nee nee, ik heb van helemaal niets spijt… behalve dan van een
paar mensen met wie ik geslapen heb. Onbetrouwbare sujetten…
Hoor eens, man, ik moet ervandoor.'

Het interview verschijnt de week daarop over twee pagina's in de
Sun. ROBBIE GEEFT ZICH BLOOT schreeuwt de kop. Het gaat cynisch
genoeg door voor een ontmoeting – 'een exclusief interview' – tussen
Dominic Mohan en Rob. Schijnbaar had hij zitten kletsen 'alvorens voor
Kerstmis naar Los Angeles te vliegen met maat Jonathan Wilkes'. Op
een begeleidende foto staan Rob en Jonny op het vliegveld en lachen
naar de camera, wat nog eens extra de valse indruk van hoe en wanneer het interview plaatshad versterkt. Robs woorden worden redelijk
accuraat weergegeven (wat ofwel de eer van de *Sun* te na was of ingegeven werd door hun wetenschap dat er een onafhankelijk verslag
bestaat van wat hij tijdens een radioprogramma heeft gezegd), maar
Wenen en de context van de woorden worden nergens genoemd. Het
stuk bevat driemaal een onwaarheidsgetrouwe 'hij vertelde me' en presenteert het alsof Rob het gesprek bereidwillig met Dominic Mohan
voerde. Maar de laatste keer dat Rob Mohan zag, was natuurlijk toen
Mohan hem niet exclusief interviewde in Barcelona.

12

In de kleedkamer bij *Wetten Dass…?*, het Duitse televisie-instituut,
dat, legt Rob uit, 'een soort kruising tussen *You Bet* en *Parkinson* is,
speelt Rob uren achtereen dj voor zichzelf met de iTunes op zijn
computer: een liedje van Gary Nuttall, Paul McCartney's *Maybe I'm*

Amazed, *A Boy Named Sue* van Johnny Cash, *Heaven Knows I'm Miserable Now* van The Smiths, een vrolijke folkpopsong van The Lilac Time – 'Prachtige tekst,' zegt hij en hij begint mee te zingen: *'no one came so no one noticed, I shared a beer with the support band roadies... tomorrow I'll be dropped by BMG.... girlfriend telephoned she said "don't come home", I know your muse is on some motel mattress, misery will always be your mistress...'* – *Gett Off* van Prince, REMs *Nightswimming*, daarna enkele van zichzelf: *Phoenix From The Flames*, *Heaven From Here*, *It's Only Us*, *Karma Killer*. 'Ik heb een aantal geschifte nummers gemaakt, of niet?' overweegt hij. 'Het zijn nooit doodgewone, archetypische, rechtlijnige popsongs geweest. Niemand kan me daarvan beschuldigen...' Meer liedjes volgen: *Pissing In The Wind* van Badly Drawn Boy, Elvis' *In The Ghetto*, Joy Divisions *Love Will Tear Us Apart*, Madonna's *Don't Tell Me*, *Something For The Weekend* en *Frog Princess* van The Divine Comedy, twee van zijn onuitgebrachte liedjes, *Blasphemy* en *Chemical Devotion*, *It's Only Natural* van Crowded House, zijn *Peace, Man* en *Summertime, California Love* van Dr Dre, Airs *Kelly Watch The Stars*, *God Only Knows* van The Beach Boys, *Narcolepsy* en *Army* van The Ben Folds Five. Daarna begint hij aan zijn b-kantjes.

'Heb je *John's Gay* gehoord?' vraagt hij en hij zingt mee. *'Martin grew out of his A-team vest, and nicked the paddles off my BMX, and he says that he's had sex with a girl for effect, I lost my virginity, the year above us had discovered E, and I said it weren't for me, £ 12,50... and we've written on the wall: John's gay. He's gay... what'll we grow up to be?... will you still be friends with me?... 14... 15... 16... I know too much now to feel young.'*

Het is zoals hij gisteravond tegen de interviewer zei. Zijn liedjes zijn altijd persoonlijk. Als de persmuskieten echt meer over hem willen weten, dan deden ze er beter aan zich minder in de bosjes te verbergen en meer naar zijn b-kanten te luisteren. Elk woord is hier, bijvoorbeeld, waar. (Al heette de schoolmaat niet John. En misschien was hij zelfs niet eens gay, omdat Rob op Friends Reunited heeft gezien dat hij nu getrouwd is.) 'Het probeert te vangen waar we het onlangs over hadden,' zegt hij. 'De triestheid van hoe heerlijk het was om daar te zijn en hoe sprookjesachtig het allemaal was en dat volwassen worden gepaard gaat met verantwoordelijkheid en realisme.'

We spelen backgammon en hij vindt nog een paar andere songs, onuitgebrachte, die ik nog nooit gehoord heb. Een daarvan is een prachtige, imposante ballade, *Snowblind*, die hij vorig jaar heeft geschreven tijdens de tournee door Oceanië. *'While the world was looking at you,'* zingt hij, *'you came and wrapped yourself around me.'* Hij draait een andere, *If She Exists*: *'I know it will come in your own sweet time Lord and I don't like to ask but I'm lonely now,'* zingt hij. *'I don't want to make demands, but time and tide is in your hands, I never meant to ask for this, but God, send her now, if she exists.'*

'Daarom is Guy briljant,' zegt hij na afloop van de song. 'En hij is een verdomde klootzak.' Rob werpt de dobbelsteen en verplaatst zijn schijven. 'En ik mis hem,' zegt hij. Hij zet een venijnige, onuitgebrachte song op, *Big Beef* getiteld. *'I couldn't give a flying toss about the relatives you lost, I think that it's better that your bloodline stops from here on in...'* steekt hij, raak en vol haat. *'You got under my radar... you became my new best friend for a while. I should have guessed you were a psychopath...'*

'Iemand in LA die me in de steek gelaten geeft,' zegt hij.

Hij draait meer b-kantjes: *Come Take Me Over* ('vermoedelijk het eerste liedje waar ik de muziek bij schreef en daarna deed Guy het eindstuk en het is niet erg goed'), *Happy Song* ('erg stoned'), *Talk To Me* ('vreselijk pissig toen ik dit schreef'); daarna nog een onuitgebracht liedje, *My Favourite American.* 'Ik moet die regel opnieuw gebruiken,' mompelt hij. *'Use my empty head, it's advertising space...'*

Hij zegt tegen Josie dat hij geen exemplaar van zijn eerste album, *Life Thru A Lens,* heeft en vraagt haar er een te bestellen bij de platenmaatschappij. Hij zit altijd zonder zijn eigen platen. Op een keer zocht hij, thuis, naar een exemplaar van *Life Thru A Lens,* maar kon er geen vinden. Daarop sloeg hij de lijst van een van zijn gouden platen voor *Life Thru A Lens* aan diggelen om hem te draaien. Toen hij het ding opzette, ontdekte hij dat ze de cd van iemand anders verguld hadden.

Voordat hij opgaat is er nog een broekcrisis – het ding is te lang en hij moet zo op, een liveshow nota bene. Terwijl hij in de coulissen staat, net buiten het oog van de camera's, knielen vier mensen aan zijn voeten en nemen verwoed zijn broekspijpen in.

'...Robbie Williams! Mit *Feel*!'

Hij is net op tijd klaar. Hij zingt en schuift daarna bij Michael Schumacher en de gastheer op de bank aan. Hij keuvelt mee zoals gewenst en merkt tegen Michael Schumacher op: '...Ik ben bevriend met Jenson Button... en hij gaat je ervan langs geven...' Schumacher lijkt niet precies te weten hoe hij die oneerbiedige scherts moet opvatten. Wanneer Rob een weddenschap verliest dat een man zich niet kan uitkleden terwijl hij met een blad met champagneglazen jongleert, moet hij de voetbaluitslagen van vandaag voorlezen. Het publiek schatert het uit als hij over een Duitse naam struikelt – bij elke naam dus. Aangekomen bij FC Schalke, dat 1-1 gelijk heeft gespeeld, leest hij het voor als 'Shleke'.

'Sjalke,' wordt hij verbeterd.

Een gemakkelijke grap ligt voor de hand. 'FC *Scheisse...*' zegt hij. FC Schijt. Het publiek buldert. Zelfs de cameramannen lachen.

In de kleedkamer krijgt hij te horen dat er maar één ongelukkige kant aan de grap zit. Op 13 en 14 juli geeft hij twee megaconcerten in de Duitse stad Gelsenkirchen, in het spiksplinternieuwe stadion van de plaatselijke voetbalclub.

FC Schalke.

Zijn tourmanager Andy Franks heeft inmiddels al de concertorganisator gebeld.

✷✷✷

De volgende dag eindigt zijn Europese promotietour. Hij zakt weg in zijn vliegtuigstoel, op weg naar Londen. 'Heeft Steven Spielberg al gebeld?' vraagt hij. (Steven Spielberg is de derde beroemdheid die in *I Will Talk, Hollywood Will Listen* wordt genoemd: *'Mr Spielberg, look just what you're missing.'*) 'Zou het niet vreselijk zonde zijn om al dit charisma te bezitten,' grinnikt hij, 'en dat dan de Amerikanen er niet vanaf weten?'

Hij eet kip met groenten. Hij tuurt nieuwsgierig over de tafel naar mijn pasta, alsof hij door een wormgat een glimp van een andere kosmos opvangt. 'Ik heb al jaren geen pasta gegeten,' zegt hij.

We spelen backgammon. Abrupt verkondigt hij: 'Van geschiedenisles heb ik twee dingen geleerd. Dat de Renaissance in Italië begon. En dat er een of andere vent met de naam Isambard Kingdom Brunel was en een weefmachine die de Spinning Jenny werd genoemd en dat je de Luddites had en het drieslagstelsel werd beoefend tijdens de Industriële Revolutie. Dat is het wel.'

Wat heb je nog meer op school geleerd?

'Dat —— een slet was. Maar dit is heel erg schunnig. Zij heeft me ontmaagd. Ze zei tegen me dat ze seks met me zou hebben wanneer ze uit Liverpool aankwam. Ze kwam uit Liverpool naar Stoke-on-Trent om naar mijn school te gaan en wond er geen doekjes om dat zij, in haar woorden, mij ging neuken.'

Hoe oud was je?

'Vijftien.'

Wat dacht je toen zij dit actieplan aankondigde?

'Dat ik haar haar gang zou laten gaan.'

Was je daarvoor al met anderen uitgegaan en had je erover gedacht...

'Mijn maagdelijkheid te verliezen? Het gebrek aan betrokkenheid of binding begon eigenlijk al op jonge leeftijd en als ik met iemand uitging, dan duurde dat misschien twee weken, misschien één afspraakje.'

Wat gebeurde er op de grote avond?

'Dag. Zij zei: "Oké, aanstaande vrijdag ga ik je neuken." Zij kwam langs – mijn moeder was naar haar werk – en ik begon haar te kussen. Maar feitelijk deed ik het op het laatste moment zowat in mijn broek. Ik vroeg haar weg te gaan, maar had visioenen van de gezichten van al mijn vrienden, die me uitlachten terwijl zij de deur uitliep: 'Oho, schijtlaars."

Hoe staat de gebeurtenis je bij?

'Dat het een nogal smerige boel was. Heel heel vlug. Stinkerig. Vermoedelijk zal ze van mij hetzelfde zeggen. De hygiëne op die leeftijd is niet... je hebt je haar al eeuwen niet gewassen, omdat je weet dat het op een zekere plaats plakt als je er iets bepaalds mee doet.'

Wat dacht je na afloop?

'Ik dacht: ik ben er.'

Heb je haar daarna nog gezien?

'Nee, het was zeer beslist alleen maar een nummertje.'

Liet de volgende lang op zich wachten?

'Dat was lijkt me een rode jas,' zegt hij. 'Zoe Callaghan zei altijd dat ze me zou gaan naaien, maar ze heeft dat nooit gedaan. Ze zou het doen op het feestje van Samantha Bannister. We zoenden meestal in het lokaal voor technisch tekenen, omdat daar een gedeelte was waar je je penselen kon wassen. We slopen daar dan naar binnen om te tongen. Tongen en frummelen.'

Wanneer was je voor het eerst verliefd?

'Ik ben nog nooit verliefd geweest. Nooit.'

Ooit gedacht het te zijn?

'Nee.'

Ooit gezegd het te zijn?

'Ja, ja. Omdat ik zo wanhopig graag wilde.'

Stemt het feit dat je die gevoelens niet hebt je niet tot nadenken?

'Vroeger wel, toen ik door mijn tien jaar van zelfbeklag heenging. Weet je, het was gewoon weer iets anders waar ik "ach, arme ik" over kon doen. Maar nee, niet meer.'

De liefde zal zich dus aandienen wanneer ze verkiest?

'Ja. Ik ben sterk de mening toegedaan dat God voorlopig andere plannen met me heeft. Weet je, ik ben niet bang verliefd te worden... Ik ben, in de traditionele zin van een relatie, bang misschien niet trouw te kunnen zijn. Weet je, ofwel er vindt eenmaal als ik de dertig passeer een kinetische verandering plaats, wat lijkt te gebeuren met mensen, of ik heb een zeer sterke relatie met iemand... Het schrikt me niet af, omdat ik echt die vent wil zijn.'

Hij zwijgt eventjes.

'Misschien zou ik het volgende album een heel serieuze titel moeten geven.' Pauze. 'Wat een klotetitel. *Something Really Serious.*' Dan zegt hij wat hij wilde opperen: *I'd Break My Heart To Make Things Right.*

***

Rob vliegt naar Los Angeles voor een korte kerstvakantie. Bij binnen-komst in het land wordt hij door een beambte van de immigratiedienst ondervraagd.

'Wat voor werk doet u?' wordt hem gevraagd.

'Ik ben muzikant,' antwoordt hij.

Dit soort gesprekken kan een heleboel kanten op. Op een keer zei hij dit – 'Ik ben muzikant' – en toen ketste de beambte terug: 'O ja, waar zijn uw instrumenten dan?'

Vandaag neemt de man hem eens goed op en bestudeert zijn paspoort.

'U moet erg goed zijn,' luidt zijn conclusie. 'Dit zijn erg goede visums. De laatste die deze visums had, was Rod Stewart.'

***

Rond Kerstmis heb ik mijn agenda leeggemaakt om min of meer fullti-me aan dit boek te kunnen werken. Al weer enige tijd ben ik er bijna altijd bij geweest wanneer hij aan het werk is – of hij nu optreedt of besprekingen voert of interviews geeft of liedjes schrijft of plannen voor de toekomst maakt – en de rest van de tijd ben ik er ook bijna altijd bij. Sommigen zouden zich daar misschien opgelaten bij voelen, maar de meesten lijken veel meer tijd achter gesloten deuren, in hun eigen gezelschap, door te brengen dan Rob. Hoe ongemakkelijk hij zich ook in veel situaties voelt, hij is iemand die zich er op z'n gemak mee voelt degenen bij wie hij zich op het gemak voelt een groot deel van de tijd om zich heen te hebben.

We hadden in zijn woning in Londen kort met elkaar gesproken toen we formeel besloten een boek te gaan maken, alleen maar om er zeker van te zijn dat we vaag dezelfde grenzen trekken, maar we bespraken verder nooit echt enige diepere reden om het te doen, of het doel erachter, en na dat gesprek is het boek zelden nog ter sprake gekomen tussen ons. Niet dat het verder in de vergetelheid is geraakt of zo – ik ben vaak in de buurt vanaf het moment dat hij wakker wordt tot het moment dat hij weer naar bed gaat en het grootste deel van de tijd maak ik aantekeningen of zet een bandrecorder vlak bij hem neer – het is alleen dat er niets over gezegd hoeft te worden. De enige keren dat het er direct bij wordt gehaald, zijn op de sporadische momenten waar-op hij me bijpraat over een situatie of gesprek waar ik niet bij ben geweest, impliciet omdat hij denkt dat het nuttig of interessant zou kunnen zijn. Zelfs nog sporadischer vraagt hij me welbewust eventjes weg te gaan, gewoonlijk om de privacy te respecteren van een derde partij met wie hij iets persoonlijks te bespreken heeft.

Ik geloof niet dat de vragen die bij anderen opkomen wanneer ze zien of horen waarmee we bezig zijn – tot op welke hoogte ben ik een schrijver en tot op welke hoogte ben ik een vriend, en botsen deze rollen nooit met elkaar? – een van ons beiden bezighouden, laat staan dwarszitten. Wat voor de buitenwereld excentriek kan schijnen, of tegenstrijdig of verwarrend, lijkt voor ons dag in dag de gewoonste zaak van de wereld.

Hij vraagt nooit wat ik schrijf, ofwel omdat hij dat al weet of omdat hij er nu niet in geïnteresseerd is of er genoegen mee neemt het te zijner tijd wel te lezen. Wat onuitgesproken blijft maar waar stilzwijgend van wordt uitgegaan, is dat het onopgesmukt en onverbloemd zal zijn; de wereld zoals ze is, de woorden zoals ze uitgesproken worden. Dat is niet wat de meesten gewend zijn te lezen over anderen, en al helemaal niet over beroemdheden, en ik hoop dat de lezer dat in gedachten houdt. Stel u bij elke incidentele onmatige uitbarsting, of enige onachtzaam geventileerde mening of ruwe en onstuimige formulering of misplaatste grap die ik verkies te noteren of te registreren, eens voor hoe uw eigen leven op een manier als deze gedocumenteerd zou worden indien er iemand aan één stuk door, ontmoeting na ontmoeting, dag na dag bij u was – zowel op de momenten dat u met uw dierbaren verkeert als op de momenten dat u omgaat met degenen die u gedoogt en degenen die u niet mag en degenen voor wie u bang bent, op de momenten dat u in de zevende hemel bent en op de momenten dat u zich in de hel waant, op de momenten dat u op uw schuchterst bent en op uw nonchalantst, op uw roekeloos openhartigst, op uw sufst en uw vitaalst, op de momenten dat u nadenkt over het leven en op de momenten dat het u allemaal worst kan wezen.

Deel twee

1

Met kerst worden van *Escapology* drie miljoen exemplaren verkocht, en Steven Spielberg laat een script voor een film rondgaan, maar terwijl het jaar zoetjesaan naar 2003 toe kruipt, brengt Rob het grootste deel van zijn tijd door boven in de grote slaapkamer van zijn woning in Los Angeles, waar hij zijn Tiger Woods-computerspelletje speelt op het reuzenscherm, dat van het plafond omlaag hangt voor de terrasdeuren en de wereld daarbuiten op afstand houdt. Hij heeft sowieso de pest aan Kerstmis, met zijn geforceerde uitgelatenheid en tot zelfverloochening dwingende verwachtingen van anderen, en deze kerst is geen goede. Sommige van zijn nauwste vriendschappen lijken nu minder te zijn dan hij gehoopt had en hij raakt gedeprimeerd en is bang aan zichzelf overgelaten te zijn in Los Angeles. Het gepieker slaat toe. Beroemd zijn lijkt alles kapot te maken en hij vraagt zich af of hij zijn leven niet verkloot heeft door beroemd te worden. Soms lijkt het wel, wanneer je eenmaal beroemd bent, of iedereen die je leert kennen uiteindelijk gestoord blijkt te zijn. 'Het kan alle slechte eigenschappen in mensen naar boven halen,' zegt hij. 'Het is als de Ring.' Ondertussen vallen de Amerikaanse paparazzi hem meer lastig dan normaal. 'Als hoe ik eruitzie me aanstond,' merkt hij op, 'zou het oké zijn.'

Op oudejaarsavond bezoekt hij kort het feestje bij de Osbournes, waar hij te snel te veel espresso's uit het buiten opgestelde apparaat achteroverslaat en Justin Timberlake tegen het lijf loopt. Hij vertrekt echter alweer voor twaalven om thuis naar een film te gaan kijken. (Hij kende de Osbournes al voor hun momentele mediafaam. Hij en Ozzy hadden complimentjes uitgewisseld in de Sunset Marquis en op een dag ontving hij in zijn hotelkamer een verkeerd gedraaid telefoontje, dat begon met Sharon die vroeg: 'Ben je naakt?' 'Ja,' beaamde hij, omdat dat ook zo was. 'Ik kom naar boven,' kondigde ze aan. 'Sharon,' hielp hij haar uit haar droom, 'je spreekt met Robbie Williams,' waarna ze nog een tijdje lekker kletsten.)

Hij en Justin spraken enkele dagen later telefonisch met elkaar. Rob had voorgesteld samen een duet te doen op de Brits en dat was nu verder afgesproken en gepland, hoewel het liedje dat Rob graag had willen doen geen genade had gevonden. 'Hij was er erg stellig in,' zegt Rob. 'Ik geloof niet dat hij *Under Pressure* heeft gehoord. Maar we vinden zeker wel iets anders.' Uiteindelijk waren ze *Hold On, I'm Coming* van Sam & Dave overeengekomen, maar enkele dagen later veranderen Robs plannen. Hij is gevraagd in Amerika op te treden tijdens Rock The Vote, in dezelfde week als de Brits, en hoewel het niet onmogelijk zou zijn om beide te doen, wordt er besloten dat het een goed excuus biedt om de Brits te mijden.

Zijn Comic Relief-plannen zijn eveneens op niets uitgelopen. Ze krijgen te horen dat Steve Coogan niets meer als Alan Partridge wenst te doen na de gemengde ontvangst van de laatste reeks van *I'm Alan Partridge*. In plaats daarvan, zo laat men weten, werkt Ricky Gervais aan een *Office*-sketch met Rob erin. Rob weigert er ook maar iets mee van doen te hebben. Hoewel hij *The Office* goed vindt, heeft hij een tijdje geleden Ricky Gervais op de radio over hem horen praten op een manier die hij niet van plan is te vergeven.

Ondertussen heeft hij met de Zweedse regisseur Jonas Ackerlund plannen gemaakt voor de videoclip voor de tweede single van *Escapology, Come Undone*. De meeste voorgestelde clipconcepten had Rob maar niks gevonden. Het concept van Jonas was het beste, maar het was feitelijk niet meer dan een partyscène, wat naar Robs smaak al te vaak eerder gedaan was. Het idee was bij Rob opgekomen onder het kijken naar *Fear Factor*. Insecten. Slangen. Padden. Mieren misschien. 'Ik vrij met een meisje en dan komt er een slang uit haar minirok en daarna wordt het maar meer en meer,' zegt hij, 'en aan het eind krioelt het domweg overal van het ongedierte.'

Stapje voor stapje evolueert het idee verder. 'We gaan een verdomd lugubere clip maken,' grinnikt hij, na één productief gesprek met Jonas, 'en we gaan een hoop lol beleven.' Het laatste idee is dat je hem in de clip met een meisje seks ziet hebben en dat zij dan, terwijl ze bezig zijn, in een man verandert en daarna weer terug in een vrouw. 'Niet dat ik ook maar een sikkepit gay ben,' grijnst hij.

Voorts wordt de clip in een bredere bijbelse allegorie ingekaderd. 'Ik ga naar dit feest toe,' beschrijft hij, 'en op weg daarheen zit er op alle deuren rood bloed. Lamsbloed. En ik ben een beetje in de war, zoals je je kunt indenken, en ik loop naar de deur en je hoort dat het feest aan de gang is en ik klop op de deur en niemand doet er open en er zit bloed op de deur gesmeerd, dus begin ik het af te vegen en ik krijg wat op mijn hemd. Ik maak de deur open en het is daarbinnen Sodom en Gomorra. Het is het liederlijkste feestje waar je ooit geweest bent en er beginnen dingen te gebeuren. Ik neem een pasteitje en het transformeert in luizen en daarna begin ik met dit meisje te vrijen en er komt een joekel van een kloteslang uit haar minirok. Dat is het in wezen.'

❊ ❊ ❊

Marvin Jarrett, een vriend van een vriend die hoofdredacteur van het blad *Nylon* is, komt langs. Rob praat met hem over zijn halfhartig verlangen om Amerika te veroveren – 'Dat wil ik, omdat op een keer een vent me niet binnen wilde laten bij een club en ik geloof niet dat dat reden genoeg is' – en we gaan naar Starbucks. Hij werpt de dobbelstenen die je koffiekeuze bepalen en krijgt een koffie verkeerd met hazelnootsmaak. Een goed resultaat. 'Ik moet die dobbelstenen vaker gooien,' neemt hij voor.

Hij praat over afspraakjes in Los Angeles en zijn verlangen naar een vrouw. 'Ik geloof niet dat zij actrice is, mevrouw Williams,' zegt hij. 'Actrices, modellen, musici zijn intellectueel ingesteld. Actrices zitten in het estafetteteam *die stokjes hebben die je naar een stadion vol gekte brengen.*' Hij zucht en bindt in. 'Ik trouw nog wel eens, ik weet het,' zegt hij.

Striptenten komen ter sprake, maar Rob is daar niet happig op. 'Krijg ik het tietenmonster in de nek,' zegt hij, 'en dan moet ik haar mee naar huis nemen en naaien. Wat ik doe. En daarna praat ik met haar en dan heb ik oprecht te doen met haar rotsituatie.'

Dat is de opmaat voor een verhaal. Ongeveer vijf jaar geleden vloog hij naar Los Angeles, zijn eerste bezoek aan de stad sinds de tijd van Take That. Hij logeerde in Shutters-on-the-beach in Santa Monica en realiseerde zich dat hij voor het eerst in tijden ergens was waar niemand hem kende. Hij besloot een callgirl te bellen. Het leek hem wel gepast als overgangsrite of iets dergelijks. Hij zocht Escort Services in de *Yellow Pages* op.

'Wat had u gewenst?'

'Een vrouw, Shutters-on-the-beach, alstublieft.'

'Wilt u weten hoe ze eruitziet?' werd hem gevraagd.

'O, oké.'

'Zij heeft een Marilyn Monroe-figuur.'

'Oké.'

Een miskleun, nogal. 'Niet wetende dat je onder "Marilyn Monroe-figuur" "aangespoelde walvis" moet verstaan,' legt hij uit. Hij had bij voorbaat al spijt. 'Ik zit te wachten en denk: dit is karmisch fout... dit heb je toch altijd fout gevonden? Maar ook: rot op – het wordt gieren en brullen... je hoeft niet met haar te praten... het is zo oud als de bijbel, het is zo oud als de tijd... shit, daar heb je haar...'

Ze arriveerde en hoewel ze dan misschien niet de knapste vrouw was die hij ooit had ontmoet, leek ze aardig. In die tijd was hij zelf niet bepaald op z'n best; hij was twintig pond aangekomen op een strikt dieet van wodka en sigaretten. Ze vroeg wat hij in de stad deed en hij gaf haar een valse naam op, zeggende dat hij voor een Engelse voetbalclub, Liverpool, speelde en dat een transfer naar Barcelona net afgeketst was vanwege een knieprobleem en hij hier was om daaraan geopereerd te worden.

'Zij kleedt zich uit en het doet me niks,' herinnert hij zich. 'Totaal niets. En we liggen samen op bed te kletsen, komt opeens de clip voor *Millennium* op tv...' Hij dacht dat zij het in de gaten had en zette de televisie uit. Maar er gebeurde niets van enig belang en dus betaalde hij haar driehonderd dollar, waarna zij vertrok.

Verstandig was geweest om het daar verder bij te laten, maar hij wilde niet verstandig zijn: hij had het gevoel wel driehonderd dollar armer, maar nog steeds zonder zijn callgirlervaring te zijn. 'Het bleef maar kriebelen,' vertelt hij. De volgende avond bladerde hij een blad door en koos een nieuw meisje uit, met foto dit keer, en belde het vermelde nummer. Het meisje van de foto arriveerde, vergezeld van een vriendin. 'Zij is nieuw en wil kijken hoe het gaat,' legde het eerste meisje uit. Rob overhandigde de afgesproken vierhonderd dollar en het eerste meisje lag boven op hem en zei toen dat de vierhonderd dollar voor haar bureau was en dat hij haar, als hij wilde dat ze een braaf meisje was, nog wat meer geld moest geven, puur voor haar. Hij had niks meer op zak. Ondertussen kon hij het andere meisje op het toilet horen en hij was verdraaid zeker van wat hij hoorde: van daarbinnen klonk een klik-klik-geluid; het geluid dat hij wel tienduizend keer in films had gehoord – dat van het ontgrendelen van een vuurwapen. 'Ik kijk naar dit meisje en denk: ik ben er geweest,' zegt hij.

Maar er gebeurde niets, met het pistool noch het meisje. Toen hij niet meer geld op tafel kon leggen, vertrokken beide meisjes.

'En dat is mijn carrière met callgirls,' zegt hij. 'Ik dacht: God probeert me iets te zeggen en ik luisterde ernaar.'

*** * ***

Een artikel in het Amerikaanse tijdschrift *Details* beweert dat EMI tachtig miljoen pond op Robs welslagen in Amerika heeft ingezet. Het zal de toon zetten voor veel van de berichtgeving hier. Velen hier kunnen zich niet voorstellen dat een artiest zoveel geld waard zou kunnen zijn op basis van zijn verdiensten buiten Amerika.

Begin januari start hij met een aantal interviews de promotie voor de Amerikaanse release van het album, op 1 april. Een daarvan is voor een coverstory van *The Advocate*, Amerika's prominentste homoblad (m/v). Het is in Amerika minder gebruikelijk dat entertainers speels zijn wanneer het onderwerp seksualiteit ter sprake komt en wanneer ze het wel zijn, wordt dat dikwijls, soms correct, uitgelegd als een verdekte en discrete manier om iets toe te geven wat ze liever niet hardop zeggen. Het zou begrijpelijk zijn als een blad als *The Advocate* niets ophad met iemand die uit ondeugendheid en puur om de jolijt met deze ideeën speelt, maar ze lijken het integendeel juist zelfs wel leuk te vinden. Hoewel ze vrij nauwkeurig verslag doen van zijn antwoord op hun meest onverbloemde vraag: 'Ik vraag het je dus direct: heb je het "gedaan"?' – Rob lacht en zegt: 'Nog niet. Het is beslist een mogelijkheid op een bepaald punt in mijn leven; ik denk er niet te moeilijk over' –, zwelgen ze in de smeuïge snedigheid daarvan. Misschien genieten ze alleen maar van de vertoning van een man voor wie het klaarblijkelijk geen zier uitmaakt hoe hij seksueel te boek staat, maar ik heb toch meer het idee dat zij nog steeds het idee hebben dat hij wel eens gay zou kunnen zijn.

ROBBIE WILLIAMS IS EEN GROTE PLAAGKOP: 'Is hij het wel of is hij het niet?' staat er op de cover wanneer het artikel gepubliceerd wordt. Dat is een tikkeltje geniepig – hij is een grote plaagkop, vanzelfsprekend, maar hij is niet dit soort plaagkop. Net zoals hij op het podium het publiek zal vertellen dat hij een manipulatieve entertainerstruc toepast, terwijl hij het daar op een en hetzelfde moment mee voor zich tracht te winnen, plaagt hij, maar hij geeft tegelijkertijd zodra hij ernaar gevraagd wordt het antwoord dat alle raadsels oplost – namelijk dat hij in zijn leven tot dusver hetero is geweest en hij dat, voor zover hij in de toekomst kan kijken, ook verwacht te blijven. Het is alleen dat het hem er niet van weerhoudt in een gesprek over Rupert Everett – niet omdat hij grappig wil zijn – te verklaren: 'Ik mag The Rock eigenlijk wel. Ik zou hem graag eens tegen het lijf lopen.'

Meer van dat volgt in de aflevering die hij voor MTV's *Cribs* filmt. *Cribs* is het MTV-programma waarin ze een korte rondleiding langs de woninginrichting en lifestyle van celebrity's geven. Rob is eerder in het programma geweest, maar de eerste keer had hij gejokt en geveinsd dat het landhuis waarin hij en de band aan het repeteren waren zíjn huis was. Feitelijk hadden ze het echter gehuurd van actrice Jane Seymour, die laaiend was geworden toen ze Claire, Robs keyboardspeler, in haar trouwjurk zag (het geval was haar aangeboden door Seymours huisbewaarster). Dit keer geeft Rob een rondleiding door zijn echte woning in Los Angeles, al giet hij dat in één lange zichzelf omlaag halende bespotting. Wanneer hij de camera's meetroont naar de televisiekamer, zit daar een groep vrienden – allemaal van het mannelijke geslacht – naar *The Sound of Music* te kijken. Hij toont MTV zijn immense eettafel en houdt vol dat hij hier met kerst alleen gegeten heeft, omdat hij geen vrienden heeft. Buiten, in het zwembad, dobbert zijn vader rond in een roeiboot.

2

Tegenwoordig werkt Rob, puur gemeten aan het aantal arbeidsuren, niet zo hard meer als de meeste entertainers. Het is hem namelijk gebleken dat hij niet alles wat er van hem verwacht wordt gemakkelijk aankan en dat hij, wanneer hij meer hooi op zijn vork neemt, al vlug bekropen wordt door het gevoel alles te willen opgeven. Succesvolle internationale albums vergen gewoonlijk vele maanden intensieve non-stoppromotie; hij doet het minimum. En wanneer hij dan werkt, weigert hij de lange dagen vol te proppen met interviews en televisie-optredens, het ene na het andere, zoals van de meeste artiesten wordt verwacht. Als grove vuistregel hanteert hij: voor elke drie of vier weken werken last hij een even lange pauze in.

Half januari moet hij terug naar Londen. Voor het grootste deel van het komend voorjaar staat de promotie van *Escapology* gepland, in zijn eigen tempo. De uitgestippelde strategie is dat hij op het succes daarvan voortbouwt in de meeste landen van Europa, terwijl hij tegelijkertijd 'de aanval inzet' op de drie belangrijke territoria die tot dusver niet door de knieën zijn gegaan voor hem: Amerika, Japan en Frankrijk. In de vertrekhal van de luchthaven van Los Angeles gaat het mobieltje over en Pompey kletst enthousiast met een man die hij nog nooit gesproken heeft, maar het nummer heeft gekregen van een autodealer van wie ze allebei gebruik hebben gemaakt. 'Je spreekt met John Lydon,' introduceert hij zichzelf. 'Ofwel Johnny Rotten. Ken je mij?'

'Ik dacht zo bij mezelf dat wij, als Grote Britten onder elkaar...' vertelt Lydon Rob. Hij refereert aan het televisieprogramma over de honderd grootste Britten uit de geschiedenis. Beiden stonden op de lijst. Ze spreken af elkaar een keer te ontmoeten na zijn terugkeer.

Terwijl Rob met John Lydon praat, komt Andrew Lloyd Webber naar hem toe en hij kapt daarom het gesprek af. Rob vertelt Andrew Lloyd Webber dat hij erover denkt een musical te schrijven en Andrew Lloyd Webber houdt Rob voor dat hij hoe dan ook in Amerika moet doorbreken, omdat daar het meeste geld zit. Ze kletsen samen over privéjets wanneer Trudi Styler komt aanlopen.

✳✳✳

Kort daarop zit hij alweer in Zweden, voor een awardsuitreiking. Dit keer zijn het de Zweedse NRJ Awards. Met alle awardsshows van tegenwoordig kan een artiest die een succesvol jaar doormaakt maanden doorbrengen met van de ene naar de andere te reizen; wat sommigen ook doen. Ironisch genoeg bieden deze shows, oorspronkelijk toch georganiseerd om je te belonen voor wat je vaak doet, nu de beste promotie voor wat je doet: ze scoren hoge kijkcijfers, bieden artiesten een kans om hun dank en waardering te tonen aan hun publiek (of dat dan toch minstens te veinzen) en voorzien tevens in een gemakkelijke manier om goodwill te kweken in de gecompliceerde relatie tussen de artiesten en de radio- of televisiezenders die gewoonlijk zulke prijzenfestivals organiseren.

In de kleedkamer tokkelt Rob wat op zijn gitaar. 'Ik heb een maand niet gezongen,' zegt hij. Tegen Gina merkt hij op dat hij vannacht om twee uur wakker is geworden en toen vier Dime-repen naar binnen heeft gewerkt.

'Víer – waar heb je die nou gevonden?' vraagt zij verwonderd.

'Ik heb drie kamers,' licht hij toe.

Hij kijkt in de spiegel en probeert zich voor te bereiden op het optreden. 'Aan al degenen die op springen staan,' zegt hij, 'Ik groet jullie.'

Terwijl hij achter de schermen wacht – en toekijkt hoe Mariah Carey door het gedruis wordt geloodst door een man die één arm om haar heen heeft geslagen en met de andere iedereen opzij duwt – besluit Rob zijn award voor Best International Male in ontvangst te nemen alsof hij Eminem was. Zonder nadere toelichting bedankt hij zijn 'little baby Hailie' en hij vraagt het publiek uit te kijken naar zijn film *8 Mile* en 'mijn nieuwe rapper op Shady Records, 50 Cent, binnenkort in de winkel.' Attent herinnert hij zich er ook Obie Trice tussendoor te gooien.

In het vliegtuig naar Frankrijk bladert hij in *Heat* en mokt over de ontdekking dat Willl Young tot de op een na knapste man is gekozen. 'Ik ben derde geworden,' zegt hij. Ik vraag wie er gewonnen heeft. 'David Beckham,' zegt hij. 'Dat is zowat vaste prik.' Hij begint met een Alan Partridge-stemmetje te roepen: 'In een straaljager! Vliegend boven Frankrijk! Don't be fooled by the rock that I rock. I'm still Robbie from the block.' Rustiger zegt hij dat een van de dingen die hem na zijn afkicken lange tijd echt dwars hebben gezeten het feit was dat hij nooit cocaïne had genomen in een privé-jet.

In het hotel in Parijs belegt hij een bespreking met David en Josie. Naar zijn mening hebben ze zijn tegenzin om zichzelf in Amerika te promoten niet serieus genoeg genomen. 'Waarom maken we het onszelf niet lekker gemakkelijk en laten het verder maar zitten?' oppert hij. 'Als ik doorbreek in Amerika, dan zijn de plussen daarvan… dat ik in Amerika doorgebroken ben. Dat is het wel, denk ik. Ik heb het geld niet nodig. Ik heb meer bereikt dan zo'n beetje wie dan ook op deze planeet, muzikaal, met mijn carrière. Het brengt het hele gedoe uit Engeland naar Amerika. En jullie weten hoezeer dat me de strot uitkwam, en de strot zal blijven uitkomen, en de enige reden waarom ik het aankan, is dat ik ertussenuit kan knijpen en naar de States kan gaan, waar ik redelijk anoniem ben, de paparazzi dan daargelaten… Ik heb de schurft aan de massaliteit ervan en ik heb de schurft aan het bekrompene ervan. Jullie zeggen dat we een win-winsituatie hebben – nou, mij lijkt het eerder een verlies-verliessituatie.'

'Waar je ook bij stil moet staan,' merkt David op, 'is dat het allerlei deuren voor je opent. Als we het niet doen in een of andere vorm, denk ik dat je het Hollywood-ding, als je dat ooit echt gewild hebt, wel kunt vergeten…'

'Dat interesseert me niet,' zegt Rob. 'En het interesseert me echt geen bal…'

'We gaan je niet tot het uiterste drijven,' zegt David.

Rob geeft zich gewonnen. 'Ik ben echt kinderachtig wanneer het op verkoopcijfers aankomt. Het heeft wel iets van een groots spel. Ik zie er gewoon graag nog wat meer nullen bij. Ik weet het niet… ja… het houdt me wel enigermate bezig, moet ik toegeven. Maar voor mij is het ook: als ik doorbreek in de States, dan kan ik me nergens meer verschuilen. Nooit meer.'

'Hoor eens, ik weet het allemaal ook niet, maat,' zegt David. 'Ik weet het echt niet. Omdat ik niet in jouw schoenen hoef te staan. Dat hoef ik niet. Dat kan ik ook nooit… Ik heb gezien wat er met je gebeurt en dat het niet gemakkelijk is…'

'Ik ben gewoon een beetje bang voor Rock The Vote, eerlijk gezegd,' zegt hij. Hij lacht. 'Nou, goed, ik trek overduidelijk aan het kortste eind…' Veel gelach. 'Daar gaan we weer naar de States toe. Ik ben naar bed…'

✳✳✳

'Goedemorgen, maestro,' zegt David als hij de slaapkamer binnenkomt.

'Hoe laat is het?' vraagt Rob.

'Tien over twee,' zegt David. 'Over een minuut of 25 moeten we vertrekken. Wil je hier ontbijten?'

Rob ligt op zijn buik, met zijn gezicht in het kussen gedrukt, één half geopend oog zichtbaar. Hij lijkt na te denken over al deze informatie die een nieuwe dag met zich meebrengt.

'Ga weg,' antwoordt hij.

Uiteindelijk krabbelt hij uit bed. Wanneer zijn ontbijt arriveert, neemt hij het achterdochtig in ogenschouw en duwt het daarna opzij. Hij vraagt een zonnebril en begint doezelig vragen te stellen, die hij op de melodie van *The Twelve Days of Christmas* zingt.

'Zijn we klaar?' vraagt David aan Josie. Zij inventariseert de boel.

'Tassen? Ja,' zegt ze. 'Beveiliging? Ja. Eén popster onder de medicijnen? Ja.'

Vandaag berichten nog Engelse kranten dat hij in Amerika zal zingen tijdens de Superbowl. Meer pure fictie. Ondertussen suddert de Comic Relief-kwestie door. Op weg naar de televisiestudio van vandaag krijgt Rob de boodschap door dat hij ernaast zat – dat Ricky Gervais een grote fan van hem is en een liedje voor hen samen heeft geschreven.

'Nee,' zegt Rob resoluut. 'Hij was op de radio en ze vroegen hem: "Wat vind je van Robbie Williams?" en hij antwoordde: "Wat mij betreft kan hij beter ophouden." Ik maak me er niet echt druk om, maar als hij dat denkt, gaan we niet samenwerken.'

The Office deprimeert hem sowieso. Hij kijkt ernaar, en hij vindt het wel goed, maar het deprimeert hem. 'Omdat ik mezelf in David Brent herken,' zegt hij.

Uiteindelijk doet hij wat hij vaak voor de camera doet wanneer hij niets anders kan bedenken: hij gaat uit de kleren.

✳✳✳

's Avonds zit hij in Cannes. Verveeld zapt hij langs de televisiezenders. Hij blijft wat langer hangen bij lesbische porno, met drie meiden en een grote roze dildo, maar niet langer dan dat, want Josie vertelt dat Dior, ongevraagd, een pak heeft gestuurd, in de hoop dat hij het op de awardsceremonie zal dragen. Hij zegt dat ze ergens een plastic babypop vandaan moeten halen, zodat hij hem morgen uit het hotelraam kan laten bengelen, als eerbetoon aan Michael Jacksons laatste idiotie.

Beneden treft hij de band etend in de bar aan. Het geval draagt de naam de Bar De Celebrity.

'Gaat iedereen vanavond uit?' informeert hij.

'Zekers,' zegt Chris. 'Om te repeteren.'

'Is het dan live?' vraagt hij, verrast, over de Franse NRJ-awardsshow morgen, de reden waarom hij hier is. Tijdens de meeste awardsuitreikingen zingt hij live, terwijl de band op een van tevoren opgenomen begeleidingsband playbackt.

'Playback,' zegt Franksy.

'Een *playback*repetitie?' zegt Rob, z'n hoofd schuddend, alsof hij zich tegelijkertijd zowel verwondert over de wereld waarin hij leeft als zich gelukkig prijst dat hij erin slaagt zoveel van de ergerlijkheden en absurditeiten van die wereld te vermijden of uit te besteden.

✳✳✳

Atomic Kitten treedt op in een club vlakbij en Rob besluit erheen te gaan. We lopen binnen midden onder een lachwekkende danswedstrijd op Craig Davids *What's Your Flava?* Rob gaat een babbeltje maken met Atomic Kitten in hun met touwen afgezette strandhutje in de club. Hij kletst hier en daar wat en neemt uiteindelijk plaats aan een tafeltje dat zowat doorzakt onder de flessen Jack Daniels en champagne en dure petieterige Franse gebakjes. Een vent gaat naast hem zitten en stelt zich voor als Jason. Hij doet alsof Rob hem zou moeten kennen en vraagt om wat van zijn tijd en aandacht op een manier die Rob meestal niet afslaat.

Na een tijdje begint hij door te krijgen dat Rob hem niet herkent en vertelt dan zijn volledige naam: Jason Fraser. De naam zegt Rob nog steeds niets. Zoals hij achteraf zal zeggen: 'Ik let niet op wie de paparazzi zijn.' Jason Fraser is misschien wel het beroemdst van het moderne slag, gespecialiseerd in kiekjes van de zeer beroemden in schaarse kleding op het strand, leden van vorstenhuizen op skihellingen en ook in de eigenaardige hedendaagse categorie foto's, genomen met de heimelijke medewerking van de beroemdheid zelf en zodanig geënsceneerd dat de indruk wordt gewekt dat hij of zij stomtoevallig op de gevoelige plaat is vastgelegd. Hij stelt zich vanavond arrogant voor als degene die de foto's van Rob en Geri Halliwell in Zuid-Frankrijk heeft genomen. Verder vertelt hij dat hij uitgaat met een van de 3am girls van de *Mirror*. 'Jij moet niet veel van ze hebben, hè?' zegt hij. Rob merkt knarsetandend op dat hij begrijpt dat ze hun werk moeten doen.

Het verbazingwekkendste en meestzeggende aan het gesprek is niet Jason Frasers onbeschaamdheid om het te beginnen, maar zijn blasé veronderstelling dat het oké zou zijn. Het is weer zo'n teken hoe diep zijn professie, net als grote delen van de moderne entertainmentwereld, zich bepaalde waarden eigen heeft gemaakt, volgens welke alle partijen in de business – en vooral de artiesten, de tabloids en de paparazzi – meer met elkaar gemeen hebben dan met wie ook buiten hun wereldje en alle betrokkenen, niettegenstaande sporadische spanningen, doordrongen zijn van hun gemeenschappelijke belangen. Het is een wereld van *we zijn allemaal op elkaar aangewezen* en een wereld van *het is allemaal maar een spelletje, ja toch?* Een wereld van klatergoud en radeloosheid, waarin faam en geld de enige smeermiddelen zijn, en de enige doelen. In deze nieuwe popwereld zijn de tabloids en paparazzi niet langer een bijkomstige plaag, die klaarblijkelijk nu eenmaal bij het succes hoort, maar je collega's in de celebrity-industrie en er wordt van je verwacht dat je ze herkent en als zodanig erkent. Ik vermoed dat zulke lieden niet eens echt geloven dat de vijandigheid die Rob jegens hen voelt, en de pijn die ze hem aandoen, werkelijk gemeend is, evenmin als dat hij het gevoel heeft dat hij iets dient te beschermen waar ze met hun kop niet bij kunnen – de waarde van wat hij artistiek doet en zijn persoonlijke leven. En ook al geloofden ze het wel, dan nog zouden ze het, vermoed ik zo, maar excentriek, onrealistisch en ouderwets vinden.

Dus misschien denkt Jason Fraser dat wel wanneer Rob vanavond hun gesprek afkapt.

'Om je de waarheid te zeggen,' zegt Rob doodkalm tegen Fraser, 'het geeft me de kriebels om hier naast je te zitten. Tot aan walgens toe.'

Rob staat op en vervoegt zich in een ander deel van de club bij zijn bandleden, die het, met de playbackrepetitie erop zittend, op een drinkgelag gezet hebben.

'Ik vind dat ik me prima gedragen heb,' bespiegelt hij. 'Als ik mezelf niet tegenhoud, ram ik hem nog zo door het raam heen.' Veel later verwoordt hij nog eens exact zijn gevoelens: 'Ik wilde hem echt door het raam heen rammen. Hem blind maken. Echt, ik meen het. Vervolgens stond ik op het punt om scheermesjes te halen en zijn poten open te snijden en die vol te proppen met tabascosaus en hem zoutzuur te laten drinken en daarna een helikopter te huren en hem te blinddoeken en hem te laten denken dat hij op een kilometer in de lucht zat, terwijl hij net een meter boven de grond hing. En dan duwde ik hem eruit en keek toe hoe hij het in zijn broek deed.' Hij knikt. 'Dat wilde ik met hem doen...'

✳✳✳

'Besef je wel wat voor bofkont je bent?' vraagt Josie

Ze probeert hem, de volgende middag, te wekken in zijn slaapkamer.

'Nee,' antwoordt hij slaperig. 'Bofkont met wat?'

'Dat je in de showbusiness zit,' zegt ze.

'O,' zucht hij door zijn kussen heen. 'Ik dacht dat je ging vertellen dat ik kon doorslapen. Hoe laat is het?'

'Twee uur. En je hebt om half drie een persconferentie.'

'Dat meen je niet,' zegt hij. 'Voor wie?'

'Voor 's werelds verzamelde media,' licht zij toe.

'Dat meen je niet,' herhaalt hij in zichzelf.

'En daarna op de foto,' voegt zij eraan toe.

'Nee,' verzucht hij in een flauwe poging tot openlijke ongehoorzaamheid. Onder de lakens klinkt de eerste scheet van de dag.

Josie graait de aan het voeteneinde verspreid liggende kledingstukken bijeen.

'Weet je nog dat we Frankrijk gingen veroveren?' herinnert ze hem.

Hij antwoordt niet en vertelt in plaats daarvan dat hij vanochtend om half zes 'een vermetel halfje' Ambien heeft genomen. En de andere helft om zeven uur.

'En je hebt ook een vermetel aantal van deze genomen?' vraagt Josie, wijzend naar de gombeertjes die over een tafel bij het raam verspreid liggen.

✱✱✱

Hij neust in de *Mirror*. Er staat een berichtje over hem in. *Arme Robbie Williams. De zanger stapte gisteren aan boord van zijn privé-jet om naar Nice te vliegen, maar werd een paar minuten later weer naar buiten geleid vanwege technische problemen...* Enzovoort. Het is zo onschuldig en onschadelijk als zulke verhaaltjes zijn en de vaste lezer zal dan ook geen reden hebben om te vermoeden dat het onwaar is, maar het is compleet verzonnen.

Hij schuifelt richting deur. 'Het gaat een interessante persconferentie worden,' zegt hij. 'Ik slaap nog.' Hij begint te praten alsof hij 's werelds verzamelde media toesprak: 'Sorry luitjes, maar ik hou mijn zonnebril op...'

Voorafgaande aan de persconferentie geeft hij een interview voor de Franse televisie. De interviewster stelt de geijkte vragen en hij antwoordt in het wilde weg. Na de eerste paar vragen – waarop hij uiteengezet heeft dat *Escapology* op crack en speedballs werd opgenomen en dat de titel een heleboel betekenissen heeft, maar dat hij er daar vijf van kent noch begrijpt – maakt hij uit de ietwat wanhopige blik van de interviewster op dat zij op iets meer serieus en substantieels hoopt. Zij vraagt wat hij wilde uiten toen hij het album maakte.

'Weet ik niet,' zegt hij. 'Wat zich in mijn hoofd afspeelt. Ik wilde dat eruit gooien en hoopte dat mensen het, wanneer ze ernaar luisterden, bij zichzelf herkenden. Of niet. Ik weet niet echt wat ik wilde uiten. Soms ben ik verdrietig, soms ben ik gelukkig, soms ben ik onverschillig en soms ben ik in de war en snap ik er geen snars van. Zoals iedereen. Wat goed is. Want als ik problemen had die niemand begreep, verkocht ik geen plaat. "Ik heb deze marsmannetjes, ze zijn bij mij thuis geland en laten me de hoela dansen." Zie je het al voor je dat dat een van mijn problemen was?'

Ze weet duidelijk niet wat ze ermee aan moet. Als volgende vraag wil ze, in verbasterd Engels, weten waarom hij een 'airdo like a punk' heeft.

Hij knikt. 'I am Urdu like a punk,' beaamt hij.

Achter zijn donkere glazen houdt hij zijn ogen gedurende het grootste deel van het interview gesloten. Ze vraagt hem naar Amerika en hij legt uit dat hij maar één reden heeft om daar succesvol te willen zijn: omdat hij dan in clubs wordt binnengelaten. 'Dat en omdat Cameron Diaz niet weet wie ik ben.' Pauze. 'Maar dat weet ze inmiddels wel,' zegt hij. 'Sinds het straatverbod.'

'Ging je daarom naar LA toe, om te ontsnappen aan je beroemdheid in Europa?' houdt ze vol.

Hij knikt. 'Daarom,' zegt hij, 'en om de donuts.'

***

'Het gaat 25 minuten duren,' zegt Josie tegen hem in de lift op weg naar de persconferentie. 'Maar als het nodig is zullen we je wel komen redden.'

'O,' zegt Rob, een zorgeloze houding veinzend, 'geef ze toch een halfuur.'

Hij zit op een hoge kruk tegenover een muur van ondervragers. Hij verontschuldigt zich voor zijn zonnebril – het is gisteren laat geworden – en wacht op vragen. Er komen er geen. 'Verdorven,' zegt hij. 'Waterman... 29 jaar oud...' Nog steeds geen vragen. 'Of we zouden elkaar ook 25 minuten kunnen aanstaren,' zegt hij. Zenuwachtig gelach. 'Ik zou winnen,' mompelt hij.

Uiteindelijk wordt er een aantal vragen gesteld over waar hij woont en of hij zich in Amerika gesetteld heeft. 'Ik ben Robbie Williams,' pareert hij. 'Ik settel me van mijn leven niet.' Daarna wordt hem naar zijn mening over piraterij gevraagd.

'Piraterij?' herhaalt hij. 'Ik bezit geen boot.' Hij schudt het hoofd. 'Ik heb geen flauw idee wat je bedoelt.' De vraagsteller legt uit dat hij op piraterij in de muziek doelt. 'O, het downloaden van dingen?' zegt hij. 'Dat vind ik mieters.' Iedereen lacht. 'Dat vind ik echt.' Wat er verloren gaat in het hierdoor veroorzaakte tumult, en wat hij daarna zegt, is dat hij van nu af puur refereert aan mensen die illegaal muziek van internet downloaden – één specifiek probleem voor de muziekindustrie – en niet aan het andere, meer georganiseerde probleem van het illegaal persen en verkopen van cd's. 'Niemand kan er iets aan doen,' gaat hij verder. 'Vorig jaar heb ik een contract getekend – ik weet niet of jullie daarover gelezen hebben – en toen ging ik alle bazen van de platenmaatschappijen af en allemaal brachten ze op hun beurt de kwestie van piraterij en al dat gedoe ter sprake, en puur uit belangstelling zei ik: "Oké, maar wat gaan jullie eraan doen?" en er werd heel gewichtig over gedaan...' – hij neemt een Amerikaans accent aan – '..."We gaan aan tafel zitten en er komt een referendum en iedereen komt bij elkaar in deze kamer en dan overleggen we wat we eraan gaan doen en dan gaan we vergaderingen beleggen en bla bla bla." En ik van: "Jullie weten het echt niet, hè?" De bazen van de platenmaatschappijen weten niet wat ze eraan moeten doen. En ik ben cool, man. Ik ben cool.' Hij lacht. 'Wil je mijn muziek hebben, dan download je het maar. Weet je, ik ben er zeker van dat mijn platenmaatschappij het verafschuwt dat ik dit zeg. En mijn management ook. En mijn accountant. Maar de plaat deed het goed voor Kerstmis – alle anderen: je mag het gratis hebben. Ik weet het niet, man. Ik weet niet wat je van mij wilt horen. Niemand weet wat eraan gedaan moet worden. Het wordt gedaan. Ik ga er niet als Metallica over doen en oproepen het niet te doen. Vermoedelijk zou ik dat wel moeten doen... dank u.'

Daarna wordt hem gevraagd of zijn imago van arrogantie iets is wat hij voorwendt. (Je kunt er maanden over nadenken of dat nu als een compliment of belediging is bedoeld.)

'Ja, ik ben vreselijk saai, eigenlijk,' antwoordt hij met een stalen gezicht. 'Vreselijk, vreselijk saai. Ik projecteer alleen maar "interessant", hoop ik.'

Hij loopt naar buiten voor een fotosessie, die op een chaos uitdraait, en trekt zich daarna terug op zijn hotelkamer. Daar kijkt hij hunkerend naar het raam en denkt aan de menigte beneden.

'Dit is een perfecte gelegenheid om het baby-over-het-balkon-ding te doen,' zegt hij.

'Ja, dat weet ik, maar je doet het niet,' zegt Josie resoluut.

'Zou het voor veel ophef zorgen?' vraagt hij. Hij is ongedurig en in een bui om iets onverstandigs te doen.

'Het zou afschuwelijk zijn,' zegt zij.

'Gruwelijk,' zegt Gina.

Met tegenzin laat hij zich overreden.

✹✹✹

Josie vertelt dat de Fransen hem smeken met zijn regel te breken en van-avond bij de awards over de rode loper te lopen. Hoewel dat een van de vele van popsterren verwachte rituelen is die hij doorgaans als over-bodig afwijst, stemt hij er voor deze ene keer in toe. Hij kleedt zich aan onder het tv-kijken. Wanneer hij in een commercial voor een bank een vrouw ziet die een glas sinaasappelsap vasthoudt, vernauwen zijn ogen. 'Ik geloof dat ik met haar naar bed ben geweest,' zegt hij. Zijn accoun-tant arriveert uit Engeland om hem zijn aangiftebiljet te laten tekenen en Josie komt melden dat het hoofd van de Franse platenmaatschappij door het dolle heen is over zijn groene licht voor de rode loper. 'Hij zegt: "Dat is schitterend nieuws – nu verkopen we een half miljoen platen."'

Backstage ziet Rob, na succesvol de rode loper afgewerkt te hebben, Mariah Carey door de drukke gang lopen, met in haar kielzog een came-raploeg. Hij duikt zijn kleedkamer in; hij heeft geen zin om deel uit te maken van wat daar ook aan de gang mag zijn. Hij ontwaart Jason Fra-ser in de kamer en vraagt zich af in wat voor nesten hij zou belanden als hij hem een optater verkocht. In plaats daarvan loopt hij naar hem toe om, kort, met hem te praten, omdat er iets is wat hij altijd al heeft willen weten. Het heeft hem altijd geërgerd dat het, toen hij en Geri in het zuiden van Frankrijk gefotografeerd werden, behandeld werd als een doorgestoken kaart om in het nieuws te komen. Voor hem is het nooit iets dergelijks geweest. Maar hij heeft het zich een tijd afgevraagd, en zelfs nog meer na gisteravond, en hij vraagt Fraser daarom nu of Geri ook maar enige bemoeienis met het 'fotocomplot' heeft gehad. 'Indirect,' zegt Fraser, een antwoord dat Rob gelooft en dat hem woedend maakt.

Als '…un star authentique…' wordt hij aangekondigd, terwijl ze hem op een platform op het podium laten zakken. 'L'inimitable Robbie Williams!'

Onder het zingen loopt hij het publiek in. Wanneer hij zijn armen om een meisje slaat, begint het stijfjes zittende publiek te roezemoezen. Hij loopt door het gangpad, weg van het podium, en kruipt op schoot bij een man en knipoogt in de camera. Het publiek – voor zover hij daar niet op zit – staat inmiddels zowat op de banken. Het is een eclatante triomf. 'Je m'appelle Robbie Williams,' zegt hij terwijl hij het applaus in ontvangst neemt. 'Merci beaucoup. Bonsoir.' Twee uur later is hij terug in Londen.

※ ※ ※

De *Guardian*, 20 januari 2003: *De controversiële minister van Cultuur Kim Howells richtte vandaag zijn pijlen nu eens niet op de rap, maar op de popmuziek, toen hij zanger Robbie Williams ervan betichtte internationale prostitutie- en drugsnetwerken, die piraterij in de muziek gebruiken om hun zwarte geld wit te wassen, zijn zegen te geven door over de copyrightfraude-industrie op te merken dat hij het 'mieters' vindt.*

De aanval van Howell op de voormalige Take That-ster volgde op berichten dat Williams op een muziekbeurs in Cannes tegen journalisten heeft gezegd: 'Ik vind [muziekpiraterij] mieters. Dat vind ik echt. Niemand kan er iets aan doen.'

Let op de schade die aangericht wordt door die vierkante haken.

In de rest van zijn commentaar lijkt Howell even warrig als wie ook. Op het ene moment uit hij – terecht of niet – de vrij redelijke kritiek dat Rob illegaal downloaden verdedigt (of zich er minstens toch bij neerlegt). Zelf karakteriseert hij het als diefstal en hij komt op voor 'al die zangers, songwriters, musici en muziekuitgevers die voor hun levensonderhoud volledig afhankelijk zijn van de legale revenuen van de verkoop van hun product'.

Oké. Maar van hier stapt Howell over op muziekdiefstal van totaal andere aard en beweert, volstrekt ongegrond, dat beide verband met elkaar houden: *Hij zou zich ook moeten realiseren dat veel van deze pira-*

tenoperaties banden onderhouden met de wereldwijde georganiseerde misdaad. Door te zeggen dat piraterij een 'mieters idee' is, doet hij het werk voor internationale drugs- en prostitutiebendes, die muziekpiraterij een voortreffelijke manier voor het witwassen van hun winsten.

Het is, uiteraard, ongerijmd. (Voor de duidelijkheid: tot dusver heeft nog nooit iemand ook maar enig mechanisme gesuggereerd waarmee misdaadbendes geld verdienen aan of witwassen door het downloaden van muziek. Hun grootste beletsel is precies hetzelfde beletsel als waardoor platenmaatschappijen ervoor terugdeinzen muziek op deze manier te verkopen en de platenindustrie zich zo bedreigd voelt door deze technologie – de moeilijkheid om betalingen van consumenten te innen, vooral van degenen die het inmiddels gewend zijn om gratis te downloaden.)

Door te weigeren iets te veroordelen wat, wereldwijd, miljoenen muziekliefhebbers op hun slaapkamer doen, in het vacuüm dat gecreëerd is door de lakse reactie van de industrie op nieuwe technologie, wordt Rob abrupt door een slordig redenerende minister gegispt als pleitbezorger voor de internationale misdaad en drugs- en prostitutiesyndicaten. En gewend als hij inmiddels is aan alle klinkklare onzin, verrast de loop der gebeurtenissen hem niet. Hij kan er evenmin mee zitten. Wanneer ik hem vertel waarvan hij beschuldigd is, neemt hij er nauwelijks nota van.

'Verdorven,' zegt hij. 'Heb ik dat gisteren allemaal voor elkaar gekregen? Alleen maar door voor de buis te hangen?'

✳✳✳

Het is niet het enige waarmee hij in Cannes het nieuws haalt. Enkele dagen later onthult de *Sun* dat hij tussen de coulissen voor grote consternatie heeft gezorgd door zijn behandeling van Mariah Carey:

Mariah Carey had grote stennis met Robbie Williams op een muziekawardsshow. Robbie schold tijdens de ruzie backstage de diva uit en vertelde haar op te rotten, voordat uitsmijters hem terugtrokken.

Het enige rare hieraan is dat niemand van ons zich het kan herinneren.

3

In de vertrekhal op Heathrow spreekt hij, op weg naar Singapore, waar hij op de MTV Asia Awards zal optreden en een award zal ontvangen, telefonisch met Justin Timberlake; hij verontschuldigt zich voor het afzeggen van hun duet op de Brits. Hij drukt me de post van vanochtend in handen: een vrouw uit Worcester, die in geuren en kleuren relaas doet van haar gevecht om van de drank af te blijven, wat haar nu een jaar gelukt is, en in ruil medeleven verwacht; een Nederlandse fan, die vijf pond heeft ingesloten voor een handtekening (het bankbiljet zit met een paperclip aan de brief vast 'als vergoeding voor kosten... heb je het geld niet nodig, koop er dan botten voor je honden van'); een synopsis van een scenario over Norman Wisdom. 'Mocht de film ooit ontwikkeld en gemaakt worden,' zegt de schrijver, 'dan zal het sterk dramatisch zijn – verdrietig/grappig en scherp en realistisch...'

Het filmvoorstel maakt onbehaaglijke gevoelens los. Hij beseft maar al te goed dat hij soms wel iets van Norman Wisdom weg heeft en dat is in zijn entertainmentrepertoire niet bepaald de rol waar hij het trotst op is. 'Dat heb ik nou net nodig voor mijn zelfvertrouwen, ja toch zeker,' zegt hij. 'Ik lees het vol ontzetting. In mijn achterhoofd maalt het van: *jij bent Norman Wisdom jij bent Norman Wisdom jij bent Norman Wisdom*, en ik maar roepen: nee, dat ben ik niet.' Hij herformuleert het. 'Feitelijk denk ik: ja, dat klopt, klote. Waarmee ik niet zeg dat Norman Wisdom klote is, want dat is hij niet – ik mag Norman Wisdom graag, maar Norman Wisdom zijn in het jaar 2003 lijkt me niet iets wat je op je staat van dienst zet.'

✱✱✱

'Als Missy Elliot mijn villa heeft...' maakt hij zich druk, bijna al boos bij de gedachte die net bij hem opgekomen is. We zijn van de luchthaven onderweg naar Singapore en hij is ongerust dat de hotelkamer die hij graag wil hebben, een villa waarin hij eerder gelogeerd heeft, met eigen zwembad, voor zijn neus weggekaapt is.

Josie vraagt wat hij dan zou doen.

'Wat ik dan doe?' herhaalt hij, alsof de vraag absurd is. 'Dan ben ik naar huis.'

Josie vertelt hem dat hij zich niet druk hoeft te maken – alle andere artiesten zitten in het Fullerton in de stad.

Bij aankomst in de Bougainvillea suite pakt hij een appel van de fruitschaal, kleedt zich op zijn onderbroek na uit en plonst, zijn eerste hap nemend, linea recta het zwembad in. Wanneer hij eruit komt, zoekt hij naar de sportzenders op tv. Onder het zappen komt de clip voor 'Angie' van de Stones, met Mick Jagger op z'n Mick Jaggerst, langs. 'Nou, als ik Norman Wisdom ben,' merkt Rob op, 'dan is hij Charles Hawtrey.'

Will Smiths *Summertime* wordt gedraaid en we bespreken de genialiteit ervan; hoe je er nostalgisch door terugverlangt naar de zomers van toen in de jeugd die je nooit hebt gehad, en nooit had kunnen hebben, en je je misschien zelfs wel niet eens zou moeten durven voorstellen. 'Net als met de Pet Shop Boys,' zegt hij. 'Ze hebben een heleboel hetero's die over *"a nervous boy..."* zoals ik zingen. Ik wist dat het over een andere jongen ging, maar het is een prachtig liedje...' Ook al eentje dat zijn eigen ingebeelde verleden oproept. 'Ja, dacht ik, dat ging over toen ik gay was...' herinnert hij zich.

Bij het terugdenken daaraan schiet hem iemand anders te binnen die zich inbeeldde te herinneren dat hij gay was. Onderuitgezakt op de bank in zijn Singaporese suite vertelt hij me over zijn eerste ongelukkige managementrelatie nadat hij uit Take That was gestapt. Dat was met ene Kevin Kinsella, die zijn moeder aan hem voorgesteld had. Hij herinnert zich dat zijn moeder hem belde en hem een uitbrander gaf terwijl hij in Zuid-Frankrijk aan het zwembad lag met Nellee Hooper, Lisa M, Michael Hutchence en Paula Yates. ('Het was wat je nog eens een fuif van A-lijst-beroemdheden noemt,' licht hij toe. 'Elle McPherson en Kate Moss waren er ook – ze zaten wel niet aan het zwembad, maar met dat stelletje trokken we toen op. En Dodi al-Fayed, die ik de hele avond sjeik Myhandy noemde.') Zijn moeder ordonneerde hem terug naar Manchester. 'Ik verschijn daar dus op het vliegveld en allerlei ruggenmergvloeistoffen spelen op, ik heb geen serotonine in mijn kop, en ik kom tegenover deze beer van een vent te staan.' Kinsella vroeg Rob hem alles te vertellen. Hij logeerde drie of vier weken bij de vrouw van Kinsella thuis en er werd heel wat afgeslapen en heel wat wodka gedronken en heel wat gehuild. Al gauw ging Rob zich ook realiseren dat Kinsella niet de soort persoon was met wie hij in zee wilde gaan, maar zover was het pas na een eigenaardige episode. Kinsella's vrouw belde namelijk zijn moeder op en zei dat ze nodig over Rob moesten praten. 'Zij komt dus langs en dat mens begint van: "Je weet toch dat Rob gay is, hè?" Waarop ma zegt: "Ik ken mijn zoon en mijn zoon is niet gay." En zij doet van...' Rob mimet de gepaste 'nou, als je me niet wilt geloven'-uitdrukking. De enige verklaring die hij voor haar overtuiging kan bedenken, is dat ze een paar keer naar een casino waren geweest met een homovriend van haar, een vent die op televisie bij Jeremy Beadle werkt. Maar het blijft gissen. 'Omdat ik me niet gedroeg als de heteroseksuele knaap uit het noorden die "Ho ho, ik kan bij jou in de buurt maar beter op m'n kont letten" tegen hem zei, dacht zij dat ik gay was.'

Dat is niet de enige keer geweest. Op een keer was er in een homoclub iemand naar hem toe gekomen en had tegen hem gezegd dat hij met hem naar bed was geweest. Rob had perplex gestaan.

'Dat is leuk,' had hij gezegd. 'Was het goed? Ik hoop dat je ervan genoten hebt...'

Hij vindt het allemaal vermakelijk.

'Hoe bewijs je dat je niet gay bent?' werpt hij op. En hij heeft gelijk – als het erom gaat te bewijzen dat hij nooit een homoseksuele ervaring heeft gehad, dan is het bewijs veeleer een probleem van empirisme en logica dan van seksualiteit. Duizend tegenvoorbeelden zullen nog niet bewijzen dat hij er geen gehad heeft, niet meer dan je door inductie logisch kunt bewijzen dat de zon morgen zal opkomen, alleen maar omdat hij alle andere ochtenden is opgekomen.

Hij knikt. 'Tenzij je 24 uur bij mij bent, en dat pakweg 24 jaar lang, en je er hoe langer hoe meer vertrouwen in begint te krijgen dat...' – hij glimlacht – '...de zoon 's ochtends met een vrouw opstaat.' Hij haalt de schouders op. 'Weet je, het maakt allemaal ook geen kloot uit. Ik verklaar nogmaals, officieel, dat totdat een man me genoeg opwindt om het te doen... en ik zeg dat evenmin om politiek correct te zijn. Het is de waarheid.'

We praten over wat het aan hem is waardoor mensen het zich afvragen.

'Ik ben een entertainer,' zegt hij. 'Ik ben een variétéartiest. Het is allemaal erg camp. Iedere entertainer is camp, ouderwets gezien. Neem Mick Jagger: zo camp als wat. Jarvis Cocker: hij is camp. Als Mick Jagger in deze tijd was geboren, zouden een heleboel mensen zich afvragen of hij al dan niet gay is.' Hij grinnikt. 'En Jarvis Cocker is niet de knapste vent op aarde, dus niemand maakt zich er verder druk om. Ik bedoel, ik vermoed dat mensen liever niet denken aan Jarvis Cocker die seks heeft. Snap je wat ik bedoel?'

✳ ✳ ✳

De eetzaal kijkt uit op de Zuid-Chinese Zee, tankers en jonken, die overal om ons heen van en naar de kust dobberen. Hij merkt op dat het hier erg fijn is, maar dat hij de laatste keer dat ze in dit hotel logeerden depressief is geworden en dat het vreselijk moeilijk is om iets aan dat gevoel te veranderen. 'Voor mij is er een slecht-gevoelfactor aan verbonden,' zegt hij. Boven ons hoofd klinkt Vangelis' soundtrack voor *Chariots of Fire*. Hij bestudeert twee oude mensen, die aan de andere kant van de zaal tegenover elkaar zitten, maar geen woord tegen elkaar zeggen.

'Ze hebben alles al gezegd, of niet?' zegt hij. 'Zij denkt: ik had hem moeten vermoorden toen ik de kans had.'

'Ze hadden moeten sterven in een orgasmatron,' doet Pompey een duit in het zakje.

'Dat is de naam van de firma van Guy,' zegt Rob. 'Dank je voor het te berde brengen daarvan – nu ben ik nog gedeprimeerder. Wat ga je zo meteen nog zeggen? Voorstellen dat ik een Nigel Martin-Smith-

buffet neem? Wat Mr Shropshire the Chemistry Teacher-water drink?'
Dan voegt hij er, bespiegelend, aan toe: 'Ik vind dat Guy er niet genoeg vanlangs heeft gekregen. Ik ben heel erg netjes geweest, al met al.'

'Volgens mij zijn wíj de grote boosdoeners,' merkt David op, op zichzelf en Tim doelend. 'Het zal wel allemaal onze schuld zijn.'

'En ik heb er absoluut niets mee te maken gehad, dat verzeker ik je,' zegt Rob.

'Jij staat er helemaal buiten,' voorspelt David, verwoordend wat Guy volgens hem denkt. 'Wij hebben je geest vergiftigd.'

'Niemand schrijft me ooit ook maar enige verdienste toe,' mokt Rob. 'Nooit, nooit. Nooit ben ík degene die de beslissingen heeft genomen.' Hij voelt zich gekrenkt. Op sommige momenten heeft Rob het idee dat mensen – mogelijk Guy incluis – zijn rol in het schrijven van liedjes nooit naar waarde hebben geschat. En zelfs nu nog, na het beëindigen van de samenwerking, lijkt het erop dat Guy zijn rol daarin misschien niet ten volle op waarde schat.

'Volgens mij vinden ze het zo makkelijker,' oppert David. 'Als ze ons de schuld geven, hoeft hij niet te kijken naar zijn verantwoordelijkheid voor hoe hij jou heeft behandeld, als je snapt wat ik bedoel.'

'Ja,' zegt Rob.

Andy Franks komt binnen en zegt dat de organisator aangeboden heeft morgen overdag een paar meisjes langs te sturen.

Rob knikt.

'Dat wordt zwembad,' zegt Josie.

'Zwemmen,' voorspelt David, 'en daarna vrij worstelen.'

❋❋❋

De volgende dag meldt Josie, wanneer hij wakker wordt in zijn villa, dat Matthew Vaughan gebeld heeft en Rob een filmrol aanbiedt als een dertigjarige drugsdealer die alles opgeeft en stil gaat leven in de tropen. Hij zegt dat hij het te zijner tijd zal lezen, maar hij heeft nauwelijks interesse. Ze heeft nog meer dingen die hij moet tekenen. In zijn Singaporese villa ondertekent hij zijn testament en zij en ik treden op als getuigen.

De telefoon gaat.

'In de foyer wachten meisjes op je, van Michael,' meldt Gary.

'Is dat raar of is dat raar?' zegt Rob, ook al heeft hij gisteren het idee vaag aangemoedigd.

'Je kunt altijd even gaan kijken,' zegt David.

'Ja,' besluit Rob. 'Ik zal eens poolshoogte gaan nemen.'

Hij trekt zijn Momentary Lack Of Reason Pink Floyd T-shirt aan en neemt zijn gitaar mee. Bij het zwembad babbelt hij met de meisjes. Ze zijn allebei model. (Ze lijken beiden daadwerkelijk echte modellen te zijn, en niets onbetamelijkers; wanneer hij later een van de twee half-hartig uitnodigt samen met hem een middagdutje te doen, slaat zij het beleefd af.) Een van de twee is een Kroatische. Zij laat een foto van haar familie zien en merkt op dat haar zus wel heel dik is. Dat brengt het gesprek op het onderwerp tieners en gewicht. 'Ik was een vetzak toen ik opgroeide, van begin tot eind,' draagt Rob vrijwillig bij. Tegen Pompey merkt hij op dat hij gisteravond eerst een Kit Kat en een grote Toblerone uit zijn eigen koelkast verorberd heeft en daarna de Tobler-one uit de koelkast van Pompey geplunderd heeft.

Voor vanavond is hij uitgenodigd voor twee concerten in de stad. We arriveren bij het concert van Avril Lavigne net voor de toegiften. Ze zet voor een wel zeer jong publiek *Complicated* in en acteert een soort van behaaglijke, gezellige hysterie.

'Dat zal haar in de war brengen, dat ze kinderen trekt,' overweegt Rob. Hij heeft nog iets anders opgemerkt. 'Ik had gelijk met de bor-sten.' Na een tijdje zegt hij: 'Als ik dertien was, zou ik verliefd op haar zijn. In plaats van op haar te geilen als een ouwe bok.'

Na afloop verdwijnt hij met haar in de kleedkamer voor een kort onderonsje. 'Ze deed heel koket,' meldt hij, 'omdat ze besefte dat ze in het gezelschap van de bink himself was.' (Dat is hoofdzakelijk voor ons vermaak bedoeld. Je mag veilig aannemen dat hij oog in oog een stuk meer respect toonde en minder wellustig was.) Nog geen kwartier nadat we bij het concert van Avril Lavigne vertrokken zijn, zitten we aan de andere kant van de stad bij Norah Jones; de twee grootste nieu-we sterren van 2003 op één avond in Singapore. Het concert heeft iets van een muziekuitvoering op school; Norah en haar band staan hal-verwege een lange zaal opgesteld, tegenover een publiek op rijen stoe-len. We worden naar vier vrijgehouden plaatsen vlak vooraan geleid, waar Pompey me met de elleboog moet aanstoten om me een afgang te besparen; door de combinatie van haar rustige jazzy klanken en jet-lag doezel ik weg.

Terwijl Norah schuchter langs ons heen haar kleedkamer in loopt, praat Rob met haar manager. Hij zegt dat hij graag zag dat Norah en Diana Krall aan zijn volgende swingalbum meewerkten. Daarna wordt hij binnen gevraagd. 'Ik denk altijd dat mensen als Avril Lavigne en Norah Jones niet weten wie ik ben,' zegt hij nadien. Dit soort interac-ties schrikken hem vaak af, en hij vermijdt ze dikwijls, en hij is dan ook blij – trots zelfs – over hoe het vanavond gegaan is. 'Ik ben de char-mantheid zelve geweest vanavond,' zegt hij. 'Dit is de goede fase van jetlag, waardoor ik wat van mijn verlegenheid en lompheid van mij afschud en in plaats daarvan zomaar ineens in staat ben grappige anek-dotes te vertellen en charmant te zijn.'

Bij het wakker worden bereikt hem het nieuws dat, na zijn optreden op de NRJ Awards, *Escapology* in Frankrijk met stip naar de tweede plaats in de albumhitlijst is gestegen. 'Wat maar weer eens aantoont wat je allemaal kunt bewerkstelligen door het publiek in te lopen,' zegt hij. Hij flost zijn tanden onder een partijtje backgammon en bekent dat hij in zijn nopjes is met hoe alles zich ontwikkelt. 'Het is iets nieuws voor me, opwinding,' zegt hij.

✻✻✻

Hij haalt herinneringen op aan het optreden van Take That in *Spitting Image*. De mop eraan was dat ze allemaal speelden hysterisch uitgelaten te zijn toen hun manager ze vijftig pence gaf. Hij zegt verder dat *Spitting Image* een speciale Gary Barlow-pop had laten maken, maar voor de rest van hen simpelweg vier poppen die ze al hadden een masker opzetten.

'En dan vraag je me waarom ik problemen heb...' zegt hij.

✻✻✻

Organisatoren maken een fout wanneer ze erop aandringen dat Rob op evenementen als de awardsshow van vanavond bijtijds aanwezig is en lang blijft hangen. Hij begint zich heel vlug te vervelen. Hij zit bij de MTV Awards eigenlijk nog maar net in zijn kleedkamer of hij staat al op om in de kleedkamer van Blue te gaan koekeloeren. Leeg. Hij keert terug naar zijn eigen kleedkamer, keilt een sinaasappel tegen de scheidingswand, loopt weer weg, vindt Atomic Kitten en zegt even kort gedag, keert terug naar zijn kleedkamer, gooit met een grote boog stukken fruit over de scheidingswand, in de hoop dat ze een aantal hokjes verder in de kleedkamer van Blue belanden (hij wil altijd met fruit gooien zodra hij een kleedkamer binnenloopt en heeft dat altijd gedaan; een verlangen dat gevoed werd, zo niet ontstaan is toen Gary Barlow op een keer in Italië tegen de rest van Take That zei: 'Kom op, jongens, dit is niet goed, kijk toch eens wat voor puinhoop jullie ervan maken... mensen krijgen nog een slechte indruk van ons...'), loopt het balkon, vanwaar je het podium kunt zien, op, zegt na een seconde of acht: 'Oké, ben er wel weer lang genoeg geweest', keert terug naar zijn kleedkamer, mompelt overbodig dat hij zich 'erg ongedurig' voelt, mijmert dat 'hij misschien iets gaat zeggen of doen waarvan ik spijt krijg – je weet wel, waarvoor je gearresteerd wordt', keilt in het wilde weg nog wat meer fruit door zijn kleedkamer, waardeert zijn gemoedstoestand op tot 'saaie strontzooi', dwaalt opnieuw door de gangen, keert naar zijn kleedkamer terug en tokkelt doelloos op zijn gitaar, trekt zijn broek tot over zijn buik op à la Simon Cowell, wordt woedend ('Nee! Fuck off!') wanneer David hem zo wil fotograferen, trekt een andere broek aan, verlaat de kleedkamer, treft dan eindelijk Blue aan...

'Ik heb een heleboel fruit bij jullie naar binnen gesmeten,' zegt hij.

'Ja,' zegt Lee. 'De meloen...'

'Ben je degene die heeft gezegd dat...?' vraagt Rob. Hij bedoelt: is Lee degene die, nadat het nieuws van Robs platencontract bekend was geworden, heeft gezegd dat hij er iets goeds mee moest doen, zoals geld aan goede doelen geven? Rob had Josie een brief laten sturen om hem fijntjes over Give It Sum te informeren en te vragen of hij zelf misschien niet een donatie wilde doen.

'Ja,' zegt Lee. Misschien denkt hij daaraan of aan andere memorabele dingen die hij gezegd heeft.

'Heb je mijn brief gekregen?' vraagt Rob.

'Nee,' zegt Lee.

Niemand lijkt ooit zijn brieven te ontvangen.

'Hij geneert zich niet eens,' lacht Rob, weer terug in zijn kleedkamer. 'Hij is degene die zei: fuck het World Trade Center terwijl de olifanten aan het uitsterven zijn.'

Zijn medegenomineerden voor de award voor Best International Male zijn Eminem (de enige andere die op groot gebrul wordt onthaald wanneer zijn naam wordt opgenoemd), Enrique, Moby en Ronan Keating. Maar hij weet al wie er gewonnen heeft. Na de award in ontvangst genomen te nemen, biedt hij hem driemaal aan de fans op de voorste rij aan, maar haalt hem telkens op het laatste nippertje terug. De vierde keer geeft hij hem daadwerkelijk weg. Met lege handen loopt hij het podium af.

✳✳✳

De hele dag door en het grootste deel van de nacht moet hij, frequenter dan de meeste mensen, naar het toilet, zowel vanwege de overvloedige hoeveelheden water die hij drinkt als omdat hij nu eenmaal zo gebouwd is. Ik merk op dat zijn constante op- en neergeloop erg verdacht en alleszeggend moet hebben geleken in de jaren dat hij drugs gebruikte.

'Ja,' zegt hij. 'Maar gewoonlijk pakte ik daarbinnen meteen maar een lijntje mee.'

✳✳✳

Na eerder met stelligheid verklaard te hebben dat hij er niet heen ging, zowel omdat hij moe was als omdat hij de jachtvelden weer eens afgezworen had, besluit hij toch naar de party na afloop van het concert te gaan, een blitse drukke affaire in het Indochine aan het water. Bij binnenkomst wordt hij direct door een Patsy-van-*Absolutely-Fabulous*-type aangeklampt. De vrouw stort zich letterlijk op hem en flirt met hem en bekt hem op een en hetzelfde moment af. Ze is dronken op de nogal trieste manier van iemand die een paar jaar te lang op het feestje is blijven hangen. Enkele malen herhaalt ze, alsof het haar oprechtheid moet aantonen: 'Ik ben geen fan van je.' Rob probeert haar beleefd af te wimpelen, maar dat werkt niet. Daarna probeert hij haar te negeren, maar daarop verdubbelt ze alleen maar haar attenties. Uiteindelijk is hij het beu. Geconfronteerd met dit soort ergernissen en beproevingen is hij veel geduldiger dan men hem toeschrijft, maar wanneer hij het beu is, is hij het ook goed beu.

'Je bent een verschrikkelijke trut,' zegt hij tegen haar, 'en je zet jezelf voor schut. Je bent onaantrekkelijk. Wegwezen.'

Ze sputtert enkele woorden met de strekking dat ze het hem betaald zal zetten.

Hij knikt. 'Nu opgerot,' zegt hij.

Ze verroert geen vin.

'Pompey,' vraagt hij, 'kun je dat vuiltje even wegwerken?'

Twintig seconden later wordt hij aan de prins van Brunei voorgesteld. De prins lijkt een rustige en geschikte pief en Rob maakt kort maar hartelijk een babbeltje met hem. (De hoffelijkheid waarmee westerse artiesten steevast alle leden van de Bruneise koninklijke familie behandelen, kan deels ook ingegeven worden door de notoire goedgeefsheid van de familie wanneer ze het entertainment voor privéfeestjes thuis boekt.)

We gaan naar boven en belanden op het balkon, met uitzicht op de rivier. Hier is het veel rustiger. Alles is prima zo. 'Vroeger betaalde ik zakken met geld om me zo te voelen,' zegt Rob. 'Om me gewoon oké in mijn lichaam te voelen.'

Pompey reikt hem het mobieltje aan. Het is David, die, uit z'n slaap gehaald, vanuit het hotel belt. Er is een probleem.

***

'David, het zijn maar twee pagina's in de krant van zondag,' zegt Rob kalm. 'Laat het toch rusten… dag.' Hij zet de telefoon uit en vertelt wat er aan de hand is. 'Het *News Of The World* gaat een verhaal publiceren dat ik gokverslaafd ben en het afgelopen jaar meer dan een miljoen heb vergokt.' Hij is aan van alles en nog wat verslaafd, maar niet aan het complete pakket en dit is geen verslaving waar hij ooit last van heeft gehad. David is woest en wil het proberen tegen te houden. Rob lijkt zich minder druk te maken. Zijn woede over het feit dat ze van plan zijn iets te publiceren wat zo flagrant onwaar is, is afgestompt door het constante drup-drup-drup van kleinere onwaarheden. Bovendien is hij ergens opgelucht – de luitjes bij *News Of The World* hebben kennelijk niets waars kunnen ontdekken wat twee schunnige pagina's van hun aandacht waard is.

Het lijkt een eigenaardig en vergezocht verhaal, maar recentelijk is Michael Owen, tot zowat ieders verbazing, ontmaskerd als een van de grote gokkers in de voetbalwereld, waarbij de kranten griezelig nauwkeurig de door hem afgesloten weddenschappen specificeerden. Misschien beelden ze zich nu in een vervolg te ruiken. Rob zegt dat hij het afgelopen jaar één keer naar een casino is geweest: toen hij een buslading vrienden meenam naar Las Vegas om naar Jane's Addiction te gaan kijken. Bij het blackjacken bij hem thuis is een paar honderd dollar over tafel gegaan. Hij en ik hebben ieder op onze beurt onderling vijftig of honderd dollar afgerekend na zoveel partijtjes backgammon. 'Ik verloor op een avond twee ruggen in het casino – Park Lane,' zegt hij. 'Tot dan toe stond ik, door de jaren heen, vijftienhonderd pond in de plus en toen verloor ik opeens in anderhalfuur twee ruggen en ik was er kotsmisselijk van en sindsdien ben ik het uit de weg gegaan.'

Sindsdien heeft hij er, bij de zeldzame gelegenheden dat hij erbij betrokken was, de voorkeur aan gegeven als het huis op te treden, welke rol hij voor het eerst in zijn jeugd speelde. 'Ik hield op school een paar keer de weddenschappen bij,' herinnert hij zich. 'Ik schuimde iedereen af en vroeg dan: Port Vale tegen Manchester – wat wordt het? Vermoedelijk heb ik er zo'n zeventien, achttien pond aan verdiend. En het was vreselijk komisch, omdat ik niet kon optellen en aftrekken en niet wist hoe je de kansnoteringen moest berekenen en ik gaf de belachelijkste noteringen. Wat me wel verbaasde, was dat ze dachten dat ik nog zou uitbetalen ook als ze wonnen.'

Terwijl hij langs de rivier naar het busje loopt, treft hij Shaggy, die van de andere kant aangelopen komt, rechtstreeks van het presenteren van de show. Shaggy's metgezellin neemt, op Shaggy's verzoek, een foto van Rob en Shaggy samen. 'Als ik het goed heb, is dit de eerste foto ooit van mij samen met fucking Robbie,' zegt Shaggy, verrast, alsof hij al tientallen keren naast de meeste van zijn tijdgenoten in de hitparade heeft geposeerd. En mogelijk heeft hij dat ook. Zo gaat dat tegenwoordig.

De ons escorterende vrouw waarschuwt dat Rob op weg naar buiten mensen zal tegenkomen als we deze richting blijven volgen.

'Dat is oké,' steekt Rob haar een hart onder de riem. 'Ik ben eerder mensen tegengekomen.'

4

Nog in bed steekt hij zijn eerste sigaret op en vertelt dan dat hij over Pamela Anderson heeft gedroomd. ('God behoede ons als zij ten tonele verschijnt,' mompelt Josie.) Hij en Pamela zaten bij hem thuis naar de Superbowl te kijken en ik was er ook en het huis was zo groot, dat ik logeerde in een kamer die Rob nog nooit had gezien. Ik vertrok om een bendelid te gaan interviewen en vervolgens belandde Rob in Stoke, op een weg vlak bij waar hij vroeger woonde, en het waaide zo hard dat hij een boom in werd geblazen. Hij probeerde zich aan een schutting vast te klampen en er weer bovenop te klauteren. Maar de wind waaide zo hard.

Hij gaat naar de badkamer, waar hij ons even later allemaal – Pompey, David, Josie en ik – binnenroept. Midden op de vloer ligt een reuzenkakkerlak op zijn rug, nog steeds in leven en spartelend met zijn poten, maar niet meer in staat zich om te keren, aangevreten als hij is door horden mieren. David neemt het op zich om het beest uit zijn lijden te verlossen.

Nu herinnert Rob zich nog iets van zijn droom. Gary Barlow was er ook en hij zag er precies zo uit als in de vroege Take That-clips.

'We omhelsden elkaar,' zegt Rob. 'Ik voelde me zo hypocriet.'

✱✱✱

Na Singapore is Japan aan de beurt. Op luchthaven Narita wordt hij belaagd door een dertigtal meisjes en vrouwen, stuk voor stuk hysterisch en tegen het hyperventileren aan, en een heleboel van ze gooien hem cadeautjes en pakjes toe. Het is zijn eerste bezoek aan het land sinds de release van zijn eerste soloalbum, *Life Thru A Lens*. Destijds was iedereen ervan overtuigd geweest dat het album het Japanse succes van Take That zou continueren, maar dat was een misrekening gebleken. Nadien hadden ze Japan enigszins verwaarloosd.

Met de releases van de daaropvolgende platen was het idee om ze enthousiast overal te promoten hoe langer hoe minder realistisch geworden. Op de lange rit Tokio in vertelt hij hoe dit in het fiasco van de Europese persinterviews voor *Swing When You're Winning* culmineerde. Rob kwam wel degelijk opdraven in het hotel in Londen waar de pers hem zou ontmoeten, maar daarmee hielt zijn welwillende medewerking ook meteen zo'n beetje op. Hij flirtte schandalig en verstorend met een interviewster en voor een Oostenrijks interview beantwoordde hij elke vraag alsof hij een personage in een telkens weer andere film was. 'Bijvoorbeeld,' herinnert hij zich, 'dat ik opgegroeid was in een groot gezin en grootgebracht was door een non, een zingende non, en dat zij ons allemaal had leren zingen en we een grote voorstelling hadden gegeven voor de nazi's, en zo lulde ik maar door, een dikke tien minuten, en toen zei ik: "Dat is *The Sound of Music*, of niet? Ik haal mijn leven en die film altijd door elkaar – het spijt me." En daarop stelde ze me een andere vraag en ik ging van: nou, tijdens die zomer was er een golf van aanvallen door haaien... En daarna *ET.*' De interviewster vertrok in tranen. Halverwege de dag oordeelden Josie en de verantwoordelijke EMI-man dat het beter was om hem van de rest van zijn persverplichtingen te ontslaan.

Nu, zegt hij, is het anders. 'Ik ben een man op een missie. Met *Sing* haatte ik de plaat; ik was een man op een destructieve missie.'

✳✳✳

Op zijn kamer in het Four Seasons loopt Rob rechtstreeks de slaapkamer in, draait een nummer en begint te praten. 'Ik kom zo beneden,' zegt hij. Niemand heeft een idee met wie hij spreekt.

'Wie de sapperloot was dat?' vraagt Pompey.

'Dat,' grijnst hij, 'is mijn vaste vriendin wanneer ik in Tokio ben.'

Hij heeft haar nog nooit tegen iemand hier genoemd, in het verleden noch in de voorbereiding op deze Japanse reis, en heeft geen contact met haar gehad vóór zijn aankomst hier, maar zij was op de luchthaven – zoals hij wel verwacht had – en had hem in het gedrang een papiertje met haar telefoonnummer in handen gedrukt.

We gaan naar beneden om wat te drinken met haar en haar twee vriendinnen. Ook deze andere meisjes kent hij al uit de Take That-tijd.

'Hoe was ik toen?' vraagt hij.

'Erg jong,' zegt eentje giechelend.

'Was ik leuk?' vraagt hij. Hij wil het echt weten. 'Je kunt de waarheid vertellen,' voegt hij eraan toe.

'Erg leuk,' antwoordt ze. 'Je weet mijn naam nog.'

Zijn vriendin haalt haar Hello Kitty-notebook tevoorschijn en laat hem haar foto's van Rob en haar door de jaren heen zien: in een vliegtuig, op concerten, in een slaapkamer: zijn piekharige Take That-periode, zijn kaalgeschoren rebelse Take That-periode; het korte haar en de tattoos van zijn vroege solocarrière.

✳✳✳

Robs management en advocaten hebben stevige gesprekken met *News Of The World* gevoerd. In de vertrekhal op de luchthaven, op weg naar Japan, had David hem gevraagd zorgvuldig te berekenen hoeveel hij maximaal vergokt kon hebben. 'De afgelopen twee jaar vermoedelijk tien ruggen,' had Rob hem verteld. Wanneer hij wakker wordt in Japan, vertelt David hem dat *News Of The World*, gelet op hun stellige ontkenningen, besloten heeft het verhaal niet te publiceren.

Hij gaat winkelen om sneakers te kopen en bezoekt daarna Inter FM, waar de vrouw van dienst, DJ Snoopy, in de uitzending suggereert dat hij zijn gevoelige kant verbergt. 'Nee, het is niet dat ik het probeer te verbergen,' zegt hij, 'want die kant komt in nogal wat liedjes naar voren. Maar als artiest ben ik een showman en ik denk dat als mijn echte ik elke avond het podium op stapte, de show nogal saaitjes zou zijn. Echt. Je zou kunnen zeggen dat mijn kunst erin bestaat mijzelf honderdmaal groter te projecteren dan ik ben en ervoor te zorgen dat mensen dat geloven, en gelukkig doen ze dat. Maar ja, diep vanbinnen ben ik feitelijk een veel te gevoelige persoon, echt. Dat ben ik echt. Weet je, ik loop vrij snel deuken op.'

Ik loop vrij snel deuken op. Hij zal het nooit nauwkeuriger verwoorden dan zo.

DJ Snoopy knikt. Zij wil tot de psychologische kern doordringen. Zij vraagt hem of er een plaats is waar hij zich echt lekker in z'n vel voelt zitten.

Hij knikt. 'Starbucks,' zegt hij.

De planning is dat hij aan het eind van het interview een akoestische versie van *Feel* zingt met zijn twee gitaristen, Gary Nuttall en Neil Taylor. Het is een nogal radicaal ander arrangement, en een mooi arrangement, en het ongelooflijke aan alles is – weer een ander voorbeeld van Robs extreme zelfvertrouwen, niettegenstaande alle onzekerheden – dat Rob het arrangement pas voor de eerste keer hoort terwijl het uitgevoerd wordt, live op de Japanse radio.

✳✳✳

Bij J-Wave stelt hun dj, Sasha (niet dé dj Sasha), zich voor in perfect Engels; zijn Duitse vader en Japanse moeder spraken Engels met elkaar. 'Is Japan je laatste Chinese muur?' vraagt hij, zonder enige ironie. Sasha vraagt Rob ook om zijn advies aan mensen die succesvol willen zijn en Rob barst opeens los met een volgroeide versie van het standpunt dat eind vorig jaar in Parijs voor het eerst ontkiemde.

'Weet je, het is doodsimpel,' zegt hij. 'Ofwel God wil dat je het bent of Hij wil het niet. Dat is het. Je weet het zelf en je kunt er niets aan veranderen. Het komt erop aan te weten wanneer het voor jou tijd is om het op te geven. Volg je dromen niet.'

'Volg je dromen niet?' echoot Sasha. Misschien heeft hij het verkeerd verstaan.

'Nee, volg je dromen niet, volg de dromen van iemand anders,' zegt Rob. 'Geef ze *altijd* op en blijf jezelf *niet* trouw – dan komt alles goed met je. Dat is wat ik heb gedaan. Het was *letterlijk* wat ik heb gedaan – ik heb mijn dromen niet gevolgd, ik ben mezelf niet trouw gebleven en ik gaf heel gemakkelijk op. En dat heb ik gedaan en nu sta ik boven aan de ladder. Dus als iemand iets anders zegt, vertel hem dan dat het onzin is.'

Sasha vertaalt het. Rob onderbreekt hem.

'En dat is de *waarheid*. Dat is de waarheid. Ik volgde mijn dromen niet, ik volgde andermans dromen. En ik gaf vroeger vreselijk veel op, heel gemakkelijk. En ik ben mijzelf nooit, nóóit trouw; dat is een van mijn stelregels in het leven.' Hij lacht. 'Nee, volg je dromen niet, man. Volg iemand anders z'n dromen. Ik wilde accountant worden; ja zeker, dat wilde ik worden. Dat had ik altijd gewild. Dit was iemand anders z'n droom. Zo kwam het langs.'

'Wat is je droom nu op dit moment?' vraagt Sasha.

'Ik heb er op dit moment niet echt een. Ik blijf mezelf verloochenen. Ik blijf het onrealistisch houden.'

'Echt?' vraagt Sasha.

'Ja. Dat komt er ook bij. Al dat hou-het-realistisch-gezwam van mensen. "Hou het realistisch." Dat ken je toch zeker wel, of niet? Wat een lulkoek. Realistisch is saai. Realistisch is zó... realistisch. Waarom houden we het niet allemaal een tijdje onrealistisch? Wat vind jij? Hou het onrealistisch... Kijk maar eens waar realistisch ons gebracht heeft...'

Te midden van de dwaasheid, en veilig weg van de veroordelingen die hij gewend is over zich heen gestort te krijgen en de gebruikelijke wetenschap dat alles wat hij zegt, uit de tweede hand en verdraaid, in een tabloid kan eindigen, treffen deze Japanse interviews een Rob die niet oprechter en meer zelfbespiegelend had kunnen zijn. Sasha vraagt hem waarom hij zo succesvol is over de hele wereld.

'Weet ik niet, zegt hij. 'Klaarblijkelijk spreekt er iets tot de verbeelding van mijn publiek. Ik denk dat het misschien komt omdat mensen als de dood zijn om zich belachelijk te maken, omdat de wereld tegenwoordig zo'n coole plaats is. En ik denk dat de kunst van het entertainen uitgestorven is, of aan het uitsterven is, met deze nieuwe coole generatie, terwijl ik het gewoon heerlijk vind om de idioot uit te hangen wanneer anderen dat vermakelijk vinden en er plezier aan beleven. Dan doe ik het gewoon, met alle plezier. Entertainers zijn een uitstervend ras, omdat niemand zichzelf meer voor paal wil zetten. Terwijl ik het bij vele gelegenheden riskeer mezelf belachelijk te maken en de paljas uit te hangen, alles omwille van het hogere doel om te entertainen. Niemand *acteert* er meer een liedje tegenwoordig. Ach, ik weet het ook niet. Ik keer terug naar de jaren tachtig... zeventig... zestig misschien wel.'

Hij legt uit wat voor hem de crux is als hij op het podium staat: iemand anders zijn. 'Mijn job is het om mensen voor te liegen en dat op z'n overtuigende manier te doen, dat ze het nog geloven ook,' zegt hij. Maar dan zegt hij ook: 'Welbeschouwd ben ik eigenlijk pas sinds kort begonnen er echt van te genieten, en pas sinds kort ben ik ook echt gaan geloven in mijzelf en in wat ik doe. Alles is pas net voor mij begonnen – het heeft vijf albums gekost om er alleen maar een begin mee te maken – en ik voel me nu weer oprecht opgewonden over de wereld en mijn baan geeft me oprecht een kick. Ik wist altijd al dat ik me zo zou voelen, maar het heeft me nogal wat tijd gekost om daar te komen. Nu wil ik een van de beste albums maken die ooit geschreven zijn.'

✳✳✳

In het busje had hij opgemerkt: 'Dit is een echte zondag, hè? Zo van: "Ik heb lekker geluncht en net naar het voetbal gekeken en het is nog geen tijd voor *Bullseye*, maar dat begint zo en neef Tony is in slaap gevallen en tante Clare heeft het eten opgezet en zo meteen krijg ik een lamskoteletje." Dat is een heerlijke gemoedsgesteldheid om in te verkeren.'

Hij pakt dit thema weer op in het gesprek met Sasha en zegt dat hij heel blij is vandaag, op deze zondag, ook echt het zondagsgevoel te hebben. Hij praat alsof hij iets teruggevonden heeft. 'De week verloor zo'n beetje, zeg, z'n structuur op het moment dat ik van school ging en popster werd,' licht hij toe. 'Popsterren kennen geen weekdagen of weekends. Normaal gesproken bezatten mensen zich op zaterdag en zondag; popsterren en rocksterren bezatten zich domweg. Op wat voor dag ook. "Wat, is het dinsdagochtend? Laten we ons bezatten." En heel eerlijk gezegd weet ik heel vaak niet eens welke dag het is – omdat ik dat niet hoef te weten, echt niet. Mensen halen me op en rijden me ergens heen en ik stap in het vliegtuig en verschijn ergens – ik wist niet eens dat ik naar Japan ging.' Pauze. 'Maar het was heerlijk toen ik uit het vliegtuig stapte.'

'Hier hebben we een echte superster,' zegt Sasha onder de indruk.

Rob vertelt dat zondagen vroeger deprimerend waren, omdat je de volgende dag naar school moest. 'Maar wat wil het geval?' zegt hij. 'Voor mij morgen geen school! Sukkels! En ik ben steenrijk. Ja! Steek dat maar in je zak, meneer Bannon.'

Meneer Bannon was de directeur van zijn school.

Sasha vertaalt het. Rob gaat verder.

'Op sommige zondagen geeft de wetenschap dat ik de volgende dag niet naar school hoef me nog steeds een kick. En soms blijf ik expres lekker laat op. Zo volwassen ben ik. En als er een taart in de koelkast staat, dan kan ik hem helemaal opeten – dat kan ik. Het is mijn taart. Dat kon ik niet toen ik op school zat. Ja! Je hebt niks meer over me te zeggen, mam...'

Sasha vertaalt het.

'*En* ik ken meisjes... *en* ze willen me zoenen... *en* ik zoen ze terug. Ja. En we blijven heel laat op. En mijn moeder, zij woont in Engeland en ik woon in LA – ik kan doen wat ik maar wil...'

Sasha begint een andere vraag te stellen, maar Rob onderbreekt hem.

'Soms poets ik mijn tanden niet,' zegt hij. 'Of veeg ik m'n kont niet af.' Pauze. 'Sorry, maar ik ben me gaan realiseren wat ik tegenwoordig allemaal kan doen en laten. Sorry.'

Sasha vraagt hem een aantal leaders voor het radiostation op te nemen. Ergens middenin fluistert Rob, zachtjes, maar nog hoorbaar: 'Een meisje raakte mijn snikkel aan...' Waarmee er weer eens eentje aan de lijst is toegevoegd.

✳✳✳

Josie zegt dat Kevin Spacey opnieuw naar kantoor heeft gebeld. Hij wil graag dat Rob met Elton John optreedt op een benefietconcert dat hij voor, en in, de Old Vic organiseert. Zij weet wat hij gaat zeggen.

'Ik heb het druk,' herhaalt Rob. 'Zeg maar tegen hem dat ik het druk heb.'

✳✳✳

In een ander interview deelt hij nog wat meer persoonlijke filosofie met het Japanse volk.

'Je ligt goed bij de vrouwen,' krijgt hij te horen. 'Heb je een geheim dat je zo sexy maakt?'

'Ja,' antwoord hij. 'Word beroemd en rijk. Ja. Als je beroemd en rijk bent, zie je er meteen een stuk knapper uit. Feitelijk ben ik nogal een doorsneeknaap, maar het is wat mensen denken dat ik heb wat me sexy maakt, niet wat ik daadwerkelijk heb of ben. Weet je, rock-'n-roll helpt lelijkerds mensen in bed te krijgen – lang leve de rock-'n-roll. Ik bedoel, kijk naar Linkin Park...' Hij stopt. 'Nee, ik maak maar een grap-je – Linkin Park zijn knappe kerels, ik kon niet gauw genoeg een band bedenken.'

Gedurende de rest van de reis werkt hij dit antwoord verder uit.

'Het is voor vijftig procent wat je hebt en voor vijftig procent wat mensen denken dat je hebt wat je sexy maakt... Ja, ik ben rijk. Dat maakt me sexy. Sexy zijn is niet iets wat je bent, maar iets wat een ander in je ziet. Ik stel me weinig voor over mezelf. Maar men heeft het idee dat ik nogal wild ben en ik denk dat mensen graag denken dat ze je kunnen temmen. En ik vind het heerlijk als mensen me proberen te temmen – dat is lollig. Ik ben altijd te porren voor een goed avondje temmen...'

✱✱✱

Tijdens zijn tweede dag van interviews in Japan – terwijl hij te gast is in het programma *Space Shower TV* en gefilmd wordt door een cameraman op wiens T-shirt, tot Robs grote vreugde, de woorden OVERJOYED BY NEWS te lezen staan, en na een nacht dromen over Heidi Klum – realiseert hij zich voor de eerste maal dat de titel van zijn album, *Escapology*, het woord 'apologie' bevat. Het was hem nog niet eerder opgevallen en hij lijkt er op een en hetzelfde moment zowel verguld mee te zijn als er ietwat door afgeschrikt te worden. 'Dat ben ik ten voeten uit,' zegt hij. 'Apologie. Ik die me verontschuldig voor mijn vluchten.' Van nu af zal het een vast onderdeel van zijn toelichting worden. 'Dat is een rode draad die door mijn hele leven loopt,' zal hij voortaan zeggen.

✱✱✱

Tijdens de derde nacht in Japan droomt hij over Gwyneth Paltrow. 'In mijn dromen fuif ik er op het moment op los met beroemdheden,' mijmert hij. Om weer naar aarde af te dalen, overpeinst hij de onthutsende kwestie van de nieuwe dirrty Christina Aguilera. 'Zij lijkt een kruising tussen iemand uit het leven om zes uur 's ochtends en iemand die bomen probeert te redden,' oordeelt hij. 'Ze is net een rock-ecokrijger. Ze is als een kruising tussen Swampy en de Village People.'

Zijn werkdag begint. Achter in een limousine wordt hij geïnterviewd door een Japanse popster, Fay Ray. Nadat ze een paar vragen heeft gesteld en ze wat geflirt hebben, zegt hij: 'Laat me nu jou een vraag stellen. Ik heb gehoord over die automaten die gebruikte slipjes verkopen...'

'Dat klopt,' bevestigt ze.

Hij arriveert bij een radiostation. 'Ik kan maar half bevatten dat je er bent,' zegt de vrouwelijke dj tegen hem.

'Nou,' zegt hij, 'hier heb je de andere helft.'

Hij vertelt haar dat deze mate van succes zijn stoutste dromen overtreft. 'Ik denk dat het woord "verrast" een understatement zou zijn,' zegt hij. 'Hiervan kun je niet dromen...' Hij somt zijn tekortkomingen op. 'Ik ben verder in zo'n beetje alles een kruk. Ik ben redelijk goed in sport. Ik ben niet goed in hoofdrekenen; ik kan niet optellen en ik kan niet aftrekken. Ik kan niet goed schrijven en ik ben niet goed met mijn handen. Eigenlijk heb ik dus, om in het leven te slagen, zo'n beetje altijd al absoluut vertrouwd op het feit dat ik een grote praatjesmaker ben. En tot dusver verloopt dat prima.'

Zij vraagt hem hoe zijn ideale show eruit zou zien. Ze bedoelt een concert.

'In de slaapkamer, waar ik indruk probeer te maken op Cameron Diaz,' zegt hij.

'Wat een fantastisch antwoord,' zegt de interviewster.

'Het is de waarheid,' zegt hij.

'Ze zal nu echt gaan denken dat je haar stalkt,' lacht Josie.

'Nou en of,' zegt Rob. 'Het is absoluut niet de manier waarop je dingen aanpakt. Maar het maakt me niets uit. Zij is eigenlijk alleen maar een fantasiefiguur. Zij kan nooit beantwoorden aan wat ik haar toeschrijf.'

✳✳✳

De laatste ochtend krijgt hij vrij om te gaan winkelen. In het busje begint hij over feestjes die hij in de goeie ouwe tijd heeft bezocht. Bijvoorbeeld, toen hij zeventien of achttien was, het Ab Fab-feestje, waarop hij Ade Edmonson beledigde door te zeggen: 'Ik dacht dat het de bedoeling was dat het programma ons voor de gek hield' en waarop Naomi Campbell naar hem toe kwam en hem vertelde dat Christy Turlington graag met hem wilde dansen, waarop hij absurd beweerde dat het onmogelijk was, omdat hij een gebroken been had.

Dan de keer toen hij naar Londen ging om een beroemd model te ontmoeten – 'Geen afspraakje of zoiets, ik was gewoon uitgenodigd langs te komen en mee te eten' – en bij het vertrek in Stoke stomtoevallig Liam in dezelfde trein bleek te zitten, of beter gezegd uit het raam bleek te hangen. 'Dat was dus verdomd klote, heel die lange reis, tot 's avonds aan toe. En toen kwam zij opdagen met iemand van de Clash...' Al gauw was het fuiven geblazen. 'Aan de ene kant zaten de lui die smack gebruikten en aan de andere kant degenen die coke namen,' herinnert hij zich, 'en daar zat ik dus in het midden en zong de liedjes uit de shows. *When you see a guy, reach for stars in the sky, you can bet that he's doing it for some doll...*'

Hij doet voor hoe de ene kant vrolijk, manisch inhaakt, terwijl de andere kant langzaam mee knikt, als voor een raadsel staand.

Na een tijdje voerde hij zijn verdwijntruc op.

'Ik had deze hele sketch dat ik, als er ergens in de kamer een kleerkast was, naar Narnia vertrok,' herinnert hij zich. 'Ik ging gewoon een halfuur of zo in de kast zitten en kwam er dan giechelend weer uit.'

Als in het vliegtuig de gordels af mogen, komt Rob me opzoeken. 'Ik heb mijn slaaptablet genomen,' kondigt hij aan, 'en ik probeer er wakker op te blijven, eens kijken hoe dat is.' Hij jokt ietwat – later blijkt dat hij tweeënhalve Ambien heeft genomen. Hij lijkt al aardig weg te zijn. 'Er gebeuren gekke dingen met mijn ogen,' meldt hij. Dan zegt hij dat hij zich compleet normaal gaat gedragen. 'Zie ik er nu normaal uit?' wil hij weten, maar hij heeft een afwezige blik in de ogen en ook zijn stem ebt weg. Het is een schok om hem zo lijp mee te maken en ik vind het eerlijk gezegd nogal verontrustend.

Ik vraag waar hij naar uitkijkt in Los Angeles.

'Honden… zwembad… niets…'

Plotseling zakt hij in elkaar, boven op mij. Zijn spieren zijn volkomen verstijfd. Hij ligt half over mij heen en half over de lege stoel naast mij en hij is compleet buiten westen. Met al mijn kracht til ik hem op en laat hem op de stoel naast mij glijden. Een paar seconden later wordt hij, verward kijkend, wakker. Ik leg uit dat hij ingedut was. Hij kijkt alsof hij dat probeert te bevatten.

'Ik ga naar beneden,' zegt hij. Hij vindt zijn stoel en slaapt voor de duur van de rest van de vlucht.

5

Tijdens een weekje vrij in Los Angeles wordt de documentaire van Martin Bashir over Michael Jackson uitgezonden en Bashir neemt contact op om te vragen of hij een documentaire over Rob mag maken. Hij overweegt het niet eens. (Hij heeft al eerder iets beter verteerbare opties afgeslagen. Op een keer kwam Louis Theroux bij hem langs op de flat; Rob wilde hem wel ontmoeten, maar was bang dat Theroux een programma over hem wilde maken omdat zoveel van zijn 'slachtoffers' freaks lijken te zijn.)

In plaats daarvan ontspant hij en wordt rusteloos. Hij slaat optredens in twee grote Amerikaanse televisieprogramma's (*Alias* en *Charmed*) af en bezoekt op de kop af tien minuten het verjaarspartijtje van Justin Timberlake. Op een middag komt Linda Perry langs. Linda Perry is de hippe songwriter van het moment vanwege haar werk met Pink en Christina Aguilera en vooral door het schrijven van Aguilera's laatste hit, *Beautiful*. Hij had liever gezien dat ze ter plaatse samen een liedje probeerden te schrijven, maar in plaats daarvan praten ze bijna twee uur. 'Getikt,' rapporteert hij naderhand. 'Erg eigenzinnig. Ik denk dat ze sterke principes heeft. Ze wist niets van me af. Ik denk dat zij denkt dat ik de *Rock DJ*-man ben.' Hij draait voor haar *One Fine Day* (ze zegt dat de akkoorden ook anders kunnen zijn, en de melodie ook al), *Come Undone* (dat haar zeer aanspreekt) en *Feel* (dat ze een beetje leuk vindt). 'Zij had het over "veranderingen" en allerlei gedoe,' zegt hij. 'Ik weet niet wat een klote "verandering" is. Voor mij is het: als het als een liedje klinkt, dan is het verdomme ook een liedje.'

'Ben ik goed door mijn sollicitatiegesprek gekomen?' vraagt hij bij haar vertrek.

'Gewoonlijk zeg ik van wel,' antwoordt zij.

✹✹✹

'Wil je...?' vraagt hij. Hij maak de zin niet af, omdat hij het toch hoe dan ook doet. 'Ik weet dat het ikke ikke ikke is,' zegt hij, 'maar krijg de klere, laten we eens naar mijn websites kijken...'

Uit verveling en zelfobsessie heeft hij internet afgezocht naar dingen over zichzelf. 'Ik heb naar "Robbie Williams Escapology review" gezocht,' zegt hij, 'wat verdomd stom was, omdat ik me voordat ik eraan begon net heel goed voelde. Wat ik vond was in wezen ofwel "Ja, verdomd fantastisch, Robbie heeft het 'm weer gelapt" of dat ik de vleesgeworden Satan ben. Niets verraste me. Ik dacht van: laten we het doen en eens kijken hoeveel giftige mensen er in de wereld rondlopen en in welke mate ik mezelf vandaag van streek kan laten maken...'

We zitten in het kantoor beneden in zijn huis in Los Angeles en nemen de laatste opinies van zijn fans door. Eentje zegt dat de manier waarop hij liedjes zodanig schrijft dat je ze helemaal wilt afluisteren 'een slimme marketingtruc' is. Een ander omschrijft *Feel* als een 'Enrique wannabe-song'. Op één site wordt een lange discussie gevoerd over wat hij zou moeten doen om Amerika te veroveren. De deelnemers stapelen mening op mening, en schijnbaar feit op schijnbaar feit, en wanneer ze eenmaal tot een conclusie komen, gedragen ze zich alsof Rob tot dezelfde conclusie is gekomen; alsof hun discussie de realiteit waarover ze het hebben werkelijk (mee) vormt, of daar dan toch minstens een accurate weerspiegeling van was. We scrollen misschien een uur door alle bijdragen. Ik wijs hem erop dat het malle aan deze teksten is dat ze allemaal de veronderstelling delen dat hij ze ergens zit te lezen en erover nadenkt.

Uh...

'O,' zegt hij, 'dat is raar.'

Hij tikt op eBay zijn naam in om te kijken wat voor Robbie Williams-verzamelobjecten er zoal op de markt zijn. Hij vindt een gesigneerde cd en foto voor honderd pond. 'Dat is mijn handtekening niet,' zegt hij. Daarna een gesigneerde foto van hem en Oasis in Glastonbury: vijfenzeventig pond. 'Dat is evenmin de mijne,' zegt hij. Een gesigneerde foto van hem en Nicole Appleton. 'Absolúút niet!'… 'Mijn god, dat is niet eens een goede kopie.' (Bij deze zit een 'certificaat van authenticiteit', een van die prachtige kronkels die zo kenmerkend zijn voor oplichtingspraktijken op internet. Alsof iemand die een foto met een valse handtekening verkoopt er ook maar een moment voor zou terugdeinzen met een vals, betekenisloos 'certificaat van authenticiteit' op de proppen te komen.) Hij is inmiddels vastbesloten een echte handtekening te vinden en klikt op het ene na het andere item: 'Absoluut niet… o, mijn god… absoluut niet… nee… nee… nee, absoluut niet…'

Hij kan geen enkele echte vinden, hoewel hij door de jaren heen er toch heel wat gezet heeft. Aan de hele zaak zit iets deprimerends: om te beginnen de bespottelijkheid van handtekeningen, maar ook het uitbuiten van de goedgelovigheid van mensen en het aftroggelen van hun geld voor de volstrekt nutteloze totems waarop ze azen.

✹✹✹

Hij past outfits voor de *Come Undone*-clip. Alle kleding is naar zijn huis gebracht en hangt aan rails in de grote slaapkamer. Hij trekt een verkreukeld smokingjasje van de ochtend na een slemppartij aan en zwalkt rond, nepdronken. 'Is dat goed zat?' vraagt hij.

'Hè, nou niet dat zatte doen, hoor,' smeekt Josie. 'Daar heb ik een gruwelijke hekel aan.'

B, de stilist, zegt dat ze de bedscène moeten bespreken en of hij daar ondergoed in wil dragen. Rob wijst erop dat hij niet met de gebruikelijke bedenkingen over zulke scènes zit. 'Wanneer mensen over seksscènes praten,' zegt hij, 'zeggen ze gewoonlijk: "O, mijn god, ik voelde me er zo ongemakkelijk bij, alsof de hele set naar je kijkt – of er passie bij komt kijken? Néé!" Nou, ik ben totaal anders. In elke passiescène die ik tot nu toe ooit heb gedaan, had ik van begin tot eind een paal van hier tot ginder. Vermoedelijk kan ik dus maar beter een onderbroek aantrekken.'

Zijn moeder belt vanuit zijn Londense flat – een videocassette wil niet uit het apparaat. Omzichtig probeert hij haar aan het verstand te brengen dat ze alleen de videorecorder beneden moet gebruiken en niet die op zijn slaapkamer. Hij weet welke band hij erin heeft laten zitten.

Die nacht droomt hij over Madonna.

'We zaten zomaar wat te kletsen,' rapporteert hij. 'Zij had de een of andere thermosfles die dingen opneemt.'

***

Het is laat op de zaterdagmiddag in Los Angeles, wat na middernacht is in Groot-Brittannië. Rob doet boven een middagdutje en ik zit beneden in zijn kantoor. Sinds ik aan dit boek begonnen ben, heb ik de gewoonte ontwikkeld om dagelijks online de Britse tabloids na te lopen en terwijl Rob ligt te pitten, klik ik terloops op de website van *News Of The World* – en de kop op de voorpagina brult: ROBBIES GOKVERSLAVING VAN TWEE MILJOEN POND.

Na de ontkenningen en een week adempauze hebben ze besloten het toch te doen. Enkele onderkoppen luiden: *Hij verloor met één potje poker vijftigduizend pond* en *Robbie vocht tegen drugs, drank, gore seks met vreemden… nu is hij aan gokken verslaafd*. Het artikel wemelt van de details, maar ik hoef hem niet eens te wekken om te weten dat veel daarvan absurd zijn. Een van de vele keren die als 'bewijs' worden aangehaald, is bijvoorbeeld: 'Na de MTV Music Awards in Barcelona vorig jaar scheurde hij weg naar een poenig casino om daar tienduizend pond in te zetten.' Ik was die hele avond bij hem – de avond waarop hij Ms Dynamite ontmoette en we van de ceremonie rechtstreeks naar de luchthaven reden.

***

Wanneer hij wakker wordt, vertrekt hij meteen naar Hollywood voor een laatste bespreking met Jonas Ackerlund over de *Come Undone*-clip. In de foyer van het Chateau Marmont licht David hem kort in over *News Of The World*, maar eerst moet hij zich op de onderhavige kwestie concentreren. Jonas, die een ketting met een Rolling Stones-tong en riemgesp met daarop FUCK YOU draagt, neemt hem mee naar een kamer op de vierde verdieping, die afgeladen is met filmapparatuur. Met een storyboard aan de muur vat hij samen wat hem voor ogen staat. 'De clip is heel erg als een attitude,' zegt hij. 'Ik wil dat hij op een en hetzelfde moment mooi en vreemd en verknipt is.' Hij laat Rob polaroids zien van het huis waar ze gaan opnemen – 'Ik ben zo blij met dit huis; hij wil ons daar niet hebben, maar heeft uiteindelijk toch ja gezegd' – en van verschillende meisjes. 'Deze vindt slangen oké,' zegt hij. 'Deze vindt insecten oké. Deze vindt ook het vrijen oké. Dit zijn echte pornomeisjes en ze zijn bereid tot het uiterste te gaan, vooral in die laatste slaapkamerscène…'

'Verdorven,' zegt Rob.

Hij overhandigt Rob nog een polaroid. 'Dit is er eentje extra,' zegt hij. 'Die hebben we als back-up.'

'Back-up porno?' verheldert Rob.

'Ja,' zegt Jonas. Hij laat Rob twee mannen zien.

'Zijn ze gay?' informeert hij.

'Volgens mij niet,' zegt Jonas, 'maar ze vinden het oké. Ik bedoel, dat zouden ze ook moeten. Het is werk voor ze.'

Jonas wil nog verder praten, over close-ups met een tweede apparaat en het lipsynchroom lopen, maar Rob breekt hem af. Hij zegt dat hij naar beneden moet, omdat hij hard aan koffie toe is. 'Ik ben op,' zegt hij.

In de foyer ziet hij B bij een paar mensen zitten en schuift aan. Rob praat kort met een knap ogende man, die een Fransman blijkt te zijn, en vraagt of hij een van de modellen voor de clip is. De man gaapt hem niet begrijpend en misschien ietsje van zijn stuk gebracht aan. Het is de acteur Oliver Martinez.

Pas nu vraagt Rob David naar *News Of the World*. 'Staat het op de voorpagina?' informeert hij.

'Ja,' zegt David, bedenkelijk kijkend.

'Verdorven,' zegt Rob. 'Ik heb een album uit, weet je wel. We zullen eens kijken of het album volgende week stijgt. Als dat gebeurt, heb ik voortaan elke week een gokprobleem. Dan kom ik uit een club en doe ik alsof ik straalbezopen ben. Val een paparazzo aan die een acteur is.'

❋❋❋

Het is slechts lollig zolang hij het idee heeft dat het niet meer dan een grote, onware kop is. Zodra hij thuiskomt en leest wat er feitelijk over hem geschreven staat, slaat zijn stemming om. Hij leest passages hardop, verbijsterd en onthutst.

Robbie Williams stond, in zijn spijkerbroek en op z'n gympen, onder de fonkelende kroonluchters op het goudkleurige tapijt in een casino in Los Angeles en hunkerde naar een volgend afspraakje met zijn laatste obsessie – kaarten... Robbie, 28, heeft cocaïne omhelsd, dwangmatige eenmalige seksuele contacten, gekwelde relaties met beroemde schoonheden als Geri Halliwell... en eindeloze zuip- en junkfoodfestijnen, maar zijn laatste allesverslindende passie heeft hem honderd ruggen per avond gekost en zijn vrienden tot wanhoop gedreven.

Het artikel beweert dat zijn 'heimelijke, nu drie jaar bestaande goklust' begon toen hij met vrienden van Alcoholics Anonymous kaartte. Hij spendeerde zestigduizend pond 'in een doldrieste driedaagse gokroes in Monte Carlo' (hij zegt dat hij slechts één keer met Jonny en Geri Halliwell naar een casino is geweest en toen misschien vijfhonderd pond heeft verloren), verloor dertigduizend pond met een één-kaartweddenschap in het Sahara Casino (fantasie), verspeelde vijfduizend pond tijdens een blackjacksessie van twee uur in het Victoria Casino in Londen ('Daar ben ik nooit geweest,' zegt hij), smeekte 'showbizzmaten' als Tom Jones en Kelly Jones bij hem thuis in LA te komen pokeren om grof geld, leende geld van Nicole Kidman nadat hij door zijn fiches van honderd pond heen was ('Dat is inderdaad gebeurd,' zegt hij. 'Maar het waren geen fiches van honderd pond. Ik vroeg: heb je honderd pond te leen?') en daarna vergokte hij tienduizend pond na de MTV Awards. In het artikel beschrijft een anonieme 'vriend' een avond in het Mandalay Bay Hotel in Las Vegas. Er staat dat hij die avond honderdduizend pond verloor en nu elke dag gokt. 'In drie weken kan hij er een miljoen doorheen jagen,' zegt de vriend. Daarna volgt de misschien wel meest beledigende insinuatie:

Zijn vriend legde uit dat gokken een belangrijke vorm van ontspanning is voor herstellende alcoholisten. Hij zei: 'Je wedt om alles... Robbie vond het een geweldige bak dat een paar van de jongens een weddenschap hadden lopen op wie er als eerste weer zou gaan drinken.

Voor iemand die verslaving zo ernstig neemt als Rob een obscene insinuatie.

Er is meer.

...hij gokt er net zo lustig op los als de meeste jongens een biertje pakken. Over twee jaar gerekend is twee miljoen pond een conservatieve schatting van zijn verlies.

Onwaar.

Muziekbazen gaven Robbie vroeger een maandtoelage van zestigduizend pond om zijn uitgaven binnen de perken te houden.

Onwaar.

Hij blijkt nog steeds te drinken en donderdagavond was hij er allerbelabberdst aan toe na een avondje hijsen met vrienden in de Whiskey Bar in LA.

Onwaar.

'Dat is walgelijk,' zegt hij wanneer hij klaar is met lezen. Het is een ontstellende, treurig inaccurate karaktermoord. Hij is half geamuseerd, half woest. Hij zegt dat hij vroeger wel eens naar Aspinalls in Londen ging, maar daarmee gestopt is toen ze de minimuminzet naar vijfentwintig pond verhoogden, omdat dat een te dure grap voor hem werd en het weinig meer van een lolletje had. Hij bestudeert de foto's die *News Of The World* heeft gebruikt. Een ervan is een korrelige foto van hem en enkele gokmaten in een cirkel rond een tafel, met kaarten in de hand, en de indruk die gewekt wordt is dat er om grof geld wordt gespeeld in een clandestien speelhol. Feitelijk zijn de getoonde gezichten die van Josie, Chris Sharrock, David, filmregisseur Brian Hill en Rob en het pietepeuterige foto-onderschrift vertelt in feite alles: 'Robbie, in

het groen, met werkvrienden op dvd'. Zonder enige toelichting of ver-
antwoording hebben ze de foto van zijn eigen film *Nobody Someday*
gehaald. Ze spelen het kinderkaartspelletje uno. Op de avond in kwestie speelden ze puur om het winnen, hoewel ze soms om een briefje
van vijf speelden.

Hij weet het allemaal. Maar hij weet ook dat tegen morgenavond
ettelijke miljoenen mensen in Groot-Brittannië overtuigd zijn door alle
hier verstrekte details.

Hij belt David en bespreekt het. Er zitten keerzijden aan voor het
gerecht dagen, ook al heb je alle vertrouwen dat je gaat winnen. Als
het tot een geding komt, mag hij verwachten dat *News Of The World*
alles wat hij gedaan heeft in het slechtste licht zal stellen. Het kan vreselijk naar uitpakken voor iemand die in zijn leven regelmatig de minst
en meest serieuze delen van zijn wereld onontwarbaar met elkaar ver-
weeft en dikwijls het ene binnen het andere verstopt. Hij mag verwachten met elke ironische zin die hij uit uitgesproken heeft om de
oren te worden geslagen alsof hij het allemaal doodserieus gemeend
had. Maar hoe kan hij deze verdachtmakingen zomaar laten passeren?
Als hij er niets tegen onderneemt, gaan ze binnen de kortste keren een
eigen leven leiden als de waarheid.

'Het is een principekwestie,' zegt hij. 'Mij maakt het niets uit. Maar
als ze daarmee wegkomen, wat is dan het volgende?'

De beslissing is gevallen.

'Ik vind dat we ze moeten vervolgen,' zegt hij. 'En als we winnen,
zetten we al het geld op zwart.'

6

'O jee,' zegt hij. 'We gaan dus beginnen.' Hij zegt gedag tegen een
leuk meisje in schaarse kledij, dat aan een kruis in de lucht
bengelt. Ze hangt in de ene hoek van de kamer waar een groot deel
van zijn nieuwe clip gefilmd gaat worden. In het zwembad buiten
drijft een opblaaspop op de buik. Hij maakt een rondje door het huis.
Er hangt een foto van de huiseigenaar, een erfgenaam van het
Dole-ananasfortuin, met zijn vader. Ze lachen. Tussen hen in staat
George W. Bush.

Hij begroet zoveel leden van de cast als hij kan vinden – 'Hallo, ik
ben Rob, ik zing vandaag' – en loopt daarna terug een heuvel op naar
zijn trailer.

'Je krijgt het gevoel alsof we iets slechts aan het doen zijn, of niet?'
zegt hij. 'Een zwarte vrouw aan het kruis.'

David komt de trailer binnen en vertelt opgewonden dat *Feel* in Nederland een of ander tien jaar oud record voor 'airplaybellen' heeft gebroken.

'Ik weet niet wat dat inhoudt,' zegt Rob.

'Ik ook niet,' giechelt David, maar hij probeert het niettemin uit te leggen. 'Niemand is ooit hoger gekomen dan 7,5 en jij zit op 7,9.'

'Cool,' zegt Rob, verbluft, en ze lachen beiden om dit onbegrijpelijke goede nieuws.

✻ ✻ ✻

Zijn eerste scène speelt zich af aan het begin van de *morning after*, wanneer hij in bed wakker wordt met twee meisjes. Hij kruipt in bed, tussen beiden in, leunt achterover tegen het met alligatorvel beklede hoofdeinde en kletst met de twee. De een werkt al als pornoactrice en de ander gaat volgend weekend haar eerste pornofilm opnemen. Hij vraagt het tweede meisje wat haar ouders ervan vinden.

'Ze praten niet meer met me,' antwoordt ze.

Hij speelt de scène voor de camera: hij ontwaakt, inspecteert zichzelf in de spiegel en waggelt dronken naar buiten. David bekijkt het op de monitor en is bang dat Rob, overschakelend op zijn Norman Wisdom-modus, het overdrijft. Hij wijst Rob erop. Het zal de hele dag een terugkerend thema zijn. 'Te dronken en te vrijpostig,' oordeelt

Josie na een take waarin hij wel heel erg schmiert. In zijn acteren van vandaag lijkt hij de herinnering aan hoe hij vroeger was, waarbij hij het voor het effect nog eens extra aandikt, te combineren met een imitatie van Colin Farrell. ('Ik liet me te veel meeslepen,' verontschuldigt hij zich nadat hij het wel heel erg bont heeft gemaakt, al maakt hij aanspraak op een goed excuus. 'Ik heb me tien jaar voorbereid,' merkt hij op, 'alleen voor deze rol.')

Tussen de takes in neemt Hamish Brown, zijn vaste fotograaf bij gelegenheden als deze, een aantal foto's van hem met de twee meisjes op het bed. Ze nestelen zich aan weerszijden dicht tegen hem aan. 'Hoe is mijn kin onder deze hoek?' vraag hij Hamish in alle ernst. Hamish stelt hem gerust.

Terwijl Hamish kiekt, tongzoent Rob met de blondine. Daarna doet hij, alsof hij niet van voortrekkerij beticht wenst te worden, hetzelfde met het zwartharige meisje. Allebei hebben ze een hand op zijn kruis liggen. 'Ik leef alleen maar mijn fantasie uit,' zegt hij. Hij steekt zijn tong in het oor van het zwartharige meisje. Hij lacht. 'Ik lijk net zo'n vent in zo'n Duitse film uit de jaren zeventig, of niet? "Ja! Iest koet! Ja, wie toen trio."' De meisjes lachen nu en hij zegt: 'Waarom voel ik me net Ron Jeremy?' Daarna nodigt hij de meisjes uit aan zijn tepels te trekken.

'Hij vindt het lekker als er aan zijn tepels getrokken wordt,' constateert het zwartharige meisje.

'Nee, helemaal niet,' zegt hij. Hij neemt een Partridge-stemmetje aan: 'Het is... strikt ter wille van de kunst.' Waarop hij de blondine vol kust, alleen maar ter wille van.

'Hamish,' zegt hij, 'draag me op ze allebei te kussen.'

Het duurt even voordat de hint doordringt tot Hamish.

'Wat zei je ook alweer, Hamish?' vraagt Rob.

'Triotongen?' stelt Hamish voor. Zijn studieobjecten gehoorzamen gedwee.

'Laten we gek doen,' dringt de blondine aan. Er wordt nog heel wat meer gezoend, borsten worden besnuffeld. Ze vergeten haast dat ze voor de camera poseren.

'Naar mij, Rob,' verzoekt Hamish, die dan tenminste nog enige professionaliteit probeert te bewaren.

'Neeje,' zegt Rob, die met andere dingen bezig is.

Hamish maakt nog wat foto's en zegt dan 'cool' om aan te geven dat hij klaar is. Hij weet dat Rob weinig geduld heeft met fotosessies die langer duren dan hun introductiefase.

'Neeje,' zegt Rob opnieuw, weer bovenkomend. 'Nog een rolletje.'

Uiteindelijk zijn ze dan klaar. 'Dank u, dames,' zegt hij. Ze stappen uit bed en lopen weg om hun make-up te laten bijwerken. Hij blijft liggen waar hij ligt. 'Mij krijg je voorlopig niet uit bed,' zegt hij.

Overijverig vraag ik hem of hij weet hoe de twee meisjes heten. Hij denkt eventjes na en lacht dan vooruitlopend op zijn antwoord. 'Weet niet,' zegt hij. Hij grijnst.

***

In Robs kamp bestaat enige bezorgdheid dat Jonas Ackerlund een van de aspecten van de clip waar Rob het meest happig op was geschrapt lijkt te hebben – de religieuze allegorie; het bloed op de deuren. Toevallig hoor ik een discussie waarin ze zich afvragen of ze het onder de aandacht moeten brengen bij Rob.

'Zolang Rob gelukkig is.'

'Hij heeft zijn insecten.'

'Het probleem is dat Rob het naakte geflikflooi zag en dat was dat. Alle gedachten aan de bijbel zijn overboord gegooid.'

***

's Avonds weer thuis na de eerste dag van de opnames leest hij over het binnenkort uit te zenden Amerikaanse betaaltelevisieprogramma, waarin men van plan is contact op te nemen met prinses Di. Hij vindt het gestoord, maar wordt er niettemin door gefascineerd. Hij heeft haar één keer ontmoet, toen Take That op Kensington Palace was uitgenodigd. Zij had lief geleken. 'Een aardige, warme vrouw,' herinnert hij zich.

Op een keer heeft hij er, tijdens een webchat, uitgeflapt dat er iets niet klopte aan de verslagen over haar dood. 'De volgende dag stuurt Mohamed al-Fayed me een brief: "…zeer geïnteresseerd in hoe u erover denkt… we moeten een keer samen thee drinken en uw gedachten bespreken."'

Hij heeft nooit gereageerd.

***

De volgende ochtend is hij om halfacht op, klaar voor zijn grote dag. 'Vandaag,' kondigt hij aan, terwijl we door de Californische motregen rijden, 'ga ik seksen. Ik heb zo het idee dat het wat kinky gaat worden, Josie.'

In het huis bespreekt hij, in zijn badjas en onderbroek en roze sokken, gezeten op het bed waar hij later zijn seksscène zal gaan filmen, met David en Josie de gedetailleerde juridische reactie op het artikel in *News Of The World*. Ze nemen het punt voor punt door. Josie legt uit dat ze zijn reactie moeten weten op de aantijging dat hij 'zwaar gokverslaafd' is.

'Dat ben ik ten stelligste niet,' zegt hij.

'"Ik mag af en toe een gokje wagen?"' stelt David voor.

'Ja,' stemt hij in. '"…net zoals iedereen". Ja. "Om een kleine inzet."'

De volgende aantijging: 'Robbies verlies loopt tegen de twee miljoen pond.'

'Complete onzin,' zegt hij.

'"Er is beweerd dat hij in één potje poker vijftigduizend pond heeft verloren en nog eens dertigduizend pond met één weddenschap…"' zegt David

'Met gokken ben ik nooit ook maar in de búúrt gekomen van dat soort bedragen…' zegt Rob. '"Er is beweerd dat Robbies pik een grote omvang heeft." Yes. Omvang – groot.'

'"Er is beweerd dat Robbie voorheen verslaafd is geweest aan cocaïne, drank en seks…"' zegt David, waarna hij de tenlastelegging meteen maar zelf weerlegt. 'Ja. De seks niet.'

'Ja,' zegt Rob. 'De seks niet. Wat moet ik daar nou op zeggen?'

'Zeg dat maar gewoon,' zegt Josie. '"En dat is goed gedocumenteerd… wat ik nooit verborgen heb gehouden".'

'Ja,' zegt Rob.

Ze lopen de genoemde holen langs en Rob verstrekt details over zijn kleine of niet bestaande geschiedenis met elk ervan. Hij weerlegt nog andere beschuldigingen, met name de onplezierigste aantijging in het artikel – dat Rob weddenschappen afsluit op de terugval van ex-verslaafden. 'Dat is het stuk waar ik het meest woest om ben,' benadrukt hij.

'"De meest beledigende aantijging,"' noteert David, '"is dat ik zou wedden op iemands nuchter blijven… Alcohol is een kwestie van leven en dood en niet iets waarop je weddenschappen afsluit." Ja?'

'"En het mag niet lichtzinnig opgevat worden",' voegt Rob toe.

✸✸✸

Om de een of andere reden loopt het zo dat David en ik in de hal van het huis staan te praten over de potentiële vloek die er rust op iemand die met te veel geld wordt geboren.

'Dat zal de grote uitdaging voor je kinderen zijn,' zegt David, zich tot Rob richtend.

'Ja. Nou, ik streef ernaar tegen die tijd arm te zijn, precies om die reden,' zegt Rob opstandig. Hij wijdt ons ook nog in een alternatief plan in: 'Ik ga een eiland kopen en daar een eigen wereld opbouwen en dan moet iedereen doen alsof men niet weet wie ik ben. Waar ik genegeerd word en mijn kinderen ook.'

***

Zich vervelend tussen twee shots in schuilt hij in de keuken voor de regen. CNN zendt de eerste aan Osama Bin Laden toegeschreven boodschap uit sinds de inval in Afghanistan. 'Als ik echt stout was en er een tijdje tussenuit wilde,' zegt Rob tegen Josie, 'dan zou ik kunnen gaan. O, ik ben als de dood voor vliegtuigen...'

'Ja,' beaamt zij. 'Dat zou je kunnen.'

In plaats daarvan besluit hij de gelegenheid te baat te nemen om Josie een lijstje te geven van dingen die in zijn leven ontbreken, met het verzoek of ze zo vriendelijk wil zijn het stante pede te regelen. 'Ik wil een masseuse,' begint hij. 'En een hondenuitlaatser – echter niet voor de honden. Voor mij. Om mij uit te laten. En een Altoid-man, omdat jij je werk niet doet. En ik heb iemand nodig die bomen aan-wijst, zodat ik weet waar ze staan. Ik wil dat er altijd een vent van de plaatselijke VVV bij is, zodat hij mij op bezienswaardigheden kan wij-zen en me over lokale attracties kan vertellen. Maar ik wil niet dat hij direct met mij praat – hij moet het via jou doen. Ik wil hem nooit te zien krijgen. Hij moet onzichtbaar zijn, maar informatief. Verder wil ik een Superman-outfit en bovennatuurlijke krachten...'

Josie knikt.

***

De vraag of Rob echt van plan is in deze clip seks voor de camera's te hebben, zweeft al een tijdje in de lucht, maar tot dusver is niemand er rechtstreeks over begonnen. Er zijn heel wat grappen over gemaakt, maar tegelijkertijd is het allerminst als een grap afgedaan – voor nie-mand bestaat er twijfel over dat er op de set acteurs paraat moeten staan die indien nodig bereid zijn eraan mee te doen. Maar afgaande op wat hij tijdens de lunchpauze zegt in de trailer, lijkt het of Rob pas nu serieus nadenkt over hoe ver hij zou moeten gaan.

'David,' zegt hij, 'ik vind dat er in dat seksgedoe ook echt seksgedoe moet zitten.'

'Penetratie?' vraagt David met vlakke stem.

'Ik dacht aan oraal,' zegt Rob. 'En...' – hij laat zijn blik over de in de trailer verzamelde entourage gaan – '...jullie kijken niet.'

Ik vraag hem of hij van plan is het voor het echie te doen.

Hij haalt zijn schouders op. 'Het verlegt de grenzen van de smaak. En het kan faliekant fout gaan. Het is hetzelfde als met het opnemen van een swingalbum. En voor zover ik weet, heeft nog niemand het gedaan.'

Is er iets wat je niet zult doen als zij er in voor is?

'Vermoedelijk penetratie. *"Ik heb geen geslachtsgemeenschap met die vrouw gehad."*'

Hij vraagt de blondine tijdens de lunchpauze nog even langs te sturen. Hij wil met haar de seksscène bespreken en ik weet niet zeker of hij een korte repetitie helemaal uitsluit. Er wordt gemeld dat zij nog zit te lunchen. Als ze bij de trailer aankomt, moet hij weer terug naar de set. Op straat praten ze nog eventjes samen. Zij grijnst en ze geven elkaar een hand.

'Beklonken,' rapporteert hij. 'Zolang het maar niet met slangen is.'

Eerst moet hij echter het liedje nog playbacken. Het is de eerste keer dat *Come Undone* te horen zal zijn op de set, na anderhalve dag opnemen. Gewoonlijk komt bij het opnemen van een clip iedereen het liedje in kwestie de strot uit, omdat ze het keer op keer in flarden van twintig seconden horen tijdens het filmen van scènes, maar deze clip is grotendeels in stilte gefilmd, de partyscènes dan daargelaten, waarvoor Jonas energiekere, snellere muziek wilde dan Robs liedje biedt. ('AC/DC's *You Shook Me All Night Long* was een favoriet.) Rob heeft zo zijn bedenkingen en is zenuwachtiger over het playbacken dan over alle andere dingen die hij vandaag nog gaat doen – hij voelt zich er eigenlijk nooit op het gemak mee, al is het gemakkelijker met zijn lichtere tekst. 'Ik ben goed in de triviale wegwerpdingen,' zegt hij. Hij wijst erop dat er in de *Feel*-clip helemaal geen playback zit en dat dit geen toeval is. De playbackscène gaat opgenomen worden terwijl Rob tegen de muur zit in de zonet door Jonas ontdekte 'geheime roze kamer' van de huiseigenaar. (De kamer hoort niet bij de afgesproken locatie en de eigenaar perst er vijfduizend dollar extra uit.)

Hij zingt het liedje erg mooi (onderwijl denkt hij aan Coldplay's *Yellow*-clip), hoewel de camera aan het eind van de tweede take omlaag draait en hem erop betrapt dat hij aan zijn teennagels zit te pulken. Wanneer hij de keuken in gelopen komt na de derde take vol passie en verbrijzelde hoop klinkt er licht applaus.

'Niet doen,' zegt hij. 'Het zal niet genoeg zijn.'

Op CNN praten ze over het vooruitzicht Sadam Hoessein te verdrijven. 'Je kunt maar beter je vijand kennen…' merkt hij tegen mij op. 'Schrijf op dat ik dat gezegd heb.' Geschrokken ziet hij mij schrijven, alsof ik niet begrepen had dat hij maar een grapje maakte en het als een serieuze instructie opgevat heb.

Ik leg uit dat ik niet noteer wat hij me opgedragen heeft te noteren. Ik noteer dat hij me opdroeg het te noteren.

'O,' zegt hij.

***

'Rob, heb je iets nodig?' vraagt Josie.

'De liefde van een goede vrouw,' antwoordt hij.

'Dat kan denk ik geregeld worden,' merkt ze op.

'Nee, een *goede* vrouw,' zegt hij.

'In de tussentijd koffie?' stelt ze voor.

'Ja.'

***

De blondine komt naar hem toe en vertelt hem dat haar agent het haar ontraden heeft.

'Oké,' zegt hij. Hij probeert haar niet over te halen. Zoals bij zoveel van zijn ontmoetingen buiten clipsets om hoeft er maar iets te gebeuren en hij heeft zijn interesse verloren. En wanneer hij eenmaal zijn interesse heeft verloren, is het over en uit. Misschien is het zo ook maar het beste. 'Jij zag liever dat ik helemaal niets deed, hè, Josie?' zegt hij.

'Nou, we zouden het nauwelijks kunnen gebruiken,' zegt zij, niet direct antwoordend.

'Afknapper,' mompelt hij. Hij begint zich nu meer te ergeren. Hij herinnert zich wat hem zo aangesproken had. 'Controversie,' zegt hij. 'Controversie, controversie, controversie...' De meeste entertainers ontkennen fel ooit te proberen controversie aan te wakkeren; alles moet gepresenteerd worden als het oprechte product van een artistieke impuls en alle bijkomstige controversie moet gepresenteerd worden als een toevallig, onbedoeld nevenproduct. Maar het is veel meer de Robbie Williams-manier om onbeschaamd te verklaren dat hij op controverse uit is, waarbij hij zijn oppervlakkigste motief uitdraagt terwijl hij – zoals zo vaak – het feit verhult dat hij, in de schaduw daarvan, wil communiceren over iets wat voor hem serieus en oprecht gemeend is.

Hoe dan ook, misschien heeft hij de seks niet nodig.

'Je hebt insecten, bloederig opengesneden polsen, drugs, een seksscène,' houdt Josie hem voor. 'Het gaat niet bij *Blue Peter* komen.'

Ach wat. Hij weet dat Jonas, als hij hem het vraagt, ervoor zal zorgen dat zijn tegenspeelster zal nakomen waarin ze voor de opnames toegestemd heeft, maar zowel de daad als het idee heeft hij nu uit het hoofd gezet. 'Het maakt me niet uit, echt niet,' zegt hij. 'Laten we het doen en naar huis gaan.'

Hij loopt naar buiten en staat aan de rand van het gazon, dat volmaakt waterpas en groen de omringende begroeide heuvels tart. Hij strekt zijn armen uit en buigt ze dan achter zijn rug.

'Ik raak Robbie Williams z'n kont aan,' zegt hij.

❋❋❋

De bedactie is voor het laatste bewaard. Rob vraagt om deodorant en daarna een pepermuntje. 'Ik ga naar binnen,' zegt hij. Terwijl hij bij de meisjes is, zit ik in de badkamer ernaast samen met Daniel, Robs kapper en goede vriend, en de twee mannen, die wachten tot zij aan de beurt zijn om met Rob in bed te kruipen. Ze lijken goed bezopen. Uit de slaapkamer hoor ik Jonas instructies en aanmoedigingen roepen en veel gelach. Na een tijdje komt een van de crewleden naar buiten gestoven en roept dringend: 'Video snake!' (Het blijkt dat er een bepaalde videokabel wordt bedoeld, niet de echte slang, of de andere slang.)

De tijd begint te dringen. Ze hebben een strikte avondklok voor zowel hun toestemming om te filmen als de tijd dat ze het huis uit moeten zijn. Jonas praat niet eens met zijn producer. De twee knullen worden naar binnen gestuurd. Door de muur heen klinkt nog meer gelach.

'Omhoog!' roept Jonas. 'Ik zie geen gezicht! En nu weer omlaag. Op je knieën! Ga op je knieën zitten!'

Ik kan net Robs stem horen. 'Iedereen probeert me te domineren,' zegt hij. Ik weet niet of dat als een klacht, commentaar of uiting van gelukzaligheid uitgelegd moet worden.

❋❋❋

Zodra hij de kamer verlaat, is er nog net tijd om heel kort gedag te zeggen, maar meer ook niet en pas wanneer we in het donker in het busje zitten, weidt hij uit over wat er allemaal gebeurd is.

'Stinkie stinkie,' zegt hij. Nadere verklaring laat vooralsnog op zich wachten. Hij praat eerst over de jongens. 'Die ene met het witte haar was strontlazarus,' zegt hij. 'Wilde alleen maar neuken. Ik zeg: hé broer, het is maar een videoclip en ik ben niet dronken.' Hij gniffelt. 'Dit gaat zoveel ellende geven.'

'Had hij een pepermuntje genomen?' wil Josie weten.

'Ik heb niet gekust met de jongens,' zegt hij. 'Ik heb ze gewoon van achteren genomen.'

'Niet getongd, gewoon van achteren genomen...' somt Josie op, alsof ze aantekeningen maakt. (Voor en tijdens de opnames, en in het busje, is het niet nodig geweest het uit te spreken dat hij niet meer heeft gedaan – en dat ook nooit van plan is geweest – dan seksuele omgang met de mannen voorwenden. Maar misschien moet het vastgelegd worden.)

'De twee meisjes zijn absolute kuttenkoppen,' rapporteert hij. 'Ze geilen me dus op, maar het is cool en we flikflooien enzovoort wat. En

: 204 :

dan houden we op met flikflooien enzovoort en de twee knullen komen binnen en die ene met het blonde haar lijkt straalbezopen en wil me naaien – hij probeert me om te gooien. Maar het was grappig, want daar lagen we met ons drieën en iedereen probeerde iedereen te domineren.'

Ik vraag hem of het leuk was.

'Ja. Ik denk van wel. Ze giechelden aan één stuk door en ze waren piepjong en lachten om dingen die niet grappig waren. Tegen het einde was ik zo'n beetje de enige professional. We zijn niet ter zake gekomen of zo. Maar wel een heleboel blote borsten betasten, zij die met hun tweetjes samen kussen, wij die met ons drietjes elkaar kussen. En daarna de knullen.'

Heb je je broek aangehouden?

'Dat heb ik, jawel. Zij niet. Maar het was niet moeilijk. Het was niet erotisch of sexy, maar moeilijk was het ook niet. Om het zo te zeggen: stijf bij de dames, verschrompeld voor de jongens. Ik zou het je eerlijk vertellen als ik het sexy vond.'

Hij keert terug naar het stinkie stinkie en zegt dat hij geschokt was door wat hij wel heel onprofessionele vrouwenluchtjes vond.

'Je zou toch verwachten dat ze hun gleuf prepareerden, of niet soms?' zegt Rob.

'Het is als een loodgieter die op komt dagen zonder waterpomptang,' zegt Lee.

'Ik heb gefoezeld,' zegt Rob. 'Met allebei. Ik had het niet eens in de gaten tot ik opeens dacht: o, ik heb mijn vinger op haar clitoris...'

❋❋❋

We rijden voor een late snack naar de Standard op de Sunset Strip. Rob zegt, in aanwezigheid van de ober, dat hij bijna 24 uur op is en Josie berispt hem omdat hij overdrijft. 'Dat weet hij niet,' zegt Rob. 'Hij denkt nu dat ik vreselijk cool ben.' Pauze. 'Hij weet niet dat ik in Take That zat.' Pauze. 'Hij gaat daar nu naar binnen en denkt: "Wie is die verdomd coole knaap? Hij lijkt wel een beetje op Liam, maar ook op Norman Wisdom."'

Uit het gesprek blijkt dat Daniel, die Engelsman is en destijds in Londen woonde, slechts een flauw idee heeft van wie Take That was. Verder blijkt dat er een heel tijdperk van popcultuur aan hem voorbijgegaan is en Rob praat hem daarom bij door een kort overzicht van de jongensgroepen gedurende de laatste vijftien jaar te geven. 'New Kids on the Block. Break. Grunge en techno en Take That. Break. N'Sync, Backstreet Boys.' (Daniel zegt dat hij van de Backstreet Boys wel eens gehoord heeft, omdat hij Howie kaal heeft geknipt.)

'Ken je deze nog?' vraagt hij aan Daniel. Hij begint, hier aan tafel, *Pray* voor hem te zingen.

'Dat gaat over een heerlijk moment, of niet soms, tussen twee mannen,' zegt Lee.

'Vier weken op één,' zegt Rob.

'Doe er nog eens een,' zegt Daniel.

Rob zingt *Everything Changes*.

'Ja, dat ken ik,' beaamt Daniel. Daarna zingt Rob *Could It Be Magic?* en *Back For Good*. Pas nu schiet het Daniel te binnen dat hij er als steward bij was toen Take That in Wembley optrad. Maar hij was zelf fan van house en lette er verder niet zo op.

'Mijn ego is niet gekwetst doordat jij niet weet wie The That was,' verheldert Rob. 'Ik sta alleen maar perplex.'

Daniel heeft nooit met Rob over diens verleden gesproken, maar hij lijkt er nu ineens interesse voor op te vatten.

'En toen ben je eruit gestapt?' vraagt hij.

'Ja,' zegt Rob. 'Het liep uit de klauwen, man. Er gebeurden de krankzinnigste dingen. Overal in Duitsland werden hulpcentra opgezet. Eén meisje pleegde zelfmoord.'

'Hoeveel fans hadden jullie?' wil Daniel weten.

'Laat ik het zo zeggen,' zegt Rob. 'Met Valentijnsdag ontving ik tachtigduizend kaarten.'

Ik vraag hoeveel hij er dat jaar verstuurde.

'Geen een,' zegt hij.

✳✳✳

Het heeft iets op gang gebracht. De hele weg lang blijft Daniel Rob maar vragen stellen en ze gaan ermee door wanneer we thuiskomen en rond de keukenbar zitten. Het heeft zowel iets vertederends als boeiends om Rob zijn verhaal te horen doen tegenover iemand die geen insteek heeft en er niets vanaf weet.

'Ik bedoel, niet iedereen kende ze toen toch zeker?' zegt Daniel, over Take That.

'Nee,' moet Rob toegeven. 'Jij en een handjevol anderen niet.'

'Hoe lang was de groep bij elkaar?' vraagt hij.

'Vijf jaar.'

'En jullie waren meteen van meet af aan groot?'

'We waren, denk ik, zo'n drieënhalf jaar groot.'

'Waren jullie opgewonden toen jullie populair begonnen te worden?'

'Bepaalde elementen eraan waren opwindend, ja. Maat weet je, de werkdruk was zo gigantisch, dat we gewoon te moe waren.'

'Hoe waren de jongens in de groep?' vraagt Daniel.

'Geweldig, man,' zegt Rob.

'Klootzakken?' wil Daniel weten.

'Nee, ze waren geen klootzakken. Ze waren jong. En we hadden Satan als onze manager en hij verdeelde en heerste en haalde allerlei klotestreken met iedereen uit en dat leidde ertoe dat we verdeeld waren.' Hij lacht. 'Dat is de officiële lezing. Barlow was wel een beetje een klootzak.'

'Dus toen je bij de band wegging, ben je meteen je eigen dingen gaan doen?'

'Nee, ik was... Ik dronk zwaar en gebruikte een heleboel drugs en ik maakte er een grote puinzooi van...'

'Dat was op het hoogtepunt?'

'Ja, nou, tegen het eind... Ik bedoel, hele de tijd door was ik eigenlijk al aan het kloten geweest, maar toen tegen het eind was het gewoon elke dag doffe ellende. En toen vertrok ik en, nou, *experimenteerde* een jaar met drugs, heftig. En ik raakte in knallende processen verzeild, vanwege dingen, en ik verloor al mijn geld en tekende een nieuw platencontract en kutte rond in Londen in het celebritycircuit, je weet wel, vriendjes willen zijn en cool willen zijn en al dat soort dingen. En na ongeveer een jaar – na een heel jaar zei de platenmaatschappij van: hoor eens, we moeten een liedje uitbrengen. En ik: vooruit dan maar. En de platenmaatschappij zei: we willen dat je *Freedom* van George Michael uitbrengt en ik denk van: oké, als jullie me hierdoor een tijdje met rust laten dan doe ik het. En dus bracht ik *Freedom* van George Michael uit.'

'Echt?'

'Ja.'

'Wat gebeurde er?'

'Het kwam op twee, maar het is zo'n beetje verloren gegaan in de annalen der geschiedenis, omdat niemand het er ooit over heeft, nooit niet. Ik dacht bij mezelf: ik wil iets anders doen, iemand anders zijn, mezelf zijn... en het eerste wat ik verdomme doe is een cover uitbrengen.'

'En toen wat?'

'Toen stuurden ze me naar Desmond Child om samen liedjes met hem te schrijven. Hij schreef *Living On A Prayer* en een paar andere dingen in Miami.'

'Dat is een vent?'

'Ja. En het was weer zo'n keer van: laat me met rust, ik ga al. En ik besteedde een heleboel poen en nogal wat tijd aan het schrijven van liedjes met hem.'

'Wiens geld?'

'Het mijne'

'Echt?'

'Ja.'

'Maar hoe kwam je dan aan dat geld?'

'Van het voorschot van mijn platenmaatschappij.'

'Aha. En toen pakten ze je daarop.'

'Ja. En ik stuitte op een half geslaagd liedje, *Old Before I Die*, maar ik begon zo'n beetje genoeg te krijgen van Desmond en genoeg van de platenmaatschappij. Op een nogal omslachtige manier zei ik dat ik deze liedjes dus niet ging zingen. Heb je ooit dat liedje van Ricky Martin, *Private Emotion*, gehoord? *"It's a priiivate emotion…"* Nou, ze wilden dat ik dat zong. Ik dus naar huis en ze gaven me dit vel papier en daarop stonden al deze schrijvers met wie ik kon samenwerken en ik zag deze naam ertussen staan en het was Guy Chambers en ik dacht bij mezelf: dat is 'm. En toen ging ik naar zijn huis om met hem te schrijven en de eerste dag schreven we dit liedje *Angels*, waardoor mijn carrière begon. En toen schreven we het hele album in een week.'

'Mocht je hem?'

Rob pauzeert. 'Ja. Ik vond hem een mafkees, maar zijn rariteiten stonden me wel aan.'

'En je dronk toen nog steeds, of niet?'

'Ja, ik was toen een vetzak. Ik was een grote vent. Door zoveel… cocaïne werkte bij mij omgekeerd. In plaats van af te vallen hield ik er vocht door vast. Plus dat ik fenomenale hoeveelheden taart at.'

'Wow. En wat gebeurde er toen?'

'Wat er toen gebeurde, was dat het album uit ging komen en ik me realiseerde dat ik een klootzak was en dat ik moest gaan afkicken, omdat ik zoals ik eruitzag het album onmogelijk kon gaan promoten. En ik wist dat ik toch niet met drinken kon stoppen en ging er eigenlijk alleen maar heen uit ijdelheid. Niet omdat ik echt met drinken wilde stoppen. Het was meer van: raak wat gewicht kwijt en zorg ervoor dat je er weer goed uitziet, dan kun je het album gaan promoten. En dat was… terwijl het album werd gemixt, zat ik in de kliniek. En ze lieten me ook een dag gaan om de videoclip op te nemen.'

'En je kwam ervan af? Toen die keer?'

'Zo'n beetje, ja.'

'En je hebt daarna nooit meer gedronken?'

'O god, nee. Ik was maar twee maanden nuchter.'

'O.'

'Maar in de kliniek liep ik 15 tot 25 kilometer per dag en ik at niets en raakte al mijn overgewicht kwijt en ik kwam er vrij mager en weer ooglijk uit. Toen kwam het album uit en er werden er in drie maanden drieëntwintigduizend van verkocht.'

'Is dat goed of slecht?'

'Nee. Verschrikkelijk slecht. Dus wat er toen gebeurde, was dat we dat moesten opkrikken en we brachten *Angels* uit en vanaf toen kwam het op gang.'

'Wat schreef je nog meer buiten *Angels*? Welke andere liedjes heb je gedaan? *Let Me Entertain You… Rock DJ…*'

Rob ligt op zijn rug op de bar en noemt er een aantal: '*Old Before I Die, Lazy Days, South Of The Border, Angels, Let Me Entertain You, Millennium, No Regrets, She's The One, Strong, Rock DJ, Let Love Be Your Energy, Supreme, Kids…*'

'Die schreef je samen met Guy?'

'Ja.'

'En nu praat je niet eens meer met hem? Je vindt hem een klootzak?'

Weer een pauze. 'Zo rechtlijnig ligt het niet. Volgens mij is hij vergeten waar het om gaat…'

✳ ✳ ✳

The Daily Mail heeft zich op het gokverhaal gestort – ROBBIES VER-SLAVING VAN TWEE MILJOEN POND –, maar tgen de volgende avond is het niet dat krantenartikel dat hem dwarszit. Rond vijf uur in de middag LA-tijd – één uur 's nachts in Londen – kunnen we online de voorpagina lezen die *The Sun* voor de volgende dag in petto heeft: RACHEL DUMPT ROBBIE. Het is een naar verhaal, dat beweert dat zij een relatie met Rob beëindigd heeft 'omdat zij niet langer tegen zijn "paranoia" kan.' Er staat: 'De voormalige mannequin en actrice (33) vertelde de megarijke zanger gisteravond, op de vooravond van zijn 29e verjaardag, dat hun romance voorbij was.'

Het enige ware eraan is dat ze elkaar niet veel meer zien, maar wat er ook tussen hen gebeurd mag zijn, het is niet zoals *The Sun* het brengt. De gegeven redenen deugen niet en het is allemaal domweg niet gebeurd. Hij schudt zijn hoofd. 'Het is uit de duim gezogen,' zegt hij. 'Ik zit ermee in mijn maag dat de potentiële mevrouw Williams over mijn geestestoestand leest, snap je wat ik bedoel?' Hij denkt dat omdat hij eerlijk over zijn depressie is geweest, de kranten daar nu naar grijpen als hun kant-en-klare verklaring voor wat ze ook willen beweren, wanneer het ze maar uitkomt. 'Het is een soort zichzelf in stand houdend monster, dat ze op enig moment kunnen loslaten en publiceren,' zegt hij.

Aan het verhaal zit nog iets anders flagrant oneerlijks, dat slechts weinigen in Groot-Brittannië zullen opmerken.

…vertelde de megarijke zanger gisteravond, op de vooravond van zijn 29e verjaardag,…

Niet eens zomaar gisteren. *Gisteravond.*

Rob en Rachel zitten beiden in Los Angeles. We lezen het verhaal nu en het is in Los Angeles nog steeds laat in de middag op de dag waar *The Sun* het over heeft. Afgezien van de andere zondes logenstraft *The Sun* de fundamentele natuurkundige wetten van de kosmos. Ze beschrijven de gebeurtenissen van een avond die *nog niet aangebroken* is.

7

Hij is in New York voor het geven van promotionele interviews en, aan het eind van de week, het Rock The Vote-concert. Hij is er niet happy mee hier te zijn en voelt zich eenzaam. Beneden in de lobby van het Mercer Hotel draalt hij met een cappuccino en raakt aan de praat met een meisje. Onder het praten komt haar vriend binnen en slaat zonder iets te zeggen zijn arm om haar heen. Het is alsof je naar een natuurfilm kijkt.

Even na negenen laat Rob de dag de dag en gaat naar bed. Ik zit nog steeds met Pompey beneden te kletsen wanneer hij op zijn mobieltje wordt gebeld. Het is Rob. Iemand moet komen helpen. Hij kan de afstandsbediening van de tv niet vinden.

De volgende ochtend merken we, terwijl we in het busje door Prince Street rijden, op het met sneeuw bedekte trottoir naast ons enige consternatie op. Het is Kate Winslet, die terwijl ze over straat loopt achtervolgd en gekiekt wordt door paparazzi.

'Kate!' gilt Rob, op het raam van het busje bonzend om haar aandacht te trekken. Zij negeert het, duidelijk veronderstellend dat het om nog meer ongewenste aandacht gaat.

'Ik ben het, Robbie!' roept hij. Ze stopt en komt daarna naar het raam gelopen. Het gaat slechts een paar centimeter open en ze praten zodoende met elkaar door de smalle spleet.

'Hallo, schat,' zegt hij. 'Waar ga je heen?'

'Naar huis,' zegt ze. 'Ik zit hier vier maanden, een film maken.'

Hij nodigt haar uit een keer thee te komen drinken in het Mercer, op enig moment, en vertelt haar zijn pseudoniem.

'Geef ze op hun kloten,' adviseert hij, op de paparazzi doelend.

Zij knikt. 'Ik wou dat ze godverdomme eens oprotten,' zegt ze.

We rijden verder. Rob lurkt van zijn koffie en lacht. 'Het is een onuitputtelijke melkkoe, beroemd zijn, of niet?' zegt hij. 'Oooo, ik ben helemaal kapot van haar.'

'Zij is leuk, hè?' zegt Josie.

'Ja,' antwoordt hij. 'Kapot. Kluts kwijt.'

'Heeft echter een vast vriendje,' herinnert Josie hem. 'Sam Mendes.'
'O,' zegt hij. Zijn gezicht betrekt. 'Mieters.' We kletsen een tijdje over andere dingen en opeens zegt hij, zo'n twintig straten verder: 'Sam fucking Mendes.'

✹✹✹

'Ik denk erover in een dwangbuis op te komen,' kondigt Rob aan. Op Robs kamer is een bespreking over de tournee van de komende zomer, om te kijken hoe ver alles ervoor staat en nog meer aspecten van de productie definitief af te spreken. Lee zegt dat ze overeenstemming moeten bereiken over hoe Rob het podium op komt. Uit de manier waarop Rob het dwangbuisidee presenteert, is duidelijk dat hij open staat voor betere ideeën. 'Wat dachten jullie ervan als ik opkwam als astronaut?' stelt hij voor. Niemand reageert. Hij schudt zijn hoofd. 'De helm zal mijn kapsel ruïneren,' besluit hij. 'Ik denk dat de dwangbuis het beste is.'

Lee knikt. 'Ik denk dat de astronaut wel eens gecompliceerd zou kunnen zijn,' zegt hij.

'Zou het niet grappig zijn,' zegt Rob, 'als het een dwangbuis was met een haak aan het einde. En dat er dan een grote kraan staat en ik opkom met mijn armen achter mijn rug in een dwangbuis en omhoog getakeld word.' Hij poseert alsof hij omhoog gaat, met zijn hoofd naar beneden. 'Op de intro van *Let Me Entertain You* hang ik dus tweeënhalve meter hoog in mijn dwangbuis. Maar ik weet niet hoe ik omlaag kom.'

'Je zou aan een veiligheidskabel vastzitten,' zegt Lee. 'Je moet losgemaakt worden.'

Opeens is het idee er. Het is Wob Roberts, de productiemanager, die als eerste het vitale verband legt.

'Je kunt ondersteboven, op je kop, beginnen, zoals op de albumhoes,' zegt hij, 'en daarna kun je al zakkend draaien, zodat je op je voeten landt in plaats van op je kop.'

Het is zo voor de hand liggend en zo'n logische showopening, het nabootsen van de albumhoes, waarvoor hij op z'n kop hing aan de hoogste wolkenkrabber in het centrum van Los Angeles, dat niemand erop gekomen is.

'Escapology!' zegt Rob. 'Ja. Dat zou cool zijn. Ik hoef niet eens mijn dwangbuis aan. Ja!'

Ze beginnen de praktische kanten uit te werken.

'Het is alleen wat onsexy om daaruit te komen,' zegt Rob.

'Je zou gedurende de rest van dat liedje die gordel moeten dragen,' zegt Wob.

'Ik hoef nu geen gordel meer te dragen, omdat ik op mijn voeten sta,' zegt Rob.

Wob stelt voor dat Rob een heupgordel aan heeft, zodat hij kan tollen.

'Nee,' zegt Rob. Hij wil ondersteboven aan zijn voeten hangen, zoals voor de fotosessie. Bovendien kan hij gedurende *Let Me Entertain You* geen gordel dragen. 'Het is een grote gordel en dan is het moeilijk om erin te dansen en ik wil dansen,' zegt hij.

'Denk je dat het je gaat lukken dat elke avond te doen?' vraagt Josie.

'Ja,' zegt hij. 'Omdat het een schitterende entree is, of niet?'

'Je houdt dat niet langer dan vijf minuten vol,' zegt David. 'Vijf minuten was je maximum.'

Ze bespreken of hij opgetakeld moet worden of dat hij zichzelf vanaf de trap kan lanceren net voordat het doek opengaat, maar er bestaat overeenstemming over het basisidee en Rob is al met het volgende bezig.

'Zijn er dingen die je absoluut niet of wel wilt, qua liedjes?' vraagt Lee.

'Denk maar aan "singles" en je hebt het zo'n beetje... afgezien dan van *Eternity*,' zegt hij. 'Ik wil *Eternity* nooit meer zingen. Tenzij het is om het leven te redden van iemand van wie ik hou. Of als een of andere sjeik me een miljoen biedt.'

Hij geeft een lange lijst van de liedjes die hij wil zingen.

'*She's The One?*' oppert David.

'Nee, rot op,' zegt Rob. Hij heeft er een hekel aan gehad *She's The One* te zingen vanaf het moment dat de componist ervan, World Party's Karl Wallinger, zijn versie afkraakte. 'O ja, wat ik ook wil coveren, is *99 Red Balloons* in Duitsland.' Hij is vorige week op een awardsceremonie in Duitsland Nena tegen het lijf gelopen en heeft haar gevraagd deze zomer haar grote hit met hem te zingen in Gelsenkirchen.

Hij lijkt even te huiveren. 'Ik zou *She's The One* wel moeten doen,' zegt hij. 'Het was tenslotte een verdomd grote hit voor me, of niet.' Hij heeft een nieuw idee hoe hij die song kan uitvoeren op een mogelijk draaglijke manier. 'Ik zou het eens met gevoel moeten zingen,' stelt hij voor.

✵ ✵ ✵

Na een tijdje verliest hij zijn belangstelling voor de tourneebespreking. Op zijn buik op bed liggend leest hij, terwijl de bespreking voortgezet wordt, over zichzelf op zijn computer. Ik heb wat misschien een grote fout zal blijken te zijn gemaakt door hem te laten zien hoe je, als je de woorden 'Robbie Williams' intikt op Google's nieuwszoekmachine, zo'n beetje alle recente nieuwsberichten in het Engels kunt vinden waarin zijn naam voorkomt, wereldwijd. In een Australische krant leest hij dat Rachel het slipje van een andere vrouw in zijn bed heeft aangetroffen. 'Daar kunnen we een proces over aanspannen, toch?' vraagt hij.

Hij vindt andere vermeldingen van zijn naam. Een wedpagina geeft de notering 4/5 dat hij bij de Brits Awards tot Best Male wordt gekozen. Hij is de favoriet, maar de notering is nogal mal, gezien het feit dat hij zijn toespraak bij de inontvangstneming al opgenomen heeft. Hij weerstaat de verleiding. Hij stuit op een verwijzing naar de lezerspoll van *NME*: hij is tot Villain Of The Year gekozen. Osama Bin Laden moet het met de tweede plaats doen. 'Ik heb eerder gewonnen, dus ik ben er niet echt meer hoteldebotel van,' zegt hij met toespraakstem. 'De eerste keer ging ik totaal uit mijn dak.' Ik merk op dat de concurrentie dit jaar zwaarder geweest moet zijn, met Osama op het toneel. 'Ja,' zegt hij, 'maar wanneer je zo druipt van het talent als ik, wanneer je zo in en in *slecht* bent, dan heb je geen concurrentie.' Pauze. 'En hij heeft een enorme fout gemaakt door geen ballad uit te brengen.'

En hij maakt ook al geen clips meer, merk ik op.

'Ja,' zegt Rob. 'Hij denkt dat hij George Michael of zo is.'

❋ ❋ ❋

Hij geeft een interview aan het blad *Spin*. Robs achterdocht wordt meteen al in het begin gewekt wanneer de interviewer, Chuck Klosterman, vraagt of het niet eigenaardig is dat sinds zijn platencontract geld nu de crux vormt in elk interview dat hij geeft en tegen hem zegt dat *Spin* zeer beslist deels daarom in hem geïnteresseerd is geraakt. Rob antwoordt, eerlijk, dat men hem afgezien van een aantal vragen op persconferenties daar nauwelijks naar gevraagd heeft.

'Echt?' zegt de interviewer sceptisch.

Ze lijken niet alleen een botsing tussen karakters en cultuur te hebben, maar totaal andere ideeën over wie Robbie Williams is. Aangezien Rob Robbie Williams ís (of daar in ieder geval van wie ook het dichtst bij in de buurt komt), maar weet dat deze andere persoon een artikel over hem gaat schrijven, wordt de situatie hoe langer hoe onbehaaglijker. Met een reeks vragen wil Klosterman weten of Rob zichzelf als een serieuze kunstenaar beschouwt; het is iets waar misschien delen van de Amerikaanse cultuurindustrie belangstelling voor hebben, maar wat Rob geen bal interesseert. 'Weet je,' zegt Rob ten slotte, hoe langer hoe geprikkelder, 'ik neem het *White Album* niet serieus. Ik vind het ongelooflijk mooi en hou er zielsveel van, maar wat is er *serieus* aan? Het woord "serieus" – wat is er serieus aan het *White Album*? De emoties erop raken me diep, de teksten zijn ongelooflijk. Maar als ze zeiden dat Osama Bin Laden nu in een vliegtuig zit en hij een ander gebouw in New York gaat rammen, zeg ik dat dát serieus is. Het *White Album*, daar *luister* ik naar. En wanneer ik klaar ben met luisteren, dan ga ik vermoedelijk een plasje plegen. Of iets eten. Snap je wat ik bedoel?'

Maar Rob is er verre van zeker van of de interviever het snapt.

Pas nadat hij over al dit soort dingen gesproken heeft, en nog veel meer, en hij in een ietwat defensieve en boze stemming verkeert, wordt hem gevraagd hoe hij denkt over zijn doorbraak in Amerika en of hij verwacht of het er ooit wel van zal komen. Niets van wat hij tot dusver heeft gezegd zal direct in het artikel geciteerd worden, maar het meeste van het volgende antwoord wel, en het zal ver weergalmen.

'Ik denk van niet, nee,' begint hij, eerlijk. Zulke eerlijkheid kan enigszins excentriek en eigenzinnig lijken in een Engels interview; in Amerika, een cultuur die minder tolerant staat tegenover ambivalentie ten aanzien van slagen en bereiken, zal ze vermoedelijk eerder verschrikkelijk contraproductief en haast beledigend uitpakken, alsof het uitnodigt tot de reactie: *waarom zouden we onze tijd verspillen aan jouw dromen wanneer je er zelf niet eens in gelooft?* Terwijl Rob verdergaat, ontkracht hij die reactie min of meer al bij voorbaat. 'Eh... en ik weet niet precies wat ik nu eigenlijk wil, eerlijk gezegd,' zegt hij. 'Ik wil het niet graag genoeg, wat min of meer het doel van ons interview vandaag om zeep helpt, snap je – ik zit hier te zeggen dat ik het niet graag genoeg wil en tegelijkertijd geef ik een interview. "Waarom geef je dan toch een interview?" Dat weet ik niet. Ik blijf verschijnen. Mensen organiseren dingen voor me en ik verschijn en ik doe ze, maar de laatste acht maanden heb ik het dan wel en dan weer niet leuk gevonden. Ik bedoel, mijn ego zegt...' – hij fluistert alsof hij in zichzelf praat – '..."Breek door in de States, Breek door in de States, ga ervoor en doe het, ga ervoor en doe het," en de vent die kinderen groot wil brengen en iets van een normaal leven wil zegt: "Waar ben je verdomme mee bezig, idioot?! Waarom doe je dit hier? Niemand weet wie je bent. Het is prachtig. Je zult het geweldig vinden." Maar dan gaat het ego weer: "Breek door in de States breek door in de States breek door in de States." Of probeer door te breken in de States. Maar om je de absolute waarheid te vertellen, dat gaat niet gebeuren voor me.'

Het aspect hieraan dat de interviewer verbijstert, is dat Rob niet eens denkt aan: het geld. Eens te meer blijkt dat hij iemand is die ervan overtuigd is dat Robs nieuwe platencontract een uitzinnige gok voor EMI vormt, die alleen afbetaald kan worden als hij in Amerika doorbreekt. Rob probeert het hem, enigermate gedetailleerd, uit te leggen, maar hij klinkt sceptisch. 'Je moet gewoon een eenvoudig rekensommetje maken, meer kan ik niet zeggen,' zegt Rob ten slotte tegen hem. Klosterman vat het nog steeds niet, of gelooft het in ieder geval niet, en dus begint Rob nog eens opnieuw. 'Al het geld,' leg hij uit, 'wordt betaald om mij nooit door te laten breken in Amerika.'

Maar het is toch zeker, argumenteert Klosterman, gebaseerd op...

'Welnee,' onderbreekt Rob hem. 'Als EMI me zoveel geld gaf omdat ik ging doorbreken in Amerika, dan zouden ze wel verdomd stom zijn, want ze verwachten niet dat het me gaat lukken. En ze verwachten niet dat het ooit een Britse act zal lukken. Dus waarom zouden ze dat verdomme doen?'

Enkele zeer grove rekensommetjes kunnen hier nuttig en op hun plaats zijn. Het is redelijk om te veronderstellen dat een platenmaatschappij tussen de vier en vijf pond netto kan ontvangen voor elk exemplaar van een lopende release. (Dat is vóór het uitbetalen van de royalties, wat ze niet hoeft te doen, omdat ze een voorschot aan het terugverdienen is; erin verdisconteerd zitten tevens aan de ene kant de niet-verhaalbare marketing en kosten, maar aan de andere kant ook de winst die ze stilletjes maakt door haar aandeel in de productie- en distributierevenuen.)

Op basis daarvan zou EMI, als zijn contract inderdaad zo groot is als alom wordt gesuggereerd, om break-even te draaien iets minder dan twintig miljoen albums moeten verkopen gedurende de contractperiode. Van *Escapology* zijn buiten Amerika al zes miljoen stuks verkocht, hetzelfde geldt voor het laatste album voorafgaande aan deze deal, *Swing When You're Winning*. Tenzij zijn verkoop buiten Amerika dramatisch instort – het enige risico waaraan EMI zich blootstelt – lijkt de deal dus al lonend te zijn, zonder nog maar een plaat verkocht te hebben in Amerika. (Deze zeer grove analyse verdisconteert niet EMI's aandeel in zijn andere inkomstenstromen, die, zelfs nog maar voordat hij aan zijn tournee is begonnen, substantieel zijn, al verdisconteert ze evenmin de aanzienlijke kosten van het grote voorschot dat Rob contant in handen heeft gehad.)

Tegen het eind van het interview herhaalt en verheldert Rob, wanhopend dat niets hiervan begrepen is, zijn voorspelling.

'Wat er volgens mij gaat gebeuren,' zegt hij, 'is dat ik hier misschien vijfhonderdduizend platen verkoop, met wat geluk en de wind in de rug. Maar dat gaat voor mij niet gebeuren, omdat ik niet bereid ben er het werk in te stoppen. Ik wil het niet graag genoeg.'

✳ ✳ ✳

'Dat gaat geen goed stuk worden, David,' zegt Rob na afloop. Hij legt uit dat alle vragen om geld leken te draaien en of hij nu wel of niet een serieus kunstenaar was. Hij brengt niet ter sprake dat hij zijn op handen zijnde mislukking in Amerika heeft voorspeld, maar tijdens bandrepetities fluistert hij me stilletjes toe: 'Ik sta op het punt het op te geven.'

Wat opgeven? vraag ik.

'Amerika,' zegt hij. 'Serieus.'

✳✳✳

Hij nodigt een model dat hij gisteravond in de foyer heeft ontmoet uit om op zijn kamer naar de laatste Michael Jackson-documentaire te komen kijken en daarna vertrekken we met z'n allen naar een optreden van Fil Eisler, Robs oude gitarist, die in een club vlakbij speelt. In de taxi hebben Rob, het model en ikzelf een eigenaardig gesprek over wat het woord 'zedig' echt betekent en of het ooit van toepassing zou kunnen zijn op Rob.

In The Living Room is het onaangenaam druk. Bij onze aankomst speelt er nog een andere band; de zanger draagt een I'm In A Promising Local Band T-shirt. Al gauw is het de beurt aan Fil en tegen het eind roept Rob erdoorheen en antwoordt en zingt luidkeels mee met de songs die hij kent. *My Fuck You To You* bijvoorbeeld. Na afloop wordt er heel wat geknuffeld.

'Hier word ik altijd een beetje emotioneel van,' zegt Rob buiten. Hij zegt dat er een stuk of vier songs zijn die hij zou willen coveren.

Op de terugweg naar het hotel houden hij en het model elkaars handen vast en vergelijken hun nagels.

'De mijne zijn waardeloos,' zegt hij.

Het is een mooie avond. Wat hem het meest aanstaat aan haar, is dat ze Steven Wright voor hem citeert: 'Ken je dat gevoel dat je krijgt wanneer je op een stoel zit en heen en weer schommelt en je bijna omvalt – dat gevoel heb ik aan een stuk door.' Wanneer hij de volgende ochtend beneden in de lobby komt, hoort hij over de Brit Awards. Het grote nieuws is het duet, en de vergezellende *dirty dancing*, dat Justin Timberlake heeft opgevoerd met Robs stand-in, Kylie Minogue. *The Sun* heeft een cartoon van Justin die Kylies achterwerk beetpakt. In de tekstballon uit haar mond staat: 'Ik wou dat het Robbie was'; in de tekstballon van hem staat: 'Ja, dat wou ik ook.'

Hij zegt tegen zijn vader, die hier voor een week is, dat hij in de badkamerspiegel gezien heeft hoeveel grijze haren hij nu heeft. 'Kun je je nog dat permanent herinneren waarmee ik naar Scarborough kwam?' vraagt hij.

'Ja,' lacht Peter. 'Er was geen beweging in te krijgen.'

'En ik waste het nooit,' zegt Rob. 'Het moet gestonken hebben.'

'Hou oud was je toen?' vraagt Josie.

'Veertien,' zegt hij. 'Ik had het laten permanenten aan het begin van de schoolvakantie en na de vakantie werd ik als eerste bij de directeur op het matje geroepen en naar huis gestuurd.'

'Ging je er de hele zomervakantie heen?' vraagt Josie.

'Mmmmm,' zegt Rob.

'Fantastisch was het, of niet?' zegt Peter. 'Vier of vijf weken.'

'Great Yarmouth was mijn favoriet,' zegt Rob. 'Herinner je je nog die avond toen ik niet uit de kleedkamer wilde komen, omdat dat meisje achter me aan zat omdat ik met een ander aanpapte? Toen gaf ze me een lel. Zij gaf me een lél! Ik voelde me net James Bond.'

8

Van de week is het Grammy-week in New York. De Grammy's zijn de tegenhangers van de oscars voor de Amerikaanse muziekindustrie; Rock The Vote is slechts een van de evenementen die zich in de schaduw daarvan afspelen. Vanochtend wordt Rob meegenomen naar Madison Square Garden, waar, aan weerszijden van een van de gangen buiten de zaal, tafeltjes opgesteld zijn. Aan de verre kant van elk ervan zitten dj's van de belangrijkste lokale radiostations in Amerika, de een na de ander, vlak naast elkaar. Tientallen artiesten zullen vandaag van tafeltje naar tafeltje meegesleept worden en stroop om de mond gesmeerd krijgen; eindeloos gebabbel over pop en promotie.

Robs eerste station is Kiss 95 uit Charlotte en zijn eerste vraag gaat over zijn doorbraak in Amerika.

'Ik denk altijd dat ik maar een charlatan ben en spoedig ontmaskerd zal worden,' weidt hij uit. 'Misschien wéten ze het gewoon in Amerika.'

Elk interview duurt misschien vier minuten en dan wordt hij alweer – telkens weer even gehaast – meegesleept naar het volgende. 'We gaan naar San Francisco!' krijgt hij te horen, alsof hij daadwerkelijk op weg is naar een andere stad. Kriskras doorkruist hij de zaal, onderweg Art Garfunkel of George Clinton passerend terwijl zij op hun beurt naar een andere stad worden gesleept. Stuk voor stuk zijn ze als reuzen die op zevenmijlslaarzen door Amerika heen stappen en binnen enkele seconden op hun alweer volgende bestemming zijn en de lucht in gaan.

In San Francisco wordt Rob uitgedaagd 'ons te imponeren met een stukje trivia.'

'Mijn penis is niet erg lang, maar hij heeft een verbazingwekkende omvang,' zegt hij.

Ze applaudisseren. 'Robbie Williams!' gilt de dj. 'Zo zwaar geschapen als een boomstam!'

'Babyarm,' corrigeert Rob.

Hij komt op de lopersnelweg tussen steden John Mayer tegen en vertelt hem dat hij graag met hem zou samenwerken. John Mayer lijkt het wel te zien zitten.

'We gaan spraakmakend zijn,' belooft Rob.

Terwijl hij rondloopt, maken mensen opmerkingen tegen hem die als aanmoediging bedoeld zijn, maar slechts benadrukken hoe moeilijk het kan zijn om de Amerikaanse radiogolven te veroveren. Dj's zeggen tegen hem dat ze, bijvoorbeeld, *Feel* prachtig vinden en hopen dat hun station het spoedig zal kunnen draaien, alsof het feitelijke proces waardoor een plaat gedraaid wordt veel en veel meer zou inhouden en mysterieuzer zou zijn dan iemands smaak of enthousiasme.

Na een paar stations zit hij bij Tampa Star 95.7, live in Florida.

'Wist je dat Michael Jackson vandaag naar jullie toe gaat?' vraagt hij met een strak gezicht.

'Naar Tampa?' vraagt de dj. Zij heeft geen idee waartoe dit gaat leiden of dat het iets anders is dan hot news over een beroemdheid.

'Ja. Hij gaat op vakantie. Hij gaat met de kinderen naar Tampa,' zegt Rob.

Ze heeft niet door wat hij net gezegd heeft, al zullen sommige van haar luisteraars het beslist vatten.

'Dus je spreekt Michael Jackson wel eens?' vraagt ze gretig.

***

Hoe Rob iets zegt is erg moeilijk op papier te zetten, want vaak schakelt hij – net zoals op het podium – in een en dezelfde zin van ironie over op oprechtheid en weer terug. Regelmatig neemt hij, zonder de aandacht erop te vestigen of de luisteraar zoiets als richtingwijzers te bieden, allerlei stemmetjes aan – zijn repertoire is zeer uitgebreid, maar het vaakst toch gebruikt hij zijn Alan Partridge-stemmetje voor iets wat hij pompeus of idioot of pretentieus vindt, of om iets te zeggen zonder beschuldigd te kunnen worden (een vorm van zelfbescherming). Soms doet hij dit terwijl hij praat met iemand die jong en een Brit is, van wie verwacht mag worden dat hij de verwijzing doorheeft en weet hoe hij het moet uitleggen, maar hij doet hetzelfde, zonder uitleg, evengoed midden in een Japans interview. Volgens mij zijn dit allemaal manieren om aan te geven wat hij bedoelt en wat hij niet bedoelt en vaak weerspiegelt het ook het feit dat hij voor zichzelf al de hoop opgegeven heeft dat hij begrepen zal worden. Met deze handgrepen probeert hij bovendien gevoelens van verveling te verdrijven. Hij kan zich maar heel kort concentreren en ik vermoed zo dat hij soms midden in een zin het alweer saai vindt om hem af te maken zonder er een draai aan te geven of een zijsprongetje te maken of er een ander perspectief op te geven. Al met al krijg je als je met Rob praat gelijktijdig de film en het commentaar van de regisseur daarop.

✳✳✳

In de Roseland Ballroom doet Rob samen met de band de soundcheck. Ze spelen slordig *Get A Little High*. (*Get A Little High* is aan de Amerikaanse versie van *Escapology* toegevoegd, samen met *One Fine Day*, en is hier als single voorbestemd. *Song 3*, *Hot Fudge* en *I Tried Love* zijn dientengevolge stilletjes geschrapt – waarbij de eerste twee, ironisch genoeg, de songs waren die de Britse critici aangemerkt hadden als dé nummers waarmee hij Amerika voor zich zou gaan winnen.) Midden in een couplet klimt hij van het podium af. Halverwege de lege vloer heeft hij iemand van een andere groep op het affiche opgemerkt en hij gaat hem begroeten.

'Ik ben opgegroeid met naar jouw muziek te luisteren,' zegt Rob. 'Echt. Echt. Ik wilde je even gedag zeggen.'

'Het genoegen is aan mij,' zegt Public Enemy's Professor Griff.

'Nééé,' zegt Rob. Hij wil duidelijk maken dat het hem niet zomaar om niet gemeende vleiende woorden tussen beroemdheden te doen is, maar dat hij vroeger heel wat cd's van Public Enemy heeft gehad, omdat hij een fan was. 'Het is míjn genoegen,' benadrukt hij. Hij probeert uit te leggen dat Public Enemy in zijn tienerjaren welhaast een mythische groep voor hem was. Hij zegt dat hij het soloalbum van Professor Griff, *Pawn In The Game*, te gek vond, maar de enige indruk die hij van Professor Griff terugkrijgt is dat dat wel iets heel raars om te zeggen is. Hij springt het podium weer op en werkt de set verder af. Professor Griff knikt mee met de wervelende rapkakofonie aan het eind van *Millennium* en begint daarna opdrukoefeningen op de vloer te doen.

Ik heb het gevoel dat er een song is die Rob eigenlijk liever niet zou willen uitvoeren in aanwezigheid van een lid van Public Enemy. Misschien heb ik gelijk, want als de band *Rock DJ* inzet, springt hij van het podium af en loopt naar buiten naar het wachtende busje.

Weer terug in het hotel kijkt hij naar een stand-up comedian op Comedy Central. 'Jullie zouden me live moeten zien,' zegt de comedian tegen het publiek. 'Ik ben verbazingwekkend.'

In hetzelfde busje keert hij terug een paar uur voordat hij op moet. Onderweg vertelt Shelby, zijn Amerikaanse persagente, dat mensen hem misschien politieke vragen zullen stellen als hij over de rode loper loopt. Ze legt hem uit wat Rock The Vote precies inhoudt: 'Ze zamelen geld in om campagnes te voeren die kinderen ertoe aansporen te gaan stemmen. Tieners, om verschil te maken en hun stem te laten tellen.'

'Oké,' zegt Rob. 'Maar vind jij het dan belangrijk dat mensen gaan stemmen?'

'Ja,' zegt Shelby.

'Ja,' mompelt Jason voorin. 'Stem op lulhannes nummer één of stem op lulhannes nummer twee.' Jason is de derde van zijn drie vaste body-guards; een Canadese ex-kampioen kickboksen.

'Je stem maakt verschil uit,' argumenteert Shelby.

'Nou,' merkt Rob op, 'mij maakt het niet uit. Ik heb nog nooit gestemd. Kijk, dat is mijn realiteit…'

Shelby lacht nerveus. Dit is wellicht geen discussie die ze verwacht heeft, en zeker niet op vijf minuten van de zaal.

'Mijn realiteit is,' vervolgt Rob, 'dat het ze alleen maar aanmoedigt.' Hij denkt even na. 'Ik zou natuurlijk kunnen liegen,' stelt hij voor. Uit-eindelijk zijn het niet Shelby's woorden die hij als wijsheid meeneemt, maar Jasons. 'Ja, dat is het,' zegt hij. 'Het is vreselijk belangrijk: stem op lulhannes nummer één of op lulhannes nummer twee. En waarom het belangrijk is? Omdat hij jóuw lulhannes is. Alsjeblieft. Dat is het ant-woord. Ik heb eigenlijk altijd gedacht dat je het niet moest doen, omdat het ze alleen maar aanmoedigt, maar dat is onnozel. Ik realiseer me nu dat ik op een zeker moment moet gaan stemmen. En dat ga ik óok doen. Maar nu nog niet. Wanneer ik iemand vind die ik mag. Wanneer ik een lulhannes vind die ik mag.'

'Een beminnelijke lulhannes,' oppert zijn vader.

'Een lulhannes met schone handen,' zegt Rob. 'Een lulhannes die schone handen heeft.'

✷✷✷

Het eerste nare moment van de avond vindt plaats voordat we zelfs maar uit het busje gestapt zijn. Terwijl we proberen te stoppen bij de Roseland Ballroom, wuift een agent dat we door moeten rijden, pre-cies om de ruimte vrij te houden die voor ons busje bestemd is. De chauffeur probeert het uit te leggen, maar de smeris blijft maar roepen en sommeert de chauffeur door te rijden en heeft geen oren naar wat hij zegt. Wanneer de chauffeur niet gehoorzaamt, vraagt hij om de ken-tekenpapieren en zegt tegen de chauffeur dat hij op de bon gaat. Gelukkig slaagt Pompey, die snel uit de auto springt en met de groot-ste beleefdheid tussenbeide komt, erin de situatie te sussen.

Rob loopt over de loper en geeft links en rechts korte interviews.

'Dit is een van die dingen waar ik mensen voor me moet winnen,' zegt hij in een camera. 'Het zit vol met mensen die mij niet kennen. En ik ben tamelijk bang.'

Aan het eind van de rij staat *Liquid News*.

'Robbie, kom eens gedag zeggen tegen *Liquid News*. Mensen, we hebben hier Robbie Williams bij ons...'

'Is dat Engeland?' vraagt hij.

'Ja, zeker,' zegt zij stralend.

Liquid News is een showbusinessroddelprogramma op BBC's nieuwe kabelkanaal. De insteek is te vergelijken met die van het blad *Heat* en kan grofweg getypeerd worden met: *wij zijn goed geïnformeerd en wij weten net zo goed als de beroemdheden zelf hoe dwaas en imbeciel hun leven is.*

'Eerlijk gezegd vind ik jullie programma klote,' zegt Rob. 'Ik heb het gezien en volgens jullie zijn alle beroemdheden zonder uitzondering domoren. En persoonlijk vind ik dat beledigend.' Hij zegt nog wat meer en verklaart dan abrupt: 'Zo is het genoeg.' Hij loopt naar binnen.

Een minuut of tien is hij blij zijn hart gelucht te hebben tegen *Liquid News*, maar dan begint hij toch spijt te krijgen.

'Ik wou dat ik het niet gezegd had,' zegt hij, zittend in de kleedkamer. 'Zo denk ik erover... maar ik zou er helemaal niets van gezegd moeten hebben.'

Rob wordt naar een tent geleid waar Iann Robinson voor MTV interviews afneemt.

'Oké, wat brengt je naar zoiets als vanavond?' wordt hem gevraagd.

'Mijn platenmaatschappij en mijn management, eerlijk gezegd.'

'Echt? Dat is het?'

'Ja.'

'Wow.'

'Ja. Ze zeiden dat het goed was om het te doen en toen zei ik: vooruit dan maar.'

Later zegt hij zei dat hij niet kon geloven dat de volgende vraag werd gesteld, maar hij geeft er antwoord op zonder van de wijs gebracht te zijn.

'Nou,' zegt Iann Robinson, 'met de hele wereld die erop wacht of het nu wel of geen oorlog wordt – denk je zelf dat je actiever gaat worden...'

'Hm, ik weet niet wat er gaat gebeuren, om het je eerlijk te zeggen. Ik maak me echt bezorgd... het lijkt in de lucht te hangen. Voor mij... een rokend geweer heb ik nog niet gezien. En de VN zeggen...' – zijn antwoord neemt een eigenaardige draai – '...en Amerika en Engeland en Bush zeggen "Ja ja ja ja ja" en overal elders zegt men "Nee nee nee nee nee"...'

Hij praat, ongelooflijk maar waar, tegen MTV-nieuws over het vooruitzicht van oorlog in de stijl van en op de toon van een Eddie Izzardmonoloog.

'...dus ik ben eigenlijk heel erg in de war.'

Hij handelt vragen over Public Enemy en Peter Gabriel (die hier is om een award in ontvangst te nemen) af en dan vraagt de interviewer hem naar de brand die net heeft plaatsgehad in een club op Rhode Island – het uiteindelijke dodental zal honderd bedragen – en of hij ooit persoonlijk het gevoel heeft gehad dat hij of een club of publiek gevaar liep.

'Nee,' zegt hij. 'Het enige gevaar dat ik loop, is als mensen te dichtbij komen en van dat gevaar hou ik wel. Normaal gesproken denk ik: "Abracadabra, ik ga je pakken..."' Hij realiseert zich dat hij misschien niet de juiste toon treft. 'Maar dit is een ernstige zaak. Ik heb de videoband gezien. Het is afgrijselijk en het had nooit mogen gebeuren...'

'Wie heeft er in een dergelijke situatie volgens jou meer te verantwoorden?' dringt de vj aan. 'De artiesten die optreden of de club?'

'Ik weet het niet,' zegt Rob. 'God, vermoedelijk.'

Iann Robinson richt zich tot de camera.

'Nou,' zegt hij, 'je hebt het hier voor het eerst gehoord...'

✳✳✳

Weer terug in de kleedkamer zet Josie zijn avondeten klaar.

'Josie, ik krijg geen hap door mijn keel,' zegt hij. 'Ik haat het om hier te zijn. Echt.' Hij zegt dat hij zenuwachtig is en het een ondraaglijke gedachte vindt te moeten spelen voor een publiek dat zijn liedjes niet kent.

Hij wordt geroepen om op de foto te gaan met enkele van de andere artiesten die vanavond hier zijn. Peter Gabriel begroet hem hartelijk. Ze zijn op dezelfde dag jarig. Hij schudt Lou Reed de hand en zegt: 'Aangenaam kennis te maken.' ('Je zag hem denken: wie ben jíj nou weer?,' rapporteert Rob. 'Of was het misschien: wát ben jij?') Alanis Morissette kijkt een tikkeltje in de war gebracht en schudt zijn hand met haar beide handen. Dan ontmoet hij eindelijk Chuck D. 'Robbie,' zegt hij, 'ik volg je, man. Ik lees overal over je.'

'Ik misdraag me altijd,' zegt Rob.

'Je bent toch zeker hier, of niet soms?' zegt Chuck D.

Ze poseren, van links naar rechts: Lou Reed, Rob, Alanis Morissette en Peter Gabriel.

'Ik kan me voorstellen dat *NME* door het dolle heen is met een foto van Lou Reed en mij samen,' zegt hij, weer terug in de kleedkamer. Hij overpeinst de reactie van Alanis Morissette. 'In haar ogen had ze die blik van "volstrekt niet geïnteresseerd in jou, wie je ook mag zijn",' zegt hij. 'Misschien heb ik iets gezegd.' Dan dringt het tot hem door dat hij in interviews eigenlijk wel heel vaak is ingegaan op dingen in haar beroemdste songs die niet ironisch zijn. Hij vraagt zich af of dat het is. 'Ik zou er dolgraag met haar over gesproken hebben,' zegt hij. 'Ik bedoel, "een zwarte vlieg in een glas chardonnay" is niet ironisch. Dat is een dooie vlieg.'

Ik wijs erop dat het 'm volgens mij zit in *witte* wijn... *zwarte* vlieg.

Hij denkt daar eventjes over na. 'Ik zit ernaast,' zegt hij schouderophalend.

Hij ontmoet in de gang Peter Gabriels dochter en brengt ter sprake dat hij op dezelfde dag jarig is als haar vader. 'Is hij ongelooflijk complex en onzeker?' vraagt hij haar,

'Ja,' zegt ze.

'Gelukkig. Ik was eventjes bang dat ik de enige was.'

Een paar minuten geleden heeft hij te horen gekregen dat Public Enemy van plan is hem bij hen op het podium uit te nodigen en eventjes was hij er opgewonden van. Nu komt hun tourmanager langs en zegt dat het met *Motherfucking President* of *Shut 'Em Down* kan.

'*Shut 'Em Down* dan maar,' zegt hij. 'Het zou een eer zijn.' Maar zodra de tourmanager vertrokken is, zegt hij dat het twee recente songs zijn, die hij niet echt kent. Het zijn hun vroege, beroemdste albums die hij van buiten kent. 'Ik doe het toch sowieso niet,' zegt hij. 'Ik ben meteen pleite.' Liever wil hij hier al weg zijn en wanneer zijn werk erop zit, zal hij zelfs voor Public Enemy niet blijven.

Hij loopt naar de kleedkamer van de band. In zijn afwezigheid overlegt zijn management bezorgd. Het evenement is niet zoals men beloofd had; ze voelen zich misleid en zijn tamelijk boos in deze positie gemanoeuvreerd te zijn. Niet alleen lijkt het publiek haast geheel te bestaan uit mensen uit de platenindustrie – nooit het gemakkelijkste publiek – maar de Ballroom is ook nog eens verre van vol.

'Ik ben bang,' herhaalt hij ongelogen.

In de gang passeert hij Vanessa Carlton, die net van het podium komt.

'Hoe was het publiek?' vraagt hij haar.

'Ze zitten maar te ouwehoeren,' zegt ze.

'O, gewéldig,' zegt hij.

'Maar naar jou zullen ze wel luisteren,' zegt ze. 'Ik ben maar een meisje aan een piano, weet je.'

Achter om het podium heen komt Wayne Coyne aangelopen. Hij houdt een schaal met eten vast. Rob zegt iets complimenteus over de Flaming Lips-show, waarvan hij een stukje vanaf het balkon heeft gezien.

'We gooien ballonnen het publiek in,' zegt Wayne.

'Dat weet ik,' zegt Rob.

'Gooi nooit iets wat het publiek terug kan gooien,' adviseert Wayne. 'Een ballon komt terug, maar dat maakt niet uit...'

'Vroeger smeet ik beschuldigingen het publiek in,' zegt Rob, 'maar ze gooiden ze terug...'

Aan het eind van het gesprek steekt Wayne z'n hand uit, terwijl hij met de andere de schaal vasthoudt. 'Nou, leuk je ontmoet te hebben. Ik ben Wayne van Flaming Lips.'

✸✸✸

Bij zijn opkomst heerst er op de voorste rijen wel enige koortsige opwinding, maar het blijft allemaal mondjesmaat. Halverwege de vloer, waar ik sta, heeft het meer iets van een van die filmscènes over een dansfeest op de middelbare school, wanneer iedereen op de wanhopigen na al lang en breed naar huis is gegaan. Aan de zijkant is een verhoogd deel, waar Peter Gabriel bemoedigend zit te knikken, en om de hele vloer heen loopt een galerij, waar de toeschouwers een houding uitstralen van 'Oké, Britse superster, wie je ook mag zijn, laat maar eens wat horen.' Een ander eigenaardig iets is de servicetafel halverwege de dansvloer aan de zijkant, vanwaar dikke, kruimelige koeken, half in een servet gewikkeld, worden uitgedeeld, alsof het een dorpsfeest was.

Rob springt energiek over het podium tijdens het grootste deel van *Let Me Entertain You*. Aan het eind, onder het instrumentale gedeelte, houdt hij stil. Met gekruiste armen en stokstijf rechtop staand neemt hij tartend de zaal op. Dan schiet hij weer in beweging, sproeit water over de voorste rijen en begint, als de song afgelopen is, als een krankzinnige te ouwehoeren. Na enkele manische opmerkingen in het wilde weg zegt hij: 'Dank je wel – het is vreselijk belangrijk dat ik nu en dan naar Amerika kom om voor mijn fan op te treden.' Zijn gewauwel is een combinatie van 'ik ga ze voor me winnen', een snufje vijandigheid en heel veel ik-wou-dat-ik-ergens-anders-was. Voor het eerste refrein van zijn tweede liedje, *Let Love Be Your Energy*, simuleert hij seks op volle stoom met de microfoonstandaard. Het derde nummer, *Monsoon*, introduceert hij met: 'Deze song is van mijn nieuwe album. Het heet *Escapology*. En grappig genoeg komt het op 1 april in de winkel. Of dat geen goede voorbode is!' Voor het vierde, *Millennium*: 'De volgende single was weer een andere immense niet-hit voor mij hier in Amerika.' Als hij bij de regels '...*so corporate suit...*' en '...*so damn ugly...*' in *Come Undone* komt, wijst hij naar de galerij. Hij schrapt *Get A Little High* van de set. De laatste song is *Angels*. Inmiddels wuiven vijf mensen in de galerij met aangestoken kaarsen. De aanmoedigingen zijn met elk liedje harder geworden en de meeste mensen hier beschouwen zijn optreden als een bescheiden triomf. Onder het zingen van *Angels* geeft hij tussen de tekstregels door commentaar: '...*do they know the place where we go when we're grey and old...* dit had hier een hit moeten zijn... *cause I've been told that salvation lets their wings unfold...* jullie hadden me live moeten zien – ik ben verbazingwekkend...'

Backstage bieden Tim en David hem hun verontschuldiging aan.

'Hard werken,' mompelt hij. 'Ik bereik pas mijn grootste hoogten wanneer ze met me mee spelen. Dit was een optreden voor de industrie, het was ijskoud daarbuiten, maar ik heb het er goed van afgebracht. Beter kon ik niet, zonder hun hulp.'

'Ik kreeg bijna een rolberoerte,' zegt Tim.

'Nooit meer,' zegt David.

Hij zit snel in het busje.

'Dat ging moeiteloos, Rob,' zegt zijn vader.

'O, dat was niet zo,' zegt hij.

✷✷✷

De volgende avond kijkt hij naar de Grammy's op televisie, met slechts z'n halve aandacht erbij. Hij was voor de ceremonie uitgenodigd, maar heeft het geen seconde overwogen te gaan. Tijdens een van de reclameblokken zegt hij: 'Zou het niet fantastisch zijn om een dvd van Knebworth uit te brengen en het *You Know What I Did Last Summer* te noemen?'

Hij heeft er, onder aanzienlijke druk, mee ingestemd na afloop van de Grammy's naar het EMI-feest op Times Square te gaan. Bij aankomst ziet hij de ploeg van *Liquid News* achter de afzetting staan en hij loopt rechtstreeks naar hen toe.

'Hallo, schat,' zegt hij.

'Ben je vanavond lief tegen me?' vraagt ze. 'Denk je dat je hier volgend jaar ook zult staan?'

'Denk ik dat ik hier volgend jaar ook zal staan? Nee, ik denk van niet. Nee...'

'Nee? Ik moet zeggen dat het gisteravond tamelijk indrukwekkend was...'

'Wat? Mijn optreden?'

'Ja. Heb je opgemerkt dat het publiek eerst nauwelijks oplette, maar aan het eind iedereen naar voren gelopen was? Verraste de reactie je?'

'Ik vond het het slechtste publiek dat ik ooit heb gehad.'

'O ja? Waarom?'

'Normaal predik ik voor de gelovigen en gisteravond was... daarom was ik zo boos bij aankomst, omdat ik het in mijn broek deed...' – ze lacht – '...en ik reageerde mijn boosheid op jou af. Ik wil me daarom verontschuldigen voor mijn grofheid.'

'Dat is vreselijk, vreselijk lief,' zegt ze. Ze stelt hem een aantal vragen over de Grammy's en de Brits.

'Je bent hier alleen maar voor de zuippartij, of niet?' zegt ze, op het feestje doelend.

'Nee, ik ben hier vanwege het EMI-ding,' zegt hij, 'en ze hebben me een heleboel geld betaald en ik moet handen gaan schudden. Anders lag ik al in bed.'

'Oké. Je bent tenminste eerlijk. Veel plezier nog. Bedankt.'

'Het spijt me van gisteravond.'

'Je bent lief.'

'Ik was echt boos,' zegt hij. Hij omhelst en kust haar.

Een volgende camera vangt hem: 'Wat doe je om te ontstressen na het evenement?'

'Ik ben er niet geweest,' zegt hij. 'Ik ben hier net.'

'Na vanavond?'

'Vermoedelijk een rukpartij.'

Ze stellen hem geen vragen meer.

Op het feest is het onaangenaam druk. Obers lopen rond met sushi en gekleurd vitaminewater. Hij blijft 25 minuten. Weer terug in de foyer van het Mercer wemelt het van de beroemdheden, maar de sfeer is merkwaardig kalm en prettig. Het is wanneer beroemdheden omringd worden door mensen die dicht bij beroemdheden willen zijn, en almaar dichterbij willen komen, dat het hectisch wordt. Hier, waar de meesten al beroemd zijn en voor iedereen een lange avond ten einde loopt, is de stemming relaxed. Niemand hecht aan vormelijkheid; het is als de warme, vriendelijke kamer waar je aangenaam kunt schuilen voor de storm.

Hij praat met Lucy Liu en loopt daarna Linda Perry tegen het lijf. Hij vraagt of ze samen zullen gaan schrijven en zij zegt dat hij geacht wordt dat tegen haar te zeggen. '*Jij* wordt geacht *mij* te willen,' zegt ze.

'Nou,' overweegt hij, 'ik wil je verdomd graag.'

'Jij wordt geacht mij te *bellen*,' vervolgt ze, 'en me te vertellen hoe graag je me mag en dat je met mij wilt werken.'

Hij knikt. 'Ik zal je bellen en het tegen je zeggen.'

Hij krijgt een telefoonnummer van Gina Gershon terwijl haar vriendje rondslentert en praat daarna met Mike Myers. Kylie komt even gedag zeggen.

'Ik vind het welletjes voor vandaag,' zegt hij.

'Feitelijk is vandaag voorbij,' corrigeert zij hem. 'Het is morgen.'

'Van morgen heb ik al ook genoeg gehad,' zegt hij. 'Wat een afknapper is, omdat ik er nog op moet opstaan.'

Justin Timberlake zegt kort gedag alvorens te verdwijnen. Hij praat met Drew Barrymore en Fabrizio van The Strokes en daarna met een vrouw die hij gisteren ontmoet heeft. (Het model is weg. Hij was minder happig op haar na de tweede ontmoeting en heeft haar telefoontjes ontweken.)

'Ik heb zo'n vreselijke kater,' zegt hij.

'Karma?' vraagt ze, het verkeerd verstaand.

'Kater,' zegt hij.

'O,' zegt ze, 'ik dacht dat je karma zei.'

'Dat ook,' zucht hij.

✸✸✸

De volgende dag verschijnt Rob even voor enen in de foyer en bestelt ontbijt: Shredded Wheat en All-bran. Enkele minuten later komt Cameron Diaz langs.

'Dank je voor de dvd,' zegt ze tegen hem. (Zij doelt op de dvd van de Royal Albert Hall, die hij haar een jaar geleden toegestuurd heeft; de dvd met *I Will Talk, Hollywood Will Listen*.) 'Hij zit in de stapel naast m'n bed. Je weet wel... die stapel.'

Hij knikt. 'Daar bewaar ik al mijn zelfhulpboeken,' zegt hij.

Zij perst haar buik onder haar korte top uit, in een poging dik te lijken. Ze zegt dat ze zo weg moet naar een fotosessie voor *FHM* met de andere twee Charlie's Angels. 'In welke poses zou je me graag willen zien?' vraagt ze.

'Het is goed wanneer je naar dingen wijst,' zegt Rob droog.

'Is de labia majora werkelijk sexy?' wil ze weten.

'Ik heb liever de steak,' antwoordt hij.

Met dat op zak vertrekt ze om voor de fotosessie nog even kort te gaan winkelen. Het bevalt Rob hoe de ontmoeting verlopen is. 'Ik heb iets heel grappigs gezegd,' zegt hij. Hij begroet Gwen Stefani en zakt daarna weer onderuit op de bank. 'Was Cameron leuk of leuk,' zucht hij.

'Wie?' vraagt zijn vader.

'Dat meisje,' zegt hij. 'Dat was Cameron Diaz.'

'Wie is dat?' vraagt Pete.

'Zij vraagt meer dan twintig miljoen dollar per film,' zegt Rob.

'"*Cameron Diaz, give me a sign...*"' citeert Pompey.

'"I Will Talk..."' zegt Rob.

'O!,' zegt Pete. 'Was zij dat? Ik dacht dat Cameron Diaz een vent was die bij Steven Spielberg werkte.'

Het is een van die dagen. Als volgende komt Mike Myers langs en blijft even bij ons hangen. Hij kletst wat met Pete en vraagt waar hij in

Engeland vandaan komt. Daarna zegt hij: 'Ik ga rondkuieren. Ik vind het prettig hier in SoHo, omdat het me aan Londen herinnert. Los Angeles heeft geen... *bestemmingen.*'

'Dat komt omdat je op Crenshaw woont,' zegt Rob.

Mike Myers haalt met een komische uitdrukking zijn schouders op. 'Ik doe alleen maar wat de makelaarster me opdraagt,' zegt hij.

Nadat Mike Meyers vertrokken is voor zijn wandeling, is het gesprek tussen Rob en Pete een feest van herkenning. Rob zegt dat dat Mike Meyers was en zijn vader vraagt wie dat is.

'Austin Powers,' zegt Rob.

'Daar heb ik wel eens van gehoord,' zegt Pete, nog steeds in onzekerheid verkerend.

'Mike Myers!' roept Rob uit, al is het duidelijk dat hij het prachtig vindt dat zijn vader zo immuun voor dit alles is en er zo ver vanaf staat. 'Hij is de succesvolste komiek ter wereld.'

'Wow,' zegt Pete, 'is dat even leuk voor hem.' Hij zegt het op de manier zoals je het zou zeggen over een kind dat net de pot bij het knikkeren heeft gewonnen. 'Ik was de succesvolste komiek die Stoke-on-Trent ooit heeft gekend,' zegt hij.

Tim komt langs en vertelt tegen Rob dat *News Of The World* reeds een schadevergoeding voor het gokverhaal heeft aangeboden. De vergoeding is ongepast klein en derhalve afgewezen, maar het is een goed begin.

Op een rustig moment vraag ik Rob hoe hij over zijn grote Amerikaanse avontuur denkt.

'De laatste paar dagen zijn geestelijk tamelijk uitputtend gebleken, emotioneel uitputtend,' zegt hij. 'Ik weet het niet. Ik heb me met mijn werk nog nooit zo weinig op m'n gemak gevoeld. Ik ben me daardoor gaan afvragen waarom ik het eigenlijk allemaal opnieuw doe.'

Alles?

'Ja. Ja. Maar ik wist dat dat niet serieus was. Ik dacht bij mezelf, o, zo dacht je er vroeger over. Alleen maar omdat ik het niet leuk vond. Niets was leuk. Maar waar ik nu echt blij om ben, is het feit dat ik niet meer bij mezelf denk, ach, rot op, klote-Amerika. Snap je wat ik bedoel? Ik denk van: oké, dat heb ik achter de rug, nu eens kijken wat er nog meer gaat gebeuren.'

✳✳✳

Een paar dagen later staat hij op de voorpagina van het economisch katern van de *New York Times*: *Worstelend EMI vestigt hoop op overschatte Britse zanger.* Het artikel vertelt dat David Munn, de grote baas van EMI America, optimistisch is gestemd over Robs kansen. Daarna schrijft de journalist, Lynette Holloway: *Hij zei dat hij van plan was vier miljoen exemplaren van het album in de Verenigde Staten te verspreiden.*

Was dat waar, dat zou dat uitzonderlijk zijn voor een artiest van wiens best verkochte Amerikaanse cd, *The Ego Has Landed* (een compilatie van zijn eerste twee Britse releases), er net iets meer dan een half miljoen over de toonbank gegaan zijn. Het lijkt erg onwaarschijnlijk dat David Munns zelfs maar zou durven dromen van een dergelijk verkoopcijfer, maar als hij letterlijk bedoelt 'verspreiden' – daadwerkelijk exemplaren van de plaat naar de winkels sturen –, dan kan het niet waar zijn, zoals iedereen met enige kennis van de economische kanten van de platenbusiness zal beseffen. Cd's kunnen snel gefabriceerd worden en slechts weinigen van zelfs de allergrootste sterren hebben ooit in Amerika twee miljoen exemplaren in een maand verkocht, laat staan iemand die hier nog geen grote naam heeft. Het roept het beeld op van – ongeacht hoe ver ze precies onder de vier miljoen verkochte stuks blijven – overschotten die in Amerikaanse pakhuizen opgetast liggen, als een wreed aandenken aan zijn betrekkelijke mislukking.

Nadien moet de *New York Times* het terugnemen, maar het is te laat: de oorspronkelijke strekking zal keer op keer elders opduiken als feit.

***

Rob kijkt op *BBC World* naar een interview met Daniel Day-Lewis. 'Ik mag hem wel,' zegt hij. 'Hoe oud was hij ook alweer toen hij besloot aan dat ding van vijf jaar te beginnen...?'

Hij bedoelt Day-Lewis' onaangekondigde vijfjarige retraite, waaruit hij pas weer tevoorschijn kwam toen hij een rol op zich nam in *Gangs Of New York*. Radertjes zijn aan het draaien en het is nog altijd niet duidelijk waar ze tot stilstand zullen komen.

9

Op een vrijdag in maart gaan Rob, Max, Jonny en Jonny's verloofde Nikki Wheeler, na middernacht, naar tattoosalon Shamrock op Sunset Boulveard om tattoos te laten zetten. (Nadat Max zijn vader heeft gebeld om diens zegen te vragen, besluit hij het niet te doen.) Rob neemt er drie. Eerst zegt hij tegen de tatoeëerder dat hij 'Bertha' op zijn hand wil hebben, ter nagedachtenis aan zijn oma. Terwijl de tatoeëerder het schetst, herinnert Rob zich dat ze altijd de pest aan haar naam heeft gehad. Hij kan haar stem tegen hem horen zeggen: 'Nou, als je dan zo nodig moet, neem dan niet "Bertha", maar alleen "B".' Hij laat zodoende een cursieve 'B' achter zijn linkeroor tatoeëren.

Zijn tweede tatoeage is het getal 1023 aan de buitenkant van zijn linkerpols; een gecodeerde bevestiging van zijn vriendschap met Jonny. J en W zijn de tiende en drieëntwintigste letter van het alfabet. (Jonny draagt de gepaste tegenhanger, 1823, wat discreter verborgen op zijn lichaam.)

De derde, de grootste, wil hij in zijn nek hebben. Hij heeft gekozen voor de Franse uitdrukking CHACUN À SON GOÛT – 'Ieder diertje zijn pleziertje' –, die zijn aandacht trok op een lijst met Franse uitdrukkingen in het boek *Schott's Original Miscellany*. De tatoeëerder zegt dat het te veel letters telt om op zijn nek te passen en Rob vertelt hem het dan maar in een boog aan de bovenkant van zijn borstkas te tatoeëren. De 'C' doet veel pijn, maar daarna gaat het wel. Halverwege, tussen de 'À' en de 'S', last hij een rookpauze in.

Hij denkt erover een vierde – 'It's your birthday' net boven zijn penis – te nemen, maar laat het voorlopig maar zitten.

✳ ✳ ✳

Een tijdje geleden heeft hij erin toegestemd dat Pixar een liedje van zijn swingalbum, zijn versie van *Beyond The Sea*, mag gebruiken voor een nieuwe film, *Finding Nemo* getiteld. Hij heeft er verder nauwelijks nog aan gedacht, maar vanavond is hij uitgenodigd naar een ruwe versie van de bijna voltooide film te komen kijken. Met ons achten vertrekken we zodoende naar een speciaal voor hem bij Disney georganiseerde filmvertoning.

Bij de poort van Disney legt Rob uit wat we komen doen.

'Mag ik uw identiteitskaart zien?' vraagt de bewaker.

'Ik heb geen identiteitskaart,' zegt Rob.

'O,' zegt de bewaker. Hij denkt eventjes na. 'Nou, aangezien u ervan afweet, moet u het wel zijn,' redeneert hij.

Het filmzaaltje bevindt zich net voorbij een houten bordje 'Pooh and Piglet corner'. Op sommige momenten reduceren de zee en de vissen onverwachts tot bewegende lijnenroosters van ongeveer hun grootte, maar allemaal gaan we totaal op in de film, al realiseert misschien niemand van ons zich wat voor grote kaskraker het gaat worden.

'Ze maken de beste films,' zegt Rob als het licht aangaat.

'Ik moest huilen,' zegt een vrouw van Disney, die ons binnen heeft gelaten. 'Moesten jullie huilen?'

'Ja,' zegt Rob. 'Maar tja, ik zit aan de medicijnen, zodat dingen me tegenwoordig niets meer doen.'

***

Hij moet op tournee langs Amerikaanse radiostations. Hoewel het soms lijkt of niemand echt weet wat de effectiefste weg naar een Amerikaanse hit is, wordt in brede kring geloofd dat de kans om hier te slagen klein is zolang je niet intensief regionale radiostations paait op een manier die zonder weerga is in de rest van de wereld. Het is iets waar zelfs de grootste sterren, als ze ambitieus zijn, niet onderuit komen.

Om het allemaal wat makkelijker te maken heeft zijn platenmaatschappij een privé-jet ter beschikking gesteld, zodat hij de eerste paar dagen vanuit Los Angeles kan forensen. Niettemin moet hij op de eerste dag nog steeds om zes uur op en hij is moe.

In het busje naar de luchthaven kondigt Rob aan dat hij een idee voor de zomertournee heeft. 'Het is niks sensationeels,' zegt hij. 'Dat zijn die dingen nooit.' Het is een nieuw idee voor de uitvoering van het problematische *She's The One*. Hij beschrijft wat hij van plan is: 'Ik loop eventjes het podium af en dan zeg ik vanaf de zijkant: "De volgende song die ik ga zingen, is het erg mooie *She's The One* – dank u – welnu, wanneer ik voorheen deze song introduceerde, zei ik altijd iets naars over Karl Wallinger… maar ik heb geen ruzie met hem en ga de song zingen op de manier zoals Karl wilde dat ik hem zong." En dan kom ik op in zo'n struisvogelpak.' De benen naar buiten floepend aan één kant.

Hij vertelt verder dat hij heeft lopen nadenken over manieren om Max voor paal te zetten wanneer Max piano speelt tijdens het swinggedeelte, merendeels door grove toespelingen in relatie tot de Spice Girls. (Tot voor kort ging Max uit met Melanie Brown, Scary Spice.) 'Ah!' zegt hij tevreden. 'Altijd weer de kleinste gemene deler. Seks, obsceniteiten en vloeken…' Hij trekt zijn wenkbrauwen op. '*Seks, obsceniteiten en vloeken* – goede naam voor het boek.'

We zijn net twintig minuten onderweg in de privé-jet of Rob gaapt, strekt zich en vraagt aan de cabine: 'Waar gaan we eigenlijk heen?'

'San Francisco,' zegt Josie.

Terwijl we de stad in rijden – 'Weet je,' zegt hij, 'dat tegen de tijd dat ze klaar zijn met het verven van de Golden Gate Bridge… ze bekaf zijn?' – merkt Rob op dat San Francisco de stad is waar die schrijfster woont die, in een stad met zo weinig parkeerruimte, een twintigtal parkeerplaatsen heeft, omdat haar huis zo groot is. Maar hij kan niet op haar naam komen.

Het is foute boel, zeg ik, wanneer je beroemder om je parkeerplaatsen bent dan om je boeken.

'Ja,' zegt hij, maar hij legt de schuld bij zichzelf. 'Demografisch verkeerd. Ik ben meer geïnteresseerd in het parkeerverhaal dan de boeken.'

Het radioprogramma heet *The Alice Lounge*. Zodra hij in de studio is, schakelt hij over op de flirtende automatische piloot.

'Aggy, zeg eens eerlijk,' zegt hij tegen een van de dj's, 'draag je dat decolleté speciaal voor mij vandaag?'

Ze pauzeert. 'Ik kan niet zeggen van wel, poepie,' zegt ze. 'Ik kleed me altijd als een snol.'

Tijdens de uitzending laat hij ze wat van zijn haren afknippen voor een wedstrijd en ze vragen hem wanneer hij het laatst seks heeft gehad met iemand.

'Twee weken geleden,' zegt hij.

'Voor het laatst eigenliefde?' vragen ze.

'Gisteravond niet, eergisteren,' zegt hij.

Ze informeren naar zijn tattoos en hij trekt daarom zijn hemd uit en geeft ze een rondleiding. Ze vragen of ze ook wat haar van zijn borst mogen afknippen voor de verzameling.

'Neem wat tepelhaar,' stelt hij voor.

'Je hebt ook op je onderarm erg uitnodigend haar,' zegt de vrouwelijke dj, met de schaar in de aanslag.

'Neem daar ook maar wat van,' nodigt hij uit.

'Je ruikt naar hopjes,' merkt ze op.

De mannelijke dj praat door en vertelt dat Rob in Amerika nog niet zo succesvol is als elders in de wereld.

'Je hoeft het niet te verzoeten,' zegt Rob. 'Niemand kent mij. Dat is oké. Daarom laat ik jullie mijn haar afknippen en daarom vertel ik jullie mijn persoonlijke problemen...'

In de studio ernaast zingt hij vier songs akoestisch met Gary, Neil, Claire en Chris. Het contrast tussen het dartele zinloze gedoe van zonet en de manier waarop hij opeens deze liedjes kan zingen lijkt absurd, al zijn er nog steeds momenten waarop de twee kanten die hij aan de inwoners van San Francisco toont bij elkaar komen. In *Angels* verandert hij het refrein van '*I'm loving angels instead*' in '*this should have been a huge hit*' en tijdens het instrumentale gedeelte voor het finale crescendo begint hij te praten en vult wat details in: 'Ja, dames en heren, *Angels* was een song die zo'n vier jaar geleden in Amerika werd uitgebracht, toen ik bij Capitol Records zat – overal elders een enorme hit, maar op de een of andere manier slaagden ze erin het te verkloten... ja!... Ik zou het nu los moeten laten, maar dat kan ik niet... maar ik begrijp niet waarom dit geen hit hier was... oké, laten we het referein doen en wegwezen...'

Na afloop gaat hij rechtstreeks naar een hotel in de stad om een paar uur te slapen. Daarna brengt de jet ons naar Sacramento. Bij het radiostation begroet hij vriendelijk de mensen die er werken en neemt een aantal leaders op. Ze vragen hem een levensgrote kartonnen Sarah Michelle Gellar te signeren. Uncle Kracker heeft zijn handtekening al op de rechterborst gezet en dus neemt Rob de linker. Hij is hier om enkele liedjes te zingen, niet eens in de uitzending, maar puur voor het genoegen van een aantal winnaars van een wedstrijd van het radiostation en om enige goodwill te kweken. Het paaien van radiostations in Amerika kan een langzame en intensieve aangelegenheid zijn.

Hij moet optreden in een soort pakhuis met hoog plafond. Aan weerszijden van het podium staat een boom in een wanhopige poging een intiem cachet uit te stralen. De ambiance is die van een supermarktlaadplatform. Het publiek bestaat uit misschien een man of vijftig, verspreid over de vloer. Velen van hen kijken, in het gunstigste geval, vaag nieuwsgierig. Aan de zijkant is een buffet ingericht, waar het publiek zich te goed kan doen aan snacks. (Eén ding wordt onbehaaglijk duidelijk. In sommige delen van Amerika zit Robbie Williams nog niet op het niveau dat hij groot genoeg is om op eigen merites publiek te trekken, zonder gratis voedsel.)

En toch zet hij z'n beste beentje voor – ofwel omdat hij vastbesloten is ze allemaal voor zich te winnen, wat hij lijkt te doen, of omdat de situatie zo absurd is dat de druk van de ketel is. Hij is geestig en charmant en vriendelijk en zingt als een droom.

Als hij dit maand na maand na maand zou doen, voor een almaar groter publiek, wat beslist is wat de platenmaatschappij wenst en hoopt, en waarvan ze denkt dat hij het graag zou moeten willen, is het nauwelijks voor te stellen dat Amerika niet voor hem door de knieën ging. Maar om volstrekt zinnige persoonlijke redenen is hij dat niet van zins. Dat is een van de problemen waar zijn Amerikaanse campagne voor staat. Tenzij evenementen als dit de magische katalysator voor iets veel groters zijn, bestaat het gevaar dat zijn beste inspanningen om Amerika te verleiden nooit het massale publiek zullen bereiken dat er misschien open voor staat zich door hem te laten verleiden.

✳ ✳ ✳

De volgende middag is, na een vlucht van 28 minuten, San Diego aan de beurt. Terwijl we bij Star 100.7 FM de parkeerplaats op rijden, passeren we vier meisjes die borden omhooghouden, waarop ze smeken om kaartjes voor het optreden dat hij in de radiostudio gaat geven. Hij laat ze halen en neemt ze mee naar het kantoortje aan de achterkant, waar een fruitschaal en belegde broodjes klaarstaan.

'Willen jullie kaas?' vraagt hij ze. Geen antwoord. 'Doen jullie het echt zo erg in je broek?' vraagt hij. Uit hun stilzwijgen valt af te leiden dat ze dat inderdaad doen, maar het duurt niet lang of ze komen op dreef.

'Is dit een goed radiostation?' vraagt hij.

'Nee,' zegt eentje resoluut.

'Ze hebben je vreselijk afgekraakt,' zegt een ander. 'Je afgemaakt.' (Ze heeft een Engels accent; later blijkt dat ze de English Shop in San Diego runt, waar ze *baked beans* en Yorkie-repen verkopen aan Britse immigranten met heimwee.)

'Ga door,' dringt hij aan. 'Vertel het me. Het is oké, ik kan het hebben, ik heb een dikke huid.'

Ze struikelen nu zowat over elkaar heen.

'Nou, je seksualiteit, je bent dik, je bent niet zo schattig, je zingt alleen maar oké...'

'...dat je een van de dj's negeerde bij Ozzy Osbourne thuis. Jen zei: "Hij keek dwars door me heen."'

'...die kerel zei: "Hij houdt van zijn bacon – neem het hem niet kwalijk, want hij is een mestvarken.'

'...hij zegt: "Hij is nogal pafferig, hè?"'

Robs ogen beginnen te twinkelen. De negatieve kant hiervan – het horen van de beledigingen – wordt ver overtroffen door het plezier dat hij ontleent aan de wetenschap van wat er allemaal zoal voorgevallen is. Zo komt hij beslagen ten ijs. 'Ik zal het eens opschrijven,' zegt hij. 'Jen zei...?'

'Jen zei dat je haar negeerde op het feest bij Ozzy Osbourne. Dat ze naar je toe ging om je te spreken en je dwars door haar heen keek, alsof je niet lastig gevallen wilde worden, hoewel je er alleen was met Jon Lovett...' (Jon Lovitz bedoelt ze.)

'"Genegeerd op feest," herhaalt hij, noterend. 'Oké, ik ben een "mestvarken" – wie heeft dat gezegd?'

'Jen.'

'Ze zeiden: "Het is niet dat hij *Robin* Williams of zoiets is."'

'"Hij is pafferig" – dat zei Greg.'

'Die dikke vent?' vraagt Rob, die de dj's al kort ontmoet heeft. Hij lacht. 'Oké, zo krijg je gegarandeerd geen *airplay*, door wat ik ga doen. Oké, wat nog meer?'

'Ze zeiden dat je niet echt kan zingen.'

Hij knikt. '"Kan niet echt zingen..." Nog iets?'

'...en dat je niet zo schattig bent.'

Daarna vertellen ze hem dat er beweerd wordt dat Jen uitgaat met Johnny Rzeznik van de Goo Goo Dolls. (Schijnbaar verdwenen de twee samen naar het toilet bij Sushi Roku, een chic Japans restaurant in Los Angeles.)

'Weet je wat?' voorspelt hij. 'Ik durf te wedden dat ze vreselijk aardig tegen me zijn.' Hij trekt zijn hemd omhoog en wrijft over zijn buik. Hij toont zijn 10/23-tattoo. 'Op die datum heb ik hem laten zetten,' liegt hij.

Een van hen vraagt hoe zijn single het hier doet.

'Weet ik niet,' zegt hij. 'Ze zwetsen hier altijd. "Hij doet het uitstekend, echt uitstekend." Ik weet niet wat dat betekent.'

Ze kletsen nog even wat en de meisjes beginnen Ben Affleck en Jennifer Lopez af te kraken, totdat hij ze stopt. 'Jullie kénnen deze lui niet,' zegt hij. Hij wijst erop dat het karikaturale beeld van mensen in de kranten sterk kan verschillen van de waarheid. 'Ik ben bijvoorbeeld een enorme rukker, schijnbaar,' zegt hij. 'Een vreselijk, vreselijk slechte rukker. Ze zien je op een bepaalde manier en dat is het dan, zo ben je dan.'

'Ook al zeiden ze dat je kinderen opat,' zegt de Engelse, 'dan nog zou ik dol op je zijn.'

'Dat is een beetje pervers,' zegt hij, 'maar dank je.'

***

Aan het begin van het interview trekt hij zijn hemd omhoog en Jen zegt: 'Hi, fox!' Er zijn drie *hosts*, Jen, Greg en Sarah. Hij zit in de startblokken.

'Fantastisch om je hier bij ons te hebben,' zegt Jen.

'Nou, weet je, weet je wat ik te zeggen heb... Ik heb een paar dingen gehoord die me nogal geraakt hebben, eigenlijk,' zegt hij.

'Wat bedoel je?' vraagt Jen.

'Jen – ik heb je genegeerd op het feest bij Ozzy Osbourne. Heb ik dat echt gedaan? Ik lijk op een mestvarken. Ik ben niet Robin Williams of zo. Greg – ik ben wat pafferig en ik kan niet echt zingen, en ik ben niet zo schattig.'

De ontkenningen en rechtvaardigingen vliegen over tafel. Jen zegt dat ze stapel op hem was toen ze naar hem toe ging bij de Osbournes.

'Liefje, liefje, je moet begrijpen,' zegt hij, 'dat ik vreselijk aan sociale angst lijd... dat is echt de waarheid... ik zit aan de pillen... verschrikkelijk, eerlijk, ik zweer het bij God. En dan ben ik op een feest, ik ben doodsbang, en dan komt er iemand naar me toe en wil praten met me, mmmmm... hallo, ik moet nu weg... dus Jen, soms gaat het niet om jou.'

'Dat probeert mijn therapeut me te leren...' bekent ze.

'Klets een halfuurtje met de oude lieve dokter hier en we helpen dat allemaal uit de wereld,' zegt Rob.

Greg vraagt wat iemand op een dergelijk feest zou moeten zeggen om een gesprek met hem te beginnen.

'Ze zouden vermoedelijk moeten zeggen: laten we alle onzin verder vergeten, het gaat om de seks, laten we het doen,' antwoordt Rob.

'Oké,' zegt Jen, 'nou, verdomme.'

'En het werkte bij jou en Johnny Rzeznik,' zegt hij.

Haar mond valt open. 'Met wie heb jíj gesproken?' vraagt ze.

'Je weet waar ik het over heb,' bluft hij. 'Ik sprak hem gisteravond – hij zegt dat je verdomd goed kunt zoenen, meid.'

'O, mijn gód,' zegt ze. 'Iemand zit hier in de nesten.'

'Nu ik met je gesproken heb, zie ik de liefde die je hebt,' zegt Rob.

'Hebben we het nu goedgemaakt?' vraagt ze.

'Dat hebben we – we hebben het allemaal bijgelegd,' zegt hij. 'Omdat ik een beetje…' Hij trekt een huilerig gezicht om aan te geven hoe hij zich voelde toen hij hoorde wat ze achter zijn rug hadden gezegd, maar bekent vervolgens dat hij hetzelfde doet – dat hij stomme dingen over mensen zegt en ze dan tegenkomt en zich moet verontschuldigen of anders hard wegrent. 'We maken ons er allemaal schuldig aan,' zegt hij.

'Dus nu kunnen we een groepsknuffel en groepskus hebben,' zegt Jen.

'Ja,' zegt hij. 'God heeft ons de sereniteit geschonken om de dingen te accepteren waaraan we niets kunnen veranderen…'

'Je hebt gehoord hoe geweldig ze kan zoenen, hè?' zegt Sarah, de andere vrouwelijke dj.

'Nou en of,' zegt hij.

'Nou, als je het voor jezelf wilt ontdekken…' provoceert Sarah.

'Maar, Jen, ik zit nu aan de koffie en sigaretten – maakt dat uit?' vraagt hij.

Ze schudt haar hoofd.

'Zullen we dan samen zoenen?' stelt hij voor.

Ze zegt dat Johnny Rzeznik sigaretten zonder filter rookte.

'Dat komt omdat hij rock-'n-roll is, man,' zegt Rob. 'Maar hé, heeft hij je live in de uitzending gekust?'

'Nee,' lacht Jen. Ze heeft nog steeds niet in de gaten wat er te gebeuren staat.

'Getongd?' wil Rob weten.

'Nee!' zegt ze, lachend.

'Mag ik met je live in de uitzending tongen?' vraagt hij.

En hij doet het. Niet zomaar een filmkus, maar een volle, langgerekte tongzoen. De andere dj's staan perplex en joelen, evenals de luisteraars die vanuit de kamer ernaast door het glas toekijken.

Tijdens de verkeersinformatie, met details over een ongeval op snelweg 67, geeft Rob Jen een reepje kauwgom. Er volgen commercials en zij bedankt hem, buiten de uitzending. 'Ik heb er ook van genoten, liefje,' zegt hij. 'Zoveel actie heb ik lange tijd niet gehad.' Iemand van het radiostation stelt voor dat ze opnieuw kussend poseren voor een foto.

Ze doen het en hun tongen komen opnieuw in beweging. Rob bekijkt de digitale foto. 'Dat is afschuwelijk,' zegt hij. 'We moeten het opnieuw doen.' En ook dat doen ze.

'Hij weet hoe je een plaat moet promoten, of niet soms?' zegt de man van Virgin, zijn Amerikaanse platenmaatschappij.

'Als er nog iemand anders een camera heeft...' zegt Jen.

'Eerlijk,' zegt Rob, 'ik heb er een stijve van gekregen.'

'Ik ook,' zegt ze, 'en ik heb niet eens een pik.'

Nog steeds buiten de uitzending vragen de dj's hem hoe hij de dingen wist die ze over hem gezegd hebben.

'Het waren vast en zeker die slettenbakken die jullie op de hoek hebben opgepikt met die borden,' zegt Sarah.

De in de kamer ernaast wachtende luisteraars, onder wie die meisjes, worden binnengelaten om toe te kijken hoe Rob een aantal liedjes zingt. Terwijl hij zingt, vertonen de drie televisieschermen achter hem op de muur zonder geluid de oorlog.

✳✳✳

In het busje naar de luchthaven zingt hij voor zichzelf: '...*I left from the station, with a haversack and some trepidation.*'

'Wat een afknapper als ik deze tour niet had gedaan,' zegt hij in het vliegtuig naar huis. 'Het is hartstikke leuk. Of het nu wat oplevert of niet.' Boven Los Angeles kijkt hij naar beneden. 'Daar heb je een oefen-afslagplaats en een golfclub,' merkt hij op. Als tiener heeft hij gegolfd en hij praat er altijd over alsof hij het weer wil gaan oppakken.

Josie zegt dat de Matrix, het songwritingteam dat momenteel hotter dan hot is en aan de grootste hits van Avril Lavigne heeft gewerkt, contact heeft opgenomen om met hem te werken. Hij schudt zijn hoofd. 'Ik wil echt niet met hen werken,' zegt hij. Hij is ook afgestapt van het idee om samen met Linda Perry te schrijven, nadat haar mensen een juridisch document hadden toegestuurd, waarin hij moest toestemmen dat zij de producer zal zijn van alle songs die hij schrijft. Ik geloof dat niet zozeer die stipulatie bij hem in het verkeerde keelgat is geschoten, als wel het feit dat iemand met wie hij schrijft al een zakelijke overeenkomst eist voordat er zelfs nog maar songs geschreven zijn.

Josie vertelt hem verder dat er een probleem bestaat met *Come Undone*, zijn nieuwe single in Engeland. De videoclip is volledig in de ban gedaan, wat verwacht was, maar Radio Two draait de plaat totaal niet, wat niet verwacht was. Het komt niet zozeer door de vloeken, het 'fuck' en 'shit', waarvan ze wisten dat ze deze moesten verdoezelen of vervangen voor een radioversie, als wel door de regel '*such a saint, such a whore*'. Hoewel het absurd lijkt dat Radio Two bezwaar zou hebben tegen het woord 'whore' – dat niet letterlijk wordt gebruikt en gericht is aan niemand anders dan de zanger zelf; weer een nieuw lemma in zijn waslijst van zelfkwelling – doen ze dat dus wel. Chris Briggs probeert het, zo krijgt Rob te horen, in de studio in Londen te repareren door de woorden op verschillende manieren te editten en te lussen. Ironisch genoeg zijn de woorden 'fuck' en 'shit' relatief gemakkelijk te vervormen, maar met het woord 'whore' ligt het vreselijk moeilijk zonder dat het overduidelijk is welk woord er had moeten staan.

David merkt op dat *Radio One* van de zomer een van de concerten in Knebworth live gaat uitzenden.

'Ik kan me herinneren dat ik naar Oasis in Knebworth luisterde,' zegt hij. 'Ik was van Stoke-on-Trent onderweg naar Londen.'

'Dacht je toen bij jezelf: ik wou dat ik daar stond?' vraagt Josie.

'Nee, ik durfde niet eens zo groot te denken,' zegt hij.

'Niet eens zo heel lang geleden, hè?' zegt David

'Nee,' zegt Rob.

***

Het Amerikaanse experiment krijgt nog een dag vervolg. We vliegen in de privé-jet van Los Angeles oostwaarts over de Rocky Mountains naar Salt Lake City. Terwijl de roereieren zijn geserveerd, kijkt David omlaag en bewondert kilometer na kilometer de met sneeuw bedekte bergen.

'Ik heb dat gesnoven,' zegt Rob.

Bij het eerste radiostation in Salt Lake City, 107.5 The End, stelt een man in een pak met daarop Disco Instructor zich voor als 'Chunga de dj'. 'Mijn echte naam is Brett Smith, maar wie maalt daarom,' voegt hij toe. Rob gaat naar buiten om een sigaret op te steken en we staan bij de achterdeur in de regen naast een grote satellietschotel op de oever van een smalle, langgerekte vijver onder een snelwegviaduct. In een boom vlakbij hangen cd's.

'We hebben een cd-werpwedstrijd gehouden,' legt Chunga de dj uit, 'maar de natuurbeschermers kwamen langs en verboden het ons verder.' Hij vraagt Rob naar zijn tattoos en Rob zegt: 'Dat wordt later: pap, waarom heb je tatoeages?' Hij voegt er, haast grappend, aan toe: 'Omdat ik mezelf niet mocht... omdat het van binnen pijn doet.'

Chunga ziet me aantekeningen maken en vraagt wat ik aan het doen ben.

'Hij is mijn reclasseringsambtenaar,' legt Rob uit.

Zelfs naar de normen van deze week is het decor van het optreden van vandaag uitzonderlijk. Van de zomer zal hij dezelfde liedjes op drie avonden voor driehonderdvijfenzeventigduizend man zingen in Knebworth, en alle kaartjes zijn uitverkocht. Maar vanochtend gaat hij zingen in een klein, rechthoekig zaaltje zonder ramen voor een publiek van veertien fans, gezeten op klapstoeltjes. Hij begroet elk lid van het publiek bij binnenkomst en deelt de Krispy Kreme-donuts uit. Tijdens *Feel* zakt hij op z'n knieën en veinst te slapen, met zijn snoet tussen de borsten van een vrouw op de voorste rij. Tegen dat hij *Angels* bereikt, zendt het radiostation niet meer uit vanuit dit zaaltje, maar hij zingt beter dan ik hem ooit heb horen zingen, melodramatisch maar zwevend, alleen maar voor deze veertien en zichzelf en om de lol. Tijdens het instrumentale gedeelte stapt hij naar voren en schudt iedereen de hand, waarna hij het referein inzet.

Bij aankomst bij het tweede station in Salt Lake City, Star 102.7, begroet hij mensen en schudt handjes. Nadat hij doorgelopen is, hoor ik de dj aan een man van middelbare leeftijd uitleggen wie Rob is. De man is overdonderd.

'Had ik dat maar geweten,' zegt hij, 'dan zou ik hem een betere hand gegeven hebben. Dan had ik er beter op gelet.'

✳✳✳

In het vliegtuig op weg naar huis vecht hij tegen de verleiding van het snoepmandje. 'Mijn oma was elke avond thuis wanneer ik van school kwam – echt elke avond – en dan had ze altijd twee pakjes Marylandkoekjes, een Twix en twee donuts,' zegt hij. 'Elke avond. Een Twix of een Wispa. Voor mij. En daarnaast nog mijn sandwiches en dat soort dingen.' Hij zegt dat hij vroeger maar at en at. 'We hadden een winkeltje om de hoek, door het steegje heen, en daar gaven ze op de pof – Buttons, Dairy Milk, eclairs. Zijn truc was aan de andere kinderen te laten zien dat hij geen geld had – 'Moet je opletten' – en daarna stapte hij het winkeltje binnen en kwam weer buiten met een heleboel chocola. Zijn favoriet waren kleine lolly's, Drumsticks geheten.

David vraagt van welke soorten pudding hij het meest droomt en biedt drie keuzes van zichzelf: chocoladegriesmeel en rijstepudding met een grote klont jam erin, custard met het velletje erop en pannacotta met bessen.

'Ik denk dat suikerstrooppudding er wel bijzit,' zegt Rob, 'maar het wordt toch de broodpap, met ijs of custard. *Banoffee pie* is ook een goede kanshebber.' Hij praat erover hoe verzot hij was op het geroosterd brood met tonijn van zijn moeder. 'Wat ze deed, was dat ze de tonijn met zout, peper, tomatenketchup en mayonaise vermengde en dan besmeerde ze de binnenkant van het brood en de buitenkant met boter en schoof het in de oven. Die dingen *rockten*.' Hij heeft er al tien jaar geen meer op. 'Ik zal mam eens vragen er een te maken,' zegt hij.

Hij zegt dat hij op school elke dag hetzelfde at: 'friet, bonen, jus en tomatensaus.' 's Ochtends at hij Weetabix met cornflakes. Maar thuis was er altijd groente en veel fruit en zijn moeder kookte 's avonds iets gezonds.

Hij herinnert zich dat hij zich soms na school mateloos ergerde aan zijn oma. 'Ik werd gek van haar, omdat ze oud was,' zegt hij. '"Oma! Ik probeer je uit te leggen hoe je pacman doet! En waarom ik het interessant vind! En waarom ik van Ice T hou! De rapper! Hij is een rapper! Hij is een gangsta rapper!" Ik probeerde uit te leggen wat een video was. Ze snapte er geen snars van. En ze maakte zich megabezorgd over me.' Ze kwam een keer binnen toen hij aan een fles aanstekergas (butaan) snoof. 'Robert!' gispte ze hem. Ze wist weliswaar niet precies wat hij aan het doen was, maar wel dat het verkeerd was.

Hij was 24 toen ze stierf. 'Ik nam het als vaststaand aan, mijn oma die daar lag,' zegt hij. 'Zo gaat dat toch?'

❋❋❋

In zelfs de eerzaamste en meest waarheidsgetrouwe verslagen van iemands leven en hoe hij of zij het leidt, worden keuzes gemaakt en noodzakelijkerwijs betekent elke keuze dat een klein onderdeel van de ervaring die de lezer gehad zou hebben als hij er zelf bij was geweest naar de achtergrond geduwd of ontweken wordt. Veel van de dingen die hier ongezegd blijven, hebben te maken met de gewone en onopvallende momenten die zich aaneenrijgen in het leven van onverschillig wie: de donkere materie van het leven zoals het stilletjes op voorspelbare manieren z'n gangetje gaat tussen alle kosmische toevalligheden. Andere dingen blijven ongezegd om andere redenen. Het zou, bijvoorbeeld, ondoenbaar – en afleidend en verbijsterend en nauwelijks te geloven – zijn om in een boek als dit nauwkeurig op te schrijven hoe vaak en luid Rob een scheet laat. Toen hij jong was, was zijn moeder zo vriendelijk om hem te vertellen dat deze geschenken aan de wereld als sleutelbloemen roken en misschien gelooft hij nog steeds dat dat waar is. Merendeels wordt deze hebbelijkheid, en het plezier dat hij erin schept, geaccepteerd als iets wat nu eenmaal zo is, maar soms wordt er, zoals nu, over gesproken.

'Ik vraag me af of ik zoveel scheten laat omdat ik zoveel water drink,' zegt Rob.

'Ik denk dat het meer te maken heeft met de snelheid waarmee je eet,' stelt David voor.

Denk je niet, opper ik, dat je meestal een scheet laat omdat het je geen bal uitmaakt om het niet te doen?

Hij lach. 'Ja.'

'Volgens mij heeft Bryan Ferry nog nooit van z'n leven een scheet gelaten,' zegt David.

***

Hij vertelt me dat hij probeert niet over zichzelf op internet te lezen. De laatste paar weken is hij een tikkeltje geobsedeerd geraakt. 'Ik geloof dat het allemaal maar rond blijft spoken in mijn hoofd,' zegt hij. 'Een heleboel daarvan omdat ik er echt in geïnteresseerd ben. Maar een deel ervan doet ook pijn. Ik denk dat mensen als ik onderbewust altijd uitkijken naar iets wat hun dag verpest. Of wat hun ergste angsten over zichzelf bevestigt.' Maar op een dag, op de loopband, realiseerde hij zich dat hij zich voorstelde dat hij achter iemand stond die een artikel over hem schreef, met een stuk kippengaas in zijn hand. Op dat moment besefte dat hij ermee moest kappen.

Hij praat over zijn idee voor het volgende Robbie Williams-album. 'Air meets *Come Undone*,' zegt hij. 'Elektronische rock. Als een heden-daags album dat als "Cars" klinkt. We zullen Daft Punk als producer vragen.'

Hij zingt in zichzelf. '*When I see you with your new man, something stirs inside of me. It's not that I want you back, it's how ugly love can be… How did I make "I love you" sound sincere, when you were just a one-night stand that lasted a year?*' Het is een liedje van hem met de titel *Ugly Love*. ('Is dat al voor iets gebruikt?' vraagt hij. Het antwoord: nau-welijks. Het was een audiotrack op een Duits Xbox-spelletje.) Het her-innert hem aan mensen met wie hij vroeger optrok en mensen met wie hij drugs gebruikte. Hij somt een groep muzikanten op en vraagt zich af hoe het ieder nu vergaat. 'Wat was dat een puinzooi, zeg,' kijkt hij terug. 'In die tijd experimenteerde ik zo'n beetje met heroïne. Ik zei: wat voor gevoel geeft het? Alsof je in watten gewikkeld zit. Niet dus. Het was alsof je bedorven garnalen rookte en ik was er heel vaak ziek van.'

Waarom deed je het?

'Omdat we door de coke heen waren,' zegt hij. 'Dat is wat er nor-maal gebeurt, denk ik zo. En ik weet nog dat ik mijn moeder belde om te vertellen: "Ik kom vanavond niet thuis in Londen, omdat ik vannacht wegblijf", terwijl ik bij mezelf dacht: o mijn god, ik zit aan de heroïne. En ik voelde me hondsberoerd terwijl ik met mijn moeder sprak.'

Echt?

'Ja.' Pauze. 'Ja.' Uiteraard was het een zegen dat het niet goed viel bij hem en hij er niet veel mee op had. 'Dat was mijn geluk, echt,' zegt hij, 'omdat heroïne, ik dacht, fuck that, en crack, ik dacht, fuck that. Ik denk dat als het niet door mijn neus ging het slecht bij me viel.'

Hebt je crack geprobeerd?

'Ja. Ik was verschrikkelijk high en iemand gaf me drie blokjes en ik gaf hem zestig pond, hij kwam terug en legde drie blokjes in mijn handen en ik dacht dat het beter dan niets was en ging terug naar huis en begon het te roken door zo'n zilveren ding waar één sigaar in zit. Ik denk dat er twee soorten mensen zijn – ofwel je gebruikt verdovende middelen of je doet het niet. Ofwel je wilt slapen of je wilt eeuwig wakker blijven.' Hij schudt het hoofd. 'Ik dacht: ik wil eeuwig wakker blijven.'

❊ ❊ ❊

Weer terug in zijn huis in Los Angeles is het een warme lenteavond. Rob krijgt het idee om in de achtertuin met z'n allen op de trampoline onder de sterren te gaan liggen. Hij pakt enkele dekbedden en kussens en met ons zessen – Rob, Max, diens vriendin Milica, Chris Sharrock, Jason en ik – vleien we ons neer op de rug, uitgewaaierd in een halve cirkel, met ons hoofd bij de rand en onze voeten bij elkaar komend in het midden van de trampoline. Sid springt erbij. Het is heerlijk buiten. We wauwelen er eeuwen op los, over het verleden en heden, en dan leidt Max ons door een reeks verlichtende vragen, de een na de ander de cirkel rond. Robs antwoorden luiden joint ('hoe noem je wiet'), trampoline ('het eerste woord dat in je opkomt'), *Tie Your Kangaroo Down* ('eerste liedje dat bij je opkomt'), Halle Berry ('eerste vrouw die je nu meteen zou willen naaien'), friet ('voedsel'), melk ('drank'), Smith ('mensen die van voren John heten'), Duchovny ('mensen die van voren David heten'), Neptunus ('planeet'), Australië ('land'), *Dog Day Afternoon* ('film'), Eddie Murphy ('komiek'), Manchester United ('voetbalclub'), Magaluf ('vakantie'), ceder ('bomen'), hond ('dier'), sinaasappel ('vrucht'), Stealer's Wheel ('band'), rozen ('bloem'), Elvis Costello ('solozanger').

'Zullen we de hele nacht buiten blijven?' stelt hij voor.

Chris Sharrock wijst op een silhouet dat aan het eind van de tuin wordt gevormd door de bomen, die buigen onder de wind. 'Het lijkt net Jimi Hendrix met een afrokapsel,' zegt hij.

'Ik heb net het gevoel of we op Tahiti zitten, 1958, en de *Mutiny On The Bounty* aan het draaien zijn,' zegt Max.

'Mag ik Brando zijn?' vraagt Milica.

'Nee,' zegt Max, gepikeerd. 'Ik ben Brando.'

We liggen daar, zonder een woord te zeggen.

'Ik heb net de zin van het leven ontdekt,' zegt Rob.

'Wat is het dan?' vraagt Max.

Een lange pauze.

'Uit Take That stappen,' zegt Rob. Nog meer stilte.

'Ik zou dólgraag een ufo zien,' zegt hij.

***

Het is nog te vroeg om te zeggen of dit kostbare, snelle promotie-offensief uiteindelijk de moeite waard zal zijn, maar zo het iets op gang heeft gebracht, dan voltrekt dat zich maar langzaam. Succes op de Amerikaanse radio wordt gemeten in 'adds', dat wil zeggen het aantal stations dat je huidige single die week aan hun platenlijst toevoegt. Het patroon lijkt dat een hit geleidelijk aan 'stootkracht' ontwikkelt. Eerst vindt de plaat hier en daar lokaal steun en daarna bouwt hij stap voor stap zijn publiek en populariteit op bij enkele stations (ze verrichten constant luisteronderzoek). De programmaregisseurs praten met elkaar en de gespecialiseerde muziekvakbladen beschrijven en versterken wat er gebeurt en gaandeweg krijgt de plaat er zo met de week almaar meer adds bij, hoe langer hoe meer verspreid over het hele land.

Feel staat nu op een paar platenlijsten – sommige tot dusver door Rob afgelegde bezoekjes waren zowel ter promotie als om vroege supporters te bedanken, veeleer dan om nieuwe bekeerlingen te maken – maar echt explosief is het allemaal nog niet. Feitelijk heeft *Feel* er vorige week zegge en schrijve één add bij gekregen, en dat was in Kansas, een staat die nota bene niet eens op onze vliegroute lag.

In Groot-Brittannië is het *Come Undone*-probleem inmiddels opgelost en de song is nu op Radio Two te horen, zij het in een versie die nooit uitgebracht zal worden. '*So self aware so full of shit*' is gewijzigd in '*so self aware so full of it*', '*so need your love so fuck you all*' is '*so need your love good luck you all*' geworden en '*such a saint, such a whore*' klinkt nu als '*such a saint, such a bore*'. Rob heeft de nieuwe regels niet zelf kunnen inzingen en ze konden niet bewerkt worden van bestaand materiaal, maar enige tijd geleden alweer heeft men ontdekt dat een sessiezanger met de naam Paul Caitlin Birch, die Paul McCartney was in The Bootleg Beatles, Robs stem goed benadert. Van het voorjaar zal dus hij het zijn die, als sporadisch zoethoudertje, te horen zal zijn voor de niet-wetende luisteraars van Radio Two.

10

Rob heeft besloten op huizenjacht te gaan. Hij is gesteld op zijn huidige huis – het huis zelf heeft volop ruimte en luxe en genoeg slaapkamers voor een constante stroom gasten, terwijl het tegelijkertijd knus en compact genoeg is om hem enig gevoel van veiligheid te geven – maar hij wil graag dat zijn honden kunnen rondrennen in een grotere tuin. Misschien denkt hij er ook wel over een groter, duurder huis te betrekken omdat zo'n beetje iedereen het verder lijkt te doen. Hij kan het zich veroorloven en het geeft wat om handen.

Vandaag heeft hij afgesproken huizen te gaan bekijken in een van de poenerigste wijken in de Hollywood Hills.

'We klimmen op, kinderen,' zegt hij als we door de poort rijden.

Alles is hier vlekkeloos, elke boom en haag en elk pad – hetzij betoverend, hetzij griezelig.

'Een stuk beter onderhouden allemaal,' zegt David.

'Ja,' zegt Rob, 'maar ietwat zielloos, vind je niet? Voel je het? Ik weet niet of het door mij komt dat ik me enigszins inferieur voel.'

'Heremijntijd, ik zou zelfs nog in die verdomde lantarenpaal willen wonen,' zegt Max. 'Zelfs die is prachtig.'

We stoppen voor het eerste huis.

'Hier komt de werkende klasse,' kondigt Max aan.

De eigenaar van het 3600 m² grote huis is een bekende filmproducent. Rob wordt rondgeleid door een makelaar, die weinig doet om Rob de hoop te geven dat men hier discreet kan wonen – vanaf het balkon wijst hij vergenoegd op de woningen van de naburige beroemdheden. 'Daar woont Sylvester Stallone... Denzel Washington... Rod Stewart...' Op de rondleiding wijst hij op dingen die naar hij hoopt Rob zullen aanspreken.

'De eetkamer kan er 30, 34 hebben,' zegt hij.

'Ik heb maar twee vrienden,' zegt Rob.

Het volgende huis is eigendom van een andere beroemde filmbons, die op tientallen ingelijste foto's overal in huis naast andere beroemdheden prijkt. Het geval is op de markt voor veertien miljoen dollar. Het ligt in een dal in de heuvels genesteld en heeft zodoende geen uitzicht, bovendien kijken verscheidene omringende huizen erop neer. Er is een complete kindervleugel, met honderden stukken speelgoed, en aan de muur hangt een brief van president Bill Clinton, aan de kinderen.

'Het was heerlijk om zo op te groeien, vond je ook niet?' zegt Rob tegen Max, grijnzend.

'We hadden een boek per jaar,' antwoordt Max.

Een paar dagen later bekijkt hij nog meer huizen. Het meest gedenkwaardig is een belachelijk goed onderhouden huis van een motorsportkampioen. 'Al het tuinieren,' zegt de ernstige man die Rob rondleidt, 'wordt gedaan door botanisten met scharen.'

De man is nog maar net begonnen. Hij wijst onder het passeren op elk verfijnd element – 'overal Venetiaans pleisterwerk', 'de kroonluchter is Lodewijk-XV-stijl'. Het huis is al met al een compilatie van het beste van duizend jaar topwoninginrichtingideeën, maar dan à la Los Angeles. In de slaapkamer wordt een vijftiende-eeuwse tapisserie elektronisch opgetrokken – een snufje waarvan de makers beslist gedroomd moeten hebben dat het op zekere dag gerealiseerd zou kunnen worden – om plaats te maken voor een Dream Vision-plasmatelevisiescherm.

Het is wat te veel. Als hij de keuken in loopt, wijst Rob op het fornuis en mompelt, op serieuze toon, tegen Max, alsof hij een antiek stuk heeft ontdekt waarvan hij helemaal weg is: 'Sandra de tiende huppeldepup pitten...'

Botanisten met scharen.

Hij leert iets erg waardevols van deze uitjes: hoezeer hij gesteld is op het huis dat hij al heeft.

✳✳✳

In een vliegtuig naar Toronto – een lijnvlucht dit keer – zit Rob op de stoel naast me. Ik lees de krant. Ze hebben net een of andere mysterieuze ziekte, SARS genoemd, vastgesteld en gedacht wordt dat er mogelijk gevallen zijn in Toronto, maar het bericht zegt dat men het onder controle heeft en er geen reden tot bezorgdheid bestaat. Ik breng het niet ter sprake. We gaan zijn zorgelijkheid niet nog eens extra voeden.

Rob doet The Great *FHM* Man Test in het blad dat hij leest. Meerkeuzevragen om iemands mannelijkheid te meten. Enkele van zijn antwoorden:

Aantal meisjes waarmee hij geslapen hebt: 21+. (De hoogste keuze die geboden wordt.) Ooit een triootje gemaakt: ja. Anale seks gehad: ja. Maximaal aantal meisjes waarmee hij ooit tegelijkertijd heeft aangepapt zonder hun naam te kennen: 2. ('En dat was voordat ik beroemd was,' zegt hij.) Aantal rassen waarmee hij geslapen heeft – hij kruist de categorie 'zo'n beetje allemaal, inclusief de Inuits' aan. (Toch geen echte eskimose? 'Nee,' zegt hij, 'maar daar krijg ik tien punten voor.') Heeft hij vrouwen meerdere orgasmen bezorgd: ja. Heeft een meisje ooit een glas bier over zijn hoofd gegooid voor wangedrag: ja. ('Nou, ik heb een paar maal een klap gehad. En biertjes. Dat begon toen ik dertien was...') Zijn er vrouwen in het verleden die hem direct terug zouden nemen als hij het ze vraagt? Ja. Heeft hij ooit een meisje tot een van de volgende dingen overgehaald: buikdansen voor hem in de zitkamer (ja), de hoofdrol spelen in zijn amateur-pornofilm (nee), seks met hem hebben in het openbaar ('Dat vul ik niet in'), het dragen van zijn fantasiekostuum (ja; hij weigert uit te weiden), zijn bruine oog likken (ja). Hij heeft gebungeejumpt, gesurft en een vuurwapen afgeschoten, maar geen parachutesprong gemaakt of geraft. Heeft 'kleinere breuken' ('neus, vinger, rib enzovoort') gehad en een enkel gebroken ('voetballen'). Extreemste experiment met zijn gezichtsbeharing: hij kruist 'grote bakkebaarden' aan. Aantal vrienden die hij 'goede vrienden' kan noemen: 2 tot 5. Hoeveel daarvan zouden een kogel voor hem opvangen: 2 tot 3. Aantal knokpartijen in zijn leven: 6 tot 10. Aantal keren gewonnen: 'meer dan de helft'. Aantal keren gearresteerd: 0. Hoeveel hij verdient: meer dan veertigduizend pond. Waarom hij zijn laatste baan niet meer heeft: hij kruist 'overbodig geworden', 'geheadhunt', 'hier meer geld' en 'vreselijk saai' aan (maar niet 'ontslagen' of 'verhuisd'). Extra's van zijn baan: hij kruist 'auto van de zaak', 'regelmatig reisjes naar het buitenland', 'weinig feitelijk werk' en 'aantrekkelijke vrouwelijke collega's' aan. Ergste aan de baan: 'de stress' en 'niet veel eigenlijk'. Met hoeveel vrouwelijke collega's is hij naar bed geweest? Hij kruist de optie 'de meesten van hen – uitgezonderd natuurlijk de kuttenkoppen' aan. Hoe lang ziet hij zichzelf in zijn huidige baan: hij kruist 'tot er iets beters langskomt' aan.

Volgens *FHM* bedraagt de gemiddelde score rond de 95, maar het oververhitte leven van een popster zit vol met de meest mannelijke kansen en verplichtingen, in deze opzichten dan in ieder geval, en zijn eindscore is 199.

✳✳✳

Hij geeft een interview voor de Canadese televisie. De interviewster heeft de juiste combinatie van moederlijkheid, intelligentie en medeleven om hem te laten ontdooien.

'Vind je,' vraagt ze, 'dat je je eigen relaties gesaboteerd hebt?'

'Nee, alleen pik ik díe relaties uit, waaruit ik weg kan lopen. Maar ik ben er beter in aan het worden.'

'Wat is gemakkelijker voor je?' vraagt ze. 'Zelf van een ander houden of jezelf toestaan dat een ander van jou houdt?'

'Zelf van een ander houden. Ja. Maar het is altijd met een ontsnappingsroute. Het is als, eh, we zitten in het vliegtuig, er is één parachute, ik heb hem om... Maar hopelijk zal het anders zijn als ik ouder word.'

Aan het eind van het interview vraagt ze welke misvattingen er over hem bestaan.

'Er bestaan geen misvattingen over mij,' zegt hij. 'Ik ben voor honderd procent wat mensen denken dat ik ben. En ik ben voor tien procent wat mensen denken dat ik ben. Er bestaan geen misvattingen.'

Later, nadat hij naar nog enkele afleveringen van *The Sopranos* heeft gekeken (HBO is zo vriendelijk geweest om videobanden van het hele vierde seizoen toe te sturen), hoor ik hem via de telefoon in de andere kamer praten met iemand van wie hij weet dat hij in de problemen zit. Soms is het een verrassing om eraan herinnerd te worden hoe volwassen hij kan zijn wanneer hij daarvoor kiest of als het nodig is: de raad en bemoediging die hij geeft, in wat duidelijk een zeer netelige en explosieve situatie is, is heerlijk geduldig, steunend en ondogmatisch; de vriend die je graag zou willen hebben op een moment als dat.

Dan is het tijd om naar de laatste aflevering van *The Sopranos* van het seizoen te kijken.

'Ik zou bijna willen bidden,' zegt hij als de band in de videorecorder zit.

David, die de laatste paar gemist heeft, zegt: 'Is er iets wat ik moet weten?'

De eerste titels rollen voorbij.

'Nee,' zegt Rob. Hij heroverweegt het. 'Dat ik van plan ben over twee jaar met pensioen te gaan,' zegt hij.

✳✳✳

Aan het eind zitten we er als verdoofd bij.

'Ik vind nog steeds niet dat ze Pussy hadden moeten vermoorden,' zegt Rob.

Rob, Pompey en ik zoeken beneden de bar op.

'Hé, zeg eens, waar gaat men zoal heen om plezier te maken, in Toronto,' vraagt hij aan de vrouw achter de bar.

'Zelf mag ik graag lekker rauzen in clubs,' zegt ze.

'Dat klinkt erg agressief en sadistisch,' zegt hij, alsof hij simpel van geest is.

Over en langs de bar worden verhalen uitgewisseld. Dan zegt Rob opeens: 'Dat zou een goed boek zijn – misvattingen over seks toen je van toeten noch blazen wist.' Hij moet erdoor terugdenken aan toen hij een zevenjarig jongetje was. Hij zegt dat hij zich kan herinneren dat hij op de lagere school meedeed aan het toneelstuk. 'Het heette *Sean, de dwaas, de duivel en de katten*,' zegt hij. 'Ik was de duivel. En ik leerde nooit mijn tekst, die verzon ik voor de vuist weg op de drie avonden dat we het opvoerden. En ik had een grote monoloog enzo. Omdat ik niets moest hebben van leren. Nog steeds niet.'

Hoe had je gedacht je daar doorheen te slaan?

'Daar stond ik geen moment bij stil. Voordat ik het wist, stond ik daar op het podium.'

Interesseerde het je dan geen kloot?

'Nee, dat niet, ik deed het zowat in mijn broek omdat ik mijn tekst niet kende. En meneer Collis dacht dat ik de hoed van de duivel gepikt had. Het was een zwart geval, een soort doodskop met twee rode horentjes. Maar dat had ik niet. Hij dook een paar maanden later op school op.' (Op dit moment ergert hij zich duidelijk even mateloos aan de valse beschuldiging van meneer Collis als aan het Rock The Vote-fiasco, zo niet meer. Hij vraagt zich af hij niet over heel Groot-Brittannië een postercampagne moet opzetten om kleinere vendetta's en grieven uit het verleden te vereffenen. 'Aan de schandpaal met meneer Collis!' loeit hij. Dan komt hij erop terug. 'Ik geloof dat we meneer Collis maar niet aan de schandpaal moeten nagelen,' zegt hij tegen me. 'Zet dát in het boek.')

'En hij liet me rupsen eten,' zegt Rob.

Pompey en ik kijken geschokt.

'Dat heb ik maar verzonnen, van die rupsen,' lacht hij.

Ik durf te wedden dat je er toch een gegeten hebt, zeg ik.

'Nee, dat heb ik niet,' protesteert Rob. 'Ik at vliegen.'

'Jij bént het duivelskind,' lacht Pompey.

'Voor Adrian Tams staat dat buiten kijf,' zegt Rob. 'Ze zaten in de custardpudding. Ik slikte ze gewoon door. Zoals een goede katholieke jongen betaamt.'

Hij herinnert zich nog iets.

'Ik ben uit het koor gezet,' zegt hij.

Ik vraag waarom.

'Kan ik me niet herinneren,' zegt hij. 'Nu ik erover nadenk: dat was mijn eerste slechte kritiek.'

Laat op de avond ligt hij op de bank in zijn hotelkamer met zijn hemd uit. Hij mijmert over de muziek die hij wil trachten te evenaren en het album dat hij nu wil maken.

'Weet je wat?' vraagt hij, alsof hij pas net ten volle voelt waarvan hij al een tijd tegen zichzelf zegt dat hij het voelt. 'Ik mis Guy niet.'

✹✹✹

Weer terug in Londen belt hij op een ochtend op.

'Ik heb goed nieuws,' zegt hij. Hij is opgewonden. 'Nummer 43 in Amerika, vierentwintigduizend verkocht.'

Zijn inspanningen lijken vruchten te gaan afwerpen. De Britse pers heeft gedaan alsof het mogelijk moet zijn dat je zijn beroemdheid en succes op een vliegtuig zet en simpelweg naar een ander land overbrengt, maar hij weet hoe moeilijk het is om Amerika te veroveren. En dit is een bemoedigend begin.

Een goede dag.

✹✹✹

De paparazzi maken hem weer eens hoorndol. Binnen een halfuur na zijn thuiskomst in Londen stonden ze al voor de deur en sindsdien heb-

ben ze hem overal gevolgd. Wanneer eentje van hen tijdens een ver-
keersopstopping uit zijn auto springt en Rob door het raam begint te
fotograferen, roept hij tegen hem: 'Val dood.'

'En op hetzelfde moment dacht ik: dat mag ik niet denken,' zegt hij.
'Maar ik doe het.'

Het zijn niet alleen de paparazzi. Binnen luttele dagen na zijn terugkeer draait het hele sluimerende, onuitgenodigde circus rond zijn Londense leven weer op volle toeren. Elke avond wordt er diverse malen
aangebeld – dronken lui die van de pub terugkomen en zich ermee
vermaken hun lokale popster lastig te vallen. Op een avond vraagt
Pompey, na middernacht, of Rob een meisje met de naam Becky kent.
Ze staat buiten op straat en blijft maar aanbellen. Hij bekijkt haar via
de televisiecamera's. Hij kent haar niet. 'Ik ben het, Becky,' zegt ze
door de intercom. 'Laat je me niet binnen om even te plassen?' Achter
haar staat een man die, zo zegt ze, haar taxichauffeur is, maar Rob en
Pompey ruiken direct onraad. Op bekakte toon zegt Rob dat hij haar
niet binnen kan laten, dat dit een particulier huis is. Of ze alsjeblieft
weg wil gaan. 'Ik kan niet geloven dat je een meisje niet binnen laat
om een plasje te doen,' dringt ze aan. Ze blijft op de bel drukken. Na
haar nog een tijdje bestudeerd te hebben, gaat hij terug naar de intercom en zegt, nog altijd met de bekakte stem: 'Wie is die man achter je?'

'Dat is mijn taxichauffeur – laat me binnen om te plassen,' zegt ze.
Ze gaat zitten.

Uiteindelijk moeten ze haar vertellen dat ze de politie gebeld
hebben en ze er beter aan doet te vertrekken voordat de agenten
arriveren.

'O, dat dacht ik niet,' zegt ze, merkwaardigerwijs. 'Ik ben van de
politie.'

'Goed, laat ik een andere tactiek proberen,' zegt Rob, boos over haar
en al dit soort situaties. 'Rot op, teringwijf. Pis maar in je broek.'

Ze blijft en de politie arriveert. Op dat moment zien ze een man op
de hoek aan de overkant van de straat. Het was dus wel degelijk een
of andere val.

'Het heeft in het verleden gewerkt,' bespiegelt Rob. 'Maar niet met
de nieuwe Robbie.'

✳✳✳

Hij heeft thuis een bespreking over de Cole Porter-film, *Just One Of
Those Things*, waarin hij kort zijn opwachting zal maken. De belangrijkste productiemensen zitten al rond zijn keukentafel: producent Rob
Cowan, regisseur Irwin Winkler (een legendarische Hollywood-produ-
cent: de *Rocky*-films, *Raging Bull*, *Goodfellas* en, alweer langer gele-

den, *They Shoot Horses, Don't They?*) en muzikale coördinator Peter Asher (de ene helft van het sixtiesduo Peter and Gordon en de producer van de vroege James Taylor-platen in de jaren zeventig die Rob zo dierbaar zijn).

'Ik wil me verontschuldigen voor de staat van het huis,' zegt Rob, hoewel het niet echt rommelig is; het enige ongebruikelijke is de fles Effexor die tussen iedereen in midden op tafel staat en daar blijft staan tot het eind van het overleg. Om het ijs te breken babbelen ze over onroerend goed in Malibu en Beverly Hills.

'Hoe vaak zit je in Los Angeles?' vraagt Irwin Winkler.

'Zo vaak als ik kan,' zegt Rob. 'Niemand kent me daar.'

'Nou,' zegt Irwin Winkler, 'daar kunnen we verandering in brengen.'

Rob knikt. 'Met wat hulp kunnen we misschien met ons allen mijn leven naar de kloten helpen.'

Ze keuvelen nog wat door en dan opent Rob de vergadering door te zeggen: 'Maar goed, hoe zit het?'

'We willen je graag in deze film hebben,' zegt Irwin Winkler. Hij zet het verhaal uiteen en beschrijft het eind op een manier dat het nu al, terwijl hij het alleen nog maar uiteenzet, erg ontroerend is.

'Stop!' zegt Rob. 'Als ik een hart had, zou ik in snikken uitbarsten.' Hij keert zich naar Tim. 'Had je bijna tranen in je ogen? Ik wou dat ik een liedje zo kon zingen.' Hij bevestigt opnieuw zijn bereidheid om aan de film mee te doen.

Nadat ze vertrokken zijn, huren we bij de buurtvideotheek *Donnie Darko*. Bij het zien van de woorden 'They Made Me Do It', geschreven nabij het schoolstandbeeld in de film, zegt hij in zichzelf: 'Albumtitel: *They Made Me Do It*.' Tegen het eind van de film begint hij zich ongerust te maken of het allemaal wel goed afloopt. Dat is typisch een Rob-zorg: hij maakt zich bezorgd omdat hij er zo van geniet en tot dusver heeft het een lekker gevoel gegeven en daarom weet hij van zichzelf dat hij zich enorm geërgerd en gefrustreerd zal voelen als het niet goed afloopt.

✳✳✳

De bescheiden Amerikaanse progressie waarmee Rob zo blij was, wordt door de Britse media volstrekt anders geïnterpreteerd. De weekendkranten staan vol berichten over wat ze als Robbie Williams' Amerikaanse fiasco beschouwen. Dezelfde cijfers waardoor hij eerder in de week zo opgewonden was, worden als vernederend en rampzalig uitgelegd. ROBBIES LAATSTE ALBOM oordeelt *The People*, stellend dat het probleem deels veroorzaakt wordt omdat hij met Robin Williams wordt verward. GEEF HET OP, ROBBIE, JE ZULT NOOIT DE VS

KRAKEN kopt *The Sunday Mirror*. *Thuis een superster – in de States een superflop... Opnieuw is de snotneus plat op z'n bek gegaan bij de Yanks terwijl hij zijn platencontract van tachtig miljoen pond probeerde te rechtvaardigen*, schrijven ze. Naast het hoofdartikel geeft Louis Walsh onder de kop HIJ IS NIET GOED GENOEG OM DOOR TE BREKEN IN AMERIKA weloverwogen commentaar: '*Ik ben nooit een fan van hem geweest. Ik vind hem niet bijster getalenteerd. Hij is geen groot zanger en hij is evenmin een briljante songwriter. Het enige liedje dat me ooit heeft aangestaan, is* Angels *[sic] en dat werd geschreven door zijn voormalige songwriter Guy Chambers... Robbie is niets anders dan een snotneus uit een jongensgroep die geluk heeft gehad.*'

'Het is op het moment "laten we Robbie Williams slachten"-tijd,' overpeinst Rob. 'Het is zoiets belangrijks voor ze, dit Amerika-gedoe. Ik zit er lang niet zo mee als zij. Helemaal niet.'

Ondertussen is een ander mediatumult in kalme vaarwateren terechtgekomen. *News Of The World* heeft een gepast grote som aan zijn liefdadigheidsinstelling gedoneerd en zich verontschuldigd. Rob hoorde daar voor de eerste maal van toen hij de verontschuldiging in de krant las: hij is niet verslaafd aan gokken, wedt slechts nu en dan om een betrekkelijk kleine inzet en heeft twee jaar geen alcohol gedronken of drugs gebruikt. De andere kranten die in het spoor van *News Of The World* luidkeels het verhaal rondbazuinden – nu in een hopeloze positie nadat de voornaamste bron voor hun verhaal bezweken is – zullen eveneens alle spoedig hun excuses aanbieden en een schadevergoeding betalen. *The Observer* bericht dat de journalist van *News Of The World* die het oorspronkelijke verhaal schreef nu op de necrologieredactie geplaatst is, met de suggestie dat hij eens moet kijken in hoeveel nesten hij kan belanden door de doden te belasteren.

11

Jarenlang heeft alles wat Rob uit de Take That-tijd heeft bewaard bij zijn moeder thuis in Stoke opgeslagen gelegen op zolder. Onlangs heeft hij besloten het te willen zien en zijn moeder gevraagd het allemaal naar Londen op te sturen. Op een dag begint hij, terwijl ik er ben, willekeurig dingen te trekken uit de rij dozen die naast de pooltafel staat en toont ze aan mij. Een foto van de jonge Rob met Bruno Brookes. Een foto van een vriendinnetje, Natasha: 'Eerste volwassen vriendinnetje,' zegt hij. Een foto aan het eind van een Take That-tournee. (Hij kan zich nog precies herinneren wat hij dacht op het moment dat de sluiter klikte. 'Ik wond me er vreselijk over op dat geen van mijn vrienden me drugs had gebracht,' zegt hij. 'Woest was ik.') Een foto waarop hij met zijn armen om Nigel Martin-Smith heen geslagen op een bank zit, met Gary Barlow aan zijn andere kant. 'Ik baalde als een stier,' zegt hij. 'Ik wilde graag dat hij me mocht.'

'Wie – Gary of Nigel?' vraagt Josie, vooroverbuigend om te kijken.

'Nigel,' zegt Rob. 'Had echt vreselijk hard zijn goedkeuring nodig. Maar heb het nooit gekregen.'

Ik merk op dat hij feitelijk al *ik blijf niet altijd in een jongensgroep zitten* en *ik kies ervoor in een ander universum te leven* uitstraalt.

'Ja,' zegt hij. 'Wat ik ga doen, is een heleboel drugs nemen met deze man.' Hij toont een foto van een oude vriend. 'We namen een ongelooflijke lading drugs, onvoorstelbaar gewoon. Ik geloof niet dat er indertijd een dag voorbijging zonder dat mijn stemming veranderd was door... als het geen speed, coke, Es was, dan waren het afslankpillen. Zodoende zat er constant wat in het lijf.'

Zijn koekoeksklok, die zijn zus hem pas gegeven heeft, gaat af.

'Heb ik je ooit verteld over het Peter Cunnah-ding dat gebeurde toen ik in bed lag met...?'

Nee, zeg ik.

'Daar staat ergens in deze brief iets over,' zegt hij. Hij overhandigt me een envelop met een klein stapeltje correspondentie erin. 'Ik geef je dit mee, als ik het maar terugkrijg.'

Hij neemt me mee naar boven en toont me de homevideo van Gary Barlow die hij een tijdje terug gevonden heeft. Het stuk dat hem dwarszit zijn de opnames van hun aankomst in New York. De tiener Rob kijkt op de luchthaven in de camera en zegt terwijl hij duimendraait: 'Ik sta er nog niet op – ik ben vreselijk depressief.' En een moment later zie je Nigel boos naar Rob kijken – Rob heeft het niet in de gaten – en vol verachting zijn hoofd schudden.

'Als blikken konden doden,' zegt Rob onder het kijken.

Ik vraag hem wat Nigel Martin-Smith op dat moment volgens hem dacht.

'Alleen maar hoeveel hij me haatte,' zegt Rob. 'Hij kon het niet hebben als ik ook maar enige aandacht kreeg.'

De band draait verder en we zien Gary Barlow een rondleiding door zijn huis geven, inzoomend op zijn kaarshouders.

'Probeert tachtig te zijn,' zegt Rob.

Door de dozen in huis is Rob nog meer over het verleden gaan nadenken dan gewoonlijk. Hij vraagt zich af hoeveel Take That verdiend heeft. Het is allemaal wat vaag. 'Op een keer kreeg ik een cheque van vijfhonderd ruggen,' herinnert hij zich. 'Ik snoof er cocaïne mee op.'

Peter Cunnah was de gay leadzanger van D:ream, een dancepopgroep, die men zich in Engeland nu hoogstwaarschijnlijk vooral herinnert omdat de Labour Party hun *Things Can Only Get Better* in 1977 gebruikte voor haar campagne. Indertijd had Take That net met de groep getoerd. Een doodvermoeide Rob was pas thuisgekomen in Londen en lag in bed met Natasha.

'Ze pijpte me,' weidt hij uit, 'en ik viel in slaap, we hadden negen optredens achter elkaar gedaan en ik was compleet gebroken. Ik droomde over hem, omdat we net op tournee waren geweest, en ik praatte tegen hem in mijn droom, je weet wel, of het die avond een goed publiek was en of het goed was gegaan en toen zei ik: o, Peter...'

Hardop.

Zij roert het aan, zoals hij zei. De brieven die hij me gegeven heeft documenteren de bekende fasen van jonge liefde en daarna jonge liefde die gecompliceerd wordt en jonge liefde die misgaat. Het Peter Cunnah-incident wordt vermeld in een brief van midden 1994, na een van hun breuken. *'Ik weet dat je toch niet als eerste schrijft, daarom dacht ik het maar te doen,'* begint ze.

Er zit ook een brief tussen die Rob aan haar schreef in de betere tijden, vijf kantjes met de hand in turkoois geschreven, schijnbaar in een vliegtuig; het is niet duidelijk of hij de brief ooit verstuurd heeft. Hij zegt dat in zijn hoofd een scène maalt waarin zij hem belt en, met fluisterstem, tegen hem zegt dat ze het uit moet maken met hem, om op zoek te gaan naar een stabielere relatie met iemand anders. *'Jezus!'* schrijft hij. *'Ik vlieg met een paranoïde maatschappij!'* Hij weidt nog over andere angsten uit – *'mijn paranoia is een van de dingen die, helaas, mijn ondergang zullen betekenen'* – en uit tussendoor hoeveel hij om haar geeft. *'Dat ik deze brief schrijf is in zekere zin een soort reiniging. Ik hoop dat je dat begrijpt, want ik deed het niet.'*

Buiten voor het huis kiekt een paparazzo Rob tussen het hekwerk door terwijl hij in de auto stapt. Hij is niet in de stemming. 'Leuke baan,' zegt hij sarcastisch.

'Ik heb er een even grote hekel aan als jij,' zegt de paparazzo. 'Ik wou dat er geen beroemdheden meer over waren in de wereld, dan zou ik een echte baan kunnen nemen.'

We rijden weg.

'Wat een rare opmerking,' mompelt Rob.

✹✹✹

'Als ik hier nog een week blijf, word ik gek,' zegt hij na een paar dagen in Londen. 'Volkomen geschift. Ik benader het van: mijn huis is een hotel, dit is een territorium, het is werk en ik heb een single uit.'

Vandaag vliegt hij naar Zweden. Weer een volgend televisie-optreden. Wanneer we landen, zegt Josie dat ze op haar mobieltje net een boodschap heeft gehad van Mark Owen; hij heeft gehoord dat Rob in Londen was en wil graag een keer op de thee komen. Het is erg lang geleden dat ze elkaar voor het laatst gesproken hebben. Rob belt meteen terug en laat een boodschap achter, met een uitnodiging aan Mark.

Vier uur later zit hij weer in het vliegtuig terug. Hij vraagt David hoe het was in de tijd dat hij wel eens 48 uur aan één stuk zomaar verdween.

'Niet erg leuk,' zegt David. Ze halen berouwvol herinneringen op aan rumoeriger tijden.

'Het is net alsof ik drie levens achter de rug heb,' overdenkt Rob uit-eindelijk. 'Alsof ik nu eigenlijk aan mijn vierde bezig ben... school, Take That, roekeloze ongeremdheid, proberen nuchter te worden en nuchter te blijven. Vijfde leven.' Pauze. 'Nog vier te gaan.'

Hoe gaan die eruitzien, denk je?

'Je krijgt de greatest hits, het huwelijk, de kinderen, de scheiding en de verzamelbox...' zegt hij.

'Je loopt nu al vijf jaar een scheiding te plannen, idioot dat je bent,' zegt Josie.

'Ja, maar dat hoort bij het gebroken gezin, denk ik, of niet,' zegt hij. 'Weet je, mijn kijk zal veranderen zodra ik verliefd word en met de juiste persoon ben, maar nu op dit moment lijkt het gewoon onver-mijdbaar dat ik het op de een of andere manier verknal.'

'Het hoeft niet aan jou te liggen,' werpt David op.

'Als je maar bij de juiste persoon bent, weet je,' zegt Rob. 'Er is nooit iemand geweest met wie ik eraan zou willen werken. Ik heb twijfels, ik twijfel er echt aan of ik ooit wel verliefd op iemand zal worden.'

'Wat?' zegt Josie.

'Of ik ooit wel verliefd zal worden,' zegt hij.

'Het is een heerlijke toestand,' zegt David. 'Iets pakt je beet van ach-teren op het moment dat je het niet verwacht.'

'Daar bereid ik me op voor,' zegt hij. 'En ik bereid me voor op de mogelijkheid dat ik nooit verliefd zal worden.'

✳ ✳ ✳

Weer thuis besluit hij de rest van de dozen te doorzoeken. Hij haalt zijn verzameling *Smash Hits* Awards, jaargang 1994, tevoorschijn: Best LP (*Take That And Party*), Best Group In The World, Best British Group, Best Single (*A Million Love Songs*), Best Video (*I Found Heaven*) en Best Haircut (Robbie Williams). 'De jeugd heeft gesproken,' zegt hij. Daarna graaft hij zijn Best Haircut 1993 Award op; twee jaar op rij. Hij vindt een zwart-wit My Drug Shame T-shirt ('dat droeg ik tegen het eind van Take That'; wanneer hij het niet aan mocht, droeg hij in plaats daarvan zijn My Booze Hell-shirt); een True Fucking Star-shirt, dat hij van een fan kreeg, maar nooit droeg; en een metalen maliënkoldershirt van Versace, onderdeel van een complete outfit die hij kreeg toen ze met Gianni Versace optrokken.

'Zal ik eens kijken of ik het nog pas?' vraagt hij zich af. Het past en hij paradeert door de kamer in zijn tienerpopmaliënkolder.

Hij spit dieper. Een Take That T-shirt met de viermansbezetting in het post-Robbie-tijdperk, dat hij graag droeg nadat hij uit de groep was gestapt. Een geruite Pervert-pet en leren vest. Een Howard Donald Take That-pop. ('Ik weet niet hoe ik daaraan gekomen ben,' zegt hij.) Een Take That-kalender. Hij bekijkt hun eerste promotiefoto: 'We waren maar een heel klein beetje gay,' lacht hij. Hij draagt een leren jack, open tot aan het middel, laarzen en een wielrenbroek. 'Ik zag er zo verdomd jong uit en zelfs toen al zoog ik mijn wangen naar binnen,' zegt hij.

Hij leest de teksten in het pak affiches. 'Dit is het,' zegt hij. Hij heeft de 'officiële' geschiedschrijving van Takte That gevonden en leest deze hardop voor. '*Ondertussen werkte een jonge schoolverlater, Mark Owen geheten, op een bank. Het beviel hem wel, maar hij besloot een avondbaantje te nemen, namelijk voor de thee zorgen in een platenstudio. Daar ontmoette hij Gary. Ze begonnen samen te werken en tussen de koppen thee door groeide er vriendschap. Ondertussen zaten aan de andere kant van de stad twee lenige knullen in concurrerende break-dancegroepen. Howard Donald keek toe wanneer Jason Orange danste en wilde vaak op hem afstappen om hem te zeggen hoezeer hij hem bewonderde. Hun eerste kennismaking staat Jason nog bij als de dag van gisteren. "Die eer komt Howard toe – we zaten in rivaliserende groepen, maar hij was degene die uiteindelijk als eerste naar de ander toe stapte en vriendelijk was." Een voor een belandden de groepsleden bij Nigels impresariaat en ze wisten dat ze goed met elkaar zouden kunnen opschieten. Er werd een auditie georganiseerd voor een vijfde lid. Een lefgozertje, net van school, kwam opdagen en zong* Nothing

Can Divide Us, *een hit van Jason Donavan. Zijn naam was Robbie Williams. Mark zegt: "Ik bewonderde hem vreselijk, want we kenden elkaar allemaal al en hij niet en hij had het lef om te zingen en palmde ons allemaal in. Take That was gevormd!"'*

Hij schudt het hoofd.

'Dat was Nigels briljante plan om mensen te laten denken dat we niet gefabriceerd waren,' zegt hij. 'Wat er werkelijk aan de hand was, was dat niemand van ons elkaar kende en we allemaal op dezelfde dag auditie deden en allemaal *Nothing Can Divide Us* moesten zingen.'

'Echt?' vraagt Josie, die dit evenmin wist.

'Wow,' zegt Chris Sharrock, voor wie hetzelfde geldt. (Chris logeert bij Rob, zoals hij vaak doet wanneer de band in Londen werkt.) 'Daar gaan al mijn illusies.'

'Sterker nog, toen dit aan de gang was, werd er gezegd dat ik erbij was gehaald omdat we zeker wisten dat iemand van ons ermee zou kappen en ik was erbij gehaald voor het aantal,' zegt Rob. 'Ik zat in feite dus op de reservebank.'

Hij stuit op een pak kerstkaarten. Eentje van Elton John. Eentje van Frank Bruno ('Aan Robert, beste wensen, Frank Bruno'). Eentje van Nigel: 'Rob, prettige kerstdagen. Hou van je! Nigel.' Dit staat geschreven op de laatste Take That-kaart, Kerstmis 1994, enkele maanden voor zijn vertrek. Op de voorkant – en dit is de kaart die naar iedereen op hun lijst ging, inclusief de media – staat: '*We hebben Robbie met kerst huisarrest gegeven. We denken dat dit het beste is. Minder van het feestbeestgedoe. We geloven dat hij stilaan zoals wij begint te denken...*'

Wanneer je de kaart opent, staat er '...*just!*' tegenover een foto van Rob, die tekeergaat in een dwangbuis. 'Dat was uit genegenheid,' zegt hij.

Rob leest hardop een ander stukje over Gary Barlow voor: '*Hij is ook verzot op Pilsbury-croissants* – dit is Guy – *Je perst ze uit...* Gary bedoel ik... *je perst ze uit de tube en stopt ze in de oven...*'

Ik probeer hem te stoppen. Zei je net Guy?

'Ja.'

Moet dr. Freud met je komen praten?

'Mmmmmm,' zegt hij.

Hij vindt enkele kranten uit het jaar dat hij solo ging. *The Daily Express*, 30 augustus 1995: TAKE THAT ROB IN TRANEN OP REÜNIE. '*"Ik voel me zo gek," zei hij,*' leest Rob hardop voor, '*maar ik weet dat ik een nieuw leven moet beginnen. Alleen blijft het moeilijk als ik ze zie. Ik heb vanavond niet me ze gesproken, alleen maar een paar handsignalen. Maar dat is denk ik altijd al de manier geweest waarop we communiceerden.*'

'Wees gezegend,' zegt hij. Het was bij de National Television Awards en hij was echt in tranen. 'En Leslie Grantham zat achter me,' zegt hij, 'en hij legde zijn hand op mijn schouder en zei: "Laat ze niet merken dat je huilt, jongen."'

'Het zit allemaal in de dozen,' bespiegelt Rob, 'maar het is ook alsof je een biografie leest die Andrew Morton in elkaar geflanst had.'

Lijkt het echt zo ver?

'Ja. De enige gevoelens die ik me kan herinneren, zijn verdriet en het gevoel een uitgestotene te zijn.'

Wanneer je naar sommige van die foto's kijkt, herinner je je dan ook niets van de momenten van een soort van triomfantelijk plezier?'

'Nee, omdat er altijd een prijs voor betaald diende te worden,' zegt hij. Dan neemt hij het terug. 'We lachten samen,' zegt hij. 'We lachten wel degelijk samen. Zoals op die avond in Madrid.'

✲✲✲

Op die avond in Madrid nam hij voor de eerste maal van zijn leven ecstasy. Take That had net zijn eerste buitenlandse televisieoptreden gegeven, in een programma waarin ook The Village People zat. Ze hadden *Promises* gespeeld. Na afloop gingen ze naar een club en hier kreeg hij een pink E.

'Het was *fenomenaal*,' herinnert hij zich van die avond in Spanje. 'Fenomenaal. Weet je, er ontbrak maar één ding – vrouwen. We zaten in een gay club. Maar ik vermaakte me opperbest. De eerste keer dat ik coke nam...' – dit was de echte eerste keer; de keer waarover hij me vorig jaar vertelde, toen hij het nam vlak voordat hij met Take That het podium op ging, was feitelijk de tweede keer – '...was in een nacht-club. —— stond aan de deur en zei: "Wil je een oppepper?" en ik wist wat hij bedoelde en zei ja. Ik zei dat ik het nog nooit eerder had gedaan en hij zei ja, echt? Ik nam het dus en ging daarna naar het hotel ernaast, het Thistle. We moesten 's ochtends een televisieprogramma doen en ik had nog coke over, en het was in de tuin boven op het hotel, de Kensington Roof Gardens, en ik snoof dus maar door en door. En het deed niets met me.'

De uitwerking van de ecstasy was aan het wegebben tegen de tijd dat hij naar het hotel in Madrid terugging. 'Zo geil als...' herinnert hij zich, 'en alleen en niemand om te neuken.' Hij zwierf door het hotel en in de bar, op zoek naar iemand die wakker was, maar er was niemand. 'Ik bedoel, die comedown, de eerste comedown, is niet zo heel erg,' zegt hij, 'maar het is erg genoeg om te denken, verdomme, ik wou dat ik lag te slapen.'

Hij werpt een laatste blik op de stapels van zijn verleden.

'Ik ben blij dat ik hem niet meer ben,' zegt hij en gaat naar bed.

12

Op een avond komt Mark Owen bij hem thuis langs en draait enke-le van zijn nieuwe songs voor Rob. Rob is onder de indruk. 'Het komt dichter bij Ryan Adams en Radiohead dan bij mij en Avril Lavigne,' oordeelt hij. Hij stelt voor dat hij en Mark, voor de lol en omwille van de goeie ouwe tijd, op een avond in Knebworth samen *Back For Good* zin-gen. Ze kijken naar de Gary Barlow-video en kletsen uren.

'Hij wil geen slecht woord horen over wie dan ook,' zegt Rob de vol-gende dag verbaasd. 'En dat ga ik proberen. We zaten te praten over iemand en ik zei, dat ik hem niet mocht, en toe zei hij: "Het maakt toch niet uit, of wel?"'

En Rob realiseert zich dat daar iets in zit. *Het maakt toch niet uit, of wel?* Van nu af zal Rob, voor de lol op luchthartige momenten, maar soms ook op momenten van tegenslag, een beroep op deze filosofie doen om zijn natuurlijke impuls om wrok en wraakgevoelens te koesteren in toom te houden. Ze zal bekend komen te staan als 'de tao van Owen'.

＊＊＊

In een vliegtuig naar Denemarken geeft Claire Rob het komende album van Stephen Duffy, waarop ze speelt en zingt. Hij luistert ernaar door zijn koptelefoon. 'Helemaal mijn pakkie-an,' zegt hij na vier songs. 'Hij is weer depressief.' Daarna keert hij zich naar David. 'Ik wil een foto-sessie doen waarin ik Mickey Mouse ben,' kondigt hij luid aan. 'We moeten een fotosessie doen die altijd interessant blijft.' David knikt. 'En daarna gaan we naar bed,' voegt Rob toe.

Hij vraagt Gary Nuttall zijn akoestische gitaar te stemmen en tokkelt zachtjes wat voor zich uit. 'Zou het niet fantastisch zijn om een liedje te schrijven met Stephen Duffy,' zegt hij opeens, 'en dat hij dan alleen de woorden schreef?'

We landen en het busje rijdt de stad in. Vandaag neemt hij een com-mercial voor de nieuwe Smart op; Smart is een van de sponsors van zijn zomertournee. Hij kijkt met verbaasde interesse uit het raam.

'Dit is Denemarken,' merkt hij op. 'Ik dacht dat we naar Nederland gingen.'

We passeren een fietser, die op de grond ligt naast zijn fiets. Hij blijkt recht tegen een paal gereden te zijn.

De commercial wordt gefilmd in een afgezette straat in het centrum van Kopenhagen. Een jongeman zingt *Feel* allerbelabberdst naast de nieuwe Smart, in de hoop daarmee wat geld op te halen voor de meter voordat een naderende parkeerwachter zijn auto bereikt. Natuurlijk komt Rob langsgelopen. Hij geeft hem wat geld en zegt: 'Leuke auto, vriend.'

Aan beide kanten van de straat probeert een toegestroomde menigte te zien wat er gebeurt – één meisje blijft maar naar Rob staren, alsof ze zijn aandacht probeert te trekken, en hij kan maar niet uitmaken of hij nu wel of niet met haar naar bed is geweest – en paparazzi proberen, over balustrades hangend, van een afstand foto's te maken. Er valt weinig aan te doen zolang de camera draait, maar zodra de regisseur 'cut' roept, komen er mensen aangesneld met grote stukken karton om te verhinderen dat de paparazzi foto's maken. Niet van Rob. Hij laat ze betrekkelijk koud. Van de auto. Het exacte ontwerp is nog steeds een commercieel geheim en er bestaat een grote markt voor foto's van de nieuwste modellen. De auto is nog niet in productie genomen en het exemplaar in de straat, dat mensen in de reclames zullen zien, is een met de hand gemaakt prototype, dat rond de een miljoen pond kost en hoofdzakelijk van hout is gemaakt. (Bovendien zijn ze bezorgd om het weer, want op het oppervlak zullen zich blaasjes vormen als het regent.)

Na afloop moet Rob in een Deens televisieprogramma verschijnen. In de kleedkamer speelt hij *One Fine Day* op de gitaar.

'*Don't rewrite my history...*' zingt hij. Hij stopt en legt uit dat de regel komt van toen hij bij Friends Reunited inlogde en zich realiseerde dat er vier of vijf mensen waren die voorwendden als hem in te loggen en dingen schreven als 'Ik ben het, Robbie – je weet wat ik doorgemaakt heb'. 'Ik was wóest,' zegt hij. 'En daar komt "*Don't rewrite my history*" vandaan.'

Hij begint het opnieuw te spelen, maar houdt al gauw op. Hij zegt dat de oorspronkelijke inspiratie voor de song kwam van een aflevering van *The Simpsons*, waarin opa Simpson, verliefd, iets zei als: 'Je herinnert me aan een film die ik nooit gezien heb en een tijd die ik nooit meegemaakt heb.' En het begin van het refrein – '*one fine day in the middle of the night*' – is de eerste regel van het volksdicht dat hij leerde toen hij jong was.

Er speelde nog iets mee: 'Ik geloof dat mam en pap in dezelfde kamer in huis zaten,' zegt hij, 'en onderbewust stroomde de tekst gewoon naar buiten, omdat zij er waren. Het was raar om ze samen te zien.'

'Remember when we never struggled through a bad time we never had, a love we never fell into... mam en pap... *please don't remind me to forget, because forgiveness is a place I ain't got used to yet...* en weet je, hoezeer mam ook zegt dat het haar koud laat, volgens mij is dat dus niet zo... Het is vermoedelijk wat er had kunnen zijn, de relatie met mam en pap... *You remind me of a place I've never been, and something no one said, when I was 17...* Dat is vermoedelijk mijn invalshoek. Weet je, en dan gaat het aan het eind *please don't rewrite my history because you'll never really know how much you didn't mean to me...* Triest.'

Wanneer hij na het optreden de kleedkamer weer binnen komt gelopen, wacht er een vrouw. Ze heeft een cadeautje voor hem.

'Hallo, schat,' zegt hij.

'Hallo,' zegt zij.

'Hoe gaat het?' vraagt hij.

'Met mij prima,' zegt zij.

'Hoe heet je?'

'Pia.'

'Pia? Je bent knap, Pia.' Hij zegt tegen Josie haar niet weg te sturen. 'Trap niet de knappen eruit,' mompelt hij zachtjes.

'Dank je. Mag ik je iets geven?'

'Ja, natuurlijk. Aangenaam kennis te maken, Pia. Erg knap. Erg knap, wat heet. Het is jammer dat je vanavond niet vooraan zat, want anders was ik naar je toe gekomen en had ik voor je gezongen. Ik kijk er later naar,' zegt hij. 'Ik zie je zo.'

'Echt?' vraagt ze.

Ze vertrekt. Ze heeft een polaroid van zichzelf en haar telefoonnummer en een 'soulmate' Angel-kaart en twee in elkaar gehaakte ringen in een bijouteriedoosje achtergelaten.

'Lieve hemel,' zegt David.

Zij was degene die naar hem staarde tijdens het opnemen van de Smart-commercial.

'Zij is knap – verdomde knap... zelfs sommige van de stoten zijn geschift,' merkt Rob op. Hij opent haar brief.

Lees deze brief alsjeblieft met een open hart en geest. Ik schrijf aan je, omdat mijn hart niet langer de eenzaamheid verdraagt.

Ik ben je verloren engel, degene over wie je zingt in al je liedjes. Ik weet nu dat onze ontmoeting voorbestemd is en dit is mijn manier om je te bereiken. Ik volg al lang alles wat je doet, je leven en deze melancholie – hetzelfde gevoel als ik soms heb, omdat je niet in mijn leven, geest en universum bent.

Velen zullen stellig de spot met me drijven, omdat ik dit schrijf, maar ik riskeer de beschaming... Als dit je dus heeft bereikt, zal ik je spoedig over mijzelf vertellen.

Ik heet Pia, ik ben Deense en 24 jaar oud. Ik werk in een ziekenhuis op de afdeling Eerste Hulp...

Let love be your energy...

De engel.

Als we vertrekken, zegt Rob met enige trots tegen Gary Nuttall: 'Ik heb mijn eerste gestoorde geobsedeerde stalkerfan die echt knap is. Normaliter zijn het kuttenkoppen.'

In de auto bekijkt David de foto. 'Dat mag er wezen,' zegt hij.

'Zo lijp als een deur,' zegt Rob. 'Als ik vannacht bleef, zou ik mijn laarzen moeten pakken om haar eruit te trappen.'

Hij zegt dat de brieven die hij de laatste tijd krijgt hoe langer hoe eigenaardiger worden. Hij noemt een pas ontvangen vervelende brief van een Italiaanse fan en belooft me er later over te vertellen. Het is verbazingwekkend hoeveel brieven zijn huis bereiken. Slechts weinigen weten waar hij woont, maar de Britse posterijen zijn zo bereidwillig om anderen een handje te helpen. Soms is de envelop aan niet meer dan 'Robbie Williams, England' geadresseerd. Of, nog idioter, simpelweg aan 'Robbie Williams, Popster'. 'Net buiten Rockster,' merkt hij op.

Sinds het bekend worden van zijn platencontract ontvangt hij steeds meer bedelbrieven. Hij berekent dat hij nu maandelijks voor zo'n half miljoen pond aan verzoeken thuis krijgt. 'Het is net de achterkant van *Private Eye*. "Ik ben schilder en ik heb..." "Ik ben net van school af en ik heb..." "Ik sta rood en ik heb..." "Ik heb, net als jij,...." "Kom op, je moet nog weten hoe het in het begin was", al dat soort gedoe. "Hier heb je een foto van mijn werk." Die van gisteren was van de directeur van een school: "Misschien zie je ons van de achterkant van je huis... sommige van deze kinderen zijn nog nooit buiten de stad geweest... wil je wat geld doneren, zodat ze een reisje naar het platteland kunnen maken om koeien te gaan kijken?"'

Zaten erbij waarbij je erover hebt gedacht het te doen?

'Ik ben bijna door de knieën gegaan voor één vrouw. Ze heeft een dochter op school en stuurde me... het leek haast wel zo'n *Smash Hits*-ding, met voorkeuren en afkeren, de muziek die ze leuk vindt, haar leeftijd, en daarnaast stuurde ze alle cijfers die ze gehaald heeft en haar schoolrapport... het was bijna een compleet archief. En ze schreef: "Zij is niet alleen mijn dochter, maar ook mijn beste vriendin..."'

'Ze zei dat ze het particuliere onderwijs van haar dochter niet meer kon betalen en dat niet aan haar dochter wilde vertellen, omdat dat zo'n klap zou zijn,' zegt Josie.

En wat iemand dan natuurlijkerwijs doet... is een popster om hulp vragen.

'Ik probeerde me in te leven in de situatie, probeerde me in haar schoenen te verplaatsen,' zegt Rob. 'Maar alle wegen leiden naar: "Jij bent gestoord, echt." Dertig procent van me zei op een bepaald moment, o, als ik toch eens zelf in dat parket zat – néé. En zo begon ze: "Ik keek naar een nieuwsprogramma op televisie, waarin jij voorkwam, de uitzending dat je zei: ik ben rijker dan ik in mijn stoutste dromen had durven dromen…" Weet je, toen ik "rijker dan ik in mijn stoutste dromen had durven dromen" zei was dat ironisch. Ik besef dat ik vermoedelijk een fout heb gemaakt om dat te zeggen, maar je moet je voorstellen – ik zit daar tegenover een blaffende roedel journalisten. "Wat willen jullie van me horen? Ik ben rijker dan ik in mijn stoutste dromen had durven dromen?" Wat ik toen ook gezegd had, het was toch verkeerd opgevat of wat dan ook. Het was dan wel niet het beste wat ik kon zeggen, maar tegelijkertijd maakte ik een grap, zakkenwassers.'

En je hebt stoutere dromen gehad, zeker weten.

'Dat heb ik,' zegt hij.

❋❋❋

Hij voegt regels toe aan de nieuwe song waaraan hij gisterochtend in het vliegtuig begonnen is. Tegen de middag, na een dagje vervelen in zijn Rotterdamse hotelkamer, is uitgekristalliseerd waarover het liedje gaat: over hemzelf en de stukken van zijn verleden die hem op de hielen blijven zitten. Hij heeft inmiddels een ruwe versie van een couplet en het refrein:

When I was a kid, I didn't want to be an astronaut
I wanted to live in Compton, because I heard on the records that I bought
I fell into a boy band, they weren't big on rapping
And I discovered that I could dance a little bit, so I stayed around to see what would happen
Oh we were a phenomenon
I was the cheeky one
Sent to fill the void
Now that the New Kids had gone
And when you've seen one screaming face you've seen them all
All the promises they make well they break them all
You said you'd love me forever
Now you dig the Strokes and you dress in leather
And you've forgotten all the words to our songs
Your world moved on
My work here is done

Backstage bij de MTV Awards leest hij wat fanmail – *'Ik heb je op MTV Cribs gezien. Ik deed het in mijn broek van het lachen, omdat je een lift in huis heb; je bent een gekke man, maar een leuk gekke man'.*

In een interview voor MTV vragen ze hem of hij denkt vanavond als Best Male uit de bus te komen.

'Nou, ik weet dat het zo is,' zegt hij. 'Dat hebben ze me gezegd.'

Zij kijken oprecht geschokt en onthutst, alsof ze zich voorstellen dat men in een achterkamertje, terwijl de show al begonnen is, nog steeds ademloos stembriefjes zit te tellen.

In de kleedkamer van de band werkt hij, tussen zijn eerste en tweede award, aan het tweede couplet.

...They set up helplines... when I left the band... teenagers in crisis... they wouldn't understand... without the cheeky one... no phenomenon...

In het busje naar het vliegtuig schrijft hij de brug:

No more best haircut, now that Judas had gone... when you've seen one screaming face you've seen them all... well the promises they made I broke them all...

Het volgende stuk volgt in het vliegtuig en zodra hij het heeft, gaat hij naar de cabine om het voor de band te spelen.

...We were never the Beatles, and I'm not Wings, but I've moved on to bigger better things... and I've forgotten all the words to our songs...

Hij dicteert Josie de woorden voordat we landen en vraagt zich af of hij het zou kunnen spelen in Knebworth. Een week of twee is het een liedje waar hij dol op is en dat hij bij elke gelegenheid op zijn gitaar speelt. (In die periode schrijft hij er nog een middenstuk voor, met verschillende Take That-teksten.) Maar zoals het geval is met bijna alle songs die ik hem de laatste paar maanden heb zien schrijven, verliest het liedje na een tijdje zijn betovering voor hem. Hij laat ze achter zich, zoals hij een oppervlakkige relatie achter zich zou kunnen laten, alsof ze van geen nut meer voor hem zijn op het moment dat hij besluit dat ze alleen maar zijn wat ze zijn en ze niet alles zijn waarvan hij gehoopt had dat ze het waren. Als je de loftrompet steekt over zulke liedjes nadat ze uit de gratie zijn geraakt, kijkt hij haast geërgerd. En hoewel hij sinds de breuk met Guy een hele rits songs heeft opgebouwd, wordt het hoe langer hoe duidelijker dat hij op zoek is naar iets anders. Ik denk niet dat hij zelf zelfs maar weet waarnaar hij op zoek is; hij weet gewoon dat het er is, in hem of buiten hem, en dat hij het nog niet gevonden heeft.

13

'Raad eens wie er gebeld heeft?' vraagt hij. Het is een paar dagen na zijn terugkeer naar Los Angeles. 'Raad eens wie zijn excuses wil aanbieden?'

Guy heeft hem gebeld vanuit het Beverly Hills Hotel. Na het eerste telefoontje vermeden te hebben, omdat hij net wegging en hij sowieso even de tijd nodig had om zich erop in te stellen, heeft Rob teruggebeld.

Hij speelt het gesprek dat volgde na.

***

'Hallo,' antwoordt Guy.

'Hi ya.'

'Hi ya, maat, hoe gaat-ie?'

'Met mij prima, man – en met jou?'

'Goed, ja… eh…'

'Wat is er?'

'Ik wilde je alleen maar even bellen, weet je, en je gedag zeggen en kijken hoe het met je gaat… en me verontschuldigen eigenlijk.'

'O… dat is erg dapper van je – dat bewonder ik vreselijk.'

'Ja, een van ons twee moest het doen… en je weet het, hè, door mijn grote mond beland ik in de nesten en ik wil eigenlijk mijn excuses aanbieden, omdat ik denk dat we allebei een beetje stom zijn geweest.'

Daar begint het te ontsporen.

'…*allebei* een beetje stom?' herhaalt Rob. Aan de andere kant van de telefoon valt een stilte. 'Wat voor stoms heb ik dan gedaan?'

'Eh… o… daar drijf je me in het nauw… ik had dit onder vier ogen willen doen.'

'Nou, zolang we allebei maar weten hoe de vork in de steel zit, weet je. Ik heb geen zin om emotionele energie te investeren in een toenadering en er dan misschien van streek door te raken. Dus vertel me maar eens waar ik stom ben geweest, zodat ik het weet.'

'Eh… nou…' Een lange pauze. 'Ik kan eigenlijk niets bedenken.' Guy legt uit dat er volgens hem veel is misgegaan door een gebrek aan communicatie en zegt dat ze, toen ze klaar waren met het album, een prima gesprek met elkaar hadden in LA, maar dat het eenmaal thuis allemaal fout is gelopen. Hij biedt zijn excuses aan voor *Come Undone* en zegt eigenlijk niet te weten waarom hij er een probleem mee had.

'Ik geef heel veel om je, Guy,' zegt Rob tegen hem, 'en ook om Emma en zeg dat tegen haar, want ik mis haar, maar dit overvalt me allemaal nogal. Geef me een paar dagen om het te verteren en dan zal ik eens kijken wat ik wil. Of ik toenadering wil zoeken of niet.'

***

Hij loopt er nog steeds over na te denken.

'Ik weet niet of ik er klaar voor ben dat weer in mijn leven te

halen,' zegt hij. 'Mijn eerste gedachte is, omdat ik een cynische klootzak ben: Knebworth komt eraan.' Hij weet evenmin zeker of hij wel
opnieuw met Guy wil werken, vanwege de recente samenwerkings-
verbanden van Guy. 'Hij schrijft nu zo'n beetje met iedereen,' ergert
Rob zich. 'Ik wil niet op één hoop met die lui gegooid worden.'
Tegen Guy heeft hij gezegd dat hij vergeten is waarom ze ruzie hadden gekregen, maar zodra hij de telefoon neerlegde, begon hij het
zich weer te herinneren. 'Het enige wat ik van hem wil horen, is een
voor honderd procent gemeend excuus,' legt hij uit. 'Ik ben niet van
plan te kijken naar wat ik gedaan heb, want dat heb ik al eens goed
bekeken en ik vind dat ik het uitstekend heb gedaan. Snap je wat ik
bedoel? Ervan afgezien dan dat ik een paar keer een klootzak tegen
hem ben geweest, toen we de zang deden, maar dat was uit frustratie, omdat hij me niet goed behandelde.' Hij realiseert zich nog iets.
'Volgens mij wil hij dat ik ook sorry zeg. En dat kan ik niet.' Hij
bedoelt niet dat hij er niet toe in staat is, maar er doodgewoon geen
reden voor kan zien. Alles bij elkaar opgeteld weet hij niet zeker of
hij hem wel wil ontmoeten.

'Net zo blij als ik was toen ik hem destijds vond,' bespiegelt Rob, 'zo
blij ben ik nu dat ik hem niet heb...'

✳✳✳

Sinds zijn thuiskomst in Los Angeles heeft hij gefitnest, met de honden
gewandeld en gerelaxed. Hij begint aan een script dat mensen van Steven Spielberg hem toegestuurd hebben, *The Disassociate*, maar komt
niet verder dan pagina 60. De rol is die van een man met een saaie
baan. God stuurt hem een ansichtkaart en draagt hem op de door hem
op de universiteit ontwikkelde universele taal te verspreiden. Rob gaat
het niet doen.

Op een dag rijden we voor de lunch naar de plaatselijke delicatessenwinkel. Rod Stewart en zijn gezin eten op het terras. Rob en Rod
omhelzen elkaar – ze zijn buitenshuis, in het openbaar; een foto waar
de tabloids een moord zouden doen, maar gelukkig missen ze hem –
en ze bespreken de Engelse voetbaluitslagen en of West Ham erin zal
blijven. Binnen zit hij onder de foto van lassers die hoog in de lucht
boven New York op een draagbalk hun lunchpakketten verorberen,
een van de inspiratiebronnen voor de hoes van *Escapology*. In de hoek
is een tafeltje bezet met Baldwins. Bij ons vertrek komt een vrouw naar
hem toe en zegt dat ze een grote fan van hem is en een goede vriendin van de vrouw van Brian Wilson. Ze vraagt hem of hij op Brian Wil-
sons nieuwe duettenalbum wil zingen.

Later gaan we met z'n vieren naar de stad – Rob, Pompey, Daniel en ik – en drinken koffie bij Coffee Bean op Sunset, in het hartje van LA's relaxte waanzin. Een choreograaf komt naar hem toe en zegt dat hij met Michael Jackson en Ricky Martin heeft gewerkt en net klaar is met de Duitse versie van *Pop Idol*. 'Het zou een eer voor me zijn om je mijn werk te laten zien,' zegt hij.

Rob raakt aan de praat met een blondine, wier vriendin om de hoek staat te lebberen met iemand die ze net ontmoet heeft. Ze praten over doosjes aan God: je schrijft 's avonds je probleem op, stopt het papiertje in de doos en geeft het in handen van God. 'In plaats daarvan heb ik een Wensenlijst,' zegt ze. Ze haalt het lijstje tevoorschijn en hij vraagt haar het te mogen lezen. Het eerste item: Ik Verlang Naar Een Volwaardige Liefdevolle Relatie.

'Dat doe ik ook, bovenaan,' zegt Rob.

'Jij bent de enige in de hele wereld die het gezien heeft,' zegt ze.

'Nou, misschien ben ik de enige die gezegd heeft: mag ik het lezen?' merkt Rob op.

Ze kletsen verder.

'Ik ben gek op auto's,' zegt ze.

'Welke merken?'

'Ik ben helemaal weg van Aston Martins,' zegt ze.

'Daar heb ik er een van,' zegt hij.

De zoenende vriendin is teruggekeerd. Haar krullen golven vormloos omlaag. Daniel biedt aan het te fatsoeneren en wanneer ze het aanneemt, loopt hij naar zijn auto, pakt zijn scharen en een wit schort en begint haar te knippen op de stoep van Sunset Boulevard.

'Ik werk met kinderen, dus je kan het niet te gek maken,' zegt ze.

De eerste vrouw vertelt dat ze net bij de Hustler-sekssuperstore verderop in de straat is geweest. Voor research. Ze wil pre- en postorgasmedoekjes gaan fabriceren. 'Hygiënedoekjes,' zegt ze, 'sensuele.'

'Sensuele hygiënedoekjes,' herhaalt Rob.

Er komt een man naar haar toe. Het blijkt dat hij eerder met haar heeft zitten praten, maar toen iemand zag tegen wie hij een straatverbod heeft lopen. Hij heeft zijn advocaat gebeld.

Een vrouw gilt uit een passerende jeep: 'Ik hou van je, Robbie!'

'Dank je,' zegt hij.

Het kappen is klaar.

'Je kwam hier als Chewbacca,' zegt Rob tegen haar, 'maar je vertrok als Audrey Hepburn.'

We ontmoeten Max in het Chateau Marmont-hotel. Er is hier een actrice, redelijk bekend, die naar men zegt verkikkerd is op Rob. Ze heeft vorige week haar cv naar kantoor gestuurd, met het aanbod in een van zijn clips te spelen. Binnen vijf minuten nadat ze aan elkaar voorgesteld zijn, zegt Rob tegen De Actrice: 'Je hebt beslist heel veel eerste vrouw-achtigs.'

'Eerste vrouw?' informeert ze, het niet begrijpend.

'Mijn eerste vrouw,' zegt hij.

Ze gaat mee in de toon van het gesprek en flirt even hard mee. 'Gaat het pijnlijker worden voor jou of voor mij?' vraagt ze.

'O, voor mij,' zegt hij, 'omdat ik te hard val.'

We moeten naar een ander feestje, maar hij heeft erg genoten van de ontmoeting. 'Zij is fantastisch,' zegt hij in de auto. 'Maar zij is actrice en dus moet ze geschift zijn.' Hij laat niettemin een boodschap voor haar achter, voor een afspraakje morgenavond.

We gaan naar een Maxim-feestje, waar Rob danst en de dj *Ecstasy* van Barry White laat overlopen in *Rock DJ*, een song die opgebouwd is rond een sample van de Barry White-klassieker. Tijdens *Emotional Rescue* van The Stones paradeert Rob in zijn Mick Jagger-pauwenpas over de dansvloer. Voor Wham!'s 'Everything She Wants' geeft hij Pompey zijn Comme Des Garçons-jas, zodat hij zich vrij kan bewegen. Wanneer de dj de muziek afzet, brult hij het hardst van al de ontbrekende tekst – '*and now you tell me that you're having my baby!*' – en hij blijft in beweging op *Let's Dance, Into The Groove, Kiss* en *Groove Is In The Heart*.

'Ik heb nog nooit *Rock DJ* in een club gehoord,' zegt hij op weg naar huis. 'Ik ga nooit naar clubs toe.'

'Nou ja, stripclubs,' werpt Pompey tegen.

'Ze draaien *Angels* in striptenten,' zegt Rob. 'Dat is een beetje verontrustend.'

✹✹✹

Over een paar dagen moet Rob opnieuw in New York optreden, dit keer op een gratis concert in Battery Park in het kader van het Tribeca Film Festival; op het affiche staan verder Norah Jones, The Roots en Jewel. Vorige week heeft hij Tim en David gebeld met de mededeling dat hij het niet wilde doen. Zijn argumentatie was dat hij het zich, met de zomertournee voor de deur, niet kan veroorloven onzeker te zijn over zijn optreden en als het opnieuw op een debacle uitloopt, zoals met Rock The Vote, het gedaan is met het dunne laagje zelfvertrouwen dat hij net ontwikkeld heeft. 'Ik zei: mijn grootste kracht is tevens mijn grootste zwakte en dat zijn mijn onzekerheden. Door Rock The Vote ben ik vreselijk onzeker over mijn optreden geworden.' Ze dringen erop aan dat hij doorzet; hij stemt toe, maar zegt dat het op hun bordje komt. 'Als ik dit doe en het is op enige manier of in enige vorm zoals Rock The Vote,' zegt hij tegen ze, 'dan zullen jullie nóóit meer iets van me gedaan krijgen wat ik niet wil. Nooit meer.'

Er doemt nog een andere kwestie op – zijn greatest hits-album. EMI zou het 't liefst voor deze kerst uitbrengen, maar Rob wacht liever nog een jaar. Hoe dan ook zou hij minstens nog twee nieuwe singles moeten hebben om op het greatest hits-album te zetten en hij gelooft niet ze te hebben. Binnenkort moet hij zich volledig op de zomertournee concentreren en dan is de tijd om ze te schrijven, laat staan ze op te nemen, verkeken.

❊❊❊

Rob heeft inmiddels besloten het grote, goed gelegen stuk land aan het eind van zijn wijk te kopen en daar een huis op te bouwen. We gaan er met de makelaar heen om het te bekijken. Er loopt een kleine pijpleiding over en Rob vraagt aan de makelaar waarvoor het is, maar dat weet hij niet.

'Het is voor al het geroddel dat rechtstreeks van de wijk naar *E! News* gaat,' oppert hij.

Hij loopt rond over het onbebouwde grasveld en wijst denkbeeldige gebouwen aan. 'Daar wil ik een boomhuis hebben,' zegt hij. 'En, Josie, ik wil graag een speeltuin. En apen. En zijn er nog Culkin-broers over?'

Daarna is er in de keuken touroverleg. David geeft hem een e-mail van zijn nieuwe muzikale regisseur, Mark Plati, die een nieuw arrangement voor *Mr Bojangles* voorstelt: opnemen, er een acetaat van maken en dat draaien tot het vol krassen zit, zodat de *backing track* als een oude plaat klinkt. Rob geeft hem zijn zegen. Ze bespreken kostuums en Rob zegt dat hij 'als bijkomstigheid' in de struisvogelpakken over Sunset Boulevard wil lopen met Max. (Max protesteert. 'Jonny zou het wel doen,' plaagt Rob.) Rob stelt voor dat ze *Rock DJ* beginnen met een stukje van Barry Whites *Ecstasy*.

Die avond gaat hij naar Les Deux, de rustige bar met een groot terras, waar de chic en de afgepeigerden nog altijd heen gaan op maandagen. Daar praat hij met een Welshe acteur die hij vaag kent en vertelt tegen hem dat zijn afspraakje gisteravond (met De Actrice, al specificeert hij niet haar naam) niet daverend verlopen is. 'Ik begon te denken: hoe zal ze zijn op mijn begrafenis, iedereen te woord staand,' zegt hij. 'En zij bracht het er niet goed genoeg van af en ik besloot daarom het maar voor gezien te houden.'

Een uurtje later komt de Welshe acteur weer naar hem toe.

'Ik heb nog eens nagedacht over wat je zei,' zegt hij tegen Rob, 'maar misschien moet je nadenken over wat jij doet op háár begrafenis.'

'Dank je dat je me erop wijst dat ik egocentrisch ben,' zegt Rob. 'Dat wéét ik...'

Op de parkeerplaats komt Tatum O'Neal, die de hele avond met Vincent Gallo heeft zitten praten, naar Rob toe en zegt tegen hem: 'Ik wil alleen maar even weten of de geruchten kloppen.' Rob verdwijnt zonder bodyguard naar elders, met een vrouw die hij eerder ontmoet heeft, en hij komt pas de volgende middag rond lunchtijd thuis. Hij heeft lol gehad en voor de eerste maal Marianne Faithfulls *Broken English* gehoord, al was er een bizar moment. Voordat ze in bed stapten, vroeg ze hem hoe goed hij overweg kon met pistolen. Dat lukt wel, zei hij. Waarom?

'Aan jouw kant ligt naast het bed een geladen pistool,' vertelde ze hem. 'De eerste kamer is leeg, de tweede kamer vol, dus als iemand inbreekt, moet je twee keer schieten.'

'Is het fantastisch in LA, of niet?' zucht hij nadat hij zijn relaas heeft gedaan. Hij vergelijkt aantekeningen met Pompey, die zelf een rare avond heeft beleefd, en ontdekt dat ze te kampen hebben met verschillende problemen. 'Jij kunt niet met ze praten als je ze wilt neuken, je weet wel, gewoon alsof je alleen maar met ze uit bent,' concludeert hij. 'En ik ben compleet het tegenovergestelde.'

✱✱✱

Op een middag hangt iedereen wat rond in huis en opeens zegt Rob tegen het verzamelde gezelschap: 'Wil er iemand koffie?'

Pompey gaat de autosleuteltjes halen. Hij veronderstelt dat we naar de plaatselijke Starbucks gaan.

'Nee,' zegt Rob, 'ik ga het zelf zetten. Met de ketel.'

Dit is ongebruikelijk.

'Echt?' vraagt Pompey.

'Ja,' zegt Rob en hij loopt naar de keuken.

'Ik ga mee,' besluit Pompey, 'voor het geval dat je letsel oploopt.'

Enkele minuten later zitten we aan een prima kop koffie.

'Over een paar jaar zet ik weer koffie voor jullie,' belooft hij.

✱✱✱

Op weg naar New York moeten er nog meer radiostations bezocht worden. Hij is op bij het krieken van de dag en zit in de keuken in zijn ondergoed zijn cornflakes te eten wanneer er iets bij hem opkomt. 'Josie,' vraagt hij, 'als ze de greatest hits dit jaar willen uitbrengen, bedenk ik me net, wat zegt dat dan over hoe ze tegen Amerika aankijken?'

Daar kan hij vandaag beter maar niet te veel over nadenken. In plaats daarvan deelt hij met lunchtijd met de inwoners van Denver zijn gedachten over hoe beroemd zijn je aantrekkingskracht verhoogt. 'Ik bedoel, Mick Jagger,' zegt hij. *Jezus*, vat je wat ik bedoel? Dat is een geval van hoe beroemd zijn je neukertjes bezorgt. Rock-'n-roll – bezorgt al sinds 1950 lelijke mensen neukertjes.'

In het busje luistert hij op zijn mobieltje naar een boodschap van De Actrice. Hij heeft gebeld om te zeggen dat hij niet op de markt is voor afspraakjes, maar hij blijft maar aan haar denken. 'Wat een leuke boodschap,' zegt hij. 'Ik "kon niet leukeriger zijn". Het is wel geen woord, maar een leuke gedachte.'

'Is ze leuk?' vraagt David.

'Weet ik niet,' antwoordt Rob. 'Zij is actrice. Dat zou ik pas over acht maanden weten.'

In het vliegtuig zegt hij: 'Ik liep onlangs te denken over een paar ideeën voor nieuwe songs en daarbij sprak ik feitelijk over andermans ervaringen.' Toen hij ze uitprobeerde, ontdekte hij iets. 'Ze klinken nog steeds als mijn ervaringen, hoewel ze het niet zijn.' Misschien kan het op een andere manier aangepakt worden. 'Voor het volgende album,' zegt hij, 'schrijf ik alles nog steeds over mij en dan zeg ik gewoon dat nooit iets ervan me overkomen is.'

's Avonds laat belanden we net buiten New York in een storm en het vliegtuig begint flink te schudden. Rob stelt voor alle lampen uit te doen. We landen in duisternis.

14

Hij besluit kleren en kunst te gaan kopen. In de foyer van het Mercer-hotel loopt hij Mike Myers tegen het lijf, die hem vertelt dat ze de volgende week samen in de *Tonight Show* zitten, de belangrijkste talkshow van Amerika. Voor de ingang wachten enkele fans op het trottoir. Eén geeft hem Elvis Monopoly en de andere laat Rob een paar foto's van hemzelf zien en vraagt of hij er wat van wil hebben. 'Nee, dank je,' zegt hij. 'Ik weet hoe ik er uitzie. Maar toch bedankt.'

In Pop International Galleries bewondert hij een Warhol, bestaande uit een doosje kippenrijst, maar koopt niets. Bij Ralph Lauren ziet hij een ouderwets leren jasje waarvan ze zeggen dat het uit de jaren veertig stamt. 'Een van de archiefstukken van Mr. Lauren,' leggen ze uit. Voor $1.295. 'Ik denk dat ik die vaak kan dragen,' redeneert hij en koopt het. Voor één keer heeft hij gelijk. Van nu af aan kiest hij gewoonlijk dit jasje als hij weer eens niet weet wat hij moet dragen en iets aan wil hebben waar hij zich zeker in voelt.

Terug in zijn kamer ligt hij op zijn bed en Josie belt, zodat hij aan de telefoon een voorinterview kan doen voor zijn optreden in de *Tonight Show*. Deze methode leidt tot het soms verwonderlijke fenomeen waarbij de gastheer van een talkshow iets verbijsterend detaillistisch zegt, bijvoorbeeld 'dus je moeder verzamelde ketels, geloof ik' en de geïnterviewde op wonderlijke wijze een leuk verhaaltje van gemiddelde lengte over ditzelfde onderwerp vertelt. Het voorinterview – dat gewoonlijk veel langer duurt dan het tv-interview – wordt benut om een paar van deze interessegebieden in kaart te brengen en enkele van zulke verhaaltjes te ontdekken.

Hij staart naar het plafond en ratelt een eind weg in de hoorn:

'... Ik stuitte net op Mike Myers... nee, ik ben geen fan van de manier waarop Britse gebitten worden uitgebeeld... mijn gebit is goed... ik heb zelf een Shaguar type E... maar ik rij niet... heb ik nooit geleerd... nee, ik ben niet van school getrapt... in Engeland gaan we tot ons zestiende naar school en er is maar een klein percentage dat doorleert... een jongensband... we lieten N'Sync eruitzien als Led Zeppelin... Ik heb er vijf jaar in gezeten... nee, een vreselijke tijd... mijn vader is een komiek en een zanger en ik ben opgegroeid met verschrikkelijk slechte variétévoorstellingen... en een paar goeie – mijn pa is een goeie komiek... waarom ik hierheen ben verhuisd?... hier is het zonnig... ik ben op zoek naar de ware... ja, mevrouw One Night kom ik wel tegen, maar mevrouw Forever niet... ik heb een wolf... Pets of Bel Air... ja... *heus*... je had het leuk gevonden als ik had gezegd: "Nou, ik ben de wildernis van Canada ingetrokken en heb een troep welpjes en hun moederwolf gered"... Ik zal een van die verhalen doen en dan zeggen, nou, ik heb die wolf via Pets of Bel Air... nee, ze zijn een truc om mijn homoseksualiteit te verhullen... nee, blijf bij roddel en achterklap, vraag me niets over muziek...'

Hij heeft ze gegeven wat ze willen hebben. Hij is al eerder bij de *Tonight Show* geweest, met wisselend succes. Hij zong er *Have You Met Miss Jones?* en praatte met gastheer Jay Leno. Het nummer voelde als een overwinning – 'dit swingende nummer zingen in hun achtertuin, met grote ogen en zo, een overdaad aan charisma, het publiek dat het allemaal echt verslond' – en terwijl hij naar de bank liep was hij zich bewust van een innerlijke stem die zei: *Hier zou het allemaal wel eens voor elkaar kunnen komen.* Een tijdlang gebeurde dat ook. 'Hij zei: "Hoe was het om met Queen te werken?" en ik antwoordde: "Het was erg eng in de studio om de zangpartij van Freddie te doen met Brian en Roger – het was de eerste keer dat ik besefte dat de kleur van adrenaline bruin is..." Ze vertrokken geen spier. Het was een verlammend moment; dat ik op de Amerikaanse televisie was en net een paar grappen had verteld en niemand ze snapte en het was alsof ik een charmepijl had afgeschoten die in de lucht door duiveltjes met gebrek aan ironie werd onderschept, niemand lachte en de mensen denken nu alleen maar dat ik maf ben. Beangstigend.' Toen hij het terugzag, besefte hij dat het niet zo erg was als hij destijds had gedacht, maar het deed hem afschrikken en hij weet niet of hij zoiets opnieuw wil meemaken.

Hij loopt de trap af, gaat bij de receptie staan en pakt een exemplaar van *Spin* uit het rek met tijdschriften van het hotel. Hij leest genoeg om te weten dat hij gelijk had: het is niet goed. In de inleiding wordt hij 'de Britse clownprins van de pop' genoemd en het grote citaat van hem op de eerste pagina is: '*Om je de absolute waarheid te zeggen, hier zal ik het niet gaan maken.*' Het artikel zelfs geeft aan: *Om kort te gaan, Williams voorspelt dat hij geen succes zal hebben. En nooit heeft het iemand minder uitgemaakt.*

✳✳✳

Op de ochtend van het concert in Battery Park staat David Beckham op de cover van *USA Today*. De kop geeft aan: Hij Is De Beroemdste Sporter Ter Wereld (Behalve In de VS).

'Hij lijdt aan de ziekte van Williams,' constateert Rob.

Beneden komt hij Lisa Stansfield tegen en ze kletsen wat over de sleur van het promoten.

'Ja,' zegt ze, '"Hoe vaak ben je de wereld al rondgegaan?" En je leert het weg te glimlachen.'

'Nee,' zegt Rob. 'Ik zeg gewoon *fuck off* tegen ze.'

Hij gaat een tijdje naar de winkels en gaat dan weer naar bed, zodat hij niet meer aan het concert van vanavond hoeft te denken. Als hij wakker wordt, fluistert hij de tekst van *Millennium* en ontdekt dat hij de tekst niet kan onthouden. Pompey vindt een fansite op internet en Rob leest hun uitgeschreven tekst van het nummer. '*Run around in circles...*' herhaalt hij en knikt.

'Ze moesten eens weten,' zegt Pompey.

We rijden het centrum in. Overal hangen gele posters met daarop ROBBIE WILLIAMS GRATIS CONCERT, waarbij zijn platenmaatschappij de gebeurtenis in Battery Park brutaal presenteert als haar eigen show. Hij dwaalt onrustig achter de schermen rond. Als hij voorbijkomt, hoor ik hoe twee mensen uit New York het over hem hebben.

'Wie is die gozer?' zegt de een.

'Hij ging met Ginger Spice, geloof ik,' zegt de ander schouderophalend.

De vrouw van *Liquid News* is er en vraagt naar zijn 'aanval op Amerika... de hele strategie' en voor een keer besluit hij een poging te wagen om duidelijk te maken dat succes hebben in Amerika nooit echt zo belangrijk voor hem is geweest. 'Maar het is idioot hoe Engeland is omgegaan met mijn zogenaamde aanval op Amerika: "Robbie zal het nooit lukken, en stop maar, zelfs niet aan beginnen" en dat soort zaken,' merkt hij op. 'Kom op Engeland. Steun me nou eens.'

Aan de zijkant van het podium wacht hij op zijn beurt en begint hij te zingen '*New York, New York, it's a wonderful town...*' en de acteur Mario Cantone van *Sex And The City* doet met hem mee. Er is veel publiek – er wordt hem verteld dat er zo'n tienduizend mensen zijn – in de open lucht, en hij lijkt nerveus. In *Come Undone* verknalt hij het eind en zingt een ander deel van het nummer dan de band. Voor *Feel*, net als hij de smaak te pakken krijgt en de menigte op hem begint te reageren, houdt hij de toespraak die in Groot-Brittannië eindeloos zal worden gepubliceerd en herdrukt als het grootste voorbeeld van zijn wanhoop als het gaat om Amerikaans succes. Hier, voor een grote menigte die hem niet onwelgezind is, lijkt het helemaal niet wanhopig, hooguit een beetje bijzonder:

"Dit is het nummer dat ik hier op dit moment uit heb en ik geloof dat je de radiozenders moet opbellen en het als verzoeknummer moet aanvragen voordat ik hier een hit krijg,' zegt hij. 'En zelfs als je een hekel aan me hebt, wil je het dan toch doen, alsjeblieft? Bel je *fucking* radiozenders en vraag het aan! Dit nummer heet *Feel*.'

Tijdens het laatste nummer, *Angels*, zwaaien de aanstekers heen en weer, ziet hij er echt tevreden uit en eindelijk iets meer ontspannen door de respons.

In de wagen zegt David niets. Hij stond de hele show lang doodsangsten uit; hij weet dat het redelijk goed is gegaan, maar hij weet ook dat er genoeg zaken niet perfect liepen, zodat Rob als hij wil zijn dreigement om David en Tim de huid vol te schelden en een onaangename tijd te bezorgen, waar kan maken. Hij wacht op het oordeel van Rob, hoe dat ook uitpakt.

'Ik ben tevreden,' zegt Rob ten slotte. Ik was bekaf. Maar ik genoot er bijna van. De hele show deed ik John Travolta, en op het eind was ik nederig.'

Nu dit eenmaal is vastgesteld is de opluchting van het gezicht van David te lezen. Vervolgens bedenken ze hoe ze Tim een loer kunnen draaien.

'Zeg gewoon: "Hij is woest, hij praat zelfs niet meer met me", stelt Rob voor. 'Je moet zeggen: "Rob stapte tijdens het vierde nummer van het podium, sloeg zijn gitaar stuk en deed *Angels* niet eens meer..."'

✵✵✵

Rob, Daniel en ik zitten op de bank voor het Mercer-hotel – Rob mag binnen niet roken – als Rachel Weisz in een taxi aan komt rijden met iemand over wie ze eerder met Daniel had gesproken. Daniel begroet ze.

'Ik dacht dat jij een vrouw zou zijn,' zegt Daniel tegen de vriend.

'Dat ben ik,' antwoordt de vriendin van Rachel Weisz, die kort haar heeft.

Aangezien deze blunder niet gemakkelijk kan worden goedgemaakt, besluiten we naar binnen te gaan.

'Is het een dolle boel vanavond of ligt dat aan mij?' zegt Rob tegen de vriendin. Ze is kunstenaar.

'Het ligt aan jou,' zegt ze.

Ze vraagt naar het concert. Rob beschrijft de ontwikkeling van apathie tot betrokkenheid bij het publiek.

'Was het leuk?' vraagt ze.

'Ging wel,' zegt hij. 'Ik kneep hem behoorlijk want ze kennen helemaal niets van mij. Ik doe dit al vanaf mijn zestiende. Wanneer ik dertig ben wil ik geen mensen meer voor me hoeven te winnen.'

Zij vertrekken naar een feestje en wij zitten op een bank, drinken koffie, kijken naar het komen en gaan in de lobby en hebben het over gemaakte en niet gemaakte keuzes. 'Ik heb geen brein dat gaat zitten, luistert en informatie opdoet,' zegt hij. 'Ik kan alleen maar zaken onthouden die me interesseren. Dat is toevallig voetbal. Ik weet zeker dat als ik het examen van de middelbare school weer zou moeten doen, ik er weer niks van zou bakken, en tegen die tijd begon ik stuff te roken en met dingen als speed en LSD te experimenteren en ging ik om met verkeerde personen, en ik geloof echt – goddank, God zij geprezen voor de ontsnapping die mij werd geboden – dat ik waarschijnlijk in de gevangenis zou zijn beland. En dan stel ik het echt niet erger voor dan het was. Wie zal het zeggen? Hé, ik werd verdomme een drugsverslaafde en een alcoholist. *Dat* zou mij nooit overkomen. Maar als ik kijk naar het pad dat ik ben gegaan dan zou het waarschijnlijk altijd zijn gebeurd en had ik vermoedelijk verkeerde dingen moeten doen om eraan te komen. Als die ontsnapping er niet was geweest was ik waarschijnlijk drugsdealer geworden. Maar het is niet gebeurd – looft de Heer.'

Denk je dat je ma dacht dat je goed terecht zou komen, of denk je dat ze bang was dat...?

'Ik begon al vroeg, dus is er geen echt besluit genomen of ik goed of slecht terecht zou komen. Ik weet dat ze zich zorgen maakte toen ik op mijn zeventiende en achttiende dronk – ze kwam een keer de kroeg binnen terwijl ik net onder invloed raakte van de ecstasy. Ik verkeerde net in een roes toen de auto het parkeerterrein voor de kroeg opreed. Ik was achttien...'

Dus je zat met haar in de kroeg?

'Ja. Gekke bekken te trekken.'

'Had ze iets door?'

'Ja.'

Dat is geen prettig gevoel.

'Nee. Nee. Nu is het grappig, maar toen was dat niet bepaald zo. Ja, en dan was er de keer dat zij 's avonds niet thuis was en ik een puinhoop van het huis had gemaakt – maar alle jongeren doen dit toch? Ze kwam binnen en ik was net buiten westen, ze kwam binnen en de tafel lag ondersteboven en haar bloemen lagen overal verspreid, modder in het huis en een meisje in mijn bed...'

Liet ze haar afkeuring blijken?

'O ja. Daar is ze goed in... ze kan je erg bang maken. Haar autoriteit wordt langzaam minder, maar als ze nu op mij af zou stappen dan zou ik nog sidderen... en behoorlijk ook.'

✹✹✹

De volgende avond laat loopt hij zijn keuken in Los Angeles binnen en treft er zijn beide ouders.

'Plaatsen veroveren is helemaal niet zwaar,' zegt hij tegen hen.

15

Rob is al een paar dagen terug in Los Angeles als zijn vader zich herinnert dat iemand aangebeld heeft toen hij weg was en een brief in het portiersgebouw heeft achtergelaten. 'Iemand die in de buurt woont,' legt Pete ten slotte vaag uit.

Beste Robbie, begint de brief. *Dit is eigenlijk vreemd, man, ik hoorde via een vriendin van mijn vrouw dat ze je in Starbucks heeft benaderd met de vraag of je interesse zou hebben om op mijn nieuwe cd te zingen. Jouw stem bevalt me en zou perfect zijn voor een nummer dat ik heb geschreven, getiteld 'Gettin In Over My Head'... Ik weet niet zeker of je weet wie ik ben, ik was een van de Beach Boys, maar sinds mijn broer Carl in 1998 overleed heb ik solowerk gedaan...*

'Brian Wilson belde aan,' lacht Rob, 'en mijn vader vergat het me te vertellen.'

✳✳✳

Aan het eind van zijn bezoek vertelt Pete op een dag in de auto dat hij als hij weer thuis is, wordt geïnterviewd door Radio Wales over het ontstaan en de hoogtijdagen van de Britse variétéclub. Hij beschrijft de kleine clubs, waar niet meer dan 150 man in kunnen, die in veel Britse steden te vinden waren en waar hij steeds een week samen met een zanger optrad, altijd van zondag tot zaterdag.

'De variétéclubs hielden eind jaren zeventig, begin jaren tachtig op te bestaan,' zegt hij.

'Kwam de alternatieve komedie in 1982, 1983?' informeert Rob.

'Iets later,' antwoordt Pete.

'Dat heeft variété dus niet om zeep geholpen?' vraagt Rob.

Pete schudt zijn hoofd. 'Er werd anders tegen amusement aangekeken,' zegt hij. 'Disco's en nachtclubs kwamen opzetten.' Voor hem was er iets verloren gegaan. 'De meeste nieuwe variétéartiesten weten niet hoe ze op moeten komen of af moeten gaan,' zegt hij. 'En er luistert ook niemand naar hen.'

Rob vraagt hem naar de oude clubs in het Stoke-gebied: The Place, The Torch. Hoewel veel van hun vader-zoonconversaties de familiegeschiedenis of komische verhalen betroffen en de band versterkte door herhaling en herkenning, leek dit gesprek over de hoed en de rand van zijn vaders amusementswereld er een te zijn dat ze nog nooit echt hadden gevoerd.

'Northern Soul kwam in de plaats van The Torch,' zegt Pete. Hij zegt het alsof Northern Soul een soort ongelukkige infectie was.

'Hield je niet van Northern Soul?' vraagt Rob.

'Ik hield meer van The Place,' zegt Pete.

'Wat werd er opgevoerd in The Place?' vraagt Rob.

'Het was meer van alles wat,' zegt Pete en vertelt hoe zijn vriend er in de vroege jaren zestig The Rolling Stones niet binnenliet omdat ze jeans droegen. The Rolling Stones hadden net in the Gaumont in Hanley gespeeld. Hij was toen nog politieagent. 'Ik had die avond dienst op het bureau,' herinnert hij zich, 'en we reden de bus en brachten ze rechtstreeks naar binnen, en backstage was ik de beveiligingsbeambte. Ken je Dave Berry? Ik was de beveiligingsman backstage met Dusty Springfield, The Troggs en Dave Berry.'

'Vond je Dusty Springfield leuk?' vraagt Rob.

'Ja,' zegt hij. 'Ze was toen met Madeleine Bell. Ik zag haar zonder haar pruik op, het haar strak over het hoofd. De pruiken hingen aan houders.'

'Toen je een smeris was, niet?' vraagt Rob nog ter bevestiging.

'Hoe werd je van smeris een entertainer?' vraagt Josie.

'Ik heb dat altijd al gewild,' zegt Pete. 'Ik zwierf rond met een komiek genaamd Tony Braddock, die een heel goede vriend van me was en naar Australië emigreerde…'

'Kwam hij uit Stoke?' vraagt Rob.

'Ja. Ik keek altijd naar hem en dacht: dat kan ik ook – ik weet het zeker. Hier van binnen wist ik zeker dat ik het kon. Hoe het ook zij, Tony emigreerde naar Australië en ik kende de show van Tony door en door. Op een avond was ik in de kroeg terwijl er een talentenjacht aan de gang was. Iedereen zong *The Green Green Grass Of Home* en ik ging het toneel op en deed tien minuten van de show van Tony en iedereen lachte. Dit is leuk, dit is goed, dacht ik bij mezelf. En ik won twee pond.'

Hij was 24 en werkte in die tijd in een fabriek voor elektrische apparatuur.

'Vergeet niet dat je toen zeventien pond per week kreeg. Ik was met twee kameraden en dat was dus ons avondje stappen met twee pond. De week erop stond er in de krant dat er ergens anders ook een talentenjacht werd gehouden. Ik ging er dus heen en won. Zo had ik ineens in twee finales gestaan.'

'Met de show van je maat?' vraagt Rob.

'Ja,' zegt hij. 'Ja'.

'Had je het gewoon uit je hoofd geleerd?' vraagt Rob.

'Ja, ik had delen ervan onthouden… niet alles…'

'Aha!' zegt Josie tegen Rob. 'Daar heb je het van…'

Rob knikt. 'Ik ben een kleine dief,' geeft hij toe.

'Goed, maar dat zijn we allemaal,' zegt Pete. 'Het resultaat was dus dat ik deze twee finales had gewonnen en in beide wat geld had gewonnen. Daar zou het bij blijven. Ik had mijn lol gehad.' Hij kreeg echter meer aanbiedingen, en daarna volgden er nog meer. Lange tijd probeerde hij zijn werk overdag aan te houden. 'En toen kwam op een ochtend het moment, ik was er nog niet uit, ik was aan het werk en dacht: Dit hou ik niet meer vol.' Hij ging naar zijn chef en zei tegen hem: 'Ik ga die amusementsgrap serieuzer aanpakken.' En hij vertrok. 'Ik dacht bij mezelf dat ik dat amusementsgedoe misschien een jaar vol zou kunnen houden… en 36 jaar later doe ik het nog steeds.'

'Mijn pa,' vertelt Rob aan de rest van de aanwezigen, 'had altijd visitekaartjes: "Pete Conway, komiek…" – dan het telefoonnummer – "… niet bellen als *Star Trek* wordt uitgezonden".'

'Nee,' zegt Pete, 'er stond: "bel dit nummer op elk moment van de dag" en dan tussen haakjes "behalve tijdens *Star Trek*".'

'Waar zijn al je trofeeën, pa?' vraagt Rob.

'Allemaal in een doos ingepakt, die moet ik eens tevoorschijn halen,' zegt Pete.

'Want het staat me bij dat je er massa's had,' zegt Rob. 'Een heleboel voetbalbekers en golfbekers…'

'… en de amusementsbekers ook,' zegt Pete. 'Entertainer Van Het Jaar-onderscheidingen.'

'Ik kreeg een onderscheiding voor het beste kapsel van 1993,' zegt Rob.

'Weet ik,' zegt Pete. 'Jij hebt ook de nodige bekers, niet? Het zou leuk zijn om mijn bekers bij de jouwe te zetten. Ze zijn nu een beetje flets geworden. Al het goud is ervan afgevallen…'

✳ ✳ ✳

Buiten, aan de achterkant van het gebouw waar de *Tonight Show* wordt opgenomen, komt Rob Simon Cowell tegen, een andere gast, en ze staan in de zon en vergelijken: een landgoed in Californië, popmuziek, succes. Cowell legt zijn theorie over zichzelf uit, dat iedere Amerikaanse show een Britse schurk in zich heeft en dat hij een gat in de markt heeft gevuld door die traditie in ere te houden.

'Nu heb ik de tijd die ik had moeten hebben toen ik zeventien of achttien was,' vertelt Rob hem. 'Ik ben er pas het afgelopen jaar van gaan genieten, en nu hou ik er verdomme van'.

'Mooi zo,' zegt Cowell.

'Luister,' zegt Rob, 'Ik ga mijn haar even doen…'

In de gang ontmoet Rob Katie Couric, de gastvrouw van de show van vanavond. Gewoonlijk is Jay Leno de gastheer van de *Tonight Show*, maar deze week is *sweeps week*. Volgens een verbijsterend ouderwets systeem worden twee weken per jaar op de Amerikaanse televisie bestempeld tot 'sweeps week' en het publiek dat in deze weken op de tv-zenders afstemt, bepaalt de reclametarieven die ze het hele jaar kunnen vragen. Daarom proberen ze door allerlei stunts hun kijkcijfers gedurende deze weken te verhogen. (Als je bijvoorbeeld een zeer beroemde filmster in een Amerikaanse *sitcom* ziet optreden, zal de eerste aflevering gewoonlijk zijn uitgezonden in de *sweeps week*.) Een van de stunts van NBC dit voorjaar is om hun beroemdste televisiepresentatoren een dag lang van baan te laten wisselen. Vanmorgen heeft Jay Leno tijdelijk de plaats ingenomen van Katie Couric door het ochtendnieuwsprogramma de *Today Show* mede te presenteren; vanavond zal zij zijn plaats innemen.

'Is dit te veel van het goede?' vraagt ze de omringende mensen als ze naar Rob toeloopt. Ze draagt een zwarte avondjurk die aanzienlijk meer decolleté toont dan haar gebruikelijke *power woman*-uitdossing in de ochtend. Ze stellen haar gerust dat het niet overdreven is. Ze groet Rob en zegt dat ze zenuwachtig is.

'Het is pas dapper als je in je broek schijt,' zegt hij tegen haar.

'Schijt of schiet?' vraagt ze, omdat ze het niet helemaal snapt.

'Schijt,' herhaalt hij.

'O,' zegt ze en glimlacht. 'De kleur van adrenaline is bruin, hè?'

Ze citeert zijn uitspraak toen hij in de show zat; de grap die totaal mislukt leek te zijn.

Tegen de tijd dat Rob *Feel* zingt, zitten Simon Cowell en Mike Myers al in de leunstoelen naast het bureau waar Katie Couric achter zit. Het podium bevindt zich aan de linkerkant vanuit het publiek en de camera's gezien. Voor het eerste refrein spoort Rob de eerste rij aan, en niet lang daarna gaat hij naar de gasten en de gastvrouw, waar hij eerst een serenade brengt aan het bureau van Katie Couric. Dan gaat hij op Simon Cowell af, draait zich om en begint boven zijn schoot te dansen, zijn achterwerk slechts centimeters boven de lendenen van Cowell. Cowell lijkt zowel gegeneerd als geamuseerd te zijn. Mike Myers, die beseft dat hij de volgende zal zijn, springt achter de stoelen om Rob te ontlopen, die achter hem aan komt.

Misschien dat het thuispubliek denkt dat dit ook een stunt is voor de *sweeps* en dat het allemaal zo is afgesproken. Dit is niet zo en in welke mate Rob dit van tevoren heeft bedacht heeft hij met niemand besproken. Hij heeft tijdens de repetities alleen tegen de regisseur aangegeven dat hij misschien in Katies richting zal lopen om zich ervan te vergewissen of dit was toegestaan.

✱✱✱

Morgen zal hij erachter komen dat zijn aflevering van de *Tonight Show* de hoogste kijkcijfers op een maandagavond had sinds vijf jaar. Zijn album, dat drie weken eerder uit de Top 200 Billboard-hitlijst was gezakt, zal weer binnenkomen op nummer 125 en in alle Amerikaanse media wordt zijn optreden met lof omschreven. De komende paar weken zullen mensen in winkels, op parkeerterreinen en in Starbucks op hem afkomen om hem met zijn optreden te feliciteren. Het is op zich niet voldoende om zijn plaat tot een hit te maken, maar het laat wel zien dat het Amerikaanse publiek net zo reageert als publiek elders op de wereld, als het de kans krijgt om te zien en te horen wat hij kan.

Het optreden wordt ook in Groot-Brittannië opgemerkt. Als Rob gelijk heeft dat zijn Britse publieke persoon een personage in een *soap opera* is, dan is hun huidige boodschap dat Robbie Williams zichzelf verlaagt door zich aan een Amerika te presenteren dat hem helemaal niet wil. Niets is ze van deze overtuiging af te brengen. '*De langdradige poging van Robbie Williams om Amerika te veroveren gaat verder,*' oordeelt *The Daily Mirror*. '*Hoe ver is Robbie bereid te gaan?*' vraagt het tijdschrift *OK!* zich af, bewerend dat hij '*zichzelf vernederde... door gastvrouw Katie Couric in verlegenheid te brengen... die, duidelijk gegeneerd, zijn gezicht wegduwde*'. '*De eindeloze poging van Robbie Williams om Amerika voor zich te winnen duurt voort,*' papegaait *The Daily Mirror*. '*Hoewel het erop lijkt dat hij zijn toevlucht neemt tot nog wanhopiger manieren om daar beroemd te worden... vreemd genoeg was de negenentwintigjarige zanger alleen geboekt om zijn lied* Feel *aan het eind van de show ten gehore te brengen – maar hij was zo vast-besloten om zijn optreden maximaal uit te buiten dat hij door de studio begon te rennen, fans kuste en later zijn kruis tegen de schouder van plaatsvervangend presentatrice Katie Couric wreef...*'

Het hangt ervan af wat je wilde zien, denk ik. Het zou nog erger worden.

✳✳✳

Op een dag arriveren er enkele grote zware kartonnen dozen op het plein voor zijn huis in Los Angeles. Ze zijn afkomstig uit Oostenrijk. Vorige maand had Rob in een sportschool in Chelsea een nieuw trainingsapparaat ontdekt, genaamd de Vacunaut. Dit leek hem goed te bevallen en hij heeft er een voor zichzelf gekocht, voor de prijs van een middelgrote auto. Het is een pak waar het hele lichaam in gaat, met een reeks kussentjes rond de maagstreek, verbonden met een pomp. Het is ontworpen volgens een theorie dat het kwijtraken van vet rond het middenrif moeilijk is, omdat de bloedcirculatie daar slechter is, waardoor het minder waarschijnlijk is dat het lichaam van daaruit vet omzet en transporteert dan elders. De Vacunaut moet dit probleem verhelpen. Rob zweert erbij. De meeste dagen verschijnt hij in zijn pak als een excentriek ruimtemannetje en vraagt om de rits open of dicht te doen.

✳✳✳

Bij het diner in Koi beschuldigt Rob Max ervan dat hij de kaars op tafel heeft verplaatst, zodat deze Max het meest flatteert. Max ontkent het ten stelligste, maar zonder te overtuigen. Geen van beiden vindt het vreemd om dit te doen. 'Ik moet toegeven,' bekent Rob, 'dat ik het laatst ook heb gedaan'.

Twee iets te veel adorerende en giechelige vrouwen komen op de tafel af en vragen of ze met Rob op de foto mogen. Een van hen zegt verrukt dat ze het mooi vindt dat hij zo grof kan zijn. 'Wat zeg je daarop?' vraagt ze.

'Daar zeg je "*fuck*" op,' zegt de ander nog voordat Rob kan spreken.

: 280 :

'Jullie hebben prachtige flappers,' zegt Rob tegen hen als ze zich aan weerszijden onder zijn armen tegen hem aankruipen voor de foto.

'We houden van je werk,' zegt de een.

'Raad eens waar mijn vriend woont?' zegt de ander. 'Guernsey.'

Het duurt een tijdje voordat duidelijk is waar ze het over hebben, vooral omdat de verwarring die ze veroorzaken meerdere aspecten heeft. (Ze zijn er klaarblijkelijk van overtuigd dat Guernsey iets te maken heeft met Ierland.)

Rob begint het te beseffen. Het heeft geen zin om iets anders te doen dan mee te spelen.

'Je ziet er vanavond piekfijn uit,' zegt het eerste meisje tegen hem.

'Dank je, Colin,' zegt de ander.

Grinnikend en giechelend maken ze zich uit de voeten in de vaste overtuiging dat ze zo-even een aangenaam intiem onderonsje hadden met Colin Farrell.

✸✸✸

Rob loopt de keuken in. Zijn vader moet vertrekken om zijn vliegtuig te halen.

'Wat heb ik altijd een hekel aan vertrekken,' zegt Pete. 'Ik hou niet van afscheid nemen.'

'Je houdt niet van afscheid nemen? zegt Jan. 'Dat heb ik gemerkt. "Ik ga even wat drinken aan de overkant van Leopard." 37 jaar later…'

✸✸✸

Hij maakt zich zorgen over doodgaan en heeft deze zorg opgevat als een goed teken.

'Doodgaan,' stelt hij, 'is het laatste waar je je misschien druk om kan maken als je alle andere zaken hebt opgelost. Het comité in het hoofd, dat is het laatste wat ze uit de greppels naar je toe kunnen gooien – de dood.'

✸✸✸

Hij besluit een paar nieuwe keuen en ballen voor het poolbiljart te kopen. In de auto luistert hij naar de demo die Brian Wilson bij zijn brief had gedaan, een nummer genaamd *Getting In Over My Head*.

'Echt aardig, zegt hij. 'Het klinkt als de Beach Boys, niet? Bij het derde couplet zet hij het uit. 'Het is te lang,' zegt hij.

Ik vraag hem of hij zal overwegen om het te gaan doen.

'Vandaag niet,' zegt hij, 'want ik wil vandaag helemaal niets doen.'

Vanuit de auto belt hij met een vriend en bespreekt de romantische mogelijkheden.

'Ja, ze is erg lief,' geeft hij toe, 'maar wel oersaai.'

Hij heeft me gevraagd hoe je muziek van internet moet downloaden – hij wordt misschien gehekeld als iemand die zich publiekelijk verontschuldigt voor deze gewoonte, maar tot op de dag van vandaag heeft hij het nog nooit gedaan. Als we thuiskomen en hij eenmaal met zijn nieuwe poolbiljartballen heeft gespeeld en heeft gezien hoe de Lakers hun laatste *play-off* wedstrijd verliezen, laat ik hem zien hoe je Limewire moet gebruiken. We liggen op zijn bed, onze computers tegen over elkaar tussen ons in, en downloaden nummers en spelen ze voor elkaar af. Zijn eerste illegale zoekactie is naar iets van Boogie Down Productions; zijn eerste geslaagde download is *Cover Of The Rolling Stone* van Dr. Hook.

Vanavond is er een feest voor het tijdschrift *Nylon* op een chique plek genaamd White Lotus; er worden vele knappe vrouwen verwacht.

'We gaan nu naar Willi Wonka's chocoladefabriek,' roept Max enthousiast, 'en we zijn kinderen die van chocolade houden...'

'Ik heb suikerziekte,' mompelt Rob.

Max zegt dat het te gek voor Rob is op het feest na het televisie-optreden van deze week.

'En,' geeft Rob aan, 'ik draag dezelfde kleren.'

'Ja,' zegt Max, 'acteurs doen dat.'

Hugh Hefner arriveert op hetzelfde moment als wij, geflankeerd door een handjevol veiligheidspersoneel. (Rob, die hem nooit heeft ontmoet, oordeelt later: 'er is iets fantastisch goed en vreselijk fout aan Hef.') Op het feest wordt hij voor de tweede keer in een paar dagen geïnterviewd door *US magazine*. De journalist vraagt hem wat de inspiratie was voor zijn nieuwe album. 'Ik moet iets met mijn tijd doen,' zegt hij. Zijn hart legt hij er niet in. 'Na de bespreking vandaag,' zegt hij als ze eenmaal is verdwenen, 'interesseert het me echt niet meer om grappig of oneerbiedig te zijn. Het is verspilde moeite hier. Zo voel ik me. Ik verspil mijn tijd.'

Hij zit aan een tafel met onopvallende Engelse meisjes die voor Nintendo werken en in de stad zijn voor een congres over computerspelletjes. Ze waren uit eten gegaan en kwamen bij toeval midden in het feest terecht. Hij laat ze een koffie voor hem bestellen. Ze vroegen hoe het in Amerika ging. Max wandelt voorbij.

'Kennen jullie Max Beesley, van de film *Glitter*?' vraagt Rob aan de Engelse meisjes.

'O *fuck*,' zegt Max. 'Dat kun je beter niet proberen als we buiten de stad zijn.'

Je kunt de radertjes in Robs hoofd bijna zien ronddraaien.

Marvin Jarrett, de uitgever van *Nylon*, stelt Rob voor om met hem mee te komen en L'il Kim te ontmoeten, in naam van de gastvrouw van het feest. Hij besluit het uiteindelijk te doen, maar heeft er al meteen spijt van. Wanneer hij naar haar tafel wordt begeleid, moet hij er tijden rondhangen voordat iemand haar aandacht weet te trekken, en nadat ze samen worden gefotografeerd zegt Marvin tegen hem: 'Goede *publiciteit* in Amerika,' waar hij woedend over is.

Terwijl Rob en L'il Kim hun kortstondige, aangename en betekenisloze onderhoud hebben, houdt een dronken Engelse gozer een vurige monoloog tegen Pompey over de geweldige eigenschappen van Rob.

'... hij heeft gewoon een *formidabel* gevoel voor humor,' brabbelt de man. 'De beste slagzin ooit was toen hij al dat geld had en ze hem op tv vroegen hoe hij zich voelde en hij antwoordde: *"fucking* rijk!". Snap je wat ik bedoel?...'

Rob komt terug en kijkt rond. 'Ik denk dat ik liever pool ga spelen,' zegt hij. Ons gezelschap verzamelt zich op de parkeerplaats aan de overkant van de weg.

'Vreselijk,' zegt Rob.

'Claustrofobisch en ranzig,' bevestigt Max.

'Iedereen is op zoek naar een beroemdheid,' zegt Rob. 'Zonder te beseffen dat ik er een ben.'

In de auto zegt hij, de stem van Alan Partridge nabootsend: 'O! Ik voel me als een ingezakt pasteitje. En de vulling was Amerika. Ik heb een typisch Amerikaanse taart gehad die plat is geworden.'

✳✳✳

Het wordt nog platter. Later die nacht, nadat hij al naar bed is gegaan, schreeuwt Rob vanuit zijn kamer; ik slaap net aan de andere kant van de overloop. Hij ligt in bed met zijn computer naast zich en op het scherm is een vreselijk artikel over hem in *The Daily Mirror* van morgen, met als kop ROBBIE IS IN DE VS OERSAAI. Hij leest sommige passages voor.

Toen hij het grootste platencontract in de geschiedenis van de Britse pop sloot, was de onstuitbare Robbie Williams tachtig miljoen pond rijker en lag Groot-Brittannië aan zijn voeten... Maar toen hij deze week ronddraaide op de knie van Simon Cowell tijdens een wanhopig optreden in de Amerikaanse Tonight Show, leek hij meer op een imitator dan op een alles veroverende popster. Het tragische optreden... markeerde een nieuw dieptepunt in zijn ogenschijnlijk vergeefse poging om de lucratieve Amerikaanse markt aan te boren. Het is een campagne die hem op niet mis te verstane manier heeft duidelijk gemaakt dat Amerikaanse fans nooit voor zich te winnen zijn door arrogantie en hebzucht...

Na een aantal fouten – ze nemen de ijskoude grap van Daryl Hannah, dat ze dacht dat ze met *Robin* Williams in de videoclip van *Feel* zou werken letterlijk, of doen alsof – en een analyse waarbij Robs Amerikaanse 'falen' wordt gerelateerd aan zijn gebrek aan nederigheid, concluderen ze dat zijn Britse carrière nu ook wel eens in het slop zou kunnen geraken, eindigend met:

Zoals de manager van Westlife, Louis Walsh, zegt: 'Robbie had maar twee sterke kanten – zijn brutaliteit en Guy Chambers. Nu heeft hij Guy niet.'

'Gestoord, niet?' zegt hij. 'Het zou verboden moeten worden. Je kunt er niets tegen doen.'

Ik zeg dat het interessant was dat David Munns ook de 'Je kunt mij niks maken'-citaten te berde bracht.

'Ja, en het is zijn privilege om er zo over te denken,' antwoordt Rob, 'maar het heeft er geen *fuck* mee te maken. Ik ben erg pissig, nu ik er over nadenk. Ik ben pissig over het feit dat er niets goed was. Volgens mij is het belangrijkste van het werk dat ik in Amerika heb gedaan, nadat ik in het verleden mezelf zoveel heb gehaat, dat ik me onafhankelijker voel en het gevoel heb dat ik weet wat ik waard ben. Weet je, na de *Tonight Show*, dat zoals je weet een stukje magische televisie was. Het was een van die, bij gebrek aan een betere omschrijving, het was als Freddie Starr bij *Des O'Connor*. Ik wil niet beweren dat ik Freddie Starr ben, maar je begrijpt wat ik bedoel. Of zoals toen de olifant scheet in *Blue Peter*.'

Ik hou van de wijze waarop je voorbeelden hebt gekozen die je op de een of andere manier zowel verheffen als verlagen.

'Goed. Laat me er eentje bedenken…' Hij denkt een ogenblik na. 'Nou, de enige die je je kunt herinneren zijn als mensen dronken zijn of dieren schijten. Of Freddie Starr bij Des O'Connor, fantastische televisie. Op welke manier dan ook, wat ik alleen maar wil zeggen is: ik ben een echte *fucking* ster geweest en ik heb me gevoeld als een ster en heb echt genoten van het feit dat ik een *fucking* ster was. En alles wat ik heb gedaan heb ik met schaamteloosheid en vertrouwen gedaan – ik ben schreeuwerig, zelfverzekerd en goed geweest. In plaats van dat ik geloofde dat ik schreeuwerig, zelfverzekerd en fout was, weet je. Ik doe het een beetje anders dan iedereen het doet en dat spreekt mensen aan. Ik weet wat ik waard ben. Maar weet je, het is weer een klassiek geval van dat ik die troep niet zou moeten lezen. Omdat het er feitelijk niet toe doet. Ik begin me volgens mij ook te realiseren dat er een bepaald slag mensen is dat mijn platen niet koopt, en een meerderheid van de journalisten in Groot-Brittannië zal alles wat ik doe veroordelen, en ik zal het altijd van deze mensen verliezen, en dan is er een enorme hoeveelheid mensen – dat is bewezen met de vijf albums die ik heb gemaakt – die de albums koopt en die zich verbonden voelt. Je weet wel, zich verbonden voelt met de tekst op elk niveau. Je weet wel Chris, ik meen verdomme alles wat ik schrijf.'

We kletsen tot hij voor me in slaap valt.

✱✱✱

Deze laatste twee weken van rust in Los Angeles voor de naderende zomertournee gaan snel voorbij. Hij werkt aan zijn conditie in de fitnessruimte en op het basketbalterrein vlak bij het huis en wandelt over de steilste paden van Runyon Canyon met zijn honden, om slechts af en toe te worden gestoord. Op een zaterdag stort een oud militair vliegtuig uit 1956 in een ravijn bij het huis neer, waarbij de piloot om het leven komt. Vanuit de keuken kan hij de helikopters boven het wrak zien cirkelen. Hij schrijft Brian Wilson en legt beleefd uit dat zijn drukke werkzaamheden hem niet toestaan om de eer aan te nemen aan het album van Wilson mee te doen, maar bedankt hem voor alles wat hij zonder het te beseffen voor Rob heeft gedaan. (Het is best mogelijk dat zelfs Rob niet weet wat Brian Wilson allemaal voor Rob heeft gedaan. Toen ze *Escapology* aan het maken waren, vertelde Steve Power me dat iedereen dacht dat er op *Angels* arrensleebellen te horen waren, omdat het was bedoeld als een kerstsingle, maar dat was niet het geval: 'Ze zitten er alleen maar in omdat Guy en ik houden van Brian Wilson.')

Rob ontmoet ook een aantal songwriters. Chris Briggs had hem voorgesteld om te luisteren naar een cd met nummers van Dan Wilson, die vroeger deel uitmaakte van Semisonic, en Rob vond ze goed genoeg om hem uit te nodigen. Er gebeurt niet veel. Ze luisteren naar platen en af en toe slaat Dan Wilson een paar akkoorden aan op een keyboard. Rob zit op het bed en rookt. 'Het was echt raar,' zegt Rob. 'Het was echt een aardige vent, maar we zaten drie uur bij elkaar en hij kwam met niets op de proppen.' Rob brengt ook een paar uur door met de zanger en songwriter Robin Thicke, maar Thicke moet de volgende dag zijn eigen videoclip maken en is de nacht ervoor uitgeweest. 'Hij was er niet zo bij met zijn hoofd,' zegt Rob. 'We hebben daarom gewoon wat gezeten. Dat was ook een beetje gek eigenlijk.' Ook maakt hij plannen om de Pet Shop Boys op te bellen en de mogelijkheid te bespreken om samen iets te schrijven, maar hij komt er niet toe om ze al te bellen.

En dan is er Guy. Net als Rob de mogelijkheid lijkt te koesteren dat ze op de een of andere manier wat kunnen samenwerken, hoort hij dat Guy David heeft verwenst tijdens de lunch bij Ivor Novello. Dat is dan weer dat. Het kan Rob allemaal niet zoveel schelen. Misschien heeft hij helemaal niemand nodig om nummers mee te schrijven – op een dag schrijft hij een nieuw nummer dat hij goed vindt en laat hij Max het in de kelder op een keyboard spelen terwijl hij zingt – en als hij iemand moet vinden, zal het vanzelf op het juiste moment wel gebeuren.

Als hij terugkeert naar Londen, zo goed voorbereid als maar kan voor de komende weken, heeft hij ook nieuwe tatoeages van de vriend van Pompey uit Devon, Glen: twee zwaluwen die elkaar aankijken op zijn onderbuik, en twee harten aan de binnenkant van zijn polsen. Er verschijnen vreselijke korstjes op de harten, korstjes die zo dik en onregelmatig zijn dat je amper kunt zien wat voor vorm de tatoeage heeft die er onder zou moeten zitten. Hij denkt dat hij er de verkeerde lotion op heeft gedaan nadat ze zijn gezet. Maar hij wil niet naar een dokter gaan; als hij uiteindelijk hartvormige littekens overhoudt, dan moet dat maar. Hij maakt zich alleen druk om meer ongrijpbare zaken.

Deel drie

1

Hij gaat er prat op dat hij iedereen voor de gek kan houden – het publiek natuurlijk, maar zelfs ook zijn beste vrienden en collega's – als hij op het podium staat. Hij zal ze het bewijs leveren dat hij een zelfverzekerde maar emotionele man is die op de top van zijn kunnen presteert en de tijd van zijn leven heeft, en hij zal dit zo goed doen dat zelfs de twijfelaars, de mensen die zoeken naar een barst in de vaas, die teksten als deze hebben gelezen en zweren dat ze in staat zijn om geveinsd gedrag te ontmaskeren, hem zullen geloven.

De waarheid is, zoals hij in de recente bespreking met EMI uitlegde, dat hij opziet tegen het op tournee gaan en het podium beklimmen, en alleen zo nu en dan blijkt hij er van genoten te hebben. Staand voor publiek wordt hij gedreven door angst, en veel van zijn meest extravagante, extroverte gedrag dient er simpelweg toe om zijn angst te verhullen.

Daarom doemt de zomertour het hele jaar op als een obstakel dat moet worden overwonnen en is hij vastberaden om ervoor aan zijn conditie te werken. Hij wil zichzelf opnieuw bewijzen – hij treedt op in grotere shows op meer plaatsen dan ooit tevoren – maar bovenal ziet hij het als iets dat hij moet overleven. Zijn tourgeschiedenis is geen gelukkige. Sommige tournees werden vlak voordat ze moesten beginnen afgelast, en de meeste andere werden alleen doorstaan. En dan waren er onderweg ook nog dagen die een ware nachtmerrie vormden.

Eind oktober en begin november van 2000 speelde Rob zes avonden in de Docklands Arena in Londen. Op de middag van de laatste avond deelde hij mee dat hij niet in staat was de show te doen. 'Het was wel genoeg,' zegt hij. 'Ik stortte in. Ik was te ver gegaan. Ik was gewoon ongelukkig. Ik kon het gewoon niet omdat ik zo bang was. Ik was doodsbenauwd om het podium op te gaan en er bang uit te zien, dat het te merken was. Ik had mezelf ervan overtuigd dat dit de avond was waarop ik het niet kon.'

Het werd aan de organisator meegedeeld en de procedures om het af te lasten werden in werking gezet. David zocht Rob thuis op en zat op zijn bed en legde het voor de laatste keer uit. Hij zei dat het de beslissing van Rob was en dat ze het zouden steunen, maar dat het Rob vierhonderdduizend pond zou kosten. ('Ik heb het verdubbeld,' geeft David toe.) Rob had de hele dag liggen schreeuwen zodat er een dokter kon langskomen die zou verklaren dat zijn stembanden kapot waren. 'En het lukte maar niet,' herinnert hij zich. 'Mijn stem wou verdomme maar niet verdwijnen.'

Uiteindelijk zei Rob dat hij het zou doen, en David belde om de afgelasting ongedaan te maken.

'Maar ik heb uren liggen schreeuwen,' zei hij. 'Balen.'

Hij doorstond het. In juli 2001 was er zijn tweede avond in de Milton Keynes Bowl. Hij had die ochtend besloten om enkele nieuwe antidepressiva te nemen. (Rob probeerde in zijn drinktijd periodiek antidepressiva, tot dit rampzalige weekend.) 'Als de tabletten beginnen te werken word je beroerd, alsof je ecstasy hebt genomen,' legt hij uit, 'dus krijg je een soort angstig gevoel. En de angst om voor deze immense menigte in Milton Keynes op te treden, versterkt met de angst die ik voelde door de tabletten, verlamde me. En we reden met de tourbus naar het optreden en ik keek uit het raam en zag de menigte en dacht: "Hier ga ik niet voor staan."'

Hij meende het. Deze keer werd hem verteld dat het een miljoen pond zou kosten. 'Dan kan ik maar beter optreden,' zei hij. Opnieuw stemde hij pas op het allerlaatste moment in om op te treden. 'Ik ging op en gaf een van de beste shows die ik ooit heb gegeven,' herinnert hij zich. 'Soms is het zo angstaanjagend dat het is als een rit in een achtbaan die je wilt maken, maar er zitten geen gordels in en je hebt gehoord dat de centrifugale kracht je in de stoel houdt. En op een idiote manier kan het compleet tegenovergesteld aan je gevoel uitpakken.' ('Hij overacteerde zich door het concert heen,' herinnert David zich. 'Hij deed alsof hij van de trap viel, en ik dacht dat hij behoorlijk ziek was, en toen kwam hij halverwege mijn kant op en gaf me een kus en ik dacht: jij smeerlap.')

Hoe pijnlijk Docklands en Milton Keynes ook waren, als ze ter sprake komen lijkt Rob nu geamuseerd en maar een klein beetje schaapachtig omdat ze achteraf zo melodramatisch lijken. Hij schept een gek genoegen in veel van zijn escapades uit zijn wilde jaren.

Maar niet allemaal. Er is nog een dergelijke herinnering die hij minder graag ter sprake brengt en waarin hij weinig humor kan ontdekken. Er zijn maar weinig zaken die een somberder uitdrukking op Robs gezicht teweeg kunnen brengen dan wanneer iemand refereert aan Hull, en als dit gebeurt vraagt hij gewoonlijk om van onderwerp te veranderen. Maandenlang ontwijkt hij te vertellen wat er die avond feitelijk gebeurde, en als hij er eindelijk in toestemt om erover te spreken, is het zonneklaar hoe pijnlijk hij dit vindt. 'Laat me het dan snel doorlopen,' zegt hij bij het ondraaglijkste deel, en haast zich erdoor als iemand die zijn adem inhoudt en voor zijn leven zwemt door een onderwatertunnel.

Dit is uiteindelijk hoe hij het mij beschreef. Het was 1999.

'Oké,' zegt hij. 'Ik won de avond ervoor drie Brit Awards. Ik deed een tournee waar ik me ontzettend verantwoordelijk voor voelde. Ze kwamen om Robbie Williams te zien en ik had weinig geloof in mijzelf, ook al leverden de mensen die elke avond in groten getale kwamen om mij te zien het bewijs dat ik toch op de een of andere manier de moeite waard was om te gaan zien. En de recensies gaven dit ook aan. Van binnen had ik echter geen geloof in mijzelf. Weet je, ik dacht dat ik waardeloos was. De druk van de tournee begon me te veel te worden, weet je, om ze waar voor hun geld te moeten geven. En op een avond na de tournee vlogen we naar Londen, deden de repetitie voor de Brit Awards, vlogen weer terug, deden een show, vlogen de volgende dag weer terug, deden de Brit Awards; ik werd stomdronken, won drie onderscheidingen en *verafschuwde* de hele avond. Wat eigenlijk verbazingwekkend is. Ik was een jaar van de drank af en je hebt vaak niets te doen en ik was in de ontwenningskliniek bezig met mijn dankwoord voor de Brit Awards voor het album *Life Thru A Lens*. En een paar jaar later won ik er drie en haatte ik het enorm.'

In die tijd waren Nicole Appleton en hij net uit elkaar gegaan en zij was bij de ceremonie aanwezig met Huey van de Fun Lovin' Criminals, iets wat zijn humeur er niet beter op maakte. Hij opende de show en zeilde aan een koord af om *Let Me Entertain You* te doen. Op de weg naar beneden stootte hij zijn hoofd. Later probeerde hij dronken Cher te versieren, al bleef hij haar hierbij 'chair' noemen.

'Kom hier,' zei hij tegen haar. 'Ik ben echt gek op je. Voor een oudere griet ben je oké.' Ze zei niets. (Hij was echter serieus en zou er zonder problemen mee zijn doorgegaan. '*Absoluut*. Natuurlijk,' benadrukt hij en lacht. 'Ik heb een brede smaak.')

De volgende avond moest hij in Hull optreden. Het had een glorieuze viering moeten worden van het feit dat hij drie Brit Awards in de wacht had gesleept. 'Ik arriveer bij het hotel en zie die vent, ik had hem in Hull al eerder gezien. Hij had drugs. Hij zegt dat hij drugs heeft en geeft me zijn drugs. Ik ga naar mijn kamer en denk: "Ik neem even een lijntje om me op te peppen voordat ik op moet, want ik was bekaf. Dat deed ik dus – ik nam gewoon een lijntje. En toen nog een. En nog een. Ik begon zenuwtrekken te krijgen. Toen kwam Jonny en klopte op de deur om te zeggen dat we moesten gaan. En ik wilde hem niet binnenlaten.'

Uiteindelijk liet hij Jonny binnen. Jonny vroeg of hij zich wel goed voelde. Rob had zenuwtrekken. Zijn onwillekeurige cocaïnezenuwtrekken.

'Je houdt me voor de gek, toch?' zei Jonny.

'Nee, het gaat zo wel, over tien minuten gaat het wel weer – ik regel dat zelf wel,' beloofde Rob. Maar dat bleek niet het geval.

'Ik ging naar het optreden. Ik trilde nog altijd,' zei hij. 'Ik kon het podium niet op. Tim zei dat er opstootjes zouden volgen als ik niet op zou gaan. Ik had mezelf in een vreselijke situatie gebracht en stond op het punt om zenuwtrekkend voor zevenduizend mensen te gaan staan. Goed. Backstage was het afschuwelijk. Erger kon niet. Het was gewoon, ik had niet alleen de druk van het optreden – die ik toch altijd voelde – maar nu was ik mijn gezicht ook nog kwijt.'

Andy Franks ging terug naar het hotel en verzamelde de tassen van iedereen zodat ze die avond Hull konden verlaten, voor het geval er een opstootje was.

'Goed. Ik deed veertig minuten. Kwam op, ging af. Over het optreden wil in niet praten,' zegt hij. Iets in de manier waarop de puinhoop van zijn privé-leven zich had gemengd in de trots op zijn professionalisme als entertainer en de manier waarop hij het ergste voor publiek had moeten tonen, vindt hij ondraaglijk.

Zijn ogen zijn vochtig.

'Het is zo pijnlijk,' zegt hij. 'Erger kan niet.'

✳✳✳

Zijn band is een aantal weken aan het repeteren in de Music Bank studio's in het zuidoosten van Londen als Rob zich halverwege juni voor het eerst bij hen vervoegt. Hij wandelt aan het eind van de ochtend binnen, pakt een gitaar op, vraagt Josie om een kop koffie en zonder zich druk te maken over het feit dat ze hier zijn om te repeteren voor de zomertour laat hij hen het nummer horen waarvan hij in de kelder van zijn huis in Los Angeles met Max een demo had gemaakt. Terwijl het arrangement geleidelijk aan vorm begint te krijgen, oefent Robs vader het putten op het blauwgrijze tapijt, kennelijk niets merkend van alles wat er om hem heen gebeurd.

Uiteindelijk nemen ze een ruwe versie van dit nieuwe nummer op als referentiemateriaal en er wordt voorgesteld dat Rob het eerste deel van de show doorloopt. Rob weigert het – hoewel hij zijn nieuwe nummer keer op keer heeft gezongen, zegt hij nu dat hij beter niet kan zingen omdat hij verkouden is. In plaats daarvan luistert hij. Na het horen van de instrumentale versies van de eerste twee nummers, *Let Me Entertain You* en *Let Love Be Your Energy* applaudisseert hij en zegt: 'Dat is *verrekte* geweldig, man – ik krijg bijna zin om deze tournee te gaan doen.' Hij beschrijft hen een opgevoerde energieke *bootleg remix* van *Supreme* die hij op internet aantrof en zegt dat ze de liveversie meer zo moeten laten klinken. 'Zoals waar de jongeren tegenwoordig naar luisteren,' zegt hij, 'met hun amylnitriet en smeermiddeltjes.' En met die woorden is zijn eerste repetitie voor de tournee van 2003 voorbij.

Hij komt de volgende dag terug, maar vindt het opnieuw belangrijker om aan zijn nieuwe nummer te werken – hij heeft de middelste acht maten gisteravond geschrapt en een nieuwe overgang geschreven – dan aan zijn op handen zijnde tournee. Uiteindelijk gaat hij laat in de middag akkoord om een paar nummers te zingen die hij deze zomer zal vertolken, maar als *Something Beautiful* begint, stopt hij. Hij wil het niet doen. Nooit meer. 'Het is de volgende single,' redeneert hij, 'maar wat maakt dat verdomme uit? Weg ermee. En als ze dan van het concert komen, zullen ze zich afvragen: "Waar was dat nummer?" En ik zit dan in het hotel. Want, om eerlijk te zijn, er zijn hier elke avond een paar nummers waar ik een beetje de pest aan begin te krijgen. Ik kan er een paar doen. *Something Beautiful* is net even te veel. Hij bestudeert de setlist en streept *Something Beautiful* en voor de zekerheid ook *Sexed Up* door, en zet *Kids* er weer op. In een oogwenk heeft hij alles ongedaan gemaakt wat men hem had overgehaald te doen in maandenlange tourneebesprekingen.

Hij vraagt om suggesties voor een goede coverversie die ze kunnen doen. Midden in deze discussie vertelt Pompey aan Rob dat David voor hem aan de telefoon is.

'Ik heb het druk – kun jij hem te woord staan?' schreeuwt hij, en Pompey doet het.

Rob realiseert zich iets. 'Dat heb ik nog nooit eerder gezegd,' constateert hij. Hij glimlacht. 'Ik heb het nog nooit druk gehad,' zegt hij.

✳✳✳

In de ogen van de professionele songwriters in de popwereld is er nu een zeer aantrekkelijke vacature gekomen voor Guy, één die extreem winstgevend zou zijn voor iedereen die deze leegte op weet te vullen. De meeste tijd arriveren er berichten van potentiële songwriters en gewoonlijk slaat Rob de aanbiedingen direct af, vooral als ze lijken op het soort professionele songwriters van wie verwacht mag worden dat ze met hem werken. Het telefoontje van David vandaag was om een van deze namen door te geven, maar een die interessanter is. Brian Eno, die David nog kent uit de tijd dat David manager was van Roxy Music aan het begin van de jaren zeventig, heeft contact met hem gezocht om te zeggen dat hij een nummer heeft geschreven waarvoor hij dolgraag zou willen dat Rob de tekst schrijft. Dat klinkt veelbelovend.

De cd wordt naar de nieuwe flat van Rob gestuurd, vergezeld van een aardig briefje dat Eno aan David heeft gericht, versierd met vijf willekeurig aangebrachte x-en, waarop het nummer wordt uitgelegd: *Het heet, bescheiden, "Life", al zou het even goed "Wife" of "Thick" of enig ander eenlettergrepig woord als titel kunnen hebben. Maar voor mij is het "Life".*

Wanneer Rob het beluistert, vindt hij het helaas niets.

✻✻✻

Het leven in dit oude huis in Holland Park is ondraaglijk geworden, en als voorbereiding op de zomer hier heeft Rob er iets aan gedaan. Hij heeft een nieuwe flat in Londen; naast een schitterend uitzicht over de stad en de rivier is het gelegen in een deel zonder publieke toegang, zodat hij in volledige privacy kan komen en gaan.

Op een avond komt Chris Briggs langs om de flat te bekijken en de nieuwe nummers van Rob te horen. Na een poosje gaan we naar een naburig hotel voor een kop koffie: Rob, Chris Briggs, Pompey, zijn andere Britse bodyguard Gary Marshall en ik. Westlife verblijft hier. Gisteren heeft Rob hier ook koffie gedronken. Westlife was er niet, dus nam hij twee van hun fans naar hun kamer en sliep met ze.

'Tegelijkertijd?' informeert Chris.

'Ja,' zegt hij.

Ik vraag of hij heeft genoten.

'Ja,' zegt hij, 'alleen was een van hen ongesteld, ze kleedde zich maar half uit en vertrok toen, en ze kon ook niet zoenen, en de andere voelde zich nadien meteen schuldig – "Normaal doe ik dit nooit." Ze voelde zich direct schuldig. "Denk nou niet dat ik een... *slet* ben." Ze voelde zich echt...'

'Schaamte?' raadt Chris.

'Ja,' zegt hij. Hij zegt dat ze het type fan zijn die de bus van Westlife op de snelweg van Birmingham naar Londen volgen. Ze gaven tegen hem af op Westlife omdat ze niet voldoende met hen spraken. 'En ik stond Westlife te verdedigen,' zegt hij. '"Nou, het zit zo..."'

Het heeft iets fantastisch mafs om eerst met hun fans te slapen en ze dan te verdedigen, zeg ik.

'Ja, nietwaar?' zegt hij. 'Het is op veel manieren gek, want Take That logeerde hier altijd. Ik moet je zeggen dat ik toen ik negentien was in die hoek daar voor het eerst besefte dat ik een drankprobleem had. Toen ik daar rondliep. In die hoek daar realiseerde ik me: "O, dit is niet normaal."'

Dit was het gebruikelijke hotel van Take That in Londen tot het management van het hotel hen verbande. Het was niet door iets wat ze zelf hadden gedaan, het waren de fans die dag en nacht buiten stonden te wachten. Het ging zelfs niet om het geregelde lawaai dat de fans maakten en de overlast die ze veroorzaakten waardoor Take That niet langer welkom was. Het was omdat de meisjes zo vastbesloten waren om geen enkele binnenkomst of vertrek van Take That te missen dat ze nooit van hun plaats weken en in de bloemperken van het hotel pisten en poepten.

We zitten buiten op het balkon, kletsend en de omgeving observerend. Nadat we daar zo'n halfuur zitten, komt er een gezette man met een grijze baard op onze tafel af.

'*Sir*, ik kom uit de VS... bent u Robbie?

'*Yes sir*,' zegt hij.

'Mogen we met u op de foto?' vraagt hij. 'Ik was hier voor de tv-zender QVC England. Misschien hebt u me gisteravond gezien.' Pauze. 'Hoogst onwaarschijnlijk – het was een aanfluiting.' Hij vertelt dat hij chemicus is en dat hij een nieuwe vlekkenverwijderaar op de televisie verkoopt. Rob spitst de oren bij het woord 'chemicus'; misschien beseft hij instinctief dat iemand die chemicus is maar een vlekkenverwijderaar op de televisie verkoopt misschien geïnteresseerd is in het soort medicijn op de grens van de wetenschap waaraan hij de voorkeur geeft. Hij vraagt de man of hij calcium gebruikt.

De man knikt enthousiast. 'O ja, ik ben er gek op. Je moet koraalcalcium gebruiken, Okinowa,' zegt hij. 'Ik kan je er alles over vertellen...' en hij vertelt van de theorie waarom mensen in het hoge Himalaya-gebergte zo oud worden en hoe de Okinowanen het op hun eten doen en relatief weinig kankergevallen kennen. Hij en Rob hebben een lang en enthousiast gesprek over verscheidene vitaminen en voedingssupplementen. Rob vraagt me de namen van sommige op te schrijven en zal ze de volgende week al regelmatig innemen.

In de bar hangen een paar leden van Westlife rond. 'Ze hebben duidelijk succes, Westlife,' zegt Rob, 'maar ik vind ze een beetje lui.' Hij doelt op de manier waarop ze optreden en het feit dat ze niet trots lijken te zijn op wat ze als popsterren kunnen zijn.

Chris Briggs knikt. 'Ze hebben zelfs geen zin om hun eigen fans te pakken.'

❋❋❋

Robs gezicht betrekt. Hij heeft binnen aan de bar nog een bekende gezien. Louis Walsh, de manager van Westlife. De man die er de afgelopen maanden een ware sport van heeft gemaakt om op Rob af te geven. 'Ik denk dat ik even met hem ga praten,' zegt Rob.

Hij roert in zijn cappuccino. Ze zijn geen onbekenden van elkaar. Ze werden altijd samen dronken toen Rob naar Ierland vertrok. Walsh zwaait achter het raam naar Rob en Rob gebaart hem buiten te komen. Hij beent naar buiten, grijnzend.

'De Robster!' roept hij.

'Wat heeft jou ertoe aangezet?', vraagt Rob met een lage stem.

'Is dit een reünie van Take That?' vraagt hij, niet gehoord hebbend wat Rob zei.

'Nee,' zegt Rob. 'Wat heeft jou ertoe aangezet?'

'Wanneer?' vraagt hij.

'Er werden een paar dingetjes in de *Sun* gepubliceerd en zo…,' zegt Rob.

Volgens mij heeft Louis Walsh, net als de paparazzo Jason Fraser, de fout gemaakt dat hij zich verbeeldde dat alles en iedereen in deze nieuwe, platte, domme postmoderne amusementswereld verkeert, waar alles alleen maar 'leuk' is en niets er genoeg toe doet om volkomen serieus over te zijn, afgezien van de noodzaak om je foto in de kranten en tijdschriften te krijgen.

Louis Walsh had succes in een land waar je gewoon dingen zegt en het allemaal toneel is, allemaal zonder gevolgen. Nu nodigt Rob hem uit om hem te laten ontdekken dat die andere wereld, waar zaken er toe doen en mensen worden geraakt, nog altijd bestaat.

Walsh begint hem een beetje te knijpen. Hij grijnst nog steeds, maar zijn stem wordt hoger. 'Je zegt wel eens wat, weet je, je zegt wel eens wat,' zegt hij.

'Het zijn geen aardige dingen,' zegt Rob heel kalm.

'Het zal niet weer gebeuren, trouwens,' zegt hij. 'Mensen vragen mij gewoon naar dingen'.

'Echt smerige gemene dingen,' gaat Rob verder. 'En jij bent een manager. Zulke woorden zouden niet uit jouw mond moeten komen. Laat dat maar aan je jongens over.'

'Waarom?' schuifelt hij.

'Omdat het echt niet fair is,' zegt Rob. 'Ik heb niets verkeerds over jou gezegd.'

'Ben jij nooit verkeerd geciteerd dan?' vraagt Walsh.

Hij heeft geprobeerd het te ontwijken, hij heeft een impliciet excuus geprobeerd en hij heeft geprobeerd om het als onbeduidend weg te wuiven – al deze tactieken hebben gefaald, en nu lijkt hij zijn schuld te willen ontkennen, een beetje laat alleen.

'Nou, weet je, de drie dingen die je hebt gezegd en die ik heb gelezen, kunnen niet allemaal verkeerde citaten zijn,' zegt Rob. Walsh zegt niets. Rob citeert Walsh' uitspraken. '"Brutaliteit", "niets zonder Guy Chambers", "waardeloze karaokezanger".'

Je kunt aan het gezicht van Louis Walsh zien dat hij dit vriendelijke gesprek tussen popkameraden met 'de Robster' niet leuk meer vindt.

'Ik las dat,' zegt Rob, 'en ik had zoiets van: wat heeft dit uitgelokt?'

'Niets,' zegt Walsh, het woord half inslikkend. 'Niets. Mensen vragen me soms dingen.'

Tijdens het hele gesprek staat Walsh – hij bevindt zich een eindje van onze tafel, want hij kreeg nooit de gelegenheid om dichterbij te komen – en is Rob in zijn stoel blijven zitten. Misschien vraagt Walsh zich af hoe hij in deze belabberde situatie terecht is gekomen: een reprimande te krijgen van iemand van 29, als een leerling in het kantoor van de hoofdmeester.

'Ja, goed, weet je,' vervolgt Rob, 'je moet een beetje voorzichtig zijn met wat je over mensen zegt, want mensen hebben gevoelens...'

Walsh krijgt opeens mijn cassetterecorder op tafel in het oog.

'Neemt iemand dit op...,' stamelt hij, 'neemt iemand dit gesprek op?'

'Ja,' zegt Rob, niet van zijn stuk gebracht. 'Mensen hebben gevoelens en mensen hebben respect voor andere mensen en ik heb respect voor jou, en als ik zulke dingen lees dan heb ik zoiets van: waar gaat dat in hemelsnaam over?'

Hij kijkt naar Rob en naar de cassetterecorder, en volgens mij denkt hij nu dat dit allemaal een vooropgezette truc was. Dat is misschien iets wat hij zou doen, maar in werkelijkheid staat de cassetterecorder al anderhalfuur op tafel om onze eigen gesprekken op te nemen, lang voordat Rob hem zag.

'... wees daarom voorzichtig met wat je over mensen zegt – mensen worden wel eens kwaad. Dat is alles wat ik zeg,' besluit Rob.

'Oké,' zegt hij.

'Goed man. Een goede avond nog,' zegt Rob.

'Cool. Cool. Tot ziens,' zegt hij en haast zich naar binnen.

Rob heeft na dit alles geen gevoel van overwinning, hij is alleen een beetje bedroefd en gedeprimeerd. Hij staat op, laat zijn ogen rond de hotelbar dwalen en draait zich dan om.

'Goed, zullen we er voor vanavond mee kappen?' stelt hij voor. 'Volgens mij heb ik alle knappe meiden al gehad.'

2

Het is de ongelukkige combinatie van de mate waarin hij beroemd is geworden en hoe benaderbaar het publiek hem vindt en de eindeloze keten die dergelijke ontmoetingen vormen, waardoor het leven in Groot-Brittannië zo onplezierig voor hem is geworden. Ik heb het nu niet over de grove en belachelijke invasies van de paparazzi of de paar mensen in het publiek die zijn openbare aanwezigheid als een uitnodiging tot vijandigheid beschouwen, hoe lastig hij dit ook vindt. Die personen bieden hem tenminste nog een gemakkelijk doelwit voor zijn woede. Ik heb het over de algemene aardige aandacht die grote beroemdheden ondervinden als ze naar buiten gaan.

Het lijkt misschien onbenullig ten opzichte van alle voorrechten die met roem gepaard gaan, maar stel je het zo eens voor. Stel je voor dat iemand je als je over straat loopt zachtjes een lichte bal van schuimplastic toewerpt – niet hard genoeg om je pijn te doen, je kunt de bal amper voelen. Wie zou daar nou moeilijk over doen? Maar stel je nu eens voor dat iedere persoon die je tegenkwam een bal van schuimplastic naar je zou gooien, terwijl je gewoon probeert door te gaan met je leven. Stel je eens voor dat deze ballen praktisch elk moment dat je buiten de veilige tempel van je huis bent van alle kanten op je afkomen. Niets wat elke werper afzonderlijk doet kan bijzonder slecht worden genoemd (tenzij je verwachtte dat ze zich konden verplaatsen in je algemene lot en niet alleen in hun deel daarin) maar alles bij elkaar genomen zou het onophoudelijke zachte gegooi ondraaglijk kunnen lijken. En als enkele mensen het karakter en de houding hebben om een dergelijk spervuur te kunnen negeren, is het gemakkelijk voor te stellen dat anderen dit niet kunnen.

Maar misschien is het zelfs hier niet helemaal mee te vergelijken. Stel je voor dat niet iedereen die je tegenkomt een bal van schuimplastic naar je gooit, maar dat je in hun beide handen een schuimplastic bal ziet en dat slechts een op de vijf personen hem echt gooide. En dat je dus nooit van tevoren kon zien wie dit zou doen. Dit is bijna erger dan de impact van de ballen zelf, want je bent de hele tijd gespannen omdat je verwacht dat je wordt bekogeld, terwijl het soms niet gebeurt. Even vaak ineenduiken als er niets gebeurt dan niet ineenduiken als er wel wat gebeurt. Steeds proberen om niet op de zaak vooruit te lopen en degenen die niet gooien het gedrag van degenen die gooiden verwijten. Voor altijd proberen te veinzen dat dit allemaal niet plaatsvindt, terwijl elke nieuwe voltreffer je eraan herinnert dat het wel degelijk altijd plaatsvindt.

Misschien lijkt het hier een klein beetje op.

✳✳✳

Deze beschrijving acht Rob ontoereikend.

'Ik geloof niet dat het irriterend genoeg is,' meent hij. 'Het is zo moeilijk om uit te leggen. Het is alsof iedereen probeert om een moment met mij *weg te nemen*. En iedere keer als ze een moment met mij wegnemen, nemen ze iets van mij weg. Waardoor ik uiteindelijk niets te geven heb. Dat klinkt erg als een cliché en zal waarschijnlijk terechtkomen in de Luvvies van *Private Eye*, maar het is de waarheid.'

En zoals ik al zei, zijn dit alleen maar de mensen die hij in het dagelijks leven toevallig tegenkomt; de achtergrondruis die hem omhult zodra hij zich onder de mensen begeeft. Dit zijn nog niet eens de mensen die naar hem zoeken en hem opzoeken om zichzelf op te dringen op manieren die nog veel vreemder en ernstiger zijn.

❋ ❋ ❋

... Ik hoop echt dat je al je problemen hebt overwonnen. Het lijkt erop, want sinds je terug bent met 'Escapology' ben je erg veranderd. Je hebt tegenwoordig altijd een glimlach op je gezicht en dat bevalt me zeer (ik kan me van jaren geleden mindere tijden herinneren). Weet je, ik haatte je zelfs, want ik kon niet begrijpen waarom een jongen als jij zich zo kon verlagen. Maar dat was niet alleen maar 'haat', als je van iemand houdt dan lijd je voor die persoon, je wordt kwaad als je ziet dat hij zichzelf de vernieling in helpt met zijn eigen handen en dat je niets kan doen om hem te helpen... je begrijpt dat je woede en je haat niet tegen deze persoon gericht zijn maar tegen het gevoel dat iemand me vertelde dat je alleen maar arrogant en egoïstisch bent. Maar soms was het alsof ik in je innerlijk kon kijken, de angst en onzekerheid, maar op hetzelfde moment kon ik ook heel veel positieve energie zien, want ik ging verder dan het masker...

Terwijl hij de brief leest die hem werd toegeworpen toen hij de terminal voor privé-vliegtuigen buiten Milaan passeerde, wisselen zijn uitdrukkingen elkaar af: verbazing, droefheid en irritatie. 'Zij kan de echte ik zien,' deelt hij mee.

Dat kunnen ze allemaal.

Hij maakt een laatste dagtocht naar Italië voor promotie voordat hij zich volledig op zijn tournee concentreert. We passeren een poster aan een muur waarop het gezicht van Sting staat afgebeeld. 'Ik heb het gevoel dat hij dat Sting-gedoe echt meent, omdat hij denkt dat hij er ons allemaal een dienst mee bewijst,' merkt Rob op. 'Terwijl ik aan de andere kant alleen maar arrogant en egoïstisch in beeld verschijn.'

Hij zegt dat hij weer aan de dood heeft gedacht. 'Ik geniet gewoon van het leven,' zegt hij. 'Ik wil niet dat het voorbij is.' Hij geeft aan dat hij zijn dosis Effexor heeft verhoogd en dit heeft zijn dromen nog levendiger gemaakt. Hij droomt dat zijn tenen helemaal verrot zijn en er afvallen, en dat de honden zijn gekidnapt door zigeuners die ze in stukken willen snijden.

Als hij in Principe Hotel in het centrum van Milaan naar de lift loopt, ziet hij vier Italiaanse fans in de lobby zitten. Ze gaan niet staan om hem te groeten of om een handtekening te vragen, hoewel hij weet dat ze hier zijn voor hem. Dit heeft een geschiedenis.

'Wacht even,' zegt hij. Hij loopt van de lift vandaan, gaat naar de fans en spreekt een van hen toe – degene die voor hem enkele maanden geleden een afschuwelijke brief in Londen achterliet. Degene die hij in Denemarken noemde. Degene die schreef: *'Waarom behandel je ons zo? Je bent vreselijk man... Jij denkt dat je omdat je een ster bent mensen op deze manier kunt behandelen, maar je kunt mensen niet op deze manier behandelen omdat jij de betekenis van vriendschap en liefde en vertrouwen niet kent. Wij proberen je te helpen en het enige wat je doet is... goed, ik hoop dat je gelukkig bent... Je zult niemand hebben... Jonny is geen vriend, die zal spoedig verder ontwikkelen en jou in de steek laten en je zult niemand meer hebben...'*

'Bedankt voor je brief,' zegt hij. In het begin druppelt het sarcasme nog, maar niet lang daarna stroomt het in bakken. 'Het heeft me heel erg echt geraakt,' zegt hij, 'en nu begrijp ik wat voor een klootzak ik ben geweest. Ik dank je vanuit het diepst van mijn hart. Echt waar. Ik heb het helemaal gelezen, beide kantjes, en ik waardeer wat je tegen me moest zeggen, en ik zou graag willen zeggen dat het me spijt. Dank je.'

De boodschap is overgebracht en hij draait zich om.

Hij heeft al een lange geschiedenis met de Italiaanse fans, deze en andere. 'Eentje ken ik als Why Robbie?' vertelt hij me. '"Why Robbie? Waarom haat je ons?" Omdat je voor mijn huis staat. Omdat je naar Notting Hill bent verhuisd en je een au pair bent en je veertig van je vrienden hebt omgekocht om in Notting Hill te gaan wonen.'

Eerder in zijn solocarrière stond er elke dag een menigte voor zijn huis in West-Londen. Hij zei keer op keer dat ze moesten oprotten, maar ze deden het nooit; ze wilden even graag hun wrok en minachting voor zijn gebrek aan waardering voor hun toewijding tentoonspreiden als de toewijding zelf. Op een avond hadden zo'n dertig fans hem en Nicole Appleton omsingeld toen ze restaurant 192 in Notting Hill Gate verlieten, bij wijze van vergelding en als protest voor de slechte wijze waarop ze volgens hen door hem werden behandeld. Nicole zat op zijn schouders toen ze de hoek omgingen en werden begroet door fans die gelijktijdig al hun fototoestellen in hun gezicht lieten flitsen. Hij leerde toen iets dat hij sindsdien nog vaak heeft gezien. 'Hoe kwader ik op ze werd, des te meer ze ervan smulden,' zegt hij. 'Het maakte niet uit wat voor reactie ze mij konden ontlokken – als het positief was dan was het heel positief, maar als ze een negatieve reactie kregen was dit ook heel positief.'

Boven loopt hij direct de suite in die wordt gevormd door de kamers 907 en 908, hij herkent ze. 'In deze kamer heb ik heel veel drugs gebruikt,' zegt hij. 'Deze zelfde kamer. Liam en ik. En we speelden gewoon keer op keer *All Around The World* totdat het was uitgewerkt.'

Er staat beneden een menigte voor hem. Hij leunt uit het raam en schreeuwt hen toe en doet een zwakke poging om de vrouwen over te halen om hun topjes op te tillen. Hij zegt dat hij een baby van iets wil maken om de Michael Jackson-truc te doen. Josie raadt het hem weer eens af. In plaats daarvan probeert hij druiven in een vuilnisemmer op straat te gooien.

3

Op weg naar de Air studio's in Noord-Londen luistert Rob voor het eerst naar het nummer dat hij vandaag moet opnemen voor de film over Cole Porter, *De-lovely* van Porter. Het is een lang, gecompliceerd en moeilijk nummer, en hoewel hij het zich vaag kan herinneren uit zijn kindertijd, kent hij het niet echt, en het verkeer is niet traag genoeg om hem veel leertijd te bieden. Hij heeft ook keelpijn.

Zoals te verwachten gaat er bij de eerste opname veel mis; hij verdraait sommige woorden, spreekt andere verkeerd uit en ligt overhoop met het lied. Maar hij is in zijn carrière niet weggekomen met het op een fantastische wijze vleugels geven aan zaken doordat hij traag leert. Tijdens de tweede opname knikken de muzikale leiding en de producent naar elkaar, omdat ze inzien dat het toch goed gaat komen. Het plan is dat hij nu een paar ruwe opnames maakt, dat ze de rest van de dag verder aan het nummer sleutelen en dat hij de perfecte definitieve zang later in de avond inzingt.

Voordat hij het gebouw verlaat, herinnert hij zich dat Stephen Duffy bij Air een kleine studio op zolder heeft. Hij kent Stephen via Claire, zijn keyboardspeler die soms ook schnabbelt in The Lilac Time. Rob en Stephen Duffy hebben er in het verleden verscheidene keren over gesproken om iets samen te schrijven, maar er is nooit iets van gekomen. Rob heeft altijd gedacht dat als ze zouden samenwerken het minimaal één goed, gek, folkachtig nummer zou opleveren.

Hij gaat even langs om gedag te zeggen. Ze kletsen zo'n tien minuten en Stephen belooft dat hij een paar muzikale ideeën zal verzamelen. 'Wat een aardige kerel,' zegt Rob terwijl hij de trap afloopt.

Als hij 's avonds weer in de studio komt, liggen er al een cd met twee muziekstukken en een briefje (*Rob. 2 instrumentele nummers. De 2^e misschien te raar... dank, Stephen*) op hem te wachten.

Hij vliegt door het nummer van Cole Porter en voegt de intro toe. Hij heeft er een handje van om zulke nummers vol met ouderwetse woordspelingen te zingen – '... *this verse I've started seems to me, the Tin-Pan-tithesis of melody, so to spare you all the pain, I'll skip the darn thing and sing the refrain*' – alsof ze niet gedateerd of absurd zijn. Zodra hij klaar is, praat Rob met de producent, Rob Cowan. De film heet tegenwoordig *Just One Of Those Things*, maar heette eerder *De-lovely* en Rob moedigt ze aan om die titel weer te gebruiken. Rob Cowan zegt dat als ze dat zouden doen er veel meer gewicht op zijn schouders terecht zou komen. 'Als de film *De-lovely* heet,' zegt Rob, 'dan blijf ik aan het promoten. Ik zal een kleine Gurkha voor jullie zijn.'

Hij is vandaag nog niet klaar met het maken van muziek. Op weg terug naar de flat gaat hij langs een studio waar Max met zijn muziekpartner Jerry Meehan werkt en blijft er vijf uur. Max speelde hem verscheidene jaren geleden een nummer voor dat Rob zei wel op te willen nemen als Max hem toestond om de tekst te veranderen; toentertijd weigerde Max, maar hij is van gedachten veranderd. In de loop van de avond wordt het een nummer genaamd *The Appliance of Science*. '*Don't believe in clever people, clever people dropped the bomb,*' zingt hij op een gegeven moment. Een paar weken geleden waren Max en hij in Coffee Bean in Los Angeles toen een man op hen afkwam die erop stond om met hen te discussiëren. 'Een van die dakloze profeten,' zegt Rob. En dat was zijn voornaamste advies aan hen: 'Geloof slimme mensen niet. Slim maakte de bom. Schrander liet hem vallen.'

✱✱✱

Hij vindt de schetsen van Stephen Duffy goed als hij ze de volgende dag beluistert. Het eerste nummer is elektronisch en niet bang voor monotonie, maar Rob voelt al aan wat hij er bovenop zou kunnen doen en begint melodische ideeën te zingen terwijl hij het nummer draait. Het tweede nummer is iets meer wat men zou verwachten van de man achter de herfstmuziek van The Lilac Time: verfijnd, zoet, ietsje overdreven sentimenteel en akoestisch. Rob zingt ook met dit nummer mee. Hij laat voor Stephen een bericht achter met zijn telefoonnummers en geeft aan dat hij zal proberen om de volgende week een keer naar de studio te komen. Daarna ligt hij op de bank en kijkt naar een dvd genaamd *Out Of The Blue* over ufo's. Hij wordt erdoor gegrepen. 'Het is een van de beste dingen die een fantast of iemand die gelooft in complottheorieën zou kunnen geloven,' zegt hij. 'Omdat het nooit echt bewezen wordt dat je fout zit.'

Hij slaapt drie kwartier en als hij wakker wordt vraagt hij mij om hem in de Vacunaut te ritsen. Tijdens de avondschemering zit hij buiten het naburige hotel met een groep, waaronder Max, David, Davids vrouw Maren en hun kleindochter Mia. Een lichtelijk beschonken jongen en meisje komen op hem af en vragen of ze met hem op de foto mogen.

'Nee, dat wil ik niet doen,' zegt hij beleefd en probeert het uit te leggen. 'Ik wil hier zitten en niet Robbie Williams zijn bij mijn vrienden.'

✳✳✳

Dagen achtereen repeteert de band in Music Bank zonder de zanger te zien die wat ze aan het doen zijn betekenis verleent. Hij is zich bewust van het feit dat hij zelfs de tekst van zijn oude nummers nog niet kent, maar hij heeft geen enkele haast. Take That repeteerde altijd een maand voor hun tournees en werkte dan hele dagen aan hun danspassen, weken achtereen. Ze verbleven vaak op een boerderij met een tent in de tuin voor de repetities. Ze moesten 's ochtends om acht uur opstaan. Hij kreeg zo een hekel aan alles wat met repeteren te maken heeft.

Toen ze een keer in een oefenstudio waren, zo'n plek waar meerdere bands tegelijkertijd terechtkunnen, kwam Status Quo binnen om te repeteren voor hun komende tournee.

'Het enige wat ze deden,' herinnert hij zich, 'was één keer hun set helemaal spelen. Ik herinner me dat ik dacht: "Dat wil ik ook als ik ouder ben."'

✳✳✳

Zijn filmcarrière begint op wat de 112e verjaardag van Cole Porter geweest zou zijn. Zijn scènes worden in twee dagen opgenomen in een landhuis, Luton Hoo, even buiten Luton. Als hij de M1 oprijdt doet hij de radio aan en hoort Sara Cox gissen naar de betekenis van zijn 1023-tatoeage – ze geeft de juiste verklaring, maar wel in een lange lijst met andere mogelijkheden. Hij belt Jonny. 'Hou je mond dicht,' raadt hij aan. 'Ze moeten er nooit achter komen.'

In zijn trailer luistert hij naar *De-lovely*. Hij speelt de bruiloftszanger op de bruiloft van Cole Porter en vandaag moet hij playbacken. Hij zingt mee, maar maakt veel fouten, zelfs met zijn opgenomen versie om hem te helpen.

'Nu ken ik het,' verklaart hij.

'Ken je het?', vraagt Josie.

'Nou, niet echt, nee,' lacht hij.

De Actrice, die hij niet heeft gezien sinds ze een date hadden, heeft voor hem een berichtje achtergelaten om te laten weten dat ze naar Londen komt. Hij belt haar op locatie in Europa terug. '*Ik* ben op de set voor een film die *ik* doe,' vertelt hij haar nonchalant. 'Vandaar.'

Hij laat zijn make-up doen.

'Ik weet dat dit een gekke vraag is,' begint de grimeuse, 'maar...'

'Ik ben geen homo!', onderbreekt hij. 'Jezus!'

Er stond vorige zondag een stuk uit een onofficiële biografie in de kranten dat zich toespitste op de insinuatie dat hij 'worstelt met zijn seksualiteit'. Die middag voetbalde hij met enkele vrienden onder wie Ant en Dec en verklaarde op een gegeven moment: 'Oei, ik worstel nu echt met mijn seksualiteit' en verzocht iedereen hem de bal gedurende dertig seconden niet toe te spelen om het te verwerken.

De grimeuse probeert hem in werkelijkheid te vertellen dat de hoofdrolspelers van de film, Ashley Judd en Kevin Kline, elke maandagmorgen een manicuurster op de set hebben – zij stelt haar aan Rob voor – en als hij ook een behandeling wenst...

'Er valt niets te manicuren,' zegt hij, terwijl hij zijn afgebeten, gekauwde en uitgedroogde vingers ophoudt.

'We kunnen daar wel wat aan doen,' zegt de manicuurster. Josie haalt hem over om zijn eerste manicurebehandeling te ondergaan.

Ashley Judd komt binnen om gedag te zeggen.

'Ik voel me een beetje verwijfd,' zegt hij.

Ze vraagt hoe hij zijn eerste manicurebehandeling vindt.

'Het is een beetje gek,' zegt hij. 'Het voelt net als toen ik een klysma kreeg. Het voelde niet goed; ik zal het nooit weer doen. Ik snap nu dat J-Lo helemaal gek zou kunnen worden, met de bloemen en de manicure en dergelijke.' Hij is ook bezorgd dat hij het eelt van het gitaarspelen op de uiteinden van de vingers van zijn linkerhand kwijtraakt. 'Ik bedoel, wedden dat je The Boss dit niet ziet doen?' grapt hij.

Integendeel, zegt de manicuurster. Zij heeft zelf de vingers van Springsteen zachter en mooi gemaakt.

'En ook de vingertoppen gedaan?' vraagt Rob.

'Ja,' bevestigt ze.

'Ga dan je gang maar,' verklaart hij. 'Als het goed genoeg is voor The Boss…'

'We hebben geprobeerd om hem uit de filmwereld te houden,' zucht Josie. 'Een dag en hij is al helemaal een diva geworden.'

Ashley Judd merkt op dat er vandaag veel pers toekijkt, waarschijnlijk vanwege hem. Hij brengt haar op de hoogte van zijn huidige mediaprofiel. 'Ik worstel met mijn seksualiteit,' legt hij uit, 'en ik ben geen ster in Amerika. Ik heb twee olifanten in mijn kamer, waar ik ook ben. Eén olifant heet Struggle, de andere heet Not Big In America.'

Na vele uren rondhangen, wordt hij eindelijk op de set geroepen. Het landhuis is haast een krot, maar een van de kamers is ingericht als een grote bruiloftpartij van 85 jaar geleden. Rob doet de eerste *take*. Het is direct duidelijk dat hij de woorden niet kent, en dit beïnvloedt zijn hele optreden. Hij is gewend om zich met charme en bluf door zulke zaken heen te slaan, maar het is onmogelijk om lipsynchroon te zijn door te bluffen en charmant te zijn als je niet de ster van de show bent en niet alles wordt gemonteerd om het je gemakkelijker te maken. Hoewel ze hem van achteren filmen is het niet goed genoeg. De producent spreekt met een geërgerde uitdrukking op zijn gezicht David en Josie streng toe over morgen.

Ze houden er al snel mee op, niet omdat ze hebben wat ze willen, maar omdat ze weten dat ze het niet zullen krijgen. Ze kunnen verder niets opnemen: in de scène komen ook Kevin Kline en Ashley Judd voor, en ze gaan hen niet vragen om met hart en ziel te acteren en hun beste performance te geven om er dan achter te komen dat het onbruikbaar is omdat de mond van de zanger op de achtergrond niet lijkt te kloppen met de woorden die hij zingt.

Hij is amper een halfuur op de set geweest. Hij weet het. Hij zegt tegen iedereen luchtig en vrolijk: 'Oké mensen, dat was het voor vandaag,' maar zegt dan zacht tegen Irwin Winkler: 'Morgen ken ik de tekst.'

'Nee,' zegt hij in de auto, zijn eerste kennismaking met de film samenvattend, 'ik had gelijk. Ik hou er niet van.'

'Rob, het enige wat opviel was...,' zegt David.

'... het feit dat ik de tekst niet kende?' onderbreekt Rob hem. 'Mmm hmmm.' Pauze. 'Maar de stukken die ik wel kende? Hé?'

'Morgen zijn ze van voren,' geeft David aan. De camerashots.

'Ja,' zegt hij. 'Maar ze kregen vandaag wel wat ze nodig hadden, vind je niet?' zegt hij.

Terwijl ze Londen in rijden, spreekt hij met Stephen Duffy.

'Ik heb een nummer van Cole Porter gedaan voor een film over Cole Porter... ik kom net van de set... ik kende de tekst niet... gelukkig werd het van achteren gefilmd... ik moet de tekst vanavond leren... het was interessant... ik wil het helemaal niet, acteren... ik dacht aan woensdagavond als dat goed is... zullen we het in Air doen?... ja, want ik zou het niet erg vinden om een ritme te hebben waar ik iets mee kan doen in plaats van met gitaren te zitten... ja, het is een fantastische studio... weet je, ik heb echt zin om iets elektronisch te doen... ik wil niets doen dat ik ooit al heb gedaan... ja, weet je, help eens even... ja, nee, dat heb ik gedaan... dat heb ik uitentreuren gedaan en ik zou iets met inhoud niet erg vinden... ik wil niet zeggen dat ze dit allemaal niet bezaten, maar ik zou het niet erg vinden om te zeggen: "Goed, dat was dat en dit is een nieuw hoofdstuk en zo klinkt het"... je valt weg, man, wacht even... ja ja ja je bent er weer... ga door... ik zou het niet erg vinden om nu iemand anders te zijn... of *iets* anders... weet je, ik bedoel, ik wil nog steeds hits scoren, maar niet op dezelfde manier als ik heb gedaan... oké... cool...'

Hij hangt op.

'Ik kan nu al met hem opschieten,' zegt hij.

✳✳✳

Hij blijft vanavond thuis en probeert de tekst te leren, maar valt om tien uur in slaap. 's Morgens loopt hij ze talloze keren door. Het is verre van perfect. Als hij in de auto stapt, zegt hij: 'Gisteren was de eerste keer sinds tijden dat ik me beduveld voelde door een dag.' Misschien bedoelt hij gewoon dat hij te vroeg in slaap is gevallen, of misschien bedoelt hij dat hij zichzelf teleurstelde op de filmset, of misschien bedoelt hij dat hij het niet prettig vond om een dag te verspillen in een wereld waar hij niet het middelpunt mocht zijn en waar hij zich ook niet aan kon onttrekken. 'Het was gisteren gek toen de band speelde en de aandacht niet op mij was gericht,' zegt hij. 'Zoiets heb ik nog nooit gedaan. En toen gooiden ze me in het diepe. Ik ben daar niet aan gewend. Het was echt vreemd.' Hij pauzeert even. 'Ik bedoel, ik was boos. Ik weet het niet. Het is een beetje als kryptonite – als je niet naar me kijkt, kan ik het niet.'

Hij zit in de bijrijdersstoel met zijn laptop op zijn knieën en zingt mee met *De-lovely*. '*It's de-bollocks, I'm de-bitch,*' improviseert hij als hij zich de juiste woorden niet kan herinneren. Er is nu niet veel tijd meer over. Hij spoelt terug om de juiste woorden te horen. '*It's de-regal, it's de-royal...*' Dan besluit hij dat hij moet relaxen bij *Radio One*. Als hij de radio aanzet, draaien ze *Rock DJ* en hij beschouwt dit als een gunstig voorteken.

Deze ochtend zit er een rij acteurs in de trailer tegenover de spiegels. Ze laten hun make-up doen en maken over en weer grappen. Ze vragen Rob wat hij van de wereld van het acteren vindt.

'Nou, ik ben *hier* tevreden,' zegt hij. 'Het bevalt me goed. Iedereen komt binnen en zegt elkaar gedag. Dat aspect bevalt me. Misschien kan ik gewoon binnenkomen, mijn make-up laten doen op andere sets en dan vertrekken. Dit is het aspect dat me bevalt. "Wil niet acteren, maar houdt ervan zijn make-up op te krijgen en goedemorgen te zeggen".'

Een van de acteurs vraagt of dergelijke kameraadschap in Robs wereld niet bestaat.

'Ja,' zegt Rob, 'maar het gaat alleen van mij uit. En ik besta niet uit meerdere personen, toch?'

Hij luistert als de beide grimeurs bespreken of een van hen zich de uitvinder kan noemen van de wijze die ze gebruikt om de B-tatoeage achter zijn linkeroor te verbergen. 'Het is al uitgevonden,' geeft ze uiteindelijk toe.

'Vind het opnieuw uit!' merkt Rob op. 'Dat doe ik met mijn nummers.'

Er zijn vandaag meer foto's in de kranten. Afgelopen vrijdag, toen we Nobu verlieten, besloten Max en hij om de meest idioot grijnzende en lachende gezichten op te zetten toen ze vertrokken. Gek genoeg blijken de foto's er vrij natuurlijk uit te zien. De nieuwste popcolumnist van de *Sun*, Victoria Newton, laat er enkele afdrukken en schrijft erbij: '*Memo aan Robbie – ga zo door, je ziet er veel knapper uit als je lacht...*' (Als Rob dit ziet zegt hij onmiddellijk: 'Memo aan Victoria...' en vervolgt op zo'n manier dat het deel waar hij simpelweg *fuck off* zegt het grappigst is.)

Zelfs de drie minuten rijden van de trailers naar de set gebruikt Rob om nog eens naar het nummer te luisteren op de laptop. 'Nou,' zegt hij als hij uit de auto stapt, 'ik weet het niet en daarmee basta.' Toch worden tijdens de eerste *take* al opgeluchte blikken door het productieteam uitgewisseld in de kamer. Hij kent het nu goed genoeg om vrijuit te kunnen doen waar hij het best in is, en als het nummer is afgelopen krijgt hij applaus.

'Hij speelt vrij losjes,' glimlacht Irwin Winkler spottend. 'Hij wordt een filmster.'

Op dit moment gaat vaak het gerucht – zelfs hier op de set – dat Hollywood plannen heeft om van hem echt een filmster te maken, bijna zonder rekening te houden met zijn wensen. De verhalen die de afgelopen twee weken in de kranten stonden – dat hij de screentest voor een nieuwe Superman-film heeft gedaan en een gage van drie miljoen dollar overeen is gekomen; dat hij de rechten heeft gekocht van het verhaal van de Village People en een film maakt met hemzelf als een van de hoofdrolspelers – zijn compleet uit de duim gezogen, maar op de filmset gaat het gerucht dat MGM, die deze film maakt, overweegt om hem de rol van de slechterik aan te bieden in de Jinx-films van Halle Berry. Niemand gelooft dat het hem niet interesseert en dat hij er echt niets voor zou voelen; niemand uit Hollywood lijkt echt te kunnen bevatten dat iemand zo'n kans zou laten schieten als deze zou worden geboden.

Na een paar opnames verlaat Rob de set om een sigaret te roken terwijl de camera's anders worden opgesteld.

'Bevalt het je vandaag beter?' vraagt Josie hem.

'Ja,' zegt hij. 'Het gaat allemaal over *mij*. Daarom bevalt het me. Gisteren was dat niet zo.'

✻✻✻

Rond lunchtijd verklaart hij: 'Ik verveel me.' Hij gaat weer naar de make-up. Zelfs dat is niet meer hetzelfde. 'Het is niet meer zo leuk als vanmorgen toen we allemaal gedag zeiden,' klaagt hij. 'Ik wil nu vaarwel zeggen.' Wanneer hij met Ashley Judd kletst, vertelt zij hem dat wat het de moeite waard maakt de bijzondere momenten voor de camera zijn waar je echt de kans krijgt om te doen waar je dit allemaal voor doet; het doet in hem de gedachte postvatten dat hij, als hij die kick en zelfexpressie nodig heeft, alleen maar een tv-show hoeft te boeken. Veel sneller en veel minder sores.

Hij gaat terug naar de set voor meer shots, allemaal variaties van Rob die het nummer zingt terwijl voor hem Kevin Kline en Ashley Judd samenkomen op de dansvloer. Deze middag is het shot breder en er zijn meer figuranten.

'Stilte graag,' zegt de eerste regieassistent. 'Kill the fans.'

Al snel staat het erop.

's Avonds ontmoet hij De Actrice; de volgende dag heeft hij een zuigzoen op zijn nek. 'Dat,' zegt hij, 'betekent "niemand anders krijgt hem deze week".' Toen hij in Take That zat liep hij eens terloops een enorme zuigzoen op en hij later een afspraak met zijn vriendin Natasha had. Hij belde haar daarom op en vroeg haar om in bed met het licht uit te wachten, onder het mom van romantiek. Toen hij zich daar bij haar voegde, zorgde hij ervoor dat zij zijn nek veelvuldig kuste, zodat ze het werk van iemands anders als haar eigen beschouwde. Hij is ermee weggekomen.

✳✳✳

Hij zegt de eerste afspraak met Stephen Duffy om een nummer te maken af, omdat hij was vergeten dat het nationale elftal van Engeland vandaag speelt. Nu heeft hij tijd om bij de repetities langs te gaan. Daar leidt hij de band door weer een nieuw nummer, zingt hij meer van de set dan hij tot dusverre heeft gedaan, luistert naar de nieuwe energiekere versie van *Supreme* – hij vraagt of het iets langzamer overgedaan kan worden – en loopt door *99 Red Balloons*. Hij krijgt de smaak helemaal te pakken, is tijdens de refreinen aan het pogoën en beeldt tot slot de ontknoping uit...

If I could find a souvenir, just to prove the world was here, and here it is, a red balloon, I think of you and let go

... door een onzichtbare ballon op te laten – hartverscheurend, al drijft hij er duidelijk ook de spot mee – en te kijken hoe deze steeds verder afdrijft, alsof elke droom en hoop erdoor wordt gedragen.

De band walgt van het nummer.

'Is het gek dat ik ervan hou?' vraagt hij.

Zij vinden van wel.

Max zit aan de piano en ze proberen *One For My Baby*, die zal worden uitgevoerd door alleen Rob en Max. De tekst neemt een opmerkelijke wending.

'And I've got a little film,' kweelt hij, *'I want you to see... I think it went straight to DVD... with Mariah Carey and Max Beesley... it's Glitter you see... took nowt at the box office, and zip on DVD...'*

'Doe dat *Glitter*-gedoe nou niet,' zegt Max na afloop, veinzend er een grap over te maken. (Rob heeft buitengewoon veel respect en bewondering voor het acteertalent van Max als Max niet aanwezig is, maar als hij er wel is kan Rob zich amper inhouden. De volgende keer dat ze het repeteren maakt Rob het onvermijdelijk nog erger: *It's a quarter to three... I hear you can get Glitter on DVD... Remember Ishtar the film?... Well, neither will we... you'll try and find it hard... but it is on DVD... at the back with the porn... where the children don't go... Glitter's a film... just in case you didn't know.*)

Het is tijd voor *Mr Bojangles*. De onregelmatige droevige versie die Mark Plati heeft opgenomen, zoals besproken, klinkt door de speakers.

'Wat is dat?' vraagt Rob na enkele seconden. 'Ik vind het niet goed. Wat is het?'

Mark Plati vertelt het hem. Rob vraagt het nummer te stoppen. 'Waarom kunnen we het niet goed doen?' zegt hij. 'Moet ik daarbij zingen? Het is te snel en… het is niet goed. Hoe krijgen we het goed?' De band zal *Mr Bojangles* nu toch spelen. Hij heeft hooguit dertig seconden gehoord van datgene wat Mark Plati had gemaakt.

✸ ✸ ✸

De Actrice heeft gebeld, maar hij is niet van plan haar terug te bellen. 'Ze zal begrijpen wat het is,' zegt hij, doelende op het feit dat hij elke relatie in de kiem heeft gesmoord en dat hij niet het gevoel heeft dat hij dat nog weer moet doen. 'Ik heb er geen zin in,' legt hij uit.

4

Op 12 juni gaat hij 's middags eindelijk naar Air studio's om met Stephen Duffy te werken. In zijn kleine zolderkamer speelt Stephen

hem iets voor op akoestische gitaar, maar Rob zegt dat het te veel iets is wat de mensen verwachten. Hij stelt voor om in plaats hiervan iets met een drummachine te doen, daarom programmeert Stephen een eenvoudige vierkwartsmaat bestaande uit een basdrum en een al even simpele stuwende basloop van zestien tellen in de maat. Rob begint te zingen:

'Don't let your eyes tell the brain... you should feel ashamed... everyone needs it babe... I know you feel the same... I didn't quite catch your name... hush hush hush don't say a thing... let's see what the night will bring... it might be everything...'

Hij zingt met een stem die hij nog niet eerder op de plaat heeft gebruikt en het nummer lijkt op niets wat hij ooit al heeft gedaan. Na een tijdje begeven ze zich naar het favoriete Japanse restaurant van Stephen, maar er is geen tafel vrij. Rob moet op straat blijven en trekt te veel aandacht, daarom verschuilt hij zich in een naburig Chinees restaurant en besluiten ze om daar te eten. Met pas een half geschreven nummer is hij al een heel nieuwe toekomst aan het uitstippelen. Na een poosje verschijnt er een Chinese Elvis-imitator om de eetgasten te vermaken; op weg naar buiten wisselen hij en Rob hun beste Elvissen uit.

Hij gaat in goede stemming slapen vanwege de resultaten van die dag, maar als hij wakker wordt, beseft hij dat het niet het nieuwe nummer is dat in zijn hoofd rondwaart, maar de muziek van Take That, zo nu en dan onderbroken door een nummer van Robbie Williams. Een vreemde droom om te hebben, denkt hij, maar als hij zich ertoe dwingt volledig wakker te worden, wordt de muziek luider, niet zachter. Hij kan twee stemmen horen die deze nummers zingen, geen van beide in zijn hoofd en geen van beide zijn stem. Hij probeert erachter te komen; voor zover hij weet is Gary Marshall de enige andere persoon in de flat. Waarom zou Gary in hemelsnaam Take That-nummers staan te zingen?

'... a million love songs later!...' zingt een van de stemmen.

En dan realiseert hij zich dat het geluid niet afkomstig is uit de flat, maar direct achter het slaapkamerraam. Dit is nog merkwaardiger, want zijn slaapkamer is hoog in de lucht boven Londen.

Hij doet het rolgordijn open.

Een van de glazenwassers heeft hem meteen in de gaten en probeert de knop in te drukken om de kuip naar een andere verdieping te verplaatsen, maar de andere heeft niets in de gaten en blijft zingen. (Rob vindt het allemaal wel grappig, maar later veel minder als hij ontdekt dat Chris Sharrock, die in een andere slaapkamer aan de andere kant van het gebouw sliep, een van hen tegen de ander hoorde schreeuwen: 'I'm rich beyond my wildest dreams!')

Ten slotte krijgt ook de tweede glazenwasser door dat zijn partner stil is geworden, kijkt naar boven en ontdekt waarom. Zijn gezicht wordt lijkbleek.

'Luister,' zegt Rob, 'als je dan al moet zingen, zing dan geen *fucking* Barlow-songs en maak me niet wakker.'

✳✳✳

Bij Music Bank zit hij buiten op het dak in de zon te roken en grote plannen te maken. 'Het nummer dat we hebben geschreven,' zegt hij, 'klinkt niet als mij. Ik wil niets doen wat Robbie Williams zou doen. Waar ik dus aan zit te denken is om heel grondig een personage te ontwikkelen, met een prothetische neus, een pruik en zo en om dan het beste album te maken dat ik ooit heb gemaakt. En terwijl het *greatest hits*-album uit is een album uit te brengen als iemand anders. Ik stel me hem voor als een alcoholist. Een alcoholist en een Amerikaan. Een Neil Diamond-achtig persoon. Ik denk dat hij uit Orange County komt, naar West Hollywood is verhuisd en veel geluk heeft gehad – ik ken zijn achtergrond nog niet maar ik denk er echt over om er tijd aan te spenderen om me zo als hem te kleden, te eten en te leven. Op dit moment heet hij Pure Francis en het album *Diamond*.' Hij kijkt me aan. 'Wat vind je ervan?

Wat ik vind is dat het een prima houding is om te gebruiken en enthousiast over te worden en een uitstekende, bevrijdende denkrichting om enkele nummers mee te schrijven, en dat het heel plezierig is om hem zo geïnspireerd en gedreven te zien, maar dat het op lange termijn in al zijn details waarschijnlijk een hopeloos plan is. Maar dit is niet het moment voor alles van deze mening.

'Het is zo spannend,' zegt hij. 'Het hoeft niet geheim te zijn, maar gewoon te zijn: ik spreek niet over hem en hij spreekt niet over Robbie Williams. Zaak is ook dat het *greatest hits*-album volgend jaar uitkomt, deze tijd van die albums is in de nabije toekomst voorbij. Ik moet iets doen wat ik echt interessant vind. Amerika wordt namelijk geen succes, omdat a) ik dit niet wil b) het veel geploeter is en c) ik het echt niet wil, weet je. Daarom vraag ik me af wat ik hierna ga doen. Want nog een Robbie Williams-album zou me echt vervelen. Doe daarom iets echt interessants. We weten dat we iets op het spoor zijn dat ontzettend *hot* is. Wat ik wil klinkt een beetje als *Get The Message:* elektronica met brede gitaarakkoorden, zoals Neil Diamond...'

Waar gaat hij nummers over zingen?

'Liefde. Liefde en liefdesverdriet.'

En heeft hij liefdesverdriet?

'Ja. Hij heeft een gebroken hart en hij is mislukt. Hij is een gesjeesde muzikant. Het wordt geen Tony Ferrino-type. Het geeft je voor het schrijven van de nummers ook direct de gedachten van iemand anders. Je hoeft je er niet om te bekommeren dat mensen je teksten persoonlijk opvatten en dergelijke, omdat je vanuit het perspectief van iemand anders schrijft...'

Wanneer de repetities weer beginnen leidt hij de band kortstondig door dit nieuwe nummer, waarbij hij tijdens het zingen nieuwe zinnen bedenkt: '*I might be your saviour baby, despite what you've heard... I might be a believer baby, despite what you've heard*'. Iedereen die deze middag bij hem in de buurt komt krijgt alles te horen over zijn nieuwe plan en zijn nieuwe toekomst. Als ze het al vreemd vinden dat hij dit zegt terwijl ze hard aan het werk zijn om de oude Robbie Williams op keizerlijke wijze door Europa te laten galopperen, zeggen ze het niet. Maar zijn enthousiasme en vreugde zijn aanstekelijk. Hij is enorm opgewonden door de gedachte aan de vrijheid om niet zichzelf te zijn.

✳✳✳

Hij heeft een diner geregeld in Nobu, precies een week na het vorige diner, dit keer met een grotere groep, waaronder Ant, Dec, Jonny en hun respectievelijke partners, Max en Jerry. Wetende dat er buiten veel paparazzi aanwezig zullen zijn, besluiten ze voordat ze vertrekken het overdreven lachoptreden dat Max en Rob de vorige vrijdag uitprobeerden, te herhalen. Net buiten de deur blijven ze staan en wijzen naar elkaar en werken een heel repertoire aan potsierlijke vrolijkheid af onder het onophoudelijk geflits van fototoestellen. Het eindigt ermee dat Rob op de grond valt en op zijn rug ligt en dit keer echt lacht vanwege de absurditeit.

Helaas zijn de auto's die uit de garage moeten komen om hen op te pikken vertraagd, en zelfs nadat ze zo lang als ze kunnen hebben gelachen is het vervoer nog niet gearriveerd. Ze staan daar als acteurs die op het toneel zijn gestrand nadat de lichten zijn aangegaan, daarom doen ze het enige gepaste en trekken zich terug in de lobby van het restaurant. Deze keer wachten ze tot de auto's er daadwerkelijk zijn, waarna ze voor de tweede keer het restaurant verlaten, minder hilarisch dit keer. De lachende portretten zullen overal worden afgedrukt, vergezeld van fotobijschriften en verhalen die dit simpelweg accepteren als het bewijs van enkele beroemde mensen die uit zijn, vastgelegd op een moment van grootse, oprechte hilariteit.

Op de weg terug naar zijn flat haalt Rob vier flessen witte wijn voor zijn drinkgasten, en iedereen speelt Killer op het poolbiljart. Rob wint, speelt dan nummers af op zijn computer en stelt dat het tijd is om fruit uit het raam te gooien, de rivier in. Eerst pruimen, als deze op zijn appels en peren. Als Jonny een aangemeerde schuit raakt wordt de fruitmand voor gesloten verklaard.

✳✳✳

Al enkele maanden staat er een evenement in het dagboek van Rob gemarkeerd voor deze zaterdag: het North London College Ball. Er bestaat geen North London College Ball maar iedereen heeft verschillende redenen om niet te willen dat de waarheid boven tafel komt: dat Robbie Williams als verrassing zal optreden als hoofdact voor tienduizend werknemers op het jaarfeest van Vodaphone. Het bedrijf wil niet dat iemand erachter komt want ze willen de verrassing niet bederven, en het zou ook gemengde gevoelens bij hen oproepen als er te veel aandacht werd besteed aan de luxe wijze waarop hun werknemers worden gefêteerd. De partij van Rob wil de waarheid niet aan het licht brengen omdat hij het als warming up voor de tournee gebruikt, weg van de pers en bredere publieke kritiek, maar ook omdat aan dergelijke bedrijfsevenementen een stigma kleeft. Vaak worden ze gezien als tekenen dat een kunstenaar zijn of haar principes verkoopt en alleen geld wil verdienen. Ieder argument dat entertainers in de 21^e eeuw hun regelmatige artistieke werk produceren in grote oppositie tot de krachten van het zakenleven en het multinationale kapitalisme is in de meeste gevallen al vals en absurd, maar als de pers erachter zou komen, zouden ze desalniettemin zijn motieven in een kwaad daglicht stellen en zich afvragen waarom iemand die zo rijk is hebzuchtig genoeg is om dit te doen.

Hij zou feitelijk een uitstekend antwoord klaar hebben, maar dit is een die hij liever niet zou willen geven. De waarheid is dat hij er geen penny voor krijgt en dat hij er alleen in heeft toegestemd om te verschijnen omdat een behoorlijk groot bedrag namens hem door Vodaphone wordt betaald aan zijn Give It Sum-liefdadigheidsinstelling en Unicef.

Het is meer dan twee jaar geleden dat hij zijn nummers op een concert in Engeland heeft gespeeld, en hij is lichtelijk ongerust. Hij verlaat zijn flat even na negen uur 's avonds en zit achter in de bestelwagen met Jonny en bladert door een krant. 'Weer niet in de erelijst,' verzucht hij. 'Het begint echt belachelijk te worden.' Hij vraagt een humoristische cd van Eddie Murphy op te zetten; Jonny klaagt over het volume.

'Waarom hou je je kop niet en ben je nu niet gewoon iemand van zeventig?' plaagt Rob. 'Speel elke dag golf.'

'Op een dag zal ik zo zijn,' bevestigt Jonny.

'Je bent nu al zo!' roept Rob uit.

'We zullen in een huis naast elkaar wonen...,' zegt Jonny en slaat geen acht op hem.

: 312 :

'Jij zult zo'n piano hebben waar niemand op speelt,' voorspelt Rob, 'en een van die tweezitbanken voor jou en Nikki. Een namaak Tudor-huis.'

'Ik hou van die namaak Tudor-huizen,' zegt Jonny. 'De kinderen zul-len zeggen: "Mogen we naar oom Robbie om hem in te kleuren? Zijn tatoeages in te kleuren." Jongen, ik wed dat we binnen tien jaar hui-zen naast elkaar hebben. We moeten een doorgang hebben die je direct naar het huis van de ander brengt.'

Rob verandert van onderwerp en verklaart dat zijn hotelpseudoniem op tournee William Wallace zal zijn.

'William Wallace is shit,' zegt Jonny.

'Helemaal niet,' zegt Rob. 'Waarom is William Wallace shit?'

'Omdat het al eerder is gedaan.'

'Nietwaar.'

'Jij bent geen Schot.'

'Een beetje.' Hij pauzeert even. 'Ik ben er geweest.'

Beiden zijn meesters in het hardnekkig met elkaar oneens zijn.

Soms lijkt een ruzietje over te zijn en dan, als een vuur dat uit lijkt en opnieuw oplaait, keert de ruzie terug. Jonny is van mening dat Rob Captain Sid Rudy Duke genoemd zou moeten worden, naar zijn drie honden. (Na verscheidene hondenveranderingen in Los Angeles – op een gegeven moment had hij vier honden – werd de plaats van Sammy ingenomen door een buldog genaamd Duke.) 'William Wallace is waardeloos,' voegt Jonny toe.

'Waarom is William Wallace waardeloos?' herhaalt Rob.

'Daarom,' zegt Jonny.

'Waarom?'

'Niemand anders kan Braveheart zijn,' zegt Jonny. 'Er is maar één Braveheart. En dat was Mel Gibson.'

'Je bent je nu wel helemaal aan het ingraven, hé?' plaagt Rob.

'Nee,' zegt Jonny. 'Er kan ooit maar één William Wallace zijn.'

'Jonny, ik *denk* niet dat ik William Wallace ben,' zegt Rob nu geïrri-teerd. 'Het geeft je gewoon het harnas om op te treden. Als je het gevoel hebt dat je het *fucking* niet kan. Snap je wat ik bedoel? Hij nam het in zijn eentje op tegen de *fucking* Engelse rukkers. Het is of dat of Rob Roy. Of Michael Collins. Het gaat alleen om het harnas om op te treden. Als je Captain Sid Rudy Duke bent, ben je als Hong Kong *fuc-king* Phooey. Dan kun je net zo goed elke avond op het toneel gaan staan en "jigabow jigabow" doen...'

Jonny wijst erop dat Rob hiervoor zijn pornonaam heeft gebruikt, Trixie Farrell (een hond uit zijn kindertijd en de meisjesnaam van zijn moeder). Hoe geeft je *dat* een harnas?' zegt Jonny spottend.

'De tijden zijn veranderd,' zegt Rob. 'Ik ben A. Gabriel geweest – de aartsengel Gabriel. Jack Farrell – big Jack de Reuzendoder, mijn groot-vader. En nu ben ik William Wallace.'

'Je kunt net zo goed Jason Orange zijn,' werpt Jonny tegen.

'Ik kan net zo goed *fucking* Jason en de Argonauten zijn,' dient Rob van repliek.

Jonny noemt nog een vergeefs argument voor Captain Sid Rudy Duke, en Rob roept uit dat Jonny de enige is die vindt dat deze stomme naam een goed idee is. Jonny kijkt rond voor steun.

'Het is een beetje *Carry On*,' zegt Josie.

'We doen geen *Carry On* meer,' zegt Rob. 'Dit is nu een serieuze operatie. En de operatie is het brengen van entertainment.'

Jonny vraagt Pompey wat zijn pseudoniem op tournees is.

'Willie Recover,' zegt Pompey.

'En je wilt me vertellen dat *dat* serieus is?' spot Jonny.

'Hij hoeft het toneel niet op,' merkt Rob op. 'En hij heeft al een sterk karakter. Ik niet.'

Om de vrede te bewaren zegt Rob uiteindelijk dat hij op zijn vrije dagen Captain Sid Rudy Duke zal worden genoemd, al weten we allemaal heel goed dat dit niet het geval zal zijn.

Dit gekibbel heeft zijn voornaamste doel bereikt, namelijk om Robs gedachten van het aanstaande optreden af te leiden. We bereiken het terrein, een enorme tent bij Highclere Castle, over vele landweggetjes en dan over een veld in het donker. Lulu, Liberty X en Bryan Adams hebben hier allemaal al onaangekondigd opgetreden. Rob staat op de lijst van artiesten vermeld als 'Hot Legs'. Voordat ze opgaan, verzamelt Rob de band om zich heen op het gras: 'Goed… laatst dacht ik, er is niemand die het zo doet als wij het doen, helemaal niemand. Er is *fucking* niemand die het zo doet als wij het doen. Justin Timberlake, Beyoncé, Christina Aguilera, wie dan ook, er is niemand die het zo doet als wij het doen op deze *fucking* tournee, en vanavond heeft deze show een miljoen pond opgebracht voor liefdadigheid, we gaan er daarom tegenaan, geven het geld en laten het goed besteden. Maar ik wil alleen zeggen dat alle andere tournees begonnen zonder dat ik het echt wilde. Maar ik heb *fucking* veel zin in deze tournee…' – de band juicht – '… echt echt veel zin. Ik heb iets enorms te bewijzen, ik en wij allemaal, we gaan gewoon op en gaan in een keer de beste zijn die er in de wereld is, want wij kunnen het.'

De band vertrekt om de plaatsen op het podium in te nemen.

'Jouw optredens,' zegt Jonny. 'Ik ben er gek op.' Rob zegt niets. Hij lijkt zich mentaal voor te bereiden. 'Dit gedeelte, nu,' vervolgt Jonny, 'Rob die zich gewoon concentreert, Josie en ik die niet weten wat we moeten zeggen…' Rob zegt nog steeds niets. 'Het is komisch,' gaat Jonny verder, 'Ik word echt nerveus om hem. Babbel. Omdat ik denk

dat het goed is als ik babbel, want dat bezorgt hem een beetje afleiding. Daarom doe ik dat.'

'Het is irritant,' zegt Rob ijskoud. 'Ik heb het altijd irritant gevonden.'

✱✱✱

Anderhalf nummer na het extatische dronken gejoel waarmee zijn
opkomen via een luik aan de voorkant van het podium wordt begroet,
scheurt zijn broek open. Hij moet zich op het podium verkleden.
'Alleen voor deze ene keer, de halfnaakte waarheid,' zegt hij. 'Ik wed
dat jullie dit niet kregen van Bryan *fucking* Adams. Of Liberty X.' Veel
mensen in de menigte houden voorspelbaar mobiele telefoons op om
het optreden door te geven aan mensen elders. Hij lijkt zich vanaf het
begin te vermaken, al behoed ik me ervoor om op mijn zintuigen te
vertrouwen. In elk geval zegt hij het vaak genoeg tegen het publiek.
'Ik heb het *fucking* ontzettend naar mijn zin,' verklaart hij ongeveer
halverwege, voor *Hot Fudge*. 'Echt! En ik wed dat je nu zegt: "Wedden
dat hij dat overal zegt".' Hij pauzeert even. 'Nou, ik heb het niet gezegd
op *fucking* IJsland, daar was het echt shit. IJsland... en Zweden. Zij zijn
shit. Maar hier is het fantastisch.'

In *One For My Baby* noemt hij *Glitter* niet en kweelt in plaats daarvan schaamteloos '*one for my baby... and ten for Vodaphone...*'. *Supreme* wordt onthuld in zijn nieuwe energieke versie, al zal Rob besluiten
dat hij het zo niet echt goed vindt en deze versie zal verder nooit meer
publiek worden opgevoerd. Voor *Kids* zegt hij, alsof hij haar introduceert: 'Ladies and gentlemen! Miss Kylie Minogue!...,' laat het gejoel
voorbijgaan en zegt dan: 'Nee, ze komt niet... Kent iemand de tekst
van *Kids*...?'

De man naast me in het publiek draait zich naar me toe en is onder
de indruk. Hij zegt: 'Hij heeft zijn onderzoek goed gedaan. Hij wist van
Kylie vorig jaar...' (Hij wist natuurlijk niets. Het was gewoon een toevalstreffer.)

Het is moeilijk voor te stellen dat het publiek nog enthousiaster had
kunnen reageren, maar toch zegt hij aan het eind – volgens mij meer
zeggend over zijn angst voor dit evenement dan over hun reactie – 'Ik
weet dat veel van jullie waarschijnlijk geen Robbie Williams-album
hebben en waarschijnlijk geen grote fan van mij zijn, daarom wil ik
alleen zeggen: bedankt dat jullie het vanavond met me uit hebben willen houden en ik hoop dat ik daar ergens mensen een beetje heb vermaakt.' Geveinsde bescheidenheid, echte bescheidenheid, show en
een behoorlijk toefje onzekerheid zitten er allemaal op de een of andere manier in.

Na afloop blijkt achter het podium dat hij veel problemen had met zijn oortelefoons en baalde van het feit dat het publiek zo ver van het podium afstond, wat de vreugde bedierf. Maar hij vindt het te gek dat hij zich fit voelde.

Gary Marshall, die het niet heeft meegekregen, loopt naar binnen.

'Je genoot ervan, niet?' zegt hij, glimlachend.

Rob schudt zijn hoofd op een 'als je wat langer met me gewerkt hebt begrijp je het'-manier.

'Je zult denken dat ik elke avond op tournee sta te genieten,' belooft hij. 'Maar dat is niet zo.'

5

Op een zondagmiddag is afgesproken een potje te voetballen op een voetbalveldje van een school in de buurt van het huis van Jonny. Achter een van de doelen staat een man die niemand kent. Lange tijd kijkt hij alleen maar toe en dan, alsof het de normaalste zaak van de wereld is, begint hij foto's te nemen. Er wordt hem gevraagd te stoppen, maar hij weigert. In de rust gaat Rob tegen hem tekeer.

'Doe maar wat je wilt, neem je foto's en *fuck off*,' schreeuwt hij.

De man beweert – alsof dit een soort discussie was met een logisch of praktisch doel – dat hij geen paparazzo is omdat hij van *The Daily Mail* is. Hij biedt zijn visitekaartje aan.

'Ga je de foto's aan *The Daily Mail* geven?' wil Rob weten.

Hij knikt. 'Ja,' zegt hij. Hij lijkt haast opgelucht dat Rob het eindelijk heeft begrepen.

'Dan ben je een *fucking* paparazzo, lul,' zegt Rob.

'Ze belden me,' protesteert de man. 'Als je er bezwaar tegen hebt, doe ik het niet.'

'Wat *doe* je hier dan nog?' roept Rob, want het is zonneklaar dat hij het niet wil.

'Ik heb het je een tweede keer gevraagd,' houdt de man vol.

'En ik zeg het *geen* tweede keer,' zegt Rob.

De man protesteert en zegt dat hij zijn best deed om de vrienden van Rob niet te fotograferen, omdat hij dacht dat Rob dat vroeg toen hij voor het eerst bezwaar maakte tegen het feit dat de man foto's nam. Hij wil het gewoon niet snappen. (En klaarblijkelijk denkt hij dat Rob het niet snapt. Ze komen uit twee totaal verschillende werelden: hij leeft in een wereld waar de manier waarop hij zich gedraagt het toppunt is van beleefd gedrag.)

'Makker,' stelt Rob voor, 'neem je stomme gezichtspunt en steek het in je kont en veeg je persoonlijkheid er tegelijkertijd mee af.'

'Ga nou gewoon, alsjeblieft,' dringt Gary Marshall aan. 'Omdraaien en vertrekken.'

'Dat is toch nergens voor nodig, makker,' zegt de man tegen Rob.

'*Jij* bent nergens voor nodig,' zegt Rob hem. 'Je bederft het voor iedereen.'

'Ik heb je net mijn visitekaartje gegeven,' protesteert hij zwak, alsof dit het bewijs vormt voor zowel zijn eer als zijn legitimiteit.

'Het kan me niet *schelen* of je je visitekaartje aan me hebt gegeven,' zegt Rob, en doet alsof hij ernaar kijkt in zijn handpalm en het leest. '"Saddam Hussein – hier ben je…"'

✹✹✹

Dit weekeinde publiceert *News Of The World* weer een deel uit de onofficiële biografie. Weer veel onzin, meestal afkomstig van dezelfde personen – meestal dezelfde verbitterde oude managers en incidentele collega's die in al deze verhalen aan het woord komen. Dit weekeinde vormt de terugkeer van Raymond Heffernan, de man die beweert dat hij medeauteur is van *Angels*. ('Het couplet was van mij,' citeert men hem. 'Het is kwetsend dat Robbie mij niet eens wil erkennen. Ik heb aan dat nummer meegewerkt.')

Het echte verhaal van de kortstondige aanwezigheid van Raymond Heffernan in het leven van Rob is op zijn minst interessant; weer een onwaarschijnlijk avontuur op het grillige pad dat hem hierheen heeft geleid.

✹✹✹

Het is Kerstmis 1995, de eerste Kerst na Take That, in de tijd dat Robbie veel brutale, zelfverzekerde geluiden liet horen over zijn toekomst maar niets bewees, afgezien van zijn toewijding om de weg kwijt te raken. Hij neemt de veerboot naar Dublin voor de kerstvakantie. Bij hem zijn zijn moeder, haar toenmalige vriend en zijn zus. Als ze aan het eind van de middag arriveren bij het huis dat ze in het centrum van Dublin hebben gehuurd, gaat Rob niet eens naar binnen. Hij laat de anderen uitpakken en gaat rechtstreeks naar een kroeg, alleen, om zich te bezatten. Hij ziet een vent met rossig haar en ze raken aan de praat. Dit is Raymond Heffernan. Ze kletsen de hele avond, en al spoedig zijn het dikke maatjes en brengen ze elke dag samen door. Ze slikken hopen ecstasy en drinken veel Guinness. Soms verblijven ze in het gehuurde huis van Rob en soms waggelen ze de stad uit naar het huis van de ouders van Raymond in een wijk met gemeentewoningen en slapen ze op zolder op een matras op de grond. Als ze met gigantische katers wakker worden, biedt de moeder van Raymond ze altijd een kop thee aan en blijft dit doen, ook al weigert Rob de thee iedere keer. Voor hem is het alsof hij opgenomen is in deze liefhebbende, hartelijke Ierse familie en hij vindt het hier prettiger dan bij zijn eigen familie. Hier is geen moeder waarvan hij voelt dat ze hem – niet zonder reden – ziet als een ontspoorde alcoholistische zoon die zijn leven vergooit en voor haar smelt. Hij beseft ook dat zijn moeder Raymond niet ziet als datgene waar Rob hem voor houdt, maar hij vindt het niet belangrijk om dit op te merken. Rob denkt: Ik wil alleen dat iemand me aardig vindt. Ik wil alleen dat 'de mensen' me aardig vinden. En deze week vertegenwoordigt Raymond 'de mensen'.

Hij heeft pogingen ondernomen om enkele nummers te schrijven voor de solocarrière die hij gaat maken, zoals hij tegen mensen vertelt. Op een avond bedenkt hij het vers voor een nieuw nummer terwijl hij op het terras van een van de pubs van Dublin zit waar Raymond en hij vaak komen, starend naar de prullerige kleine waterval op het terras van de pub. Het is eigenlijk helemaal geen waterval, gewoon een klein beeld van moderne kunst waar water uit komt.

And down the waterfall, schrijft hij, *wherever it may take me*.

Er borrelen andere zaken in zijn hoofd. Raymond heeft hem verteld over een verre voorouder die werd neergeschoten in St. Stephen's Green toen hij de driekleur hees. Hij heette Bobby Williams. Dat voelt alsof het iets voor Rob betekent. Hij gelooft in reïncarnatie en recentelijk vertelt hij aan mensen dat hij zal overlijden als hij 32 is. 'Ik zal hier niet lang zijn,' zegt hij tegen hen. Ook gelooft hij dat iemand hem helpt. Hij kan het voelen. En hij is er zeker van dat het een engel is.

Hij bedenkt een refrein voor dit nieuwe nummer dat bestaat uit een herhaling: *I'm loving angels and angels and angels, oh-oh woah angels*.

Op een dag besluiten hij en Raymond naar een studio te gaan in Temple Bar om wat opnames te maken. Raymond schrijft wat muziek onder de melodie van Rob en zijn tekst over engelen en watervallen en Rob neemt een cassette van de opname met zich mee.

Rond die tijd begint hun contact te veranderen. Toen ze eerst met elkaar omgingen – het heeft maar een paar dagen geduurd – was het altijd Rob, Raymond en de vrienden van Raymond. Veel drugs en veel gelach. Als de zon opkwam en de overige drugs op waren, kwam het amylnitriet tevoorschijn en begonnen de voordrachten van poëzie. Nu zijn Rob en Raymond altijd nog maar samen. Op oudejaarsavond gaan ze naar de Pod, dronken. Raymond zegt dat hij zijn vrienden even moet spreken en komt terug met snijwonden over zijn hele gezicht, een blauw oog en een verscheurd overhemd. 'Mijn vrienden hebben me in elkaar geslagen,' zegt hij. Nu heb ik niemand meer, behalve jou, Robbie.' En dat is de eerste keer dat Rob in zijn hoofd een stap terugdoet en denkt: Waar of niet, ik weet niet of ik dat wel wil. Als de dag nadert dat Rob moet vertrekken, wordt Raymond aanhankelijker en valt Rob lastig met de vraag of Raymond hem ooit nog weer zal zien. Rob geeft hem ter geruststelling een groot gevoerd Stussy-jasje, een jasje waarvan hij houdt.

Hij geeft Raymond zijn adres niet, maar twee weken later staat Raymond toch bij hem op de stoep in Stoke.

'Hoi,' zegt Raymond als Rob de deur opendoet.

'Waar ben je nu mee bezig?' vraagt Rob en ziet Raymond inzakken als hij beseft dat dit niet wordt zoals hij had gehoopt.

'Ik dacht dat je blij zou zijn mij te zien,' zegt Raymond.

Rob laat hem even binnen en legt hem uit dat hij niet kan blijven. Hij geeft hem wat geld voor een plaats om te overnachten en de veerboot terug naar Ierland en belt een taxi. Ze kletsen tot de taxi arriveert en nemen dan afscheid van elkaar. Dat is de laatste keer dat Rob hem heeft gezien.

Een paar maanden later, op de tweede dag dat hij met Guy nummers schreef, zingt hij Guy de melodie en de tekst voor die hij al een tijdje had voor een deel van een nummer. Guy schrijft er nieuwe muziek onder en ze schrijven de rest in hoog tempo. Ze weten direct dat het iets bijzonders is, maar Guy voelt zich niet lekker en gaat naar bed zodra ze het hebben voltooid. Het sneeuwt en Rob loopt lange tijd op straat tot er eindelijk een taxi voor hem stopt. Hij vraagt de chauffeur om de cassette te spelen die hij bij zich had, en de chauffeur wordt de derde persoon in de wereld die *Angels* hoort. Hij zegt tegen Rob dat het een nummer één-hit wordt.

***

Enkele maanden later probeerde Raymond Heffernan medeauteurschap van *Angels* te claimen. Het was een claim die Rob altijd heeft bestreden, maar hij gaf Heffernan desondanks een bescheiden eenmalig bedrag. Sinds die tijd verschijnt hij geregeld in kranten en boeken om zijn versie te vertellen.

***

Repetities voor een volledige productie vinden plaats op een geïsoleerd podium in Elstree studio's, ongeveer op dertig meter van het gebouw waar de laatste reeks van *Big Brother* live wordt uitgezonden. Er is de afgelopen twee weken veel gepraat over de mogelijkheid om de deuren van de repetitieruimte te openen, waarna Rob zijn nieuwe single keer op keer zeer luid zou spelen, zodat het te horen zou zijn in het 24 uur per dag live uitgezonden *Big Brother*, maar het gebeurt niet. Allereerst is zijn nieuwe nummer niet langer in de set opgenomen. Daarnaast is het niet waarschijnlijk dat hij iets keer op keer zal spelen. De eerste dag dat hij langskomt, bekijkt hij ongeveer de helft van de show achter de mengtafel, zonder eraan deel te nemen, en spreekt hij zijn veto uit over de film van een zeer gespierde zwarte bodybuilder die zich uitrekt, die tijdens *Strong* achter hem op het podium zou worden geprojecteerd. De voornaamste reden dat hij is langsgekomen is om uit te proberen of hij voor de opening van de show ondersteboven kan worden opgehangen. Hij ligt op zijn rug op een mat in het midden van het podium en om zijn enkels zijn banden aangebracht.

'Wat je al niet doet om een tournee te verkopen,' observeert Chris Sharrock.

'Wat je al niet moet doen om keizerlijk te blijven,' corrigeert Rob hem.

Hij wordt opgetild.

'Hoe voel je je?' vraagt Josie hem.

'Prima,' zegt hij. Ze laten hem weer zakken. 'Het is goed zo,' verklaart hij.

Hij vertelt Josie wanneer hij wil vertrekken en naar Air wil gaan om Stephen Duffy te ontmoeten. 'Ik moet echt schrijven,' zegt hij. 'Ik ben erdoor geobsedeerd.' Hij heeft nog altijd niet de hele show doorgekeken en heeft amper gereageerd op de delen die hij heeft gezien. Dit

is waarschijnlijk voor hem de manier waarop hij het moet doen – om zich er geleidelijk aan bij te betrekken, zonder zich al te veel zorgen te maken – en zoals hij het ziet is het zijn show en zijn verantwoordelijkheid en zijn last. Maar voor de mensen die zich wekenlang uit de naad hebben gewerkt om er iets bijzonders van te maken, niet alleen uit trots en professionalisme maar ook om hem een plezier te doen, is het gebrek aan betrokkenheid en feedback frustrerend en ergerlijk.

Op weg de stad in passeert ons een sportauto met een jonge aantrekkelijke vrouw erin in de buitenbaan. Rob vraagt Gary om de sportauto bij te houden. Eerst denkt hij dat het Jordan is, maar dat blijkt niet het geval. Hij steekt zijn hoofd uit het raam.

'Hallo!' roept hij. 'Kom hier... waar ga je heen?'

Ze glimlacht als ze hem herkent. Ze wijst naar een zijweg, aangevend dat zij hier af zal slaan en ook, zo lijkt het, dat hij moet volgen. Hij doet het niet. Vandaag moet hij nummers schrijven.

✱ ✱ ✱

De zolderstudio van Stephen bij Air is een piepkleine volgepakte ruimte die je bereikt via een kantoor. Er kunnen maar vier mensen in worden gepropt, als tenminste slechts één tegelijk opstaat. Aan de muren hangen muziekinstrumenten en foto's en ansichtkaarten en afbeeldingen die uit tijdschriften zijn gescheurd: Jack Kerouac op de omslag van het Franse tijdschrift *Les Inrockuptibles*, een foto uit *Easy Rider*, een artikel over Patti Smith, een poster van Lilac Time, een afbeelding van The Rolling Stones in de jaren zestig op de omslag van het tijdsschrift *Uncut*. Op het bureau staat een exemplaar van *The Hissing Of Summer Lawns* van Joni Mitchell, met geannoteerde tekeningen over het uitzicht zuidwaarts door Central Park van Mitchell zelf, gemaakt toen ze een tijdje terug beneden opnames maakte, waarbij ze verscheidene markeringen in het landschap van detail heeft voorzien. Er is een lijn getrokken door de torens van het World Trade Center op de achtergrond en ernaast heeft ze *GONE* geschreven.

Rob zegt dat hij aan het nummer wil werken dat ze laatst waren begonnen. Hij zegt dat hij denkt dat het *Today* gaat heten.

'Het heet *Everyone Needs It*,' vertelt Stephen aan Andy Strange, die de computers bedient en alles opneemt.

Voordat ze aan de slag gaan, vertelt Rob van zijn nieuwste plan met het personage Pure Francis en dat hij van plan is om zijn kapsel, zijn neus en de kleur van zijn ogen ervoor te veranderen. 'Het is Neil Diamond,' legt hij uit, 'maar met Kraftwerk – Depeche Mode, niet te benauwd om een groot refrein te doen. Wat vind je ervan?

'Prima,' zegt Stephen. 'Laten we beginnen.'

Rob zingt het couplet verschillende keren en verzint elke keer weer nieuwe zinnen en melodieën. Hij zit naast het keyboard en houdt een microfoon in de hand. Stephen suggereert eerst de tekst te schrijven en van daaruit verder te gaan, maar Rob negeert deze suggestie simpelweg. Stephen vraagt of hij weet wat de geschiedenis van Pure Francis zal zijn, want dat zou het waarschijnlijk gemakkelijker maken om te bepalen waar deze nummers over moeten gaan.

'Niets van de humor van het album,' zegt Rob. 'Het publiek moet emotioneel door de nummers worden geraakt.'

'Nou,' merkt Stephen op, 'ik sta niet bekend om mijn humor. Meer om ellende.' Hij vertelt dat hij in de huidige uitgave van het tijdschrift *Mojo* nummer 13 is op een lijst van meest ongelukkige mensen in de rockmuziek. 'De beste recensie die ik in jaren heb gehad,' zegt hij.

Rob vult het personage een beetje meer in zoals hij het vandaag ziet. 'Hij is een sessiezanger voor allerlei mensen geweest,' zegt hij. 'Ik weet niet hoe hij van Amerika in Engeland en op de radio en de televisie terecht is gekomen, maar dat komt nog wel. Ik weet dat hij veel verdriet heeft gehad. Het is een beetje "mijn laatste poging", dat gebied.

'Denk je dat er ruimte is voor een nummer over het Imperial War Museum?' vraagt Stephen hoopvol. 'De woorden klinken mooi'.

Dit merkwaardige idee wordt verrassend warm verwelkomd. 'Neil Tennant zei altijd "dat was onze keizerlijke fase",' legt Rob uit. 'En ik doorloop momenteel mijn keizerlijke fase.' Hij knikt. 'Het Imperial War Museum... zou dus de *hall of fame* van de rockmuziek kunnen zijn.'

'Heb je geluisterd naar Neil Diamond?' vraagt Stephen. Ze hadden zich beiden voorgenomen om te luisteren naar *The Jazz Singer*, als onderzoek voor Pure Francis.

'Nee, ik heb de cd gekocht maar ik heb geen tijd gehad om ernaar te luisteren,' zegt Rob.

'Misschien moeten we dat ook niet doen,' zegt Stephen. 'We zijn aardig op weg.'

'Nee, ik denk niet dat we het zouden moeten doen,' stemt Rob in. Hij zegt dat hij wil dat Stephen luistert naar *Get The Message* van Electronic.

Stephen doet de suggestie dat Scott Walker handig zou kunnen zijn. 'Als denkrichting?' vraagt Rob.

'Ja, want Scott Walker had een interessante... de manier waarop hij verdween... en toen kwam hij terug als de avantgardekunstenaar,' zegt Stephen. 'En niemand wist precies wat hij deed. Ze zeiden wel "hij is een schilder", maar niemand wist het.'

'We zouden een plaat moeten maken,' stelt Rob voor, 'die avantgarde klinkt voor iemand die niet weet wat avantgarde is. Snap je wat ik bedoel?

✱✱✱

Ze besluiten om een nieuw nummer te beginnen. Stephen begint wat drums te programmeren en Rob begint meteen te zingen.

'*Caught the last train to Paddington station, made my escape in the rain, still got your mascara in my bag…*'

En dan, maar een paar seconden nadat het even leek te ontstaan, wordt dit nummer verlaten. Rob is van mening dat het ritme te veel *Girl From Ipanema* voor hem is. In plaats daarvan gaat hij in het wilde weg op de synthesizer spelen. Na een poosje vraagt hij of ze nog meer *beats* hebben.

'Wat zoek je?' vraagt Andy.

'Dat weet ik pas als ik het hoor,' zegt hij. 'Heb je ook een *beat* die echt hard is?' Stephen rekt zich uit naar het cd-rek aan de muur naast het enige kleine raam in de ruimte en haalt een bootleg van The Rolling Stones tevoorschijn, *Taxile On Main Street*.

'Een beetje Charlie Watts kan het hem doen,' stelt hij voor.

Andy vindt een goed stuk van een versie van *Tumbling Dice* en creëert er een geluidslus mee. Terwijl hij dit doet vertelt Rob aan Stephen dat hij zijn management nog niet over Pure Francis heeft verteld. (Josie weet natuurlijk dat hij hier is, maar hij is gereserveerd over wat hij aan het doen is.) Hij zegt dat als hij het uit zou leggen, ze misschien niet weten of ze hem moeten geloven. Hij verklaarde ooit tegen hen dat hij de beste manier kende om in Amerika door te breken: door worstelaar in de WWF te worden. 'Ik zei: "Ik ken wel iemand die steroïden heeft – geen enkel probleem. En de manier waarop we Amerika winnen is dat mijn binnenkomst altijd vergezeld gaat van een van mijn platen." En ze lachten en ik bleef serieus kijken en toen werden ze echt bezorgd.'

Rob noemt andere mensen die invloed zouden kunnen hebben op Pure Francis.

'Pas onlangs ben ik The Smiths gaan luisteren,' vertelt hij tegen Stephen.

'Nou, dit gaat een heel gevaarlijk album worden,' oordeelt Stephen. 'EMI zal proberen een aanslag op me te plegen.'

'Dit zit ik te denken,' zegt Rob. 'Hoe breng je een album uit als de *greatest hits* uit zijn? Door iemand anders te worden.'

Stephen vraagt Rob naar zijn plannen voor de rest van het jaar: na de zomertournee een tournee door Amerika?

'Ik denk niet dat ik een tournee door Amerika ga doen,' zegt Rob. 'Ik kan het beter binnenkort iemand vertellen.'

'Ik zal voor jou tegen Tony Wadsworth zeggen dat wij Scott Walker op de elektronische toer gaan doen,' biedt Stephen aan, 'en dat het veel belangrijker is dan in Amerika doorbreken.'

Andy speelt de geluste drums af – 'Ja!' schreeuwt Rob enthousiast – maar op dat moment komt Josie binnen en vertelt Rob dat het tijd is om beneden een interview te doen voor de Australische tv. Charlie Watts zal moeten wachten.

✱✱✱

'Josie,' zegt Rob als hij wordt opgemaakt voor het interview. 'Weet je dat ik Amerika niet doe?'

'Nee,' knikt ze. 'We gaan niet op tournee.' Het huidige plan is dat ze, als ze niet op tournee gaan, in oktober radiostations zullen bezoeken, zoals hij ook vorige maand deed.

'Ik doe geen radiostations,' zegt hij.

'Goed,' zegt ze, hem dwarsbomend door het met hem eens te zijn. 'Wat je wilt.'

'En ik wil meer geld,' zegt hij pruilerig, vastbesloten om op enig verzet te stuiten.

'Het is onmogelijk dat je nog meer geld krijgt,' zegt ze. 'Je hebt het allemaal gekregen. Er is geen geld meer over.'

De Australische interviewer kletst tevoren wat over koetjes en kalfjes. Hij zegt dat hij opgroeide met Nicole Kidman als buurmeisje. 'Ik groeide op met haar aan de andere kant van de schutting achter het huis,' zegt hij.

'Als klimop?' vraagt Rob.

Het interview is zwaar melodramatisch, maar Rob doet zijn uiterste best.

'Hou je van roem?' blijft de interviewer op een gegeven moment vragen. 'Hou je van de pracht en praal die ermee gepaard gaan? Zou je nog gelukkig kunnen zijn als je weer terug in het industriële noorden van Engeland zou moeten wonen?'

'Roem is als een kleine baby,' countert Rob. 'Het is echt geweldig en schattig en het zet zijn eerste stapjes en je bent erbij en je huilt, en dan danst het een beetje, en je bent erbij en huilt weer... en dan bevuilt het zichzelf en kotst overal en dan doorloopt de baby het vreselijke tweede jaar als het dingen lostrekt en zichzelf brandt en dat soort dingen, en je krijgt dan zoiets van: "Dit is geweldig, kan ik het je even teruggeven terwijl ik dit doe?"'

Hij praat over de toekomst, en zijn gedachten zijn uiteraard bij datgene wat hij boven aan het doen is. 'Hierna moet ik mezelf op het spel zetten,' zegt hij. 'Ik moet iets doen dat misschien een totale flop wordt. Het zou de grootste blunder kunnen worden die ik ooit heb gemaakt. Of ontzettend goed worden ontvangen en ontzettend goed gewaardeerd. En ik denk dat ik een dergelijke adrenalinestoot hierna nodig heb. Robbie Williams heb ik gedaan. Het is gedaan.'

'Wel, Robbie, ik denk dat je een juweeltje bent,' zegt de interviewer, samenvattend. 'Ik hou van je openheid, je eerlijkheid.'

'Cool,' zegt Rob. 'Ik ga ervandoor en zal de hits gaan schrijven waar jonge meisjes om moeten huilen.'

✳✳✳

Boven heeft Stephen Charlie Watts opgevoerd naar 130 beats per minuut en er een bubbelende Kraftwerk-achtige loop overheen gelegd. Rob zit ook een tijdje te klieren op het keyboard en begint dan te zingen.

'... *fall fall fall into these arms, make me feel again, I can breathe again...*' Hij doet het steeds weer en vindt elke keer nieuwe melodieën en verzint ter plekke zinnen. Ze variëren van volstrekt onbegrijpelijk tot half-samenhangend.

'... *love is a bastard, love is the kind, love is the soul and driving me blind... feel feel feel, feel free again, lost in the me again, taking over your heart... love is a temple, love is a guide, love makes it through to the other side, it's like a passenger falling free from your heart and soul... I love you like angels, I love you like strangers, I love you in parts... I feel like a freak, feel like a freak, only don't speak, it tears me apart...*'

Stephen is bezorgd dat het nummer te rockmuziekachtig begint te klinken voor Pure Francis.

Rob haalt zijn schouders op. 'Ik vind dat we niet te bang moeten zijn voor rock,' zegt hij.

Misschien hierdoor aangemoedigd begint Stephen op de elektrische gitaar enkele losse versierende akkoorden mee te spelen.

'*Find a place to crash...*,' zingt Rob.

Stephen vraagt hem of hij een refrein voor dit nummer wil schrijven of het nummer tot morgen weg wil leggen en iets totaal anders te schrijven.

'Iets totaal anders schrijven,' zegt Rob.

Stephen creëert een nieuw drumritme en stelt Rob voor om het nummer te beginnen op het keyboard. Na wat gezoek komt hij al vrij snel met een naar beneden lopende loopje van drie noten. Andy neemt wat hij speelt op en maakt er een lus van, en hij pakt de microfoon op. Er is geen spoor van voorbedachte rade. Welk proces hier ook bij betrokken is, welke berekening en beschouwing in zijn hoofd, blijkt zelfs niet als je met hem in dezelfde ruimte bent. Hij doet het gewoon. Maar de eerste woorden uit zijn mond zullen de titel en de kern van het nummer vormen. '*You see the trouble with me...*,' begint hij. '*Is that I love the song... The trouble with me is, it's bound te go wrong... the trouble with you, it passes you by… the trouble with you is you love me, you love me…'*

Rob stopt. 'Ik heb nooit echt een liefdeslied geschreven,' merkt hij op. 'Feitelijk heb ik nooit liefdesliederen geschreven.' Hij corrigeert zichzelf. 'Eén. Maar die is niet verschenen. *Snowblind.*'

'Nou, ik denk dat ik alleen maar liefdesliederen heb geschreven,' zegt Stephen.

Rob gaat verder. *'You see the trouble with me,'* zingt hij. *'The other team's going to score… the trouble with us… you're in love with me…'*

'Zullen we dan nog een beetje aan het refrein werken?' vraagt Stephen.

'Ja,' zegt Rob.

'Als we bij het refrein komen, zal ik gitaar spelen en improviseer jij wat tot je iets hebt gevonden,' stelt Stephen voor.

'Ik bewonder je vertrouwen, Stephen,' zegt Rob.

'Ik heb met Nick Rhodes gewerkt,' werpt hij tegen. 'Ik weet hoe het kan lukken.'

En het lukt. Rob werkt zorgvuldig een basloop op de synthesizer uit bij het andere deel. 'Ik geloof dat ze het "experimenteren" noemen, niet?' zegt Rob met een gekunsteld noordelijk accent. 'Ik ben werkelijk bezig mijzelf opnieuw uit te vinden.' Hij zingt enkele ideeën voor het andere deel, verzint een 'woah-woah-woah… yeah-yeah-yeah'-structuur en ze nemen het opnieuw op. *'You see the trouble with me, is I'm afraid to be bold, I'm afraid of getting old, and I'm afraid to be loved loved loved… so she makes her last mistake… woah oah yeah…'*

'Erg mooi,' zegt Stephen.

'… zullen we het hier vandaag bij laten?' zegt Rob. Dit nummer heeft misschien drie kwartier in beslaggenomen. Hij grijnst. 'Tegen het eind van de week hebben we tien nummers,' verklaart hij.

'Dat is het mooie van Pure Francis,' stemt Stephen in.

Als we de trap aflopen zegt hij enthousiast: 'We zijn op de goede weg.'

'Betekent het dat ik nu mijn Gary Numan-platen mag draaien?' vraagt Pompey.

6

Hij had aangekondigd dat hij pas aan het eind van de week repetities zou doen, maar men heeft hem ervan overtuigd dat het nu moet. Afgezien van al het andere moet hij een aantal keren het ondersteboven hangen oefenen omwille van de verzekeringen. Vandaag gaat hij de opening proberen aan het begin van een repetitie van de hele set. Zijn enkels worden achter de schermen vastgemaakt en hij ligt daar op zijn rug, zijn voeten iets opgetild door de koorden die hem op zullen trekken. Dan wordt hij omhoog getrokken. Hij heeft de mensen die verantwoordelijk zijn gevraagd onder hem te staan voor deze repetitie, voor het geval dat – hij herinnert zich het verhaal van Owen Hart maar al te goed, de worstelaar die recentelijk een dodelijke val maakte toen hij zogenaamd in de lucht hing – maar als hij naar beneden kijkt is er niemand die maar naar hem kijkt. ('Ik dacht: Als dit nu breekt, ben ik er geweest,' legt hij later uit. 'En toen dacht ik: Ehhhh – hij die durft, Rodney. Hij die durft...')

Zodra hij weer beneden is, begint hij de set. Hij brengt de eerste nieuwe nummers en spreekt tegen de bijna lege hangar alsof hij voor de menigte in Knebworth staat. (De denkbeeldige menigte is specifiek in Knebworth, dat hij verschillende keren noemt; hij zal voor een half miljoen andere mensen spelen voordat hij daar is, dus is het interessant dat Knebworth nu al het publiek is waar hij zich mentaal op voorbereidt.) Na een paar nummers wordt hij speelser. Aan het eind van *Hot Fudge* legt hij op overtuigende en vurige wijze uit dat Queen niet uit elkaar zal gaan en dat de pers de pot op kan, een toespraak die hier iets minder gepast is dan op de *Queen Live At Wembley*-dvd die Lee recentelijk voor hem heeft gekocht. Voor het swinggedeelte zegt hij: 'Ik weet dat enkele van jullie waarschijnlijk mijn Albert Hall-show hebben gezien...' Hij zucht. 'Echt een groot risico. Veel mensen hebben dat geprobeerd te doen en speelden het niet klaar.' Hij pauzeert even. 'Ik zal geen namen noemen.' Weer een pauze. 'Diana Ross...' Pauze. '...Robert Palmer...' Pauze. '...Rod Stewart...' Pauze. 'Sheena Easton...' Pauze. 'Harry Connick Jr...' Pauze. 'Maar ik zal geen namen noemen.'

Nog steeds haalt hij het einde van de set niet. Hij loopt het podium af tijdens *She's The One* en tegen de tijd dat de band *No Regrets* speelt zit hij in de auto op weg terug naar Londen.

In de auto mijmert hij over afspraakjes, neuken en liefde. Hij heeft afspraakjes gehad, een nieuwe ervaring voor hem, en dit heeft hem aan het denken gezet over de verwachtingen waarmee beide partijen aan tafel en in de slaapkamer komen. 'Weet je, ik ben gevoelig en bescheiden... maar wordt heel vaak ook geleid door kleine Robbie. Maar dat denken ze toch al allemaal. Ik denk dat mensen denken dat ik het meer doe dan ik het doe. Ik doe het niet zo veel als mensen denken. Snap je wat ik bedoel?'

Het hangt ervan af hoe vaak mensen denken dat je dat doet.

'Nou, ze denken dat ik ieder meisje kan krijgen dat ik wil en dat ik ieder meisje kan neuken dat ik wil en dat ik het de hele tijd doe,' zegt hij. 'Maar heel vaak willen de interessante of aardige meisjes niet. In mijn jeugd ging ik met oninteressante naar bed. Daarom is het denk ik zo dat, als je iets volwassener wordt en grotemensenschoenen gaat dragen, je niet meer voor de gek kan worden gehouden.' Hij lacht; hij weet dat dat dit maar deels waar is. 'En dan blijkt het toch te kunnen,' geeft hij toe. Hij herhaalt zijn opmerking over dat het voor hem is 'alsof je als diabeticus in een *fucking* snoepwinkel bent'.

Sinds wanneer, werp ik tegen, ben je diabeticus?

'Nou, het strookt niet met mij.'

Als ik opmerk dat zijn teleurstelling over datgene wat voor hem beschikbaar is misschien meer weg heeft van iemand die naar een snoepwinkel gaat nadat hij een vrij forse maaltijd heeft gehad, lacht hij alleen maar.

✳✳✳

In Air studio's speelt Stephen het meer rockachtige nummer af waaraan hij twee dagen eerder heeft gewerkt. Hij begint er direct bij te zingen.

'*I'm on a mission… to abuse my position…*'

'De richting die Pure Francis neemt bevalt me wel,' zegt Stephen.

Ze werken aan een middenstuk van acht maten. Rob probeert erbij te fluiten en 'doe doe'- geluiden bij te maken, maar is met geen van beide tevreden. Andy speelt de opname nog een keer af en Rob zingt opeens: '*kiss me… with your mouth… kiss me… with your brain*'. 'Dat past hier wel, niet?' zegt hij tegen Stephen. Stephen knikt en stelt een samenzang voor. Er is geen enkele discussie over wat Rob heeft gedaan – hij heeft de woorden geleend uit het refrein van de enige grote pophit van Stephen Duffy uit de jaren tachtig, *Kiss Me* – en dat hoeft ook niet, want het is voor beide nummers waarschijnlijk om meerdere redenen geschikt.

Na een poosje zegt Stephen dat hij een paar platen voor Rob heeft meegebracht: potentiële lyrische inspiratie voor Pure Francis. De eerste is *Blood On The Tracks* van Bob Dylan. '*Tangled Up In Blue*, de manier waarop hij van de ene persoon naar de andere gaat,' legt Stephen uit. 'Het is een goed nummer voor het niet schrijven vanuit het gezichtspunt van de eerste persoon.' Ook overhandigt hij cd's van Joni Mitchells *The Hissing Of Summer Lawns* en Harry Nilssons *Nilsson Sings Newman*. Rob bekijkt de hoes van de laatste – het is een album met nummers van Randy Newman – en zegt: 'O, ik ken sommige van deze nummers.'

'Het is de manier waarop hij van het ene onderwerp naar het andere gaat,' legt Stephen uit.

'Ik vind *Love Story* goed,' zegt Rob en begint te zingen. '*You and me, you and me, babe… we'll have a kid, maybe we'll rent one… it'll have to be straight, we don't want a bent one…*'

'Als we al die lyrische ideeën over Scott-Walker-ontmoet-Kraftwerk kunnen plaatsen...,' overweegt Stephen, '...dan hebben we denk ik... ik bedoel het hele concept wordt hoe langer je erover nadenkt steeds interessanter.'

'Het kan een vent zijn, het kan een band zijn,' zegt Rob. 'Pure Francis zou een band kunnen zijn.' (Er lijkt in elk nieuw project een moment te zijn waarop Rob probeert om zoveel mogelijk verantwoordelijkheid en last te ontlopen, gewoonlijk door het uit te roepen tot een band. Als hij zou nadenken zou hij beseffen dat hem dit nooit zal lukken.)

'Dat is weer een paar heel praktische schoenen,' observeert Stephen. Rob draagt altijd Redwings, zachte enkellaarzen, als hij naar de studio gaat.

'Ja,' zegt Rob. 'De tijden veranderen.' Hij legt uit dat hij zag dat Eric Clapton ze zo'n vier jaar geleden droeg en dacht: Ze zijn mooi, maar vooral praktisch. Toen zag hij ze onlangs weer in een winkel en besefte 'dat de tijd was gekomen...'

Na een tijdje haalt Rob zijn computer tevoorschijn en speelt Stephen enkele nummers voor die volgens hem relevant zouden kunnen zijn: *Disappointed* van Electronic, *The Model* van Kraftwerk, *Massachusetts* van The Bee Gees, *Wichita Lineman* van Glen Campbell, *Ode To Billie Joe*, *I Don't Want To Hear It Anymore* van Dusty Springfield, *Short People* van Randy Newman, *Cannonball* van The Breeders, *Venus In Furs* van The Velvet Underground, *Can't Help Thinking About Me* van David Bowie, *The Family Coach* van The Lilac Time.

'We moeten een volkomen geschift album maken,' verklaart Rob.

'Ik denk dat we goed op weg zijn,' stelt Stephen.

'Want weet je, niemand is eigenlijk in een positie om er één te maken,' zegt Rob, 'want niemand zal een contract tekenen met iets geschifts.'

Bij een pauze voor sushi, die ze in het kantoor even buiten de studio eten, bespreken ze Elton John. 'Hij heeft me eens gekidnapt,' herinnert Rob zich. 'Nam mij mee naar Windsor. Het is echt een aardige gozer; zijn hart zit op de goede plaats. Soms slaat hij alleen de plank wel eens mis.'

***

De volgende dag keert hij terug naar Elstree, waar hij in de cateringtent kletst met Chris Briggs.

'Heb je een nummer in je hoofd?' vraagt Chris hem.

'Vele,' zegt Rob, maar hij laat niet merken dat sommige van deze nummers recentelijk de weg naar buiten hebben gevonden.

Gary Marshall komt aanwandelen.

'Gaan we weer naar Stephen Duffy?' vraagt hij Rob, zijn geheim deels verklappend.

Chris wordt verondersteld hiervan niets af te weten. 'Stephen "Tintin" Duffy?' vraagt hij.

'Ja,' zegt Rob.

'Voorheen The Lilac Time?' vraagt Chris.

'The Lilac Time bestaat nog steeds,' merkt Rob op.

'Een goede songwriter,' zegt Chris, vissend.

'Echt?' zegt Rob nonchalant. Als Chris even niet kijkt grijnst hij naar mij. Geheimen waar je niet ziek van wordt maken je sterker.

Uiteindelijk gaat hij de hangar binnen waar het podium wordt opgebouwd. Hij gedraagt zich nog steeds alsof de tournee het project van iemand anders is waarin hij een niet deelnemende investeerder is, zo nu en dan langskomend om een blik te werpen over de gang van zaken en zich ervan te vergewissen dat zijn geld niet wordt verspild. Vandaag moet Josie hem tweemaal naar de hangar terugbrengen om ervoor te zorgen dat hij de choreografie van de dansers in *Hot Fudge* ziet en goedkeurt. Hij doet een tijdje mee met de show in het swinggedeelte, al was het maar om de mogelijkheid te benutten om Max nog een beetje te pesten. 'Er komen deze zomer zes films van hem uit,' zegt Rob. 'Houdt Boots flink bezig.' Als hij hun gebroken hart van afgelopen Kerst bespreekt, zegt hij: 'We gaan alleen uit met beroemdheden – heb je dat gemerkt? Vreemd. Maar als je in de gevangenis zit, neuk je met de medegevangenen…'

Hij blijft tot aan *Kids* en zelfs dan doet hij zijn rap zittend op een stoel achter in de ruimte.

'Tot later,' zegt hij tegen David als het nummer is afgelopen.

'Ga je ervandoor, makker?' vraagt David.

'Ja,' zegt hij. 'Ik ga wat geheime dingen doen.'

'Heb je een afspraakje?' vraagt David nieuwsgierig.

'Ja, Dave,' zegt hij. 'Ik heb een afspraakje. Met het lot.'

***

In de studio creëert Rob een nieuw loopje op het keyboard, een zich herhalend motief rond twee akkoorden. Stephen volgt hem op gitaar en vindt dan een aflopend akkoordenschema dat de twee akkoorden in vier verandert. Rob zingt wat.

'Het is mooi, niet?' zegt hij tegen Stephen. 'Als jij mijn Pete Waterman bent, dan ben ik jouw Sonia.'

Ze praten over de mensen die ze hebben gekend in wildere, minder verstandige jaren: de acteur bijvoorbeeld die een hartaanval kreeg en gewoon doorging als tevoren. 'Het zou mij ook niet hebben doen stoppen,' zegt Rob. 'In feite heeft het dat ook niet gedaan. Ik had geen hartaanval maar was ernstig ziek. Eerst de MTV awards. Zwarte gal kwam naar boven. Ik had feitelijk een of andere geslachtsziekte en belde mijn vriendin en zei dat ik een tijdje weg moest. Ik kwam ten slotte terecht in het huis van Damien Hirst en gebruikte speed met Hell's Angels.' Hij zucht. *'Fucking hell.* Er was een jaar waarin ik gewoon niet kon stoppen met drinken. Elke dag, de hele dag.'

'Welk jaar was dat?' vraagt Stephen.

'1995,' antwoordt Rob. 'Ik deed eens een interview op het nieuws van zes uur. Ik wist niet eens dat ik dat had gedaan.'

Waar ging het over?

'Weet ik niet meer. Het zou interessant zijn om te zien…' Hij verandert van mening. 'Nee, toch niet. Het zou vreselijk zijn.'

Hij schudt zijn hoofd. 'Ik begon coke te gebruiken toen ik ontdekte dat ecstasy uitwerkte en dat het na zeven pillen geen zin had om nog een achtste te nemen, en met drie gram coke had je genoeg voor de hele dag,' herinnert hij zich. 'En dinsdag kon ik niet uitstaan. De dag erna is ellendig en de twee dagen daarop zijn de meest deprimerende die je ooit hebt meegemaakt. Met coke voelde je je alleen de volgende dag ellendig en de dag daarop niet erg goed.'

Maar toen was er de paranoia.

'Of ik dacht dat ik door een bende zou worden verkracht, of er waren gangsters die ik tegen me in het harnas had gejaagd of de speciale politie-eenheid,' zegt hij. 'De hippe vogel flipte. En die gehaaide klootzakken hadden de zitbank opengemaakt en het erin gedaan en weer dichtgenaaid. En ik controleerde het huis maar ik dacht – o nee, ze zitten in de bank.'

Stephen vertelt hoe hij ooit hete chocolademelk snoof en toen bezorgd was dat het de allerbelabberdste dood van een rockster zou zijn.

'Jezus man,' zegt Rob. 'het haalt heel wat oude klotegevoelens naar boven.'

Ze zetten zich weer aan het componeren. Het is tijd voor een nieuwe. Rob begint te zingen op een drumpartij. Na lange tijd zingt hij enkele zinnen die ergens op beginnen te lijken: '*Inside it's aching to be misunderstood... be misunderstood... that can only be good... because while they're understanding things... we find in many places...*' Hij stopt. 'Een nummer over hoe geweldig het is om verkeerd te worden begrepen,' verklaart hij. 'Als ze over je praten dan is het goed.' Hij zingt het op enkele zware orgelakkoorden. '*You're misunderstood for ages... bless for all eternity... you needed me...*' Stephen pakt een akoestische gitaar van de muur en vindt er de juiste akkoorden bij, en de song begint vorm te krijgen. '*...She said I'm dreadfully misunderstood... I said, well, that's good...*' 'Wat een geluk dat we verkeerd worden begrepen,' zegt hij en vervolgt. '*I hear you're a mean keepy-upper... but at least you've got your supper... your Tupperware affair... up your derriere... by the beautiful and good, dear... we will be misunderstood, dear... by the beautiful and good, dear... we're not all Robin Hoods here... please don't look so austere when they to shake your hand... they try to understand... when they try to shake your hand...*' Het idee wordt de kamer in geslingerd en hij houdt vast aan de zin '*please don't understand*'. Hij zingt door. Pas veel later vertelt hij dat tijdens het zingen een van de gedachten in zijn hoofd de relatie tussen Woody Allen en zijn geadopteerde dochter Soon Yi was. '*When you try to shake my hand,*' zingt hij, '*please don't understand... I'm trying to be misunderstood here... silent faces form your hands... foreign faces understand... isn't it funny how they don't speak the language of love?... love the way they smiled at me... held that face for eternity... let them all fly out...*'

Het klinkt opeens heel mooi, al lijken Rob en Stephen beiden nog geen idee te hebben van de structuur van het nummer. Voor het eerst eindigt de avond op een enigszins onbevredigende manier. Stephen blijft om aan het nummer te werken. Rob heeft nog een veerkrachtige tred als hij naar beneden loopt. 'Het opent alweer een nieuw lyrisch vaatje,' zegt hij. 'Het zorgt ervoor dat ik me niet druk maak om wat ze denken, snap je wat ik bedoel?'

***

Hij keert de volgende middag terug in Air in een ander paar praktische schoenen – zelfde model, maar een andere kleur – na een dag vol financiële bijeenkomsten en nadat hij zijn haar blauwachtig zwart heeft laten verven. 'Ik hoop dat je in september wat vrije tijd hebt,' zegt Rob tegen Stephen, 'want ik heb Amerika net afgezegd.' Hij heeft het al helemaal uitgedokterd: ze kunnen in zijn huis in Los Angeles opnemen en de drums in de badkamer neerzetten.

Hij heeft de knoop doorgehakt met betrekking tot het niet op tournee gaan in Amerika nadat hij gisteravond uitging en veel werd lastiggevallen. 'Ik wil dat niet overal in de wereld meemaken, bedankt,' zegt hij.

'Is Amerika erger?' vraagt Andy.

'Nee,' zegt Rob. 'Dit land is tegenwoordig feitelijk op het niveau van Italië. Absoluut. Maar daar doen ze het met veel meer agressie.'

'Ze koesteren wrok jegens anderen,' merkt Stephen op.

'Het is de man die in het grote huis op de heuvel woont,' zegt Rob. 'De Amerikanen kijken naar hem en denken: "Op een dag zal ik in dat huis wonen." En de Engelsen denken: "Op een dag zal ik die klootzak krijgen."'

***

'Zo,' grijnst hij, 'nu hoef ik alleen nog maar de fans van me te vervreemden.' Hij steekt twee duimen in de lucht om aan te geven hoezeer hij niet serieus is en misschien ook hoezeer hij wel serieus is.

Stephen speelt hem voor wat hij heeft gedaan met *Misunderstood*, met wat stem van Rob in een lus en het invoegen van een nieuwe overgang die Stephen zingt. Rob lijkt in de war. 'Ik zie het nog steeds niet,' zegt hij. 'Wat is nou het refrein en wat is het couplet?' Hij zingt een paar nieuwe woorden, maar kan zijn verwarring niet van zich afzetten. Uiteindelijk en terecht beseft hij dat het geen bezwaar is dat hij het niet kan vatten. 'Nou ja, *jij* begrijpt het,' zegt hij tegen Stephen, 'en ik zal het binnenkort ook snappen.' Hij zingt nog wat. 'Het klinkt als een klassieker,' zegt hij, niettemin nog steeds verward. 'Hoeveel nummers hebben we nu in totaal?'

'Zes,' zegt Stephen. 'Dat is niet slecht'.

'Het zou aardig zijn als we er tien hadden, niet?' zegt Rob.

Hij deelt naar aanleiding van de vergadering die hij zo-even had mee dat ze dit jaar geen *greatest hits* zullen doen. Hij en zijn management hebben zich ingegraven en het simpelweg geweigerd. Het enige dat

EMI volgens hem kan doen als ze er niet tevreden mee zijn is het ont-
binden van zijn contract, en dat zou niet erg zijn. (Een van de redenen
dat hij al dit schrijven van nieuwe nummers voor zich houdt is natuurlijk dat wanneer EMI deze nummers zou horen, de voornaamste praktische reden dat hij niet in staat is om een *greatest hits*-album uit te
brengen getorpedeerd zou zijn.)

Ze keren terug naar *The Trouble With Me* en proberen iets te vinden
op de plaats waar een brug van acht maten in het midden zou kunnen
komen.

'Zou een klavecimbel het bederven?' vraagt Rob zich af.

'Ik weet het niet,' zegt Stephen. 'We kunnen het proberen.'

Naast de onomstotelijke vooruitgang die ze boeken in het schrijven
van nummers waardeert Rob dit overleg volgens mij het meest: om
ergens te zijn waar hij kan zeggen 'zou een klavecimbel het bederven?'
en niemand die begint te lachen of hem er onmiddellijk vanaf probeert
te brengen, maar simpelweg goed nagaat hoe een klavecimbel zou
kunnen passen in datgene wat ze aan het maken zijn. Het geeft helemaal niet dat het specifieke idee al spoedig wordt verlaten, want Rob
geeft nu zijn enthousiasme te kennen voor wat 'hoe hoe'-geluiden in
de stijl aan het einde van *Discotheque* van U2 of een snel manisch
bespeeld keyboard zoals te horen is in het merkwaardige middelste
stuk van *Take On Me* van A-ha. (Stephen moet bekennen dat hij niet al
te bekend is met het werk van A-ha.) Dan probeert Rob een paar
scheetachtige, lage keyboardgeluiden te spelen; ze lachen bij de
gedachte dat zijn band zeer verward zou zijn als ze dit ooit zouden
moeten reproduceren, maar ook dit idee laat hij varen. Hij vraagt Andy
om de drums kaal af te spelen en pakt de microfoon. Hij zet een
staccato stem op, waarbij hij de woorden half fluistert en half blaft:
'*work with – computers – in angels – for sing – more than – the angels
– for being – unclean...*' Vervolgens doet hij direct een hogere gesproken stem eroverheen, passen bij het ritme en enkele, maar niet alle
woorden. Dan, direct, opnieuw, veel sneller gesproken. Een vierde
keer, snel. Een vijfde keer, ook snel. Hij weet dat dit een mysterie zal
creëren en het heeft maar een paar minuten in beslag genomen, maar
als het wordt afgespeeld is het een prachtige waterval van stemmen,
stijgend en dalend.

Rob begint een paar eenvoudige gitaarakkoorden te spelen.

'Dat is aardig,' zegt Stephen. 'Is dat iets?'

Rob schudt zijn hoofd. Stephen pakt een akoestische gitaar en begint
de akkoorden te volgen die Rob speelt. Opeens vormt zich een nieuw
nummer. Stephen blijft deze akkoorden spelen en Rob verzint een
melodie op het keyboard met een scherp basgeluid, al raakt hij gefrustreerd van het feit dat hij niet in staat in om zonder fouten te spelen

wat hij wil en uiteindelijk zingt hij de noten voor aan Stephen die ze speelt, zodat ze zijn loopje kunnen opnemen. Nu volgt een waterval aan vrij gevormde woorden. *'It shows in my attic, it's all asiaistic... it lives in my basement... I can feel the rodents... it's in my confusion... it's always on my brain... he falls on my Oscars... it makes all my engines go up Uh! Uh!... it loves in the ages... and falling awake on the mismim line... and do it for you... do it for you heh heh... it's like the fault in my reason... Summer's in the radio... tune in to the songs you know... make it effervescent here... and you can bring the song from here...'*

Stephen applaudiseert. 'Een ander akkoord misschien,' stelt hij voor.

'Het moet ergens anders heen gaan,' zegt Rob. Ze luisteren het af en Rob zingt een hogere melodie ertegenin: *'love's got the radio... it falls in the things you know... it moves me all the time... tune into the darkness, it's the only way to find...'*

Ze creëren een lus van een goed stuk van de stem – het Oscars-gedeelte – als het couplet, op de instructies van Rob, en Rob zingt een octaaf lager: *'fall and jump and shout at something...'* Dan houdt hij een deel van eerder – *'tune it to the radio and listen to the songs you know – make it effervescent here and you may have a job my dear'* – dat een spirit heeft die het gebrek aan betekenis overstijgt. 'Dat vind ik goed,' zegt hij. Hij zingt het nog eens en verandert het wat, maar hij heeft er genoeg van. Hij lijkt al half te slapen. Hij gaat naar het toilet, keert terug en zegt: 'Steve, ik ben kapot.' Hij moet gaan.

Stephen knikt. 'Dit is goed genoeg,' geeft Stephen aan. De komende dagen zal hij deze stemmen bewerken en in lussen zetten en er nog enkele delen aan toevoegen en het nummer dat hij op de cd zet die hij naar Rob stuurt betitelen als *Radio*.

✸✸✸

Tegen het eind van de dag spreekt Rob met Josie aan de telefoon.

'Ik zie je morgen,' zegt ze.

'Waarom?' vraagt hij.

'Je tournee begint,' legt ze uit.

'Christus,' zegt hij. 'Wist ik helemaal niet.'

✸✸✸

Het is niet de volledige tournee die dit weekeinde in Parijs begint, maar een soort voorloper. Hij treedt op in het Olympia-theater, waar slechts 2500 personen in kunnen, terwijl op een paar plaatsen van de echte tournee een publiek van bijna veertigduizend zal afkomen. Ze onthullen hier niet de volledige showproductie – misschien maar goed ook, want Rob heeft de volledige showproductie nog niet gezien. Hoewel hij op zich al zeer enthousiast is over de dingen die hij met Stephen Duffy heeft zitten doen, bestond een deel van de bekoorlijkheid van de zolder van Air studio's voor hem de afgelopen paar dagen uit het feit dat het niet alleen een tempel vormde waar hij zich kon verstoppen voor zijn zomertournee, maar ook een plaats was waar hij een alternatieve werkelijkheid kon creëren waarin de tournee er niet toe deed. De paar keren dat ik hem recentelijk direct heb horen praten over de tournee vroeg hij zich af of hij het evenzeer zou haten als voorheen en of het feit dat hij over het algemeen zoveel gelukkiger is zowel de hoogte- als de dieptepunten zal afvlakken. 'Die euforie die je soms voelt,' zegt hij. 'Ik vraag me af of ik dat zal meemaken.' Wanneer dit zo is, dan is er minder risico, maar misschien is er ook minder te winnen. 'Maar eigenlijk doe ik het liever zonder die euforie,' zegt hij, 'om erdoor te komen en omdat ik niet dood wil.'

Het vliegtuig stijgt op vanaf Luton en we vliegen over Luton Hoo waar we duidelijk de filmset van *De-lovely* kunnen zien. De acteurs en de crew lopen rond de tafels van de catering vlak voor de voordeur van het huis. Het is de dag waarop de tabloids voor het eerst melden dat ze gezien hebben dat Cameron Diaz en Justin Timberlake elkaar kusten. Eminem speelt deze week in Schotland, op tournee. Hij staat in alle kranten nadat hij net doet alsof hij een baby uit zijn hotelraam laat bungelen; de tabloids spelen zelf een rol in het spektakel door te reageren met een geveinsde, haast opgeluchte woede.

In het vliegtuig laat Rob voor het eerst een Pure Francis-nummer aan David horen: *The Trouble With Me*, het enige nummer waar hij een mix van heeft op zijn computer. 'Ik zei dat het avantgarde zou gaan klinken voor mensen die niet weten wat avantgarde is,' legt hij uit aan David. 'Avantgarde is voor de massa.' Hij zegt dat hij wil dat Pure Francis hoorns en slagtanden heeft.

'Je wilde die verdomde slagtanden altijd al,' zucht Josie.

'Ik denk dat ik mijn haar laat groeien,' zegt hij.

'Nee,' zegt Josie. 'Kleine hoorntjes met kort haar.'

'Skinhead,' stelt hij voor. 'Echt fit met geschoren hoofd. Alles eraf. Volwassen schoenen, hoorns. Geen gedans, zo weinig mogelijk beweging, misschien het hele optreden zitten.'

'Nee, je gaat niet zitten,' zegt David. 'Het zou je niet lukken om een heel optreden te zitten.'

'Geen gespeel met de camera,' vertelt Rob hem. 'Geen gespeel met het publiek. Helemaal niets. Een van de dingen dat mij aan een tournee stoort is dat ik moet rondrennen als een gestoord persoon.'

Hij vraagt zich af of Pure Francis interviews moet geven en hoe, en zelfs of hij überhaupt praat. Ik doe de suggestie dat hij voor de inter-viewers moet zitten, luisteren en ze zeggen dat hij al hun vragen zal beantwoorden op zijn volgende album.

***

De show is onopvallend maar succesvol, al ergert Rob zich er voor de toegiften aan dat iemand hem uitschold tijdens het swinggedeelte.

'Schreeuwde iemand "lul" voor *One For My Baby?*' vraagt hij.

Chris Sharrock corrigeert hem.

'"Robbie!"' zegt hij.

'O ja,' geeft Rob toe. 'Die twee haal ik altijd door elkaar.'

***

In het vliegtuig terug probeert Max Rob ervan te overtuigen dat ze samen zouden moeten golfen als ze volgende week in Schotland zijn. Rob is er niet happig op. Hij speelde vaak golf toen hij een tiener was. Hij was *junior golf captain* van zijn club toen hij vijftien was. Zijn beste club was *five iron*; hij haatte de manier waarop de vrouwelijke golfers altijd ruzieden met de junioren omdat ze graszoden achterlieten. Hij speelde soms golf toen hij in Take That zat, waarbij hij joints rookte met zijn vrienden terwijl ze de holes langsgingen. De laatste jaren is hij niet vaak meer wezen golfen.

'Ik kan er niet tegen er slecht in te zijn,' zegt Rob. 'Ik erger mij daar-aan.'

'Dat zegt meer over jou dan over het spel,' beweert Max.

'Dat is zo, Max,' zegt Rob op zijn beste 'waarom-die-moeite-om-het-voor-zich-sprekende-te-zeggen'-toon.

***

Backstage in het Queens Theatre aan Shaftesbury Avenue draagt Jonny een jurk. Hij heeft zijn travestietenmake-up al op; het corset, de vis-netkousen en de hoge hakken volgen nog. Het is zijn eerste avond in de West End als ster in *The Rocky Horror Picture Show*.

'Jullie kijken allemaal naar me, ik word er nerveus van,' klaagt Jonny.

'Het is een beetje gek, jongen,' merkt Rob op. Rob heeft altijd vol-gehouden dat hij het erg verontrustend vond om Jonny zo gekleed te zien.

Vroeg in de show, als het personage van Jonny met zijn slaaf pronkt en zegt 'Wat vind je ervan?' roept iemand in het publiek 'Het is geen Robbie Williams!' In het tweede deel, als Jonny net moet doen alsof hij cocaïne snuift, trekt hij tweemaal met zijn hoofd. Een privé-grapje. De cocaïnetrek van Rob.

7

Drie dagen voor de eerste echte show van zijn tournee vliegt hij in een privé-vliegtuig naar Edinburgh. Hij is moe. Hij zegt dat hij gisteren vergeten is zijn medicijn in te nemen en dat hij daardoor chagrijnig is en hij last heeft van zijn rug. Van het vliegveld gaat hij rechtstreeks naar het stadion Murrayfield waar de band aan het repeteren is terwijl de definitieve constructie van het podium rondom hen doorgaat. Hij doet een aantal nummers mee maar weigert de opening van de show te oefenen.

Het hotel ligt op een paar kilometer van het stadion op het Schotse platteland. 'Kijk die bomen overbuigen,' merkt hij op als we ernaartoe rijden. 'De koeien zitten.' In zijn kamer doet hij de televisie aan en ziet Cleo Rocca iemand interviewen. 'Ik viel ooit buiten een van mijn flats in slaap,' mompelt hij. 'Ze heeft me in bed gestopt.' Na middernacht vraagt hij het hotel of hij de oefenafslagplaats kan gebruiken, en ze doen deze speciaal voor hem open. We zijn er tot na twee uur in de ochtend en slaan golfballen de duisternis in.

Zo tegen vijf uur, even voor de dageraad, is hij nog steeds rusteloos en verlaat hij de kamer om een wandeling te maken. De deur slaat achter hem dicht. Hij heeft geen sleutel, daarom moet hij Jason wakker maken om hem weer naar binnen te laten.

✻✻✻

Als afleiding heeft hij de nieuwe vierde uitgave van het computerspel Championship Manager gekocht. De laatste keer dat hij Championship Manager speelde was hij wekenlang verslaafd. In het spel kies je een van de echte teams in het Engelse voetbal om te beheren en alle beslissingen te nemen die een manager zou nemen: inkoop, salarissen, tactiek, selectie van het team, training, enzovoort, tot op het kleinste detail, en dan worden wedstrijden op de computer uitgespeeld – tweeëntwintig stipjes die op het scherm bewegen. Hij heeft besloten om Cardiff te managen, omdat hij denkt dat ze veel potentie hebben en een goed vooruitzicht op promotie. Hij is gisteravond begonnen te spelen en lijkt zich er nu al meer mee bezig te houden dan met zijn aanstaande tournee, iets wat misschien precies de bedoeling is.

Hij heeft ook zijn matras laten vervangen. Dit is iets waar hij over het algemeen niet moeilijk over doet, maar zijn bed was vreselijk hard en oncomfortabel, zoals iedereen die hij het bed liet uitproberen bevestigde. Het hotel heeft een ander matras binnengebracht dat niet veel beter is maar hij kan het niet nog eens laten vervangen. Hij voorspelt dat dit de pers toch zal bereiken en zal worden afgeschilderd als typisch gedrag van grote popsterren. 'Het is dat ik goed moet kunnen uitrusten,' zegt hij, 'anders zullen de shows waardeloos zijn.'

'Volgens mij is dit het meest decadente waar we ooit om hebben gevraagd,' zegt Josie.

Nog twee dagen te gaan. Er is vandaag weer een repetitie, daarom gaan we de stad in. Aan de straatmuren vlak bij het stadion adverteren posters de nieuwe onofficiële biografie. 'Kun je je voorstellen dat ik die persoon in dat boek zou zijn?' zegt hij. 'Of dat ik de persoon was waar de tabloids over schrijven? Ik zou een of ander Hitlerachtig personage zijn.'

Josie komt de kleedkamer binnen terwijl hij wat rekoefeningen doet.

'Ik zei tegen een vent in de sportschool,' vertelt hij tegen haar, '"Kun jij me leren hoe ik een split kan doen?" En hij zei: "Hoe flexibel ben je?" En ik zei: "Nou, ik kan zaterdag niet…"'

Hij ligt op de vloer en speelt een snookerspel op zijn X-box. Hij zegt dat hij zich uitgeput voelt. 'Zodra er enige verantwoordelijkheid is,' zegt hij. 'doet mijn lichaam…' en hij demonstreert het door in te zakken, alsof elk vleugje wil en kracht het lichaam verlaat. Hij heeft hier een theorie over. 'Mijn DNA is aan het vechten,' zegt hij. Hij denkt dat het de stambomen van zijn ouders zijn die in hem oorlog voeren. 'Misschien zijn er eeuwenlang mensen aan mijn vaderskant geweest die zich nergens druk om maken,' veronderstelt hij. 'In veel gevallen is dit een goede eigenschap om te bezitten. Maar aan mijn moederskant zijn er beslist mannen en vrouwen die zich veel te druk om dingen maken. Wat ook een goede eigenschap is om te hebben. Maar als ze tegen elkaar strijden…'

Dat is natuurlijk onderdeel van de allure van Robbie Williams: een grootse primitieve strijd tussen druk en niet druk maken als een publiek spektakel, entertainment en melodrama neergezet.

***

Hij is op het podium.

'Als ik "eve" zeg, zeggen jullie "ning"!' schreeuwt hij en wacht op de gevraagde respons. 'Als ik "he" zeg, zeggen jullie "llo"!'

Op recente tournees was hij bezorgd dat zijn vermogen om tussen de nummers op het podium te praten opgedroogd zou zijn, maar nu is er een echte spraakwaterval.

'En jullie dachten dat ik alleen maar een beroemdheid was,' verklaart hij. 'Nee hoor. Ik zing en dans…' Dan, alsof hij twijfel proeft, voegt hij eraan toe: 'Echt! Ik entertain…' Hij legt uit dat wat hij vanavond presenteert een enorme taart is. 'En deze is genaamd Entertainment Taart,' vertelt hij ze. 'Speciaal voor jullie. Ik wil jullie simpelweg wat kruimels *Come Undone* aanbieden…'

Als er iets merkwaardig is aan de manier waarop hij dit doet, dan is dat wederom dat er geen 'zij' aanwezig is. Er is geen 'jullie'. Hij praat en communiceert met niemand. Feitelijk is er een extra achtduizend pond besteed om het stadion deze avond af te schermen, zodat niemand hem onverhoeds ziet of fotografeert als hij aan het begin ondersteboven hangt. Afgezien van het geringe aantal mensen dat aan de show werkt, is Murrayfield compleet leeg. Maar als hij repeteert doet hij net alsof er een voltallig publiek aanwezig is. Misschien is het gewoon praktisch en realistisch – dit geklets moet evenzeer als de rest worden geoefend – maar het is iets wat hij altijd doet als hij repeteert, onder welke omstandigheden ook. De eenvoudigste manier om het samen te vatten zou dit kunnen zijn: Robbie Williams doet altijd alsof het publiek aanwezig is, zelfs als dit niet het geval is. En misschien is dat het wel, al vraag ik me soms af of de waarheid niet eerder het volstrekt tegenovergestelde is – dat hij altijd probeert op te treden, met alle geklets en toneelvaardigheid en interactie en idioterie die met optreden gepaard gaan, precies omdat het past bij de wereld in zijn hoofd. Alsof het publiek er nooit echt is.

❉❉❉

De repetitie gaat verder.

Max neemt plaats achter de piano en Rob introduceert *One For My Baby* uitvoerig. Hij legt uit dat ze dit nummer samen zongen in de eenzame dromerijen van hun liefdesverdriet in midwinter. (Niet dat ze het voor het eerst samen speelden in zijn kelder in de lente.) Na het nummer roept hij: 'Max Beesley! Tussen ons beiden bestaat bijna een perfecte Spice Girls-puzzel… op één stukje na compleet. O ja. Ik zei dat er één stukje ontbrak. Ga zelf maar na. Je kent drie van hen maar er is er nog één. Je wist dat niet.'

Max kijkt ontzet.

Rob begint *She's The One* te zingen met de slissende stem van Mark Owen – nu is hij niet zozeer aan het optreden voor een denkbeeldige menigte maar de weinige aanwezigen aan het entertainen, waarvan hij weet dat ze toekijken. Hij voegt zinnen toe uit de Take That-song *Babe*. 'O *fuck*,' zegt hij na een poosje en loopt van het podium. Hij vraagt Josie naar de tijd en keert dan terug en kondigt het nummer aan wanneer het is gespeeld: '*She's The One*. De voor de rest onbekende pop-song *She's The One*... geschreven door Karl Wallinger, beroemd op feesten over de hele wereld. Robbie Williams neemt het op en maakt het enorm populair. Karl Wallinger – is hij gelukkig? Is hij *fuck*? De ondankbare hond. Ondankbare vette hond, hè? Ik durf te wedden dat hij *fucking* gelukkig was toen hij de cheque met de royalty's ontving. Elke *fucking* keer dat ik dat nummer nu zing moet ik aan die lul denken. Moet je voorstellen. Stop dat in je *fucking*... "Karl Wallinger, vind je de versie van Robbie Williams goed?" "Nee, ik vind hem een lul", waren geloof ik de woorden. Nou, ik vind jou een lul. Ja. Ik kan niets grappigs bedenken om te zeggen. Jij bent ook een lul. Wie is dan de grotere lul? Hij! Het antwoord is hij. Als je je afvraagt wat het antwoord is, het is Karl Wallinger. Hij is de grotere lul. Hoe dan ook, sorry voor mijn vulgaire woorden, dames en heren. Ik weet dat dat niet bij me past, maar... ik erger mij eraan. Dat nummer komt op de *greatest hits* en zo, zeker weten, en zo verdient die klootzak meer geld. Lul. Goed, door met de show. *Supreme*.'

Hij loopt aan het begin van *No Regrets* van het podium en keert niet terug.

✻✻✻

De meeste uren dat hij wakker is in de 48 uur voordat zijn eerste show begint, brengt hij door met het spelen van Championship Manager 4. Terug in het hotel zoekt hij op internet naar tips en zoekt hij naar goede spelers die hij goedkoop kan kopen en belt Ant om advies. Zijn andere tijdverdrijf als hij wacht op het eerste concert is het keer op keer luisteren naar de half voltooide Pure Francis-nummers, naar zijn toe-komst ver weg van dit. Stephen heeft hem ruwe mixen gegeven van vijf nummers.

Nog één dag te gaan. Vanuit de bestelbus die de stad in rijdt voor de generale repetitie belt hij Stephen om uit te vinden wanneer hij versies van de andere nummers kan krijgen.

'Wat een fantastische gozer,' zegt hij erna. 'Ik denk niet dat hij ook last zal krijgen van eigendunk. Maar mocht dat het geval zijn, dan zal hij het met veel meer klasse doen...'

Hij besluit vervolgens, omwille van het meedelen en choqueren en vermaken, ons zijn jongste kwetsuur van de Vacunaut-machine te tonen. 'Mijn linkerbal is gigantisch,' zegt hij. 'Moet je zien.' Het is, zoals hij zelf zegt, onnatuurlijk groot en ook zorgwekkend paars. 'Wat zijn de kloten van een man toch *fucking* lelijk, niet?', mijmert hij.

In Murrayfield doet hij de soundcheck van *Let Me Entertain You* en laat het daarbij. Hij heeft de laatste paar nummers van de set nog altijd niet goed gerepeteerd of zelfs maar gezien wat erin gebeurt, of de toegiften, en hij zal dat pas morgenavond doen, voor een publiek van vijfenzestigduizend mensen.

Hij zit in zijn kleedkamer en denkt aan Pure Francis.

'Ik neem aan dat het iemand wordt die ik zou willen zijn,' zegt hij. 'In plaats van dat ik schrijf over wie zij denken dat ik ben en wie ik ben. Weet je, *Handsome Man* is natuurlijk wie ze denken dat ik denk dat ik ben. En *How Peculiar* is wie ik zou willen zijn, maar Pure Francis zal niet zo zeker zijn als dat. Hij zal beschaafder zijn in zijn eigendunk. Ik denk dat hij gewoon alwetend zal worden.' Hij pauzeert even. 'In plaats van algissend.'

Ik vraag hem of Pure Francis beschadigd is.

'O ja,' zegt hij, 'hij is beschadigd. Maar in plaats van "ik voel niets – ik weet dat veel slimmere mensen nooit zo ver zijn gekomen" zal het "ik voel alles – en ik weet dat minder slimme mensen verder zijn gekomen dan ik" zijn. Ik denk dat er veel zal worden gekeken naar mensen uit de goot.'

✳ ✳ ✳

Weet je überhaupt hoe je show afloopt?

'Nee,' zegt hij en glimlacht.

Is dat niet gek?

'Niet echt,' zegt hij. 'Ik krijg het te zien als zij het ook krijgen te zien.'

8

De dag van de eerste show van Robbie Williams is, zoals te voorspellen is, ook een grote dag voor Robbie Williams in de kranten. Een deel van wat wordt geschreven is betekenisloze onschuldige onzin. DE BEDDENJONGEN VAN DE POP kopt *The Sun*; de kern van waarheid dat hij zijn matras heeft laten vervangen wordt opgeblazen tot een verhaal hoe 'Robbie het personeel verbijsterde' in zijn hotel in Edinburgh door zonder bericht vooraf een speciaal vierseizoenenbed te eisen.

Veel irritanter is een artikel van twee bladzijden in *The Daily Mail* door Nicole Lampbert, hun 'hulpredacteur showbusiness'. De kop is Robbies ANGEL, geïllustreerd met een foto van Jonny verkleed als een Frankfurter worst met zijn arm om Rob. 'Ze wonen samen, reizen samen en zijn zo intiem als elk stel,' zegt het intro. 'Wat is de waarheid omtrent Robbie Williams en zijn kameraad Jonathan?'

Al wordt slim geprobeerd om zich in te dekken door helemaal aan het eind ongemeen terug te krabbelen, het is een meesterwerk van aanhoudende smerige insinuaties en de boodschap die het moet overbrengen is volstrekt helder: iedereen weet het, het is zonneklaar – hoeveel langer zal dit homopaar nog de schijn ophouden?

In werkelijkheid is het merkwaardigste aan de relatie tussen Rob en Jonny dat het zo ongecompliceerd lijkt; hoe eenvoudig, solide en diep de relatie is. Hoe hun hele geschiedenis – van Rob die ouder en beroemder is en hoe ze elkaar hebben gesteund gedurende verscheidene dieptepunten – een vriendschap heeft opgeleverd met een aangename balans, en een vriendschap die tussen hen de luxe kent niet te worden beoordeeld. Zo ziet *The Daily Mail* het natuurlijk niet. Zelden wordt in een artikel als dit van zo veel verschillende kanten aangevallen, en misschien is het de moeite waard om in detail te ontleden wat er precies wordt beweerd.

✳ ✳ ✳

Het begint met een beschrijving van het tafereel eerder deze week als Rob vanaf de stalles applaudisseert voor Jonny bij de première van de *Rock Horror Show*. Het geeft in detail de overeenkomsten tussen hun tatoeages en vervolgens wordt gesteld dat Jonny nooit zo open is over zijn 'langdurige lijdende verloofde' als over zijn vriendschap met Rob: 'twee jaar nadat ze zich verloofden wacht ze nog altijd op een huwelijksaanzoek'. De insinuaties nemen toe en het artikel neemt dan plotseling een wending met een serie van Robs eigen grappen en plagerijen alsof ze alleen bestaan als camouflage voor het onderwerp waarover ze gaan, de pesterijen citerend toen hij en Jonny optraden met *Me And My Shadow* in de Royal Albert Hall, opnieuw de referenties aan The Rock in *The Advocate* aanhalend en de scène met drie mannen in een bed in de video van *Come Undone* beschrijvend. (Een van de mannelijke modellen wordt geciteerd: 'Robbie zat er echt goed in.') De schrijfster richt zich dan op bronnen uit zijn verleden. Ze citeert Kevin Kinsella – ze is zo goed geïnformeerd over haar onderwerp dat ze zegt dat hij nauw heeft samengewerkt met Take That, hoewel hij Rob feitelijk pas daarna kende en kort als manager heeft gefungeerd – die gezegd zou hebben: 'Zijn onzekerheid omtrent zijn seksualiteit zat hem erg dwars... Rob barstte in snikken uit toen hij het me uitlegde...' Dan wordt haar tweede getuige ten tonele gevoerd, te weten Ray Heffernan.

'Ray Heffernan, die Robbie hielp bij het schrijven van een vroege versie van Angels, voegde eraan toe: "Ik geloof dat Robs probleem met homoseksualiteit in die tijd een van zijn grote gevechten was. We liepen de hele nacht door Dublin terwijl we over zijn problemen praatten, en de kwestie seksualiteit speelde zeker een rol. Hij was er erg open over. Het was moeilijk voor hem te ontdekken wie hij precies was."'

Er is nog een derde getuige.

'En een openlijk homoseksuele popmanager vertelt hoe hij de nacht doorbracht met Robbie in een hotel in Los Angeles, rond de tijd dat de ster Take That verliet. "We kusten en knuffelden alleen wat," zei de manager vorige week. "Hij was er slecht aan toe, hij had te veel drugs gebruikt en hij zocht alleen wat troost. Ik vermoed dat hij zowel van mannen als van vrouwen houdt. Hij kan niet kiezen en heeft het gevoel dat hij dat zou moeten. Hij is een jongen uit het noorden en kan niet begrijpen waarom hij op mannen valt. Daarom is hij naar mijn mening zo ongelukkig."'

Wie zou na het lezen van dit verhaal, dat maar door en door gaat, nog twijfelen aan datgene wat hij zo-even heeft gelezen?

Het artikel behandelt dan de relaties van Rob met vrouwen. Er wordt voorzichtig opgemerkt dat hij duidelijk 'echt van vrouwen houdt', maar vervolgens wordt een provocatief beeld geschetst dat enigszins dient om dit te ondermijnen, waarbij korte relaties met Jacqui Hamilton Smith, Mel C, Nicole Appleton en Tania Strecker worden genoemd – alsof dit het opstapelende bewijs vormt van het onvermogen om een durende relatie met een vrouw aan te gaan. Dan gaat ze over op recentere contacten en impliceert dat deze een andere aard bezaten maar bewijs leveren voor een zelfde conclusie; het zou, zo wordt de lezer voorgehouden, het begin markeren van een tijd van teleurstelling en camouflage. Met betrekking tot Geri Halliwell, 'werd de hele affaire beoordeeld als een publiciteitsstunt'; 'zijn relatie met Nicole Kidman viel gelukkigerwijs samen met het uitbrengen van hun single *Somethin' Stupid*'; en wat Rachel Hunter betreft: 'ze wilden zo graag de wereld tonen dat er sprake was van een echte romance dat ze voor enkele verschrikkelijke foto's poseerden terwijl ze compleet naakt met elkaar knuffelden. Deze werden gemaakt als stiekem genomen paparazzi-foto's. "Laten we er geen doekjes om winden – Robbie zal alles doen om er hetero uit te zien," merkte Boy George bitter op.'

Opnieuw is de insinuatie duidelijk.

Aan het eind van het verhaal komen hij en Jonny aan bod. Op het laatste moment, zoals te doen gebruikelijk is in dergelijke verhalen boordevol insinuaties, krabbelen ze terug nadat ze hun doel hebben bereikt om alles te kunnen blijven ontkennen. Nadat er weinig twijfel bij de lezers is overgebleven ten aanzien van de vraag wat de lezers geacht worden te denken, wordt het verhaal snel ingedekt door het tegendeel te beweren. Aan het eind stelt de schrijfster dat haar bronnen volhouden dat Rob en Jonny niet op die manier met elkaar omgaan, want hoewel 'Robbie misschien onzeker is', is Jonny hetero. In een briljant cynische finale, waarin getracht wordt om zowel de onwetendheid van de schrijfster als enig verwijt voor deze onwetendheid ten aanzien van haar onderwerp uit te dragen, concludeert ze: 'In dit onzekere milieu kan niets voor kennisgeving worden aangenomen – behalve dat niemand, misschien zelfs Robbie zelf niet, de ware aard van zijn seksualiteit echt kent.'

✱ ✱ ✱

Rob, die in werkelijkheid voldoende overtuigd is om te weten dat hij zichzelf niet moet kwellen door dit artikel zelf te lezen, verneemt pas geleidelijk hoe verfoeilijk het is als in de loop van de middag stukken uit het artikel aan hem worden voorgelezen. Er ligt vermoeidheid in zijn reactie doordat hij eraan gewend is geraakt dat er over hem wordt gelogen, maar er is ook wrevel. Als David de opmerking van Boy George 'Robbie zal alles doen om er hetero uit te zien' noemt, reageert hij vermoeid: 'Wat? Door compleet heteroseksueel te zijn? En op geen enkele manier in mannen geïnteresseerd te zijn?'

Op dezelfde wijze ziet hij er weinig heil in om uit te vinden of Kevin Kinsella en Ray Heffernan, twee mannen die veel meer tijd hebben besteed met het praten over Rob dan dat ze hem kenden, werkelijk geloven dat hij gebukt ging of gaat onder zijn seksualiteit. Begrepen ze iets verkeerd dat hij in dronken ellende of bluffende speelsheid heeft gezegd? Hebben ze zich op de een of andere manier voorgesteld hoe ze nu worden geciteerd op basis van wat ze geloofden dat waar was? Zijn ze verkeerd geciteerd? Of hebben ze simpelweg gelogen uit effectbejag, om aandacht of uit winstbejag? Robbie weet dat hoewel hij over veel zaken onzeker was, dit er niet een van was.

Het derde verhaal over de nacht met de homoseksuele popmanager is anders en het duurt enige tijd om te beseffen wat in het artikel staat: dat een man in volle ernst beweert dat hij in Los Angeles een nacht kussend en knuffelend met hem heeft doorgebracht. Als het waar was dan is het een verhaal waarvan verwacht had mogen worden dat het niet ergens halverwege in een dergelijk artikel zou zijn verstopt. Het is ook een bewering die hem volledig voor een raadsel stelt. Hij heeft geen idee wie dit zelfs maar zou kunnen beweren.

'Ik ging zelfs pas naar Los Angeles met *I've Been Expecting You*, merkt hij op. 'Zulke troep zou verboden moeten worden. Jezus. "We kusten en knuffelden alleen wat"?'

Hij vraagt om de citaten opnieuw te horen. Voor een keer lijkt hij gechoqueerd.

'Het zou verboden moeten worden om dat soort shit te zeggen,' zegt hij. Hij ademt uit. 'Ik bedoel, dat biseksuele gedoe heeft David Bowie en Mick Jagger niet geschaad – mensen worden er interessanter door – maar mensen zouden zulke shit niet volledig uit hun duim mogen zuigen. Ik heb in de verste verte nog nooit met een man gezoend uit seksuele bedoelingen.'

Maar wat kun je anders doen dan je schouders ophalen en doorgaan? Vooral als het gaat om een onderwerp als dit. Als je op luide toon bezwaar maakt, eenvoudigweg omdat het verhaal niet waar is en omdat het ergerlijk is dat er over je wordt gelogen, zullen veel mensen aannemen dat je op luide toon protesteert omdat je je schaamt voor de insinuaties in het verhaal. Het is *The Daily Mail* en niet Rob die zich geregeld gedraagt alsof ze geloven dat homoseksualiteit iets schandelijks is dat uitnodigt tot bedrog, maar het is moeilijk om hun verhaal aan te vechten zonder dat hun vooroordelen op jou geprojecteerd lijken te worden.

Hij haalt daarom zijn schouders op en keert terug naar Championship Manager. Cardiff heeft het vannacht goed gedaan, maar heeft zoeven een terugslag gehad. 'Zo gaat het nu eenmaal soms in voetbalmanagement,' zegt hij ernstig. Tegen vijf uur 's middags is hij er zo door in beslag genomen dat hij zijn tanden poetst voor de computer terwijl hij nieuwe spelers zoekt. In de stad lopen duizenden mensen in de richting van het stadion Murrayfield, denkend aan Robbie Williams. In zijn kamer in het Dalmahoy Hotel & Country Club vraagt Robbie Williams zich af of Cardiff Matty Warner van Wycombe Wanderers zou moeten inlijven.

✳✳✳

Hij heeft een politie-escorte van het hotel naar het stadion. Als we de stad in rijden zien we steeds meer mensen, sommigen in drommen voor de kroegen maar de meesten lopen in dezelfde richting. Als ze de bestelbus zien en de motoren van de politie, stoppen velen en wuiven en applaudisseren ze.

Hij ziet het kasteel van Edinburgh in het silhouet van de stad en herinnert zich de eerste keer dat hij het zag. 'Take That deed zijn eerste optredens in Edinburgh en Glasgow,' zegt hij rustig. 'We speelden elke avond in vijf clubs en soms moesten we van Edinburgh naar Glasgow en weer terug. We kregen honderdvijfenzeventig pond voor de hele tournee.'

Als hij achter het podium uit de bestelbus stapt, zwaait hij naar enkele fans die hem door het hek hebben gezien en houdt vervolgens zijn arm onder de neus van zijn moeder. 'Kijk eens, mijn haren staan recht overeind, mam,' zegt hij. 'Geweldig, niet? Ik zou bijna een traantje laten.' Hij pauzeert even. 'Als ik tenminste een hart had.' Hij buigt zijn hoofd en kijkt naar wat er buiten het stadion gebeurt. *Fuck me,*' zegt hij. 'Moet je dat zien.'

Chris Briggs komt naar hem toe om te kijken hoe het met hem is. 'Geniet je ervan?' vraagt hij.

'Niet te uitbundig,' waarschuwt Rob hem. 'Ik geniet bijna. Dat is beter dan dat ik mezelf liever ophang dan dat ik het podium op ga...'

Er heerst enige nervositeit bij degenen om hem heen, ironisch genoeg voortkomend uit het feit dat Rob zo kalm is. Ze zijn nerveus omdat het niet altijd zo is geweest. Eigenlijk is het zelden zo geweest.

Hij loopt heen en weer door de gangen voor de kleedkamer.

'Ik ben in de stemming om te bewijzen dat een paar mensen gelijk hebben gehad,' zegt hij, 'en veel mensen ongelijk.'

Hij laat Josie de ringvinger van zijn linkerhand zien. De vinger is geïnfecteerd en erg opgezwollen. Het ziet er vreselijk uit. Hij vraagt of zij iemand kan vinden om ernaar te kijken. 'Vraag of ze de pijn kunnen wegnemen,' vraagt hij. Terwijl hij wacht leest hij de getypte set-aantekeningen die Lee voor hem heeft achtergelaten. De aantekeningen lopen de set langs en moedigen hem aan enkele onderdelen van zijn optreden te herhalen volgens de paar repetities die hij heeft bijgewoond en herinneren hem aan andere aspecten van het optreden. Nadat hij een tijdje door de setbriefjes heeft gebladerd legt hij ze neer en lacht. 'Er zijn geen aantekeningen na *Kids,*' zegt hij, 'omdat we dat niet hebben gedaan.'

De dokter arriveert en verwijdert wat pus van zijn vinger. 'Je hebt op je nagels gebeten,' berispt de dokter hem, 'en de vinger rond de nagel ontstoken.' Rob zegt dat hij heeft geprobeerd om te stoppen, maar dat het niet is gelukt. 'Ik raakte gewend aan Stop'n'Grow,' legt hij uit. 'Je moet echt willen stoppen. En ik wil niet stoppen.'

Hij kiest zijn uitdossing voor vanavond uit een rek met kleren. (Ondanks het feit dat zijn optreden zo theatraal is, is hij niet het soort entertainer dat een uniform heeft. Noch – afgezien van een schoon T-shirt voor de toegiften en in Schotland een kilt – is hij er het type naar om zich heel vaak te gaan omkleden.) Ongeveer een halfuur voordat hij op moet heeft hij een verzoek aan zijn moeder.

'Je kunt nu beter even uit de buurt blijven,' verzoekt hij, 'want ik kan geen rock-'n-roll krijgen als jij hier bent. Ik zou me anders als de zoon van iemand anders voelen'.

'Echt?' zegt Jan, opstaand. 'O jee.'

'Nu moet ik de mythe worden,' legt hij uit.

Ze knikt. 'Ik zie je op het podium,' zegt ze.

'Dank je, lieverd,' zegt hij. 'Ik hou van je.'

De banden worden om de enkels gedaan. Hij begint *Elevation* van U2 te zingen en loopt nog wat door de gang. In de kleedkamer van de band speelt Mark Plati akoestische gitaar en iedereen zingt *Blackbird* van The Beatles samen als een laatste warming-up. 'Is er verder nog iemand die het gevoel heeft dat hij in een coma zou kunnen raken?' vraagt Rob, maar ontwijkt alle bezorgdheid. Dit gevoel krijgt hij regelmatig in stressvolle situaties.

Het is tijd. Hij voegt zich bij de band op het podium achter de schermen die hem aan het oog van het publiek onttrekken, loopt rond met een ernstige uitdrukking op zijn gezicht en schudt hier en daar tot slot nog een paar handen. Dan gaat hij op zijn rug liggen en wordt aan de kabel verbonden die hem naar boven zal hijsen. Hij ligt daar een poosje, zijn enkels een paar centimeter boven het podium, tot hij wordt opgetild. Terwijl hij omhooggaat draait hij zijn lichaam om het ronddraaien te stoppen. De schermen voor hem gaan open. Het gejoel wordt luider en blijft luider.

✹ ✹ ✹

Het is voor het publiek niet te merken – geen van de recensies zullen het morgen opmerken – maar meteen vindt er een ramp plaats. Gedurende de eerste twee nummers heerst er een volledige paniek wanneer de monitoren en het systeem voor oortelefoons waardoor de muzikanten zichzelf horen totaal niet werken. Ze kunnen amper horen wat ze spelen en Rob kan amper horen wat hij zingt. Hij is volledig van de wijs en enigszins bevreesd. Maar dat is niet wat het publiek ziet. Hij houdt altijd vol dat hoe banger hij is, hoe zelfverzekerder hij lijkt, en in dat licht moet hij vreselijk benauwd zijn.

Na een uur begint hij rond het podium te rennen en te roepen: 'Ik ben niet bang meer! Ik ben niet bang meer! Het kostte me maar tien nummers om mijn angst kwijt te raken!' Misschien probeert hij iets eerlijks over zijn ervaringen daarboven uit te dragen, maar ik weet zeker dat de meeste mensen die toekijken verbijsterd zijn en deze opmerking moeilijk kunnen rijmen met de zeer eigenwijze en zelfverzekerde show die ze net hebben gezien.

Aan het eind van de show rent hij het podium af, rechtstreeks een wachtende auto in, waarbij hij het zweet afveegt terwijl de auto optrekt, zodat hij al uit het stadion is verdwenen als de lampen nog niet eens voor de ogen van het publiek zijn gedoofd.

Hij zit daar, zweterig, licht hijgend.

'Het je genoten?' vraagt Josie.

'Ik begin mijn draai te vinden,' zegt hij. Hij benadrukt dat hij tot het einde toe echt niet zeker wist of het publiek genoot. 'Ik dacht, dit is waar het allemaal peervormig voor me gaat worden in mijn leven,' zegt hij. Hij was geschokt aan het begin van *Me and My Monkey* toen hij mensen naar het toilet zag gaan en hij wist dat hij nog zeven minuten van het nummer moest doen. 'Veel van de tijd dat ik op het podium sta vraag ik mezelf af wat ze goed vinden,' zegt hij. 'Ik bedoel, ik vraag mezelf af: Wat is entertainment? Waarom kijken ze zo naar mij? Niet dat ik depri ben of zo, het is alleen maar zo dat ik naar mezelf kijk en me afvraag wat ik aan het doen ben. Ik snap het niet.'

Wat voor gesprek de mensen die Murrayfield beginnen uit te lopen ook denken dat Robbie Williams op hetzelfde moment heeft, ik ben er vrij zeker van dat het niet dit gesprek is.

Hij vraagt de bestuurder om het raampje achter te openen en wat lucht binnen te laten en zegt dat hij nog aan iets anders moest denken terwijl hij op het podium stond. Hij wist dat alle journalisten er waren om hem te beoordelen en plotseling maakt hij zich niet langer zorgen.

'Ik dacht, nou, ik kan verdomme doen wat ik wil op deze tournee want Francis is onderweg,' zegt hij. 'Ik kan zijn wie ik wil zijn, afhankelijk van het moment, en me er niet druk om maken.'

✹✹✹

Terug in het hotel is er een buffet en een klein feestje in een privélounge met een poolbiljart die is gereserveerd voor de groep die op tournee is. Rob zit op een bank en kijkt wat naar Radiohead in Glastonbury op de televisie, maar hij blijft niet lang. Hij is een kort moment droevig over het feit dat hij geen vriendin heeft en Championship Manager roept. Later, in wat *The Daily Mail* zou kunnen beschouwen als weer een wanhopige poging om zijn heteroseksualiteit te bewijzen, gaat hij misschien nog naar de bar en strompelt hij in gezelschap weer naar boven. (Terug in zijn kamer zal hij zijn nieuwe tijdelijke gezelschap bij wijze van conversatie zeggen: 'Mijn oren rinkelen.' 'Wie belt er?' zal ze daarop vragen.)

Ten slotte, als zelfs meisjes en denkbeeldige voetbalteams en een matras dat nog altijd te hard is hem niet kunnen tegenhouden, valt hij in slaap. Als hij slaapt droomt hij.

Hij kijkt met Jonny en zijn moeder naar de nachtelijke hemel. En dan is het daar eindelijk! Precies wat hij altijd al wilde zien – een ufo! En dan nog één. Twee enorme prachtige ufo's.

En dan – in de droom – richt hij zich tot zijn moeder en zegt, licht teleurgesteld, 'O... dit is een droom, niet?'

'Nee,' zegt ze.

'Nee,' zegt Jonny.

En hij is zo blij. Het was *echt*.

Maar...

Maar...

Hij vraagt het nog een keer, voor de zekerheid.

'Het is een droom, niet?' vraagt hij aan zijn moeder. 'Eerlijk zeggen.'

'Ja,' geeft ze toe.

9

J onny arriveert de volgende middag. Rob wordt net wakker. Hij zit op een handdoek na bloot in zijn kamer en zorgt voor Cardiff, die Blackpool met 3-0 verslaat. Hij houdt het scherm nauwlettend in de gaten.

'Weer een goede recensie, jongen,' zegt Jonny. 'Over je seks.'

Een meisje waar hij een paar weken geleden seks mee had in zijn nieuwe flat heeft haar verhaal verkocht aan *News Of The World*. Het wordt verteld in het gebruikelijke hijgende proza:

'Hij wierp een blik op haar slip en zei: "Je hebt een achterwerk als een perzik"'... 'hij leek de kunst beslist niet verleerd te hebben'... 'geloof me, Robbie is honderd procent man. Hij is absoluut niet homoseksueel...'.

Rob, die het amper iets lijkt te schelen, zegt dat ze toentertijd aan hem had gevraagd wat hij vond van meisjes die hun verhalen verkochten en hij had tegen haar gezegd: 'Volgens mij zijn het prostituees – om met iemand te slapen voor geld is in alle opzichten en bedoelingen hetzelfde als een prostituee zijn.' Hij had haar verteld dat het hem droevig stemde: 'Mensen praten over je genitaliën en komen en gaan en de hele wereld kan het lezen – het is walgelijk.'

'O,' zei ze.

***

In het verleden was hij er zeker van dat de roddelbladen meisjes op hem afstuurden om met hem te slapen en hun verhaal te verkopen. 'Het aantal meisjes dat hun verhaal heeft verkocht is absoluut immens,' zegt hij. 'Het was doorgaans elke zondag raak. Op een avond kwamen twee meisjes langs, strippers, en als ze niet door de sensatiebladen waren gestuurd dan waren ze beslist een spel aan het spelen waarbij ze het op zich genomen hadden om rechtstreeks naar de *fucking* geldkoe te gaan.'

Het was aan het eind van 2001. Ze klopten op een avond op de deur en hij ging naar beneden om ze te ontmoeten. Hij herinnert zich dat ze over hun bedoelingen niets aan duidelijkheid te wensen overlieten: 'Ze lieten me hun tieten buiten zien, door het hek. En toen grepen ze mijn lul.' Hij zei hen daarom dat ze beter binnen konden komen. Ze bleven iets langer dan een uur.

Ik vraag wat er gebeurde en hij zegt, op zakelijke toon: 'Ik sliep met ze... nou, het was koud. Het was winter.' Dan gaat hij er dieper op in. 'Het was grappig, want... mijn medeafhankelijkheid... omdat ik bezorgd was over degene die niet zo knap was, bracht ik meer tijd door met haar en natuurlijk kreeg de knappe de echte beurt.'

Hij zegt dat hij zich fantastisch voelde toen het gebeurde; direct erna voelde hij zich afschuwelijk. Een versie van datgene wat was voorgevallen stond het volgende weekeinde in de kranten. Hij belde het knappe meisje op en vertelde haar dat wat ze had gedaan prostitutie was en haar een hoer maakte. Ze was in de auto met haar vader en ze ontploften beiden en zeiden dat de kranten hadden gezegd dat hij het prima vond. Hij zei ook tegen haar dat het jammer was omdat hij haar leuk vond en hoopte haar weer te zien, iets wat ook is gebeurd.

Hij zegt dat wanneer hem wordt verteld dat er weer een van zulke verhalen in de kranten staat, hij gewoon vraagt: 'Gaven ze me een goed cijfer?'

'De rest kan me niets schelen,' zegt hij.

Is dat echt wat je belangrijk vindt?

'Ja.'

En als je een slecht cijfer van hen krijgt?

Hij haalt zijn schouders op.

'Je bent maar zo goed als je laatste single,' antwoordt hij.

✻✻✻

In zijn kleedkamer gaat hij liggen en kijkt naar het voetbalnieuwskanaal *Sky Sports*. Hij kan hier uren naar kijken, ondanks het feit dat de meeste berichten steeds worden herhaald en zelden gaan over iets heel belangrijks. Hij vindt de herhaling rustgevend. Hij beweert dat het net zoiets is als het opnieuw zien van afleveringen van *The Simpsons*: elke keer vallen je weer nieuwe dingen op. 'Ik krijg de kans om te horen wat ze zeggen,' legt hij uit, 'en in het volgende halfuur krijg ik te zien wat ze dragen, en dan wat er op de achtergrond gebeurt – hoeveel "keepy-ups" doet hij?' Hij weet dat het monotoon en inhoudsloos lijkt en soms stelt hij zich voor dat er maar een paar mensen naar kijken – hijzelf, Jonny, Ant, Dec en een paar andere dierbare zielen. Maar dit kanaal is een grote troost voor hem – niet alleen nu, maar nog meer toen hij zijn grootste depressie doormaakte. 'Zonder voetbal was het heel moeilijk geweest om door die tijd heen te komen,' zegt hij. 'Voetbal redde mijn leven.' Hij gebaart naar de pratende hoofden en een nieuwsitem over een mogelijke onbeduidende transfer. 'Ik hield van de mensen die op dat kanaal het nieuws lazen,' zegt hij. 'Ze bemoederden me in mijn rottijd. Het was een tijdje mijn familie.'

✳ ✳ ✳

'Heb je de recensies vandaag gelezen?' vraagt hij het publiek in Murrayfield. 'Ik ook niet,' vervolgt hij, 'maar ik neem aan dat ze uitstekend waren...'

Vanaf het begin van het tweede optreden in Murrayfield is zijn performance op het podium van een ander niveau. Gisteren kon je vaak de inspanning achter de entertainment merken, maar vanavond lijkt hij te zweven. Hij is bijna zo praatziek en indiscreet als wanneer hij tegen een publiek praat dat er niet is. 'Kerstmis was een moeilijke tijd voor mij en Max omdat we beiden een relatie hadden beëindigd met twee zeer grote beroemdheden,' zegt hij. 'En ik weet niet hoe het zit met jou, maar ik heb het helemaal *gehad* met beroemdheden.' (Er is een enorm gejoel vanuit de menigte, misschien deels omdat sommige van hen zich aangemoedigd voelen om te denken dat ze nu een kans maken, maar volgens mij ook omdat mensen er in deze verwarde tijden van genieten wanneer ze horen hoe beroemdheden worden afgekraakt, zelfs als ze hun nek zoveel mogelijk uitstrekken om elk woord van een beroemdheid te horen die dit afkraken ter hand heeft genomen.) 'Eerlijk gezegd,' gaat hij verder, 'vind ik ze saai. En we hebben ze sowieso allemaal gebroken... alle gekheid op een stokje, we zijn mensen en hebben emoties. En wij werden met Kerstmis alleen gelaten als twee ongewenste puppies...' Hij onderbreekt zijn gedachtestroom om wat met de eerste rij te flirten. 'En laat mij je vertellen, dame vooraan, dat jouw puppies zeer gewild zijn...' Hij zucht. 'Met Maxie hier is het erg moeilijk om geen Spice Girl-grappen te maken, echt waar. Maar ik zeg je dit – we hoeven nog maar eentje meer te doen en dan hebben we tussen ons gezegd met allemaal gewipt... Jazeker! Nog één, zei ik. Reken zelf maar uit... Daar heb ik toch even een geheim verklapt, niet?'

In elke andere context gezegd zou dit de volgende dag in alle kranten hebben gestaan. Maar alle journalisten kwamen naar de show van gisteravond, en de overige vijfenzestigduizend mensen hier, al zouden er velen misschien een krant opbellen als ze dit in een café zouden opvangen, nemen waarschijnlijk aan dat als het wordt gezegd voor vijfenzestigduizend mensen het als algemeen bekend mag worden verondersteld. '*So make it one for Rachel Hunter,*' zingt hij aan het eind van het eerste refrein van het nummer, '*and five for Scary Spice.*' Het is bizar dat het voor een beroemdheid een van de veiligste momenten is om geheimen te vertellen zonder dat dit gevolgen heeft wanneer hij op het podium staat op de tweede avond in dezelfde stad.

Iemand als Rob geeft erg weinig interviews (behalve tijdens zijn incidentele charmeoffensief op plaatsen als Amerika en Japan en omwille van het feit dat hij in die landen nog steeds een publiek probeert te bereiken, bevatten deze interviews doorgaans weinig nieuws), maar als hij op het podium staat praat hij veel. Een deel van wat hij zegt wordt onderdeel van min of meer geregeld terugkerend geklets – er is geen script, zelfs niet informeel in zijn hoofd, maar er zijn een paar verhalen en routines die op de meeste avonden terugkeren, terwijl andere een week lang verdwijnen en dan terugkeren – maar veel van wat hij zegt, komt pas op het moment zelf in zijn hoofd op en vliegt uit zijn mond zonder dat hij zich erom bekommert. Gezien deze gewoonte van hem – en gezien het feit dat de sensatiebladen meerdere keren per week verhalen over hem brengen, vaak met de geringste inhoud, en de buitengewone inspanningen die zij en degene die verhalen verkopen doen – verbaast het me en zal het me gedurende de hele tournee blijven verbazen dat de sensatiebladen niet de eenvoudige actie ondernemen iemand met een aantekeningenboekje naar elk van zijn shows te sturen. Dit gebeurt echter niet. Later vanavond zal Rob zich zorgen maken wat voor gevolgen de indiscrete opmerkingen van deze avond zullen hebben. Hoe zullen ze ze verdraaien? Zullen ze beweren dat de beschuldigde Rachel Hunter saai was? Of dat hij en Max eropuit zijn om een volledige Spice Girls-verzameling te voltooien? Geen van beide zal gebeuren.

Voordat hij vanavond *Feel* zingt, biedt hij een nieuwe kijk op zijn nuchterheid, welke hij nog niet eerder met mij had gedeeld en die ik hem ook niet weer zal horen noemen. 'Ik wil dit opdragen aan mijn neef,' zegt hij. 'Hij bevindt zich vanavond tussen het publiek; zijn naam is Freddie Robert, en hij slaapt waarschijnlijk. Maar hij is twee jaar en negen maanden oud. Ik gaf het drinken op vanwege hem. Ik wilde niet dat hij een idioot als oom had. Dit nummer heet *Feel*.' In het refrein roept hij: 'Zing het voor Freddie!'

Ik weet vrij zeker dat hij er echt van geniet. In plaats van direct over te gaan op de laatste toegift *Angels* begint hij een serie Take That-hits te zingen – *Babe, I Found Heaven, Everything Changes* – zonder de band en vrijelijk associërend over de dagen dat hij in een jongensband zat. Dan zegt hij voor het eerst iets waar hij de komende paar weken geregeld op terug zal komen, iets dat hij klaarblijkelijk evenzeer met vastberadenheid en vreugde en opluchting tegen zichzelf zegt als tegen het publiek.

'Dank jullie wel voor het feit dat je mijn baan de moeite waard maakt – bedankt voor het feit dat jullie alles een betekenis geven,' zegt hij. 'En als je me in de kranten ziet – en als je me in de tabloids ziet – en als je me ziet en wat ze over mij schrijven, onthoud dan dit: dit is mijn werk. Dit is mijn baan. Ik ben een zanger. Ik ben een songwriter. En ik ben een entertainer...'

Als hij halsoverkop in de bestelbus klimt, zegt hij: 'De beste show ooit...'

'Waarom deed je er nog een?' vraagt Jonny. Na *Angels* keerde hij terug om een totaal niet gerepeteerde versie van *Back For Good* te doen.

'Omdat ik ervan genoot,' zegt hij, alsof dit een zeer ongebruikelijke en verrassende gebeurtenis was. Hij zegt dat hij zichzelf weer niet kon horen, maar vanavond kwam het eenvoudigweg doordat de menigte zo luid was. 'Het was als een Take That-concert,' zegt hij, 'maar met gejoel in plaats van het hoge gekrijs.'

Hij vraagt hoe lang hij op het podium stond.

'Twee uur en tien minuten,' zegt Josie.

'Hij begint Ken Dodd te worden,' zegt Jonny.

'Bruce Springsteen,' corrigeert Rob.

'Je had nog wel een uur door kunnen gaan,' zegt Jonny.

'Met gemak,' zegt hij. 'Met gemak. Volgens mij ben ik in mijn hele leven nog nooit zo in vervoering geweest. Het was als een extase. Het is alsof ik Elvis was.' Pauze. 'Maar dan dun.'

✹✹✹

Het vliegtuig wacht op de startbaan om ons vanavond weer terug naar Londen te brengen.

'Beter dan dit kan het niet worden,' zegt Jonny terwijl hij crudités kauwt en het vliegtuig taxiet voor het vertrek. Hij verandert zijn mening en heeft er duidelijk goed over nagedacht. 'De enige manier waarop het nog beter kan worden,' zegt hij, 'is dat Spiderman in het vliegtuig zou zitten.'

Als we eenmaal in de lucht zijn, kijkt Jonny rond in de cabine en merkt op hoezeer het op een trailer lijkt. Rob zegt het niet te weten. 'Ik heb immers altijd een privé-vliegtuig gehad,' bluft hij. Maar het roept herinneringen op en ze brengen het grootste deel van de reis naar het zuiden door met het ophalen van vakanties uit de kindertijd.

'Herinner je je die tijd dat we met de trailer op pad waren?' zegt Jonny. 'Waar gingen we toen heen?'

'Rhyl,' zegt Rob.

'Hoe oud was je toen?' vraagt Jonny. 'Want je zat toen vaak op me te vitten. "Hou op ons te volgen!"'

Rob stelt nadrukkelijk dat hij niet op hem zat te vitten, maar hij kan zich herinneren dat hij tegenover Jonny beweerde dat hij God kon opdragen om het te laten onweren. Hij had geluk, want het begon echt te onweren toen hij erom had gevraagd. Jonny was doodsbenauwd. 'We renden weg,' herinnert Jonny zich. 'Jij was veel sneller dan ik en ik huilde omdat ik je niet kon zien. Ik huilde veel, niet?'

Ze praten over andere vakanties. Rob reisde toen hij elf was met tante Mary in de auto naar Wales en hoorde toen voor het eerst Dr. Hook en *Ode To Billie Joe*. De vakanties waarin de volwassenen zich slap lachten om zuiplappen ('Ik vond dat altijd zo ontzettend onvolwassen en belachelijk,' zegt Rob, 'en nu zie ik mezelf erom lachen') en brave feestjes met taart hielden. In de brandnetels vallen. Rob die altijd wordt gevraagd om iemand na te doen. ('Frank Spencer, Ronald Reagan, Margaret Thatcher, Norman Wisdom, Sean Connery... je weet wel, de *greatest hits*,' zegt hij.) Jonny vertelt dat hij Robs slaapkamer thuis bezocht en alle gestolen verkeerszuilen en merkplaatjes van auto's bewonderde; een gejat bushokje in de achtertuin.

Rob vraagt zich af of Freddie Robert zich vandaag zal heugen.

'Nee,' zegt Jonny. 'Je herinnert je niets van de tijd dat je tweeënhalf jaar was.'

'Ik kan me herinneren dat ik een pan van het fornuis trok en dat ik me eraan brandde,' zegt Rob. 'Kokende eieren. Ik trok het van het fornuis om te kijken, om te zien of ze klaar waren. Ik kan me herinneren dat dat de logica erachter was.'

Jonny zegt dat hij onlangs iemand ontmoette die de leider kende die ze beiden haatten en die werkte bij de plaatselijke toneelvereniging van Stoke. Hij regisseerde Rob als de Artful Dodger. 'Ik stal de show,' herinnert Rob zich. 'De openingsavond was de eerste avond dat ik zoiets had van: Hé, dit is wat ik later ga doen om mijn brood te verdienen. Ik liep het podium fluitend op en de mensen moesten toen al lachen.'

Jonny kreeg op zijn kop van dezelfde regisseur toen hij zes jaar was en hij over het podium liep en zijn nachtpon optilde in Hans Christian Andersen. 'Het was jouw fout,' laat hij Rob weten, die toegeeft dat hij tegen Jonny had gezegd dat hij dat moest doen. 'Als je in die tijd tegen me had gezegd "Spring van die *fucking* rots", dan zou ik het gedaan hebben,' zegt Jonny.

'Nee,' zegt Rob. 'Je deed het omdat je wilde dat wij je aardig vonden.' Hij lacht. 'En ik bewonder dat. Het heeft gewerkt.'

Na *Oliver* deed Rob auditie voor *The Sound Of Music* en werd afgewezen. 'Ik was kapot,' herinnert hij zich. 'Er waren *zeven* kinderen en toch kreeg ik geen rol.'

Hij grijnst. Het zou natuurlijk *belachelijk* zijn om nog steeds op die manier te denken, maar hij zal niet beweren dat hij niet zo bekrompen is.

'Hallo!' zegt hij. 'Privé-vliegtuig! Volgens mij snap je wat ik bedoel!'

'Ik hou er niet van te gaan slapen,' zegt Rob tegen Jonny als het vliegtuig daalt in de richting van Luton. 'Hou jij ervan om te gaan slapen?'

'Ja,' zegt Jonny.

'Wel?' zegt Rob. 'Ik niet. Daarom nam ik cocaïne. Als ik altijd wakker kon blijven, zou ik dat denk ik doen.'

Als hij vannacht thuiskomt, is van slapen geen sprake. Hij heeft dingen te doen. Om 6.00 uur wint Cardiff het kampioenschap van de eerste divisie. Hij ontdekt dat het spel een heel ander niveau kent, waar je aantekeningen over afzonderlijke spelers kunt vinden en ernaar kunt handelen. (De gekte is dus nog niet voorbij, zeg ik als hij me dit vertelt. Hij schudt zijn hoofd. 'De gekte is pas begonnen,' antwoordt hij.)

Wanneer hij de volgende middag wakker wordt, fris na een Schots stadionconcert een paar uren eerder, zit zijn Portugese schoonmaakster Paula op hem te vitten omdat zijn slaapkamer rommelig is. Zij is degene die soms een briefje voor hem achterlaat in een oprechte poging om hem te complimenteren als hij netter is geweest, waarin staat: 'Even een briefje om je te laten weten wat een GENOT het is geweest dat je weer in je huis hebt gewoond.' Ze zegt ook tegen Pompey: 'Zeg alsjeblieft tegen Junior dat hij de wasmachine niet moet gebruiken, want hij lekt zodat hij zal uitglijden en iets zal breken en dan zijn we allemaal de klos.'

✳✳✳

Als je jong en rijk bent is het bijna onvermijdelijk dat je in de positie bent dat je bepaald huishoudelijk personeel hebt. Het zou niet al te moeilijk moeten zijn. Ik zie geen tekenen dat Rob een buitengewoon pietepeuterige of veeleisende werkgever is. De enige attributen voor dergelijke baantjes is dat men competent, betrouwbaar, eerlijk en niet gestoord is. Paula is een zeldzaam goede toevalstreffer geweest – ze is hem de laatste zes jaar van huis tot huis gevolgd – maar helaas zijn velen bij een bepaalde horde gesneuveld. Je had de kok die Rob – zijn werkgever – een tekstbericht stuurde waarin hij uitlegde dat hij die dag niet kon komen omdat 'ik alles op een rijtje moet zetten' en vroeg: 'Kun je voor me invallen?' Dan was er de huishoudster die vroeg of ze haar zoon mee mocht nemen naar haar werk. Haar zoon bleek 27 te zijn. (Zij was ook degene die een gesprek over kleren onderbrak om te zeggen: 'Als u de dingen wegdoet, wil mijn zoon ze wel hebben,' en een van de bodyguards van Rob zei dat hij met haar genoegen moest nemen 'omdat je geen olieverfschilderij bent'.) Je had de kokkin die racistische grappen maakte, steeds verklaarde dat ze ooit ook altijd een auto met chauffeur had en ervan overtuigd was dat het vaak een van Robs gasten en niet een van de honden was die op het tapijt van het huis in Los Angeles poepte. 'Dit komt in de beste huishoudens voor,' legde ze dan uit. Er was een kok die was aangenomen en toen stierf. Er was een kokkin die op haar onderbroek na naakt werd aangetroffen in de keuken terwijl iedereen in het zwembad was – 'Sorry, ik had denk ik beter het toilet kunnen gebruiken om me om te kleden,' zei ze. Dan had je de schoonmaakster die dingen bleek te hebben gebroken en dingen te hebben gebleekt die niet gebleekt hadden moeten worden – tot dan toe nog draaglijk – en het bewijs vervolgens maandenlang in de kofferbak van Robs Jaguar E-type verstopte.

10

Hij besteedt zijn ene vrije dag in Londen in de studio met Stephen Duffy. Nog twee nummers. De volgende morgen begint het grootste deel van de tournee – bijna een maand door Europa reizen zonder naar huis terug te keren. Er is een groter privé-vliegtuig voor de tournee om alle bandleden, dansers en entourage de komende weken gezamenlijk te kunnen vervoeren. Rob weet niets van het enorme RW-logo op de staart, pas als hij arriveert bij de terminal voor privé-vliegtuigen van Luton ziet hij het. Hij zegt niets. Een ogenblik vraagt hij zich zelfs af of het niet een beetje te veel van het goede is.

In de wachtruimte begint hij grappen te maken met de dansers en onmiddellijk gaat het mis. Als hij met Suzanne Mole bij de koffiemachine staat, vraagt hij haar of ze vandaag het artikel in de *Sun* heeft gelezen over dat zij seks met elkaar hebben. Het geval wil – al weet zij dit nog niet – dat er vandaag een klein stukje over haar in de *Sun* staat, wat waarschijnlijk de reden was voor de opmerking van Rob, alhoewel het slechts een flauw stukje is waarin men zich afvraagt hoe gemakkelijk haar vriend, Gareth Gates, zich voelt bij het feit dat zij met Rob danst.

'Dat meen je toch niet?' zegt ze.

'Ja,' zegt hij voor de vuist weg. 'Jij hebt gezegd dat ik geweldig was in bed.'

Wat er dan gebeurt is totaal onverwacht. Ze barst in zeer echte tranen uit.

Rob is natuurlijk geschrokken.

'Het spijt me,' zegt hij. 'Het spijt me. Het spijt me.' Ze begint te lachen, maar blijft tegelijk ook huilen.

'David Brent,' mompelt een lid van het tourgezelschap.

Ze gaat naar buiten om met Gareth op haar mobieltje te spreken en een van de andere dansers, Djeneba, komt naar hem toe. Ze wil Rob haar verontschuldigingen aanbieden. Ze hebben elkaar niet gezien sinds ze op het podium stonden in Edinburgh en ze is bezorgd dat een van haar geïmproviseerde dansbewegingen te ver ging.

'Het spijt me zo,' zegt ze. Ze legt uit dat ze een 'podiumbeest' is en dat ze wordt meegesleept als ze voor een publiek staat.

'Djeneba,' zegt hij. 'Jezus, ik ben het.'

Ze zegt dat ze dacht dat ze ontslagen zou worden.

'Wat?' spot hij. 'Toen je mijn knuppel aanraakte? Djeneba, *ik* ben het. Er is niet veel dat je zou kunnen doen om me te beledigen, waar het het aanraken van mijn penis betreft.'

✳✳✳

We landen op vliegveld Le Bourget, buiten Parijs. Rob pakt zijn gitaar op om hem naar buiten te dragen. Dit breekt met al zijn gebruikelijke reisgewoonten. Hoewel hij er niets op tegen lijkt te hebben, draagt hij in de regel niets.

'Lukt het?' vraagt Andy Franks hem.

'Natuurlijk kan ik dat,' zegt hij. 'Ik heb nummers geschreven.'

We rijden over een afgelegen deel van het vliegveld waar een Concorde in de mottenballen triest op het asfalt geparkeerd staat. We bespreken hoe praktisch het zou zijn om er een te kopen en hem in de tuin neer te zetten. Rob vertelt dat hij ooit bij Vic Reeves thuis was en dat Reeves toen een Morris Minor in zijn tuin begroef tot alleen de voorkant boven de grond uitstak.

Josie zegt dat Teddy Sheringham heeft gevraagd om kaartjes voor de show van morgen. Rob besluit hem te bellen om hem backstage uit te nodigen om gedag te zeggen. Hij belt het nummer dat Sheringham heeft achtergelaten en voert een verwarrend gesprek dat hij wijt aan het feit dat Sheringham denkt dat iemand hem voor de gek houdt en zich voordoet als Robbie Williams. Als hij weer belt, neemt niemand de hoorn op, daarom laat hij een bericht achter. Spoedig wordt hij terug-gebeld en hebben ze een goed gesprek. 'De band is in vorm, ik ben in vorm, we vinden het allemaal te gek,' zegt hij. (Josie en David kijken elkaar aan en grijnzen opgelucht; ze hebben zulke woorden op vorige tournees niet al te vaak gehoord.) Rob luistert als Sheringham, die net van Tottenham naar Portsmouth is verhuisd, een beetje verteld over wat hij allemaal heeft gedaan.

'Jezus, wat spreekt hij snel,' zegt Rob nadien. 'Weet je, het is verba-zingwekkend dat nieuws over het allerheiligste van voetbal niet ver-schijnt omdat ze zo snel zijn met het vertellen van de informatie. "Ik heb een *fucking* hekel aan Glen Hoddle."'

Rob praat over de jaren dat hij met voetballers feestte. De keer dat hij bijna werd verbannen van British Airways toen hij met het team van Liverpool op pad was. 'Gewoon dikke lol, eigenlijk. We gingen naar Spanje. Robbie Fowler bevestigde een condoom aan de achterkant van een schort van een van de stewardessen.' Hij herinnert zich hoe hij twee bekende voetballers dronken hoorde ruziën: 'Het gesprek verliep als volgt. "Hij zei net dat 6 en 7 gelijk is aan twaalf." "Nietwaar, *fucking* idioot, het is gelijk aan 14."'

'Toen ik een voetballer was...,' zucht Rob.

Het is maar een van de vele werelden waaraan hij zich heeft gespiegeld. Opnieuw een rol waar hij inkroop en die hij met enthousiasme omarmde, om er dan afstand van te doen. 'Ik ben een voetballer geweest. En een drugdealer. En een student. Zonder het spelen, het dealen of het bezoeken van een universiteit. Ik was van ongeveer mijn zeventiende tot negentiende een student toen ik in Take That zat. Ik werd de hele tijd stoned met ze. Het waren aardige gozers. We ontmoetten elkaar altijd bij de hulpdienst van de snelwegen. Ze huurden dan een witte bestelbus voor het verdere avontuur. We namen wat ecstasy-pillen...' Hij stopt en corrigeert zichzelf. 'Nee, we deden altijd eerst een gram speed. Dan gingen we naar Miss Moneypenny en gebruikten we ecstasy...' Hij was de beste vriend van de feitelijke leider van de studenten, Simon, tot het allemaal verkeerd ging: 'Ik denk dat hij wrok jegens mij moet hebben gekoesterd, want het kwam er na een tijdje allemaal uit. Hij zei dat ik een blaaskaak was geworden en dat ik de baas aan het spelen was. En ik weet dat ik niet anders was dan toen ik voor het eerst met hem omging. Hij kon het gewoon niet aan.'

❋ ❋ ❋

De volgende dag belt Teddy Sheringham Josie op en zegt dat hij toch niet bij de show aanwezig kan zijn, maar een vriend van hem met prostaatkanker is toevallig in de stad en zal in zijn plaats gaan. Hij zou Rob dolgraag ontmoeten.

Het kwartje valt. Een tijdje terug werd Josie bedrogen door iemand die beweerde dat hij Sadie Frost en Jude Law vertegenwoordigde. Ze heeft geen zin om weer bedrogen te worden. Ze speurt het echte mobiele telefoonnummer van Teddy Sheringham op via enkele voetbalcontacten en krijgt de bevestiging dat deze persoon een bedrieger is. Ze vraagt zich af of het de moeite loont om hem eruit te gooien als hij arriveert.

Ondertussen speelt Rob Championship Manager in zijn gebruikelijke suite in het hotel George V te Parijs en hij experimenteert met vijf in de achterhoede. Beneden zijn er problemen. Er heerst een oorlog tussen auto's van beroemdheden. Het hotel wil dat de wachtende auto's van Rob worden weggereden, zodat de auto's van Hillary Clinton kunnen voorrijden.

✹✹✹

In een gang achter het podium loopt hij Kelly Osbourne tegen het lijf. Ze opent de show de hele zomer. Hij laat haar zijn tatoeages zien en zij laat hem het hartje zien dat op haar vinger is getatoeëerd. 'Ik moet dit laten weghalen,' zegt ze. Haar vorige vriend. Het liep slecht af. Ze zegt dat hij op het ogenblik probeert haar aan te klagen en zij haat hem.

'Hoe ga je ermee om?' vraagt Rob.

'O, met mij gaat het goed,' zegt ze.

'Nee, ik bedoel, hoe ga je ermee om?' zegt hij. 'Wil je dat ik hem sla?' Bij Kelly neemt hij altijd snel de rol aan van oudere broer.

'Dat wil ik zelf doen,' zegt ze.

'Anthrax is goed,' stelt hij voor als hij naar zijn kleedkamer loopt. 'En poep.'

✹✹✹

Tijdens de show van vanavond, die bijdraagt aan zijn doorbraak in Frankrijk al vindt hij dat hij hard voor het publiek moet werken en hij aan het eind een nummer overslaat, herkent hij een vrouw vooraan in het publiek. Hij kan haar alleen niet helemaal plaatsen. Hij vraagt Jason om haar telefoonnummer te bemachtigen. In de bus probeert hij er nog achter te komen. 'Ik denk dat ik haar misschien op vakantie heb ontmoet, toen ik veertien of vijftien was,' zegt hij.

De telefoontjes worden gepleegd en het meisje voegt zich bij ons op het buffet na de show. Rob was zestien.

'Carmarthen Bay Holiday Centre, 1989,' zegt Rob.

'1990,' corrigeert zij.

'Mijn vader trad als conferencier op,' herinnert hij zich. 'De beste vakantie die ik ooit zal hebben gehad. Geen drugs, veel bier, veel gelachen, de goedkoopste patat.'

Max onderbreekt hem om te zeggen dat Rob en hij spoedig op een aangename vakantie moeten gaan. Een boot. 'Diepzeeduiken in de nacht,' zegt hij. 'Mauritius.'

'Zie je?' zegt Rob tegen zijn oude vlam en maakt er een grapje van. 'Het is nu allemaal anders, of niet?' Hij praat met zijn oude vlam over de nummers waar ze altijd op dansten. *The "900" Number. Tonight* van New Kids On The Block. In de loop van de avond vertelt ze hem dat hij niet is veranderd sinds hij zestien was en er is weinig dat ze hem had kunnen vertellen dat hij liever had gehoord.

Terug in het hotel ontdekken ze dat er een Kylie Minogue-nacht op de televisie is, iets wat ze fantastisch vinden. Het duurt een tijdje om te ontdekken hoezeer twee mensen verschillen, als de een op een toekomst hoopt en de ander alleen maar een kortstondig gelukkig moment uit het verleden wil ophalen.

✱✱✱

Die nacht droomt hij dat hij op een bijeenkomst van de AA is met Anthony Hopkins. Anthony Hopkins is heel aardig, maar hij ergert zich eraan dat de bijeenkomst negentig minuten duurt. Hij wilde dat het maar een uur duurde.

✱✱✱

Wenen. De show ontwikkelt zich al. Aan het eind van de tournee lijkt de manier waarop *Monsoon* wordt voorafgegaan door een minuut of twee 'We Will Rock You' van Queen gedurende weken van repetities zorgvuldig te zijn gepland en besproken, maar het idee komt feitelijk nergens anders vandaan dan uit het hoofd van Rob op het podium in Wenen deze avond. Na het tweede nummer begint hij met zijn voet te stampen, Chris Sharrock begint op tijd mee te doen met zijn basdrum en de tekst van Queen – of iets wat er vaag op lijkt – vliegt zijn mond uit: '*Johnny you're a man you're a poor boy sitting in a place gonna be a man some day blood on your face big disgrace wiping your banner all over the place...*,' begint hij, en de menigte doet mee. Een nieuw deel van de show is gecreëerd en zal van nu af minder spontaan terugkeren.

Aan het eind keert hij terug en zingt *Feel* a cappella, alleen hij en de menigte; een en al emotie en geen hypocriet gedoe. Dit heeft hij ook nog nooit gedaan.

'Ik moest huilen,' verklaart hij, onder de indruk, terwijl het konvooi van auto's zich in beweging zet. 'Dat was prachtig.' We rijden weg. 'Weet je wat zo gek is?' zegt hij. 'Elke avond moet ik denken aan doodgaan. Tegen het eind van de show.'

'Tranen om zoiets als "Wat als dit mijn laatste grote daad is...?"' vraagt Josie.

'Ik weet het niet,' zegt hij. 'Het is echt vreemd. Ik weet het niet.'

Ik zeg hoe goed de soloversie van *Feel* klonk.

Hij grijnst. 'Ik hoorde Radiohead het in Glastonbury doen,' zegt hij. 'Niet *Feel* uiteraard. "*For a minute there, I lost myself, I lost myself, I lost myself...*"'

'Karma Police.'

: 361 :

Zo gebeurt het: leen, pas het aan, eis het op, verander het, maak het iets van jezelf. Hij zag iets wat goed was en wat werkte en voor hem zou kunnen werken; hij dacht dat hij het zou kunnen doen, en nu heeft hij het gedaan. Het zal eveneens een onderdeel van de show worden – alleen hij met de menigte, samen alleen, een laatste echo zingend van *Feel* of *Angels* of soms allebei.

Tegen de tijd dat hij in het hotel is, maakt hij een grapje over hoe emotioneel hij zich aan het eind voelde. 'Ik *wist* dat er een traan aan zat te komen,' vertelt hij tegen de dansers als ze hun buffet eten, 'en dacht aan de camera's en dacht: dit gaan ze leuk vinden, en ik had zoiets van "Kom op! Kom op! *Huil* dan, klootzak! Huil, dan klootzak!… O! Daar is de traan. Goed gedaan!"'

✳✳✳

Hij geniet van het feit dat het wanneer hij op het podium is, moeilijk is om de momenten met de diepste emoties te scheiden van de momenten met de grootste gekunsteldheid. Zijn belangrijkste entertainmentwaarden zijn afkomstig van het entertainmentmodel voor de rock-'n-roll dat hij met de paplepel kreeg ingegoten – de Rat Pack-platen die hij thuis had en de ouderwetse shows van leeftijdsgenoten van zijn vader – en als performer heeft hij een relatie met oprechtheid die verwarrend kan zijn voor de gevoeligheid van tegenwoordig. Hij ziet intuïtief wat de rocksnobs als De Waarheid beschouwen – al hun geaffecteerde, afgezaagde manieren om authentiek en oprecht te zijn – als simpelweg rituelen uit een bekrompen bedrieglijk moment in de tijd. Ze denken misschien dat ze rebellen zijn die humeurige vrijheden nastreven; hij ziet in plaats daarvan de manieren waarop ze zijn gevangen in onoprechte stugge gewoonten en zijn verlamd door regels, te zeer met oogkleppen op om zelfs maar de vreugde en de verbazing die te vinden is in de canon die ze beschermen te kunnen waarderen.

In de moderne rocktraditie wordt een mislukking bijvoorbeeld vaak alleen maar gezien als verder bewijs van de authenticiteit van een werk – het gebulder was zo echt en radicaal dat de wereld er niet rijp voor was. Er is een andere traditie waarin mislukken alleen maar een manier is om iets te omschrijven dat geen succes had, en waar de plaats voor oprechtheid en de diepste emotie niet zo ver mogelijk is verwijderd van franje en melodrama en geveinsdheid en slechte rijm en goedkope gouden melodieën, maar juist pats-boem in het midden ervan. Het is feitelijk een traditie die veronderstelt dat pats-boem in het midden van dit alles de *enige* eerlijke plaats is om diepe en belangrijke zaken te plaatsen, want daar tref je het ook aan in het leven: in het midden van de chaotische alledaagse verwikkelingen in het leven. Het is ook de beste plaats om te ontkennen dat je je hart openstelt, en iemand die werkelijk voornemens is om zich bloot te geven moet deze mogelijkheid hebben, die faalveilige situatie.

Rob zal tegen je zeggen dat hij een lichte entertainer is, hij zal grijnzen en huppelen en je voor de gek houden en zichzelf voor de gek houden, en terwijl hij dit allemaal doet zal hij je zijn hele ruwe breekbare eerlijke verhaal vertellen, vlak voor je neus 'verborgen'.

11

Hij is zo moe als Josie hem de volgende middag opbelt om te vragen of hij klaar is voor zijn ontbijt, dat hij rond blijft kijken in zijn hotelkamer in Wenen om er achter te komen waar haar stem vandaan kwam.

Ik vraag wat hij gisternacht heeft gedaan.

'Ik had seks,' zei hij.

'Gepast popsterrengedrag,' merkt Josie op. 'We hebben veertig minuten voordat we vertrekken.'

'Deze aardse beslommeringen?' vraagt hij. 'Ik ga weer naar bed.'

'Nee, geen sprake van,' zegt ze op een toon die geen tegenstand duldt.

In de bus zegt hij, nog slaapdronken, als David hem vertelt over de kaartverkoop voor het herfstgedeelte van zijn tournee: 'Ik ben zo blij dat ik echt groot ben. Ik zou echt diep in de put zitten als ik het niet was. Het is *fucking* geweldig. Het voelt allemaal of het iets betekent. Dat was eerst niet zo.' Hij lacht en stelt zichzelf de voor de hand liggende vraag. 'Wat betekent het allemaal? Het betekent gewoon dat het geweldig is.' Hij ziet Wenen aan zich voorbijtrekken door zijn donkere zonnebril. 'Daar loopt ook iemand met heel grote voeten,' zegt hij.

Hij zegt dat hij moet stoppen om te roken. 'Het is gewoon langzaam opgebouwd,' zegt hij. 'Ik denk dat ik mijn dertigste verjaardag wel haal.' Hij vertelt ons over het roken van wiet achter in een bestelbus met Take That toen ze naar een vliegveld in Europa reden en hulpeloos moesten toezien hoe een auto met fans hun passeerde in de glooiende berm van de snelweg en de bestuurder van die auto aan het stuur was ingestort. De pacemaker van de bestuurder was gestopt. 'De meisjes schreeuwden,' herinnert hij zich. De auto van de meisjes reed in de richting van een brug, waar de berm ophield en de auto beslist in de lucht zou worden gelanceerd met onvoorstelbare gevolgen, maar op een op andere manier volgde de auto de berm en reed de snelweg weer op, stak elke baan over, miste elke andere auto, knalde tegen de vangrail in het midden, draaide drie keer rond en stopte. De bus van

Take That stopte. Het was ongelooflijk, iedereen was ongedeerd.

Andere fans van Take That die in andere volgende auto's reden, stopten eveneens. Sommigen van hen grepen de gelegenheid aan om Rob om een handtekening te vragen.

✽✽✽

Pompey verklaart dat hij gelukkiger is in het hotel in München, waar zijn kamer met die van Rob is verbonden. In Wenen was zijn kamer langs verschillende nooduitgangen en aan de andere kant van een gang, want de suite van Rob was de enige kamer in die vleugel van het hotel; zo ver weg kon Pompey niet slapen.

Rob is verbaasd dit te horen. Hij had de hele tijd dat we in Wenen waren gedacht dat Pompey in de kamer naast hem was.

'Wat was dan die andere deur in mijn kamer?' vraagt hij.

'Dat was een kast,' zegt Pompey.

'O,' zegt Rob. 'Daarom antwoordde er niemand toen ik aanklopte.'

✽✽✽

In München ziet hij na middernacht hoe Cardiff de zesde plaats in de nacompetitie haalt, ondanks het feit dat de club met 2-1 van Bradford verloor op de laatste dag van het seizoen. Rob ligt op de vloer in de hoek van de kamer en richt zich op de halve finale tegen West Brom. De thuiswedstrijd is een 1-1-gelijkspel. Er is geen doelpunt bij de pauze in de uitwedstrijd. Als het zo blijft als nu, zal West Brom doorgaan op uitdoelpunten. Hij probeert de zaken in de tweede helft te veranderen, maar de klok loopt maar door en Cardiff komt niet tot scoren. Ze moeten in de eerste divisie blijven. Dit betekent meer dan het zou moeten, of het nu op zich of als symbool van een meer algemeen ongemak is. Als ik hem achterlaat om te gaan slapen, ligt hij daar nog steeds op zijn buik op het tapijt met de typische nonchalante troosteloze blik die een zeer depressief moment diep van binnen verbergt.

Nadat ik ben vertrokken begint hij tegen drie uur 's ochtends de transfermarkt in de zomer te verkennen. Manchester United krijgt op mysterieuze wijze een nieuwe manager, die simpelweg 'f' wordt genoemd en die een onverwacht royaal bod doet op de mindere spelers van Cardiff City. Rob vraagt zich paranoïde af of het spel hem plotseling zal vertellen dat hij vals speelt, maar het gebeurt niet. Uiteindelijk begint hij het nieuwe seizoen, wint drie wedstrijden en verliest er een. Hij wordt steeds manischer. Als het ochtendgloren door het raam begint te vallen, tilt hij de bank op en zet hem tegen het raam in een poging om de dag buiten te houden. Hij gaat weer op bed liggen en besluit dan dat hij de bank beter neer kan zetten en staat op om hem weer te verplaatsen. Om acht uur slaan de kerkklokken buiten en hij koopt nog altijd spelers.

Hij staat op het punt om David wakker te maken en hem te vragen om bij zijn bed te zitten tot hij in slaap valt, als hij eindelijk zelf in slaap valt. Zijn dromen bieden weinig rust. Hij heeft iemand vermoord en de politie zit hem steeds meer op de hielen en iemand heeft een baby van hem gekregen maar hij is een moordenaar en hij is in Parijs gewenst voor een DNA-test en de politie komt steeds dichter in de buurt en...

De volgende middag ligt hij rokend in de puinhoop van zijn dekens. De bank staat nog steeds voor het raam. 'Ik ben de ontknoping vergeten,' zegt hij. 'Ik werd een beetje gek. Ik moet met dat spel stoppen. Het maakt me gek.'

De show van vanavond is in het Olympisch stadion waar Engeland Duitsland in 2000 met 5-1 versloeg. 'Vanavond zal ik *She's The Hun* zingen,' zegt hij. '*We Have Ways Of Entertaining You.*' (Hij zal het niet doen.)

Vlak voor hij op moet, moet hij plassen. Dit keer loopt hij simpelweg naar een leeg gedeelte achter het podium en begint te urineren. De vloeistof loopt weg door de naden.

'Zit daar iets onder?' vraagt Josie aan Wob.

'Alleen de elektriciteitsvoorziening,' zegt hij.

'Nee, even serieus...,' vraagt ze.

'Ik ben serieus,' zegt hij. 'Alleen alle elektriciteitsvoorzieningen.'

Tijdens de show loop ik naar de achterste rand van het stadion omhoog. Er zijn heuvels in het park achter het stadion en boven op elke heuvel zitten nog duizenden Duitsers in de avondschemering naar Robbie Williams te luisteren.

'Ik ben nog nooit zo beroemd geweest,' zegt hij als hij van het podium afkomt.

✳✳✳

Hij is vastbesloten om zijn computer vanavond niet aan te raken, daarom zitten we aan het eind van de avond in zijn kamer en praten. Hij zegt dat het heel anders voelt om zijn nummers te zingen zonder ze te haten.

'Ik haatte het altijd om op tournee te gaan,' herinnert hij zich. 'Het is echt ongelooflijk hoezeer ik ben veranderd.'

'Zelfs de laatste tournee?'

'Ja. O ja. Vraag maar aan wie je wilt. Ik had er een *fucking* hekel aan. Hekel. De hele dag zenuwen, angst en depressie. Ik ging het toneel op om nummers te zingen die betekenisloos waren en niets betekenden en shit waren. Het was een staat die veel zei over hoe ik over mijzelf dacht. Vaak stond ik op het podium en had totaal geen respect voor mijn publiek. Ik deed mijn uiterste best wel, want het is een natuurlijk instinct om een performance te brengen alsof mijn leven ervan afhing, maar vanbinnen had ik zoiets van: waarom zijn jullie gekomen om deze lul te zien? Ik had volstrekt geen eigenwaarde. Niets.'

'Had zelfs het feit dat er zestigduizend mensen waren die naar je keken geen enkel effect?' vraagt Gary Marshall geamuseerd.

Hij schudt zijn hoofd. "Ik kan me de avond herinneren dat dat verdween,' zegt hij. 'Ik begon met optredens in kleine clubs die erg zweterig en luid waren om mijn draai te vinden als soloartiest, en ik genoot er wel van, ik hield van de respons die ik kreeg, alleen voor mij. En het voelde op een bepaalde manier alsof het ruw, snel en rock-'n-roll was. En toen was ik backstage op het festival van Roskilde. We deden een warming-up voor een tournee in stadions, denk ik, en ik ging backstage een potje voetballen, en voor de eerste keer in mijn leven voelde ik echte gêne als ik voor mensen afging. Weet je zoals toen je een kind was en een kopje brak en je wist dat je op je donder ging krijgen? Dat gevoel had ik.'

'De vrees van: ik kan het niet verdragen dat het aan het licht komt, maar ik wil dat het voorbij is?'

'Ja, precies. En het was een emotie die ik niet meer had gehad sinds mijn kindertijd. En van die tijd af aan werd dit gevoel door iets opgeroepen. Ik denk niet dat het dat moment was waardoor het ontstond, ik denk gewoon dat het sowieso was gekomen. En vanaf dat moment heb ik elke tournee die ik ooit heb gedaan gehaat.'

'Maar,' legde ik hem voor, 'neem het tourneedeel dat is vastgelegd in *Nobody Someday*. De ontwikkeling in die film is: je haat het als je eraan begint en tegen het eind vind je het zogenaamd te gek. Is dat ook onzin?'

'Ja. Eigenlijk wel. Ik voelde dat echt toen ik die avond van het podium kwam, ja. Maar als je me een percentage vraagt van die keren dat ik me zo voelde zou ik vijf procent zeggen.'

'En wat is het percentage nu?'

'Honderd procent. Goed, ik zou zeggen vijfennegentig.'

'Maar hoe groot is de kans dat je over twee jaar hierop terugkijkt en zegt: "Ik zei dat toen maar nu ik ernaar kijk was ik toch niet zo gelukkig?"'

'Absoluut niet. Absoluut niet.'

'Kun je dan vanuit dat gezichtspunt precies aangeven wanneer de verandering plaatsvond?'

'De studio. *Escapology*. En alle inspanningen die ik voor dit album heb gedaan waren echt een genot om te doen.' Pauze. 'Afgezien van Rock The Vote en Battery Park.'

Op weg naar het vliegtuig de volgende ochtend zegt Rob tegen David dat hij iemand die in de periferie aan de tournee meedoet er het volgende deel van de tournee niet bij wil hebben.

'Hij is een verkeerde,' zegt Rob. David neemt het een beetje voor de persoon op, maar stemt ermee in dat als Rob het wil, het zo zal gebeuren.

Rob knikt. 'En ik vind Josie niet aardig,' voegt hij eraan toe. 'En ik vind jou niet leuk. Kun je alsjeblieft het volgende deel wegblijven?

Dit alles, zowel het serieuze deel als de grap, geeft aan hoe goed de dingen gaan. Gewoonlijk besloot Rob in deze fase van een tournee altijd dat de enige persoon die hij niet op de tournee wil hebben hij-zelf is.

✻✻✻

'Alsjeblieft, Robbie,' smeekt een man op een tamelijk angstaanjagende toon. 'Ik heb het zo veel keren geprobeerd.'

Als Rob door de terminal van München loopt, wordt hij geconfronteerd met de agressieve en enge handtekeningenjager die hem de laatste paar dagen belaagt.

'Je bent echt maf, man,' mompelt Rob.

'Ik heb meer dan duizend kilometer gereden,' zegt hij.

Dit is natuurlijk de basis van zoveel interacties tussen de beroemdheden en zij die hen ongevraagd volgen. De volgers brengen een offer dat nooit werd gevraagd en vaak onwelkom is en houden dan de beroemdheid verantwoordelijk voor datgene wat ze hebben gedaan en eisen dat de schuld wordt ingelost.

'Ik word helemaal gek van je,' zegt Rob.

'Alsjeblieft, Robbie. Waarom ben je altijd zo onvriendelijk?' schreeuwt hij en voegt er dan beschuldigend aan toe: 'Tegen de jongens?'

Rob loopt door de beveiligingspoort.

'Het is allemaal gewoon voor mij!' schreeuwt de handtekeningen-man in antwoord op een beschuldiging die nooit is uitgesproken. Als hij beseft dat Rob echt niet voor hem gaat stoppen, wordt hij hysterischer. 'Het is ongelooflijk!' schreeuwt hij. 'Dit is niet correct.' Wij worden er nu allemaal gek van. 'Wij kopen je muziek,' klaagt hij. 'En jij bent zo onvriendelijk tegen je klant...'

'Koop het dan niet,' zegt Rob.

'Koop het dan niet!' valt David luider uit.

'Maar ik vind de muziek goed!' zegt hij hysterisch. 'Ik vind de concerten goed. Ze zijn zo geweldig.' Hij biedt een laatste wanhopig mislukt argument. 'Wij geven je het geld!' smeekt hij.

In het vliegtuig leest hij over de twintigjarige parachutist Stephen Hilder van wie de koorden van zowel zijn hoofdparachute als reserveparachute expres leken te zijn doorgesneden, waardoor hij vier kilometer viel en te pletter stortte in een maïsveld.

Spoedig zijn we in Berlijn.

***

Vanavond is een vrije avond en er is een avondje wedstrijdkarten geboekt op een Berlijnse kartbaan. Als ik mijn kamer betreed, vind ik een berichtje van Cameron Diaz, die ik van andere escapades ken. De Duitse première van de nieuwe *Charlie's Angels*-film is morgen in Berlijn en zij is net in ons hotel aangekomen vanuit Florida. De andere Angels zijn op een startbaan in Italië gestrand vanwege een defect vliegtuig, daarom stel ik voor dat ze met ons gaat karten.

We gaan in een konvooi naar de kartbaan: Rob en Max in een van de twee bestelbussen en Cameron, haar assistente Jessie en ik achter in hun auto, waarbij ze beiden keer op keer een nummer uit *Ferris Bueller's Day Off* zingen. Paparazzi volgen. Bij een verkeerslicht parkeert een van hen zijn jeep diagonaal voor onze auto zodat hij uit kan stappen en kan proberen Rob te fotograferen door het raam van de auto. Cameron verklaart dat als hij dezelfde truc weer uithaalt ze zal uitstappen en zijn autosleutels weg zal gooien.

Bij de kartbaan haasten we ons naar binnen, weg van de chaos.

'Roem,' zegt Rob met een overdreven schouderophalen en grijns in de richting van de gasten, 'hoe is dat?'

'Het is een zeepbel,' zegt Cameron en speelt het mee. Ze bewondert zijn roze Adidas-shirt. 'Heb je die voor niets gekregen?' vraagt ze. (Ze weet dat dit zo is. Hij is net naar de hoofdwinkel van Adidas geweest en vertrok met acht tassen met gratis producten.) Ze wijst op haar roodzwart gestreept topje. 'Ik vond dit bij H&M voor twintig dollar,' zegt ze. (Wat ze deze middag ook deed.)

We maken een verdeling van acht teams van drie personen. Rob kiest onmiddellijk Max voor zijn team en als derde de gitaartechnicus Adam Birch, van wie hij weet dat hij goed is. Cameron is met Jessie en mij en is met gemak onze beste rijder.

We wisselen. Op een gegeven moment kan ik zien dat Rob elk rondje dichter bij Cameron komt tot zijn kart het begeeft in het rondje dat hij langszij zou zijn gekomen. Hij kookt van woede terwijl een nieuwe kart wordt opgestart; hij had zich verheugd op wat voor moment dat ook zou zijn geweest. Maar voor het grootste deel is hij erg onopvallend. Of dit het geval is omdat zijn verliefdheid aanhoudt of omdat dit niet het geval is, hij maakt geen aanstalten om het kenbaar te maken of ernaar te handelen.

Het team van Rob wint; hij geeft een korte speech en accepteert een trofee die in zijn hotelkamer zal achterblijven als hij uitcheckt. Tegen de tijd dat we de kartbaan verlaten, is er een wild gedrang van paparazzi buiten. Het eerste plan is dat iedereen naar buiten gaat met de helmen nog op, zodat Rob en Cameron niet worden waargenomen, maar de logistiek is een beetje lastig. In plaats hiervan vertrekt eerst het gezelschap van Cameron terwijl Rob en Max van kleding wisselen, zodat Max het nieuwe roze Adidas-shirt van Rob draagt. Zij en nog twee anderen doen bivakmutsen over hun hoofd. Max loopt naar buiten omringd door de veiligheidsmensen van Rob en de camera's flitsen wild.

'Hij is in het roze!' schreeuwen ze. 'Hij is in het roze!'

Als ze instappen, doet Max zijn broek naar beneden. Zijn kont zal in verscheidene Duitse kranten worden afgedrukt als die van Rob. Ondertussen wandelt Rob simpelweg als laatste naar buiten, voor een keer buiten de heksenketel, en stapt rustig in een bestelbus.

'Het was echt gek,' zegt hij later. 'Ik was alleen. En ik had zoiets van: "Ik loop… ik loop."'

Bevrijd van je boeien?

'Ja.'

❋❋❋

De volgende dag zie ik de drie Charlie's Angels tegen lunchtijd beneden een fotogelegenheid voor tweehonderd mensen houden, de winnaar van een wedstrijd ontmoeten terwijl ze een gang doorlopen en plaatsnemen voor meer interviews. Ze zijn al vanaf acht uur vanmorgen aan het werk, en afgezien van een pauze in het weekeinde zijn ze door Europa gereisd en hebben ze dit dag in dag uit gedaan. Het is het soort leven waar Rob niet de wil, het verlangen of het karakter voor heeft; een van de triomfen van zijn carrière is dat hij veel succes heeft ondanks het feit dat hij dit allemaal laat schieten.

Vandaag wordt hij om drie uur wakker. Hij praat met Jonny aan de telefoon. 'Ze ziet er een beetje uit als Zippy,' zegt hij. 'De verliefdheid is over. Ik kan verder gaan met de rest van mijn leven.' Hij praat ook met zijn vader. 'Cameron en ik, gisteravond, karten... ja, maar weet je, het gebeurt niet... nee, ze is *fucking* geweldig, ze is echt echt lief maar de verliefdheid is verdwenen... geweldige meid... ziet er een beetje uit als Zippy...'

In de bestelbus zegt Josie dat Guy heeft gebeld en dat hij de show in Stockholm wil komen zien. Misschien heeft hij, anders dan Rob, het recente interview voor Q van Rob gelezen en is hij aangemoedigd door het gedeelte waar Rob zegt dat hij er zeker van is dat ze weer zullen samenwerken. ('We zullen weer samenkomen, maar het zal niet hetzelfde zijn,' wordt Rob geciteerd.) Hij kan op geen enkele manier vermoeden dat dat gevoel nu misschien enigszins achterhaald is. Allereerst bestond Pure Francis nog niet toen Rob dat zei. Daarnaast ergert hij weer aan Guy. 'Ik denk dat hij niet moet komen,' zegt hij tegen Josie. 'Ik ben echt kwaad op hem.' Omdat hij David verwenste bij de Ivor Novello-awards, en vanwege het telefoongesprek dat ze hadden. 'En gewoon omdat het een slapjanus is,' zegt hij. 'Omdat er geen excuus is voor wat hij zei en deed. Weet je, ik zie hem liever niet. Hij kan komen, dat moet hij zelf weten, maar ik wil niet dat hij bij mij in de buurt is. Of dat ik hem kan zien als ik het podium opkom.'

✳✳✳

Er is momenteel geen bruikbaar stadion in Berlijn, daarom heeft de agent van Rob, Ian Huffam, een andere strategie voor dit bezoek bedacht. Rob is naar het schijnt de eerste artiest die grote concerten op opeenvolgende avonden geeft in het voormalige West-Berlijn en het voormalige Oost-Berlijn.

Vanavond is West-Berlijn aan de beurt. Rob is niet echt in de stemming om op te treden. Voor de show verklaart hij: 'Dit is de show waar ik voor wordt betaald.' Zoals gebruikelijk is het moeilijk vast te stellen, maar er zijn wel enkele vreemde momenten. In het midden van de set wordt een dik gebonden document op het podium gegooid. Hij kijkt er kort naar. 'Denk je nu echt dat ik dit op het podium ga voorlezen?' zegt hij. 'Jeeeezus. Je bent niet goed bij je hoofd.'

Ik krijg het te pakken. Het is een thesis door ene Anne Schumann aan het Instituut voor Muziek, Wetenschap, de Faculteit Filosofie in Dresden: 'I Did It My Way – De- en Reconstructie van Robbie Williams' Image In Het Concert Swing When You're Winning'. Het is zo'n honderd pagina's tekst (alles in het Duits), en lijsten en tabellen en voetnoten en appendices en een bibliografie, waarschijnlijk de enige in de hele geschiedenis met daarin zowel *'Morgan, Piers: Take That – Unsere Story'* als *'Kriese, Konstanze: Rock'n'Ritual – Der Starkult als Kommunikationsstereotyp moderner Musikkulturen'.*

✳✳✳

In de bestelbus zegt hij later dat hij tijdens het swinggedeelte een paniekaanval had. Hij legde zijn hand op zijn borst en kon het hart horen kloppen. Hij herinnert zich hardop het beste advies dat hem ooit is gegeven om door shows die een worsteling lijken heen te komen. Het was van een oudere Britse acteur Dudley Sutton, die hij belde kort voordat hij op moest in Dublin voor zijn eerste tournee langs stadions. Hij vertelde Sutton dat hij zich klote voelde en dat hij niet wilde optreden.

Sutton vertelde hem twee dingen die hij zich heeft herinnerd en die hij zichzelf en anderen sindsdien vaak heeft voorgehouden. *'Jij* bent daar niet om vermaakt te worden,' merkte Sutton op. En ook: 'Het zou niet dapper zijn als je geen angst had.' Die twee gedachten hebben hem veel geholpen om erdoor te komen.

Hij kreeg nog een raad van Sutton, waar hij langer over moest doen om te waarderen. 'Leer van je publiek te houden,' adviseerde Sutton hem. 'Ik dacht, klote,' zegt hij. Maar in de loop der tijd is hij gaan beseffen dat dit geen oproep is van een toneelhippie maar degelijke wijze en praktische raad. 'Ik begin te begrijpen wat hij bedoelt,' zegt Rob. 'Ik bedoel, ik kon ze vanavond echt waarderen.'

Hij zucht.

'O, ik wil echt niet dood,' zegt hij.

'Babe, je gaat niet dood,' zegt Josie.

'Cool,' zegt hij. 'Bedankt, Josie. Kun je invullen dat ik niet doodga?'

✳✳✳

Er is een feest in een ondergrondse disco waar hij een beetje danst op goede klassiekers, hij keert dan terug naar het hotel en mijmert over dingen in zijn kamer met Stephen en mij. Op de televisie verschijnt een advertentie voor een babbelbox en het herinnert hem aan zijn dronkemanstijd toen hij er een vanuit een hotel opbelde en een uur lang vergeefs probeerde om het meisje ervan te overtuigen dat hij Robbie

Williams was. Het was niet eens sexy geklets. 'Alleen maar klote-gepraat,' zegt hij. 'Ik voelde me slecht en echt eenzaam.'

Hoewel zowel hij als het meisje in Engeland was, werd het tele-foontje langs Nieuw-Zeeland gedirigeerd. De telefoonrekening van het hotel was negenhonderd pond.

Hij gaat terug naar de bar waar een promotor, Jack Utsick – die oppervlakkig is betrokken bij het concert van vanavond, niet als pro-motor maar als eigenaar van de plaats, maar die rond lijkt te hangen in de hoop dat hij zijn relatie met Rob kan verdiepen – hem een ingelijst ticket presenteert van de show die Elvis Presley zou hebben gegeven op 17 augustus 1977 in het Cumberland County Civic Centre in Port-land als hij niet kort ervoor was overleden. 'Voor Robbie Williams. Elvis Has Left The Building. Van Jack Utsick' staat er op de vreemde lijst.

Dit is niet het meest idiote dat zal plaatsvinden voordat de nacht voorbij is.

✳✳✳

Eerst – het is nu de volgende middag – haalt Rob zijn droom op. Het is een ongewone, levendige en wrede droom, zelfs naar zijn maat-staven.

Hij ging naar het toilet in een club. Er was een bende in het toilet en hij stond met de rug naar ze toe; hij probeerde de stemming te polsen. Ze wisten dat Robbie Williams stond te pissen en hij wist niet of ze dat leuk zouden vinden of hem alleen maar haatten. Terwijl hij urineerde besefte hij dat het het laatste was. Hij draaide zich om en een van de bende dwong hem stil te staan, stelde hem een paar vragen en gaf toen een tik op zijn hand met een breekijzer. Op de een of andere manier kreeg hij het breekijzer te pakken en stak het door de schouder van de man en trok hem er vervolgens uit, zodat het zijn spieren openscheur-de. En terwijl hij dat deed dacht hij: we gaan er allemaal aan – dit is de plek waar ik ga sterven.

Hij richtte zich vervolgens tot zijn bende – opeens realiseerde hij zich dat hij een eigen bende had – en zei tegen hen: 'Ga door, we moe-ten ze allemaal doden.' En misschien doen ze het, misschien niet. In elk geval vertrekt zijn bende opeens om een bank te beroven... en een stem in zijn hoofd vertelt hem dat *dit nergens op slaat*. Alleen het gedeelte waar er een reden zou zijn om een bank te beroven. *Ik heb net een tournee achter de rug en ik heb bakken geld verdiend*, zegt de stem, *ik hoef geen bank te beroven*.

Hij probeert een stap achteruit te doen om na te gaan wat er is gebeurd. Hij wilde uitvinden of hij al zijn schepen achter zich had ver-brand of dat het nog niet te laat was om terug te keren. Want als hij al

: 372 :

iets had gedaan waardoor hij in de gevangenis belandt, kan hij net zo goed met alles doorgaan.

In de tussentijd zetten ze de voorbereiding voor de bankklus voort. Om een of andere reden moeten hiervoor heel veel bomen worden gestroopt. En er duiken overal baby's op. Zijn baby's.

✻✻✻

Hij wacht tot Josie naar de kamer ernaast gaat voordat hij Jason, Gary en mij – en als hij halverwege binnenkomt David – vertelt wat er gebeurde voor het slapen en de dromen. Het lijkt hem amusant genoeg, en bijzonder genoeg, en ergerlijk genoeg en verhalenswaardig genoeg om het in detail na te spelen. Het is een beeld van een willekeurige nacht in het seksuele leven van een moderne beroemdheid. Dit deel was geen droom.

Een vrouw in witte kleren wordt naar zijn kamer gebracht door een getrouwde vrouw die hij enigszins kent en die zich vervolgens excuseert. De vrouw die achterblijft zit op de bank waar Rob nu zit. (Hij imiteert haar – de wijze waarop ze recht voor zich uitstaarde in plaats van naar hem te kijken als ze rookte en sprak, haar enigszins kille, inslikkende Duits accent – en geeft beide kanten van het gesprek weer.)

'Het is idioot, want er zijn beneden zoveel mensen, en ik wil geen groupie zijn en ik weet dat je moe bent. Ik zou moeten gaan, ik zou moeten gaan.'

'Nee, nee, het is oké.'

'Ja, maar mijn moeder is een mannequin en mijn vader is een acteur en ik weet hoe die dingen gaan. En je weet wel, ik wil geen... als je op zoek bent naar een wip, we kunnen niet neuken.'

'Dat is jammer. Als we het zo stellen. Dat is jammer. Ik vind je erg aantrekkelijk en...'

'... maar we kunnen praten. En televisie kijken.'

'O, goed dan. Wil je wat water?'

'Ja. Ik drink het uit de fles.' (Hij imiteert hoe ze zenuwachtig beweegt.) 'Ik heb geen drugs gehad.'

'Hé? Ben je dan altijd zo hyperactief?'

'Ja. Ik moet gaan. Ik moet gaan want jij hebt je slaap nodig.'

'Ik vroeg of je naar boven kon komen...'

'Ja, maar ik moet nu weg want ik weet dat je moe bent...' (Hij imiteert hoe ze haar korte rokje zover mogelijk naar beneden trekt en haar topje zover mogelijk omhoog, terwijl hij alleen maar naar haar kijkt.) 'Ik ga niet neuken met je, weet je.' (Pauze.) 'Mag ik je kussen?'

Hij zegt dat hij antwoordde: 'Nou vooruit dan' en beschrijft hoe ze een tijdje kust – 'ze werd helemaal Guns of Navarone,' zoals hij het misschien niet passend omschrijft – en zegt dan: 'Stop! Stop!... Ik heb een moeder! Zij is een model!... Je gaat niet met me neuken!... En ik moet gaan, je bent moe...'

Er wordt op de deur geklopt. Het is de getrouwde vrouw en met haar een ander meisje. De vrouw in de witte kleren is nog altijd in zijn woonkamer. Als hij het nieuwe meisje binnenlaat zal ze zien hoe het andere meisje vertrekt en dat zal alles bederven. Daarom gaat hij naar de badkamer om erover na te denken, en als hij terugkeert is het eerste meisje in zijn slaapkamer.

'Wil je dat ik blijf?' spint ze.

'Ik weet het niet,' zegt hij.

'Maar je kunt me niet neuken,' zegt ze.

'Nou, dan kun je beter gaan,' zegt hij, hetgeen ze doet.

De getrouwde vrouw en het andere meisje, een mooie Zwitsers-Israëlitische, zijn nu in de woonkamer. De getrouwde vrouw vertrekt kort daarop voor een tweede keer, verklarend dat haar man het misschien niet op prijs zou stellen als zij hier is. Het meisje zit op precies dezelfde plaats op de bank als het vorige meisje. Ze draagt juwelen en diamanten. Haar armen en benen zijn gekruist, ze heeft een sigaret in de mond en haar hele lichaamstaal wekt de indruk dat ze van plan is om hem te negeren.

Ze vertelt hem dat ze zangeres is.

'Je bent erg knap,' zegt hij.

'Dat zeg je tegen alle meisjes,' zegt zij. (Op dit punt klinkt er gelach in de kamer en 'juist gezegd'-kreten en als hij uitlegt dat hij 'maar jij bent echt knap' antwoordde ontlokt dit nog meer gehoon en is hij verplicht om eraan toe te voegen: 'Het is een van die "jullie zijn het beste publiek"-gevallen. Ik heb dat alleen maar gezegd als ze tot dusverre op de tournee het beste publiek waren.')

Ze kletsen over niets. Ze staart nog veel meer weg van hem. Hij vraagt waarom ze geen vriend heeft en ze zegt dat ze er een had maar dat het verkeerd ging.

'Zijn er waar jij woont dan geen mannen die je leuk vindt?, vraagt hij.

Ze schudt haar hoofd. 'Alleen maar *fuck*,' zegt ze.

'Mag ik je kussen?' vraagt hij.

Ze knikt, nauwelijks geïnteresseerd, en ze beginnen. In zijn ogen lijkt ze net zoveel seksuele passie aan de dag te leggen als een tafelpoot. Op een gegeven moment stopt ze en becommentarieert ze zonder enige emotie: 'O. Ik ben Robbie Williams aan het kussen.' En gaat dan verder. Net als hij denkt dat dit het wel was voor vannacht, staat ze simpelweg op en doet haar jurk in één beweging uit. Hij tilt haar op en draagt haar naar de slaapkamer. De seks lijkt wel een operatie. Alsof zijn zaad wordt verwijderd door een automatische procedure. Het is verschrikkelijk. Als ze klaar zijn, zegt ze tegen hem:

'Waarom lieg je? Waar heb je last van?'

'Wat?'

'Waarom lieg je?' herhaalt ze luid.

Hij heeft geen idee waar ze het over heeft.

'Ik heb niet gelogen sinds jij hier bent,' zegt hij.

Ze staat op en doet haar jurk aan.

'Het is alleen maar neuken,' zegt ze en loopt de woonkamer in. 'Ik wil een foto,' zegt ze.

'Heb je een camera?' vraagt hij.

'Nee.'

Hij pakt zijn camera en neemt een foto van hen beiden en vraagt haar om haar adres op te schrijven zodat hij haar de foto kan sturen. Hij heeft het afgewogen. Hij zal het verzenden. Waarom niet? Wat maakt het uit als ze naar de kranten loopt? Niets.

'Waarom lieg je?' vraagt ze weer.

'Ik heb niet gelogen,' antwoordt hij, maar ze is geïrriteerd aan het worden. Ze kondigt aan dat ze vandaag terug zal komen voor een foto en vertrekt.

Erna opent hij voordat hij gaat slapen een boek over numerologie dat hij beneden in de bar had gekregen. *The Life You Were Born To Live: A Guide To Finding Your Life Purpose* door Dan Miliman. Het boek beweert een analyse van je persoonlijkheid te geven op basis van een getal dat door je geboortedatum wordt gegenereerd. (Robs is 27/9.) Hij veronderstelt dat zijn levensdoel niet kan zijn wat hij net heeft gedaan, daarom hoopt hij dat het boek wellicht enkele antwoorden biedt. Het stelt dat als een 27/9 als Elvis Presley en Robin Williams de grootste les is dat hij moet leren om zichzelf te vertrouwen; dat mensen als hij totaal verslaafd kunnen raken; dat ze moeten beseffen dat ze alleen dingen innemen om een gevoel te krijgen dat ze al in zich dragen. Het boek zegt ook dat 27/9's meningen niet al te serieus moeten nemen, zowel van zichzelf als van anderen, en dat ze de neiging hebben om misleid te worden door het volgen van een spiritueel geloof en de geloofsop- vattingen van andere mensen. Het trof hem, terwijl hij langzaam in slaap viel om met de bende op oorlogspad te gaan, dat dit een merkwaardi- ge contradictie was om dit in een dergelijk boek te lezen.

✻✻✻

De laatste paar dagen is er een probleem met betrekking tot Nena. De suggestie van Rob om *99 Red Balloons* samen te zingen was bedoeld als een beetje lol, en hij had zich er erg op verheugd. (Hij heeft me verteld dat het hem zal doen terugdenken aan zijn jeugd. 'Dat en het neuken van heel Bananarama,' geeft hij merkwaardig genoeg aan.) Maar dit aanstaande duet heeft een reeks in toenemende mate onrealistische eisen en suggesties uit het Nena-kamp doen oprijzen. Ze moet ten minste drie nummers doen, anders zullen haar fans in opstand komen. De samenwerking moet worden gefilmd, opgenomen en worden toegevoegd aan haar album en aan zijn album. Al deze eisen zijn afgewezen, maar nu hebben ze nieuwe onredelijke praktische eisen. Nena moet eersteklasvliegtickets hebben voor een gezelschap van acht personen, hotelkamers voor ieder van hen, haar eigen bestelbus, haar eigen limousine, haar eigen geluidstechnicus, haar eigen monitortechnicus, haar eigen beveiliging, haar eigen haarstylist en make-upverzorger, haar manager, haar tourmanager en haar assistent. Voor wat werd voorgesteld als een leuk samenzingen.

David legt deze eisen voor aan Rob. David doet het voorstel om een e-mail te sturen waarin wordt gesteld dat het duet doorgang kan vinden als het in de geest kan blijven waarin het oorspronkelijk was bedoeld, maar David moet weten dat Rob het nu absoluut niet meer wil doen. Hij kan voor allerlei zaken enorm enthousiast zijn – muzikale ideeën, samenwerking, vriendschappen, liefdesaffaires – maar als iets voor hem eenmaal bevuild of bedorven is, dan kijkt hij gewoonlijk de andere kant op en komt er niet op terug. Zoals hij nu met dit doet.

'Bye bye, Nena,' zegt hij. '*Fuck it. Fuck her.* Het betekent dat ik de woorden ook nog moet leren, en ik doe liever iets constructievers met mijn tijd.' Hij pauzeert. 'Zoals me aftrekken.' Hij schudt zijn hoofd. Het is voorbij. '*Fuck her.* Geweldig, man. Het is goed nieuws. Eén ding minder om aan te denken.'

David besluit de mensen van Nena te vertellen dat het duet nu niet langer mogelijk is om productieredenen. Rob laat zich masseren en luistert naar zijn Pure Francis-nummers met Stephen Duffy, die voorstellen voor arrangementen doet en tot Robs verwarring verklaart dat hij van mening is dat de middelste naam van Pure Francis Albert zou moeten zijn.

'Volgens mij is mijn karma vandaag niet erg goed,' zegt Rob.

Waarom niet?

'Ik weet niet,' zegt hij. 'Seks doet je een beetje… niet erg Pure Francis voelen.'

＊＊＊

De show van vanavond is in het voormalige Oost-Berlijn in de Waldbühne, een auditorium in een natuurlijke kom in de bossen, beroemd omdat Hitler het gebruikte om inspirerende toespraken voor de nazi's af te steken.

'Heb je de tunnel gezien?' vraagt Pompey.

De tunnel van Hitler. Om van het gebied backstage op het podium te komen is de snelste weg door een lange tunnel. Er wordt ons gezegd dat deze bochtig is om te verhinderen dat iemand van afstand een aanslag kon plegen. Er is een dichte deur aan het eind bij het podium waarachter zich het persoonlijke toilet van Hitler bevindt, zo wordt ons verzekerd.

Door deze tunnel wandelt Rob met de band en de dansers voor de show. Hij leidt ze in het zingen van 'als je gelukkig bent en je weet het, klap dan in je handen' en als ze in de richting van het licht lopen, zingen ze samen allemaal het muziekthema van *The Great Escape*.

✳✳✳

In de hotelbar zit Rob met enkele muzikanten, vrienden van Max. Een van hen, Dominic, vertelt Rob dat hij Miss Legge, de oude muzieklerares van Rob, kent via zijn ex-vrouw.

'Die heeft je behoorlijk op de kast gejaagd, niet?' zegt hij.

'Ze was *angstaanjagend*,' zegt Rob. 'En ik was niet erg goed want ik wilde niet meedoen met de lessen. Volgens mij heeft ze mijn cassetterecorder zelfs afgepakt.'

De beide mannen vuren vragen op Rob af, het soort eenvoudige directe vragen dat de meeste mensen niet stellen. En omdat het erop lijkt dat de vragen niet worden gesteld met enigerlei bijbedoeling, geeft Rob antwoord.

'Hoe schreef je altijd met Guy samen?

'Meestal was het zo dat hij zat en ik zong.'

'Praat je nog met hem?'

'Niet echt, nee.'

'Wel een goede samenwerking.'

'*Fucking* verbazingwekkend,' zegt Rob. 'Een absoluut verbazingwekkende samenwerking.'

'Op welk nummer ben je het meest trots? Sorry. We klinken als verdomde rockjournalisten, niet?'

'Nee, nee nee nee, het is cool. *Feel. Angels. No Regrets.* Ik weet het niet echt. Ik haatte ze altijd allemaal. Ik had net die depressie die je doormaakt wanneer je denkt dat je niks waard bent.'

'Geef je nog om verkoopcijfers?'

'Het is als de Olympische Spelen. Als je vijf miljoen verkoopt, wil je er zes miljoen verkopen.'

Hij vertelt ze over zijn volgende album. 'Ik ben nu al iets aan het samenstellen dat weer op intuïtie is gebaseerd. Andere muziek. Het is anders. En het kan twee kanten uitgaan – of massaal verkopen, of genoeg verkopen dat ik er tevreden mee ben en de beroemdheid zal ter ziele gaan.'

Een van hun partners is een politieofficier en ze merkt op dat ze betrokken was in de zaak Fred en Rose West. Dit roept iets in herinnering.

'Ik was tien,' zegt Rob. 'Ik werd in het park achtervolgd en ik moet het hebben gevoeld. En hij volgde me helemaal tot aan het politiebureau en ging er toen vandoor.' Hij pauzeert even. 'De volgende avond vermoordde hij iemand.'

✳✳✳

Hij heeft zin om vroeg naar bed te gaan en uit te rusten. Als hij naar de lift loopt wordt hij tegengehouden door een enigszins mesjogge meisje. Ze blijft maar zeggen dat hij backgammon met haar moet komen spelen; ze is duidelijk gefixeerd op deze gebeurtenis en is verward door de manier waarop de werkelijkheid weigert om aan haar plan gehoor te geven. Ze wordt steeds hysterischer als hij de lift instapt zonder enig teken te tonen dat hij haar uitnodiging aanvaardt. Net voordat de deur sluit besluit ze om haar ambitie bescheidener te maken.

'Laat me hem alleen aanraken!' smeekt ze.

'Sorry,' zegt Jason. 'Hij gaat slapen.'

'Robbie, kun je me een kus geven?' smeekt ze. 'Ik heb mijn voornemens twee dagen lang voor jou in de ijskast gezet.'

Dat weer. Hij besluit dat de meest pijnloze optie is om naar voren te stappen en haar een korte omhelzing en een vluchtige zoen op de wang toe te staan. Helaas doet dit haar grotere ambities weer ontvlammen.

'Een spelletje backgammon!' zegt ze, de woorden bijna blaffend.

'Nee, *darling*,' zegt hij vermoeid.

'Kamer 103!' schreeuwt ze machteloos. 'Een ogenblik! Stop de lift! Ik zal hem niet aanraken. Ik zal hier blijven staan.'

'*Darling*, ik ben echt moe. Ik ga naar bed,' zegt hij.

'Doe me dat niet aan,' smeekt ze, inzakkend, maar ook de deur van de lift blokkerend. Het is niet aangenaam om te zien hoe mensen zichzelf zo kunnen vernederen. Om te zien hoe nietig ze worden.

'Nee, *darling*, alsjeblieft,' zegt hij. 'Aan de kant. Alsjeblieft. Ik moet echt naar bed.'

Gary en Jason wrikken haar op zachte wijze los en duwen haar uit de lift. Als de deur eindelijk sluit, jammert ze een beetje, verslagen.

We stijgen. 'Ze had weer wat minder gek kunnen lijken,' zucht Rob. Als ze haar omhelzing met gratie had aanvaard. In plaats daarvan is ze weer iemand die verbitterd is over het feit dat haar ongevraagde offer niet zo is beloond als ze had gehoopt. Rob gaat naar bed zonder zelfs het meest merkwaardige van deze bijzondere soort waanzin te vernemen: de verrukkelijke charme en rede waarmee ze beneden in de bar voor dit alles gebeurde tegenover Gary had gepleit voor een ontmoeting met Rob.

'Kan ik hem spreken?' had ze gevraagd. 'Ik ben geen groupie en ik hou niet eens van zijn muziek.'

✳✳✳

In zijn droom van die nacht ontmoet hij Simon le Bon. Simon le Bon is heel beleefd en vriendelijk en er gebeurt verder niet veel, hetgeen een behoorlijke opluchting is.

✳✳✳

In een bus in Duitsland zitten Rob en Max met de dansers en ze gaan de kring rond en vertellen één voor één de details van hun eerste kus.

Er was een overvloed aan dokters en zusters, ik deed mijn kleren uit en zij deden hun kleren uit, ik was toen vijf of zes jaar,' zegt Rob. '———, die verderop in de wijk woonde – dit is geen onzin – toen we ongeveer zeven waren, ik speelde bij haar huis in de buurt, ze nam me mee de bosjes in achter in haar kleine tuin en trok haar broek naar beneden en trok mijn broek naar beneden en zei: "Stop dat daar in".'

'Neeee!' roepen de meisjes in koor.

'Echt waar,' zegt hij. 'Zowaar als God mijn getuige is.'

'Wat deed je – een beetje wrijven?' vraagt Max.

'Ik wist het niet,' zegt hij. 'Ik had geen idee dat het iets met seks te maken had. En…' – hij verlaagt zijn stem – '… zij had een glijbaan. Ik wilde voetballen.'

'Goed, maagdelijkheid!' dringt Max aan. 'Waar en met wie en wat was het verhaal. Loos!'

De meisjes hebben verscheidene specifieke details gemeen. Rob vertelt het verhaal van zijn eerste keer en als hij bij de geur komt, krijsen de dansers vol sympathie en afgrijzen.

'Wat deed je?' vraagt een van de dansers.

'Ik stopte hem erin,' zegt Rob. Meer zuchten en gelach.

'Met een condoom?' vraagt Max.

'Nee,' zegt Rob en zet zijn spottend-ironische quasi-Partridge-stem op. 'Aids was nog niet uitgevonden. Echt uitgevonden. Hoe dan ook, het duurde niet langer dan een halve minuut, en zodra ik klaar was – ik vond in die tijd dat ik echt cool was, ik vond echt dat ik ontzettend cool was, zei ik: "Kom nog een keer"…' – veel gelach – '… en ik dacht

: 379 :

dat het echt James Bond was van me. En ik ging naar de overloop van het huis en ik deed…'

Hij demonstreert hoe hij zijn arm oppompte met gebalde vuist; met de stoerheid die hij had gewonnen met datgene wat hij nu wist, nog overstemd door de stoerheid die hij nodig had om alles te verbergen wat hij nog niet wist.

❋❋❋

In het volgende hotel in een klein stadje buiten Keulen heeft het gezelschap een paar dagen vrij. Rob heeft gemengde gevoelens over vrije dagen tijdens een tournee. Hij wordt weliswaar niet geconfronteerd met de stress van een show 's avonds, maar hij zit zo goed als gevangen in het hotel. Dit hotel is een driehonderd jaar oud barokpaleis, op een heuvel gebouwd als een jachtoord, en in de informatiefolder die in de kamers ligt, wordt de lange geschiedenis van het gebouw uit de doeken gedaan. 'Tegenwoordig,' staat er, 'wordt het Grandhotel Schloss Bensberg geëxploiteerd als een exclusief vijfsterrenonderkomen van Althoff Hotels voor pretentieuze gasten'.

Hij zakt dieper weg in Championship Manager 4. Zodra hij zijn kamer heeft bereikt, zet Rob onmiddellijk zijn computer aan en houdt zich met Cardiff bezig. Hij speelt tot halfzes die ochtend, en als hij de volgende middag ontwaakt gaat hij meteen verder zonder zelfs maar uit bed te komen. Hij staat pas kort voor de avondschemering op. Hij verlaat niet alleen zijn kamer, maar ook het landgoed van het hotel en wandelt een paar honderd meter de stad in om een ijsje en wat snoep te kopen. De paparazzo die de hele dag heeft gewacht weet wat foto's te schieten als hij terugkeert.

Hij gaat terug naar zijn kamer, springt op zijn bed en slaat zijn computer open.

'Ik ben buiten geweest,' zegt hij. 'Het is vreselijk.'

Cardiff staat op de zestiende plaats in de eerste divisie.

Als hij de volgende middag wakker wordt, ziet hij er doodop uit. Maar hij heeft een besluit genomen. Hij loopt naar me toe in zijn ochtendjas en houdt zijn handen omhoog. Tussen zijn vingers bevindt zich het schijfje van Championship Manager 4.

Het breekt niet, maar hij buigt het heen en weer, telkens weer, tot het in een rechte hoek over de hele diameter is gebogen en hij zeker weet dat het hem niet meer kan lastigvallen. Hij gooit het dan op een van de vele tafels in zijn suite.

'Ik wil er niet over praten,' zegt hij. 'Jongeren zouden boeken moeten lezen.'

✱✱✱

Jason kijkt naar de voorpagina van de *Sonntag Express*, een van de Duitse kranten. Welke gedenkwaardige gebeurtenis domineert vandaag het nieuws?

'*20.45 Uhr, mitten in der Bensberger Stadt*,' deelt het in grote letters mee.

'Dus,' zegt Jason tegen Rob, 'het meest opwindende dat gisteren in het land gebeurde was dat jij om 20.45 uur een ijsje at.' Dit als een bom inslaande nieuws wordt geïllustreerd met een foto van Rob die een chocoladeijsje eet, met nog een stukje ijs zichtbaar tussen zijn lippen. Zijn mond open, zijn ogen gesloten.

Een van de andere Duitse kranten heeft een ander verhaal. Nena en haar mensen hebben publiek gemaakt wat zij beschouwen als een affront. Ze klagen dat Rob tijd heeft om te gaan karten met Cameron Diaz maar niet de beleefdheid had om haar zelf op te bellen, en dat ze in plaats daarvan nu naar Amerika is gegaan waar ze weten wie zij – in tegenstelling tot Rob – is, omdat ze daar een beetje succes heeft gehad. (Haar enige Amerikaanse hit dateert van meer dan twintig jaar geleden.) Er worden allerlei suggesties voor wraak gedaan – dat Tessa Niles, een van zijn achtergrondzangeressen, het duet zou moeten zingen in een Nena-pruik, enzovoort – maar Rob spreekt zijn veto erover uit. De hele kwestie interesseert hem nauwelijks meer.

In zijn kleedkamer zet Rob *Eurosport* op en kijkt naar duiken.

'Het breken van die Championship Manager 4 vandaag staat gelijk aan het door de wc spoelen van cocaïne,' zegt hij. 'Ik gooide op een vakantie eens drie grote zakjes coke, echt sterk spul, in de wc. Het was tien uur 's ochtends en ik had nog steeds drie grote zakjes over.'

✱✱✱

Max bezoekt hem.

'Wanneer gaan we op vakantie?' vraagt hij Rob.

'Ik ga niet op vakantie, man,' zegt Rob. 'Volgend jaar pas.'

'Waar wil je naar toe?' vraagt Max.

'Skiën,' zegt Rob.

'Nee, dat doe je met een groep,' zegt Max. 'Laten we naar de Malediven gaan.'

'Wat moet ik de hele dag doen?' spot Rob. 'In de zon zitten?'

'Dan wordt hij gek,' merkt Josie op.

'Ik ben net een klein kind,' zegt Rob tegen Max. 'Ik moet te allen tijde worden vermaakt.'

'Ik weet wat trucs,' werpt Max tegen.

: 381 :

'Ik heb ze allemaal gezien,' riposteert Rob.

'Alles wat ik wil is *fucking* niets aan mijn hoofd,' zegt Max.

'Ik wil in staat zijn om van een paar hoge rotsen af te springen in de bergen,' zegt Rob.

✴✴✴

Na het concert is het een uur terugrijden naar het kasteelhotel. Onderweg zegt Rob dat hij een lijst wil maken van de mensen die iets voor hem betekenen en invloed op hem hebben gehad en hij wil van ieder een foto hebben en ze in de hal van zijn huis in Los Angeles ophangen. Zittend in het donker terwijl we de Autobahn oprijden, somt hij de volgende lijst op:

'Mork... The Fonz... Homer... Starsky and Hutch... Norman Whiteside, in de finale van de FA Cup van 1985, want dat was de eerste FA Cup-finale en de eerste echte voetbalwedstrijd die ik zag, niet in het stadion, met mijn pa, en hij scoorde het winnende doelpunt... Terry Butcher bedekt met bloed... Ik heb Muhammad Ali... Port Vale 1988... John Travolta, Grease... Wonderwoman... en Batman, die film waarin hij tegen de muur oploopt... Spike Milligan... Dr. Hook... Pet Shop Boys... Public Enemy... NWA... en een van Eazy E... De La Soul... Dr. Dre... Eminem kan er ook bij hangen, ja... Jay Z... Dusty Springfield... Bono... Bowie, *Hunky Dory*...alle Bowie-albums eigenlijk... Elvis... en Tom Jones... niet samen... Freddie Mercury... hang er ook een foto van Stephen Duffy bij... Fred Astaire, Frank Sinatra, Gene Kelly, Norman Wisdom, George Formby... Grace Kelly... Lauren Bacall, Humphrey Bogart... Dean, Sammy en Frank... Brigitte Bardot... Raquel Welch... Sean Connery en Roger Moore... Chewbacca, Hans Solo, Boba Fett, omdat hij er altijd maf uitziet, de Millennium Falcon... Michael Jordan... David Beckham... Kobe Bryant en Shaq... Zidane... Bob Hope... en Bing – ik heb al een geweldige van Bing... de Krays... Peter O'Toole... Richard Harris... Oliver Reed... Keith Moon... Paul Gascoigne... de cast van *Auf Wiedersehen, Pet*, de oorspronkelijke... Alan Partridge... James Taylor... Ian Botham... Sid Vicious... Johnny Rotten... goed, de Pistols... Barry McGuigan... De la Hoya... Roy Jones Jr.... Daley Thompson... Vic en Bob... de Blackpool Tower... Bridlington... Big Ron Atkinson, 1985... Brian Clough... en wie droeg altijd een gleufhoed? Hij zag er zo *fucking* goed uit. Malcolm Allison... Michael Caine van *Get Carter*... Daniel Day Lewis als Bill The Butcher... je kunt Elton daar maar beter ook ophangen... ik heb geen echt goede van Ringo en ik zal mijn George Harrison ophangen... David Niven, de fantastische foto waar hij met pijl en boog in het zwembad springt... mijn oma... Tupac en Snoop... Dave Allen... Dan

Aykroyd en Eddie Murphy in *Trading Places*... ik ga De Niro en Al Pacino er niet bij doen, want iedereen heeft ze... Man Utd driemaal winnende elftal... Wayne Rooney... Jenson Button... Goldie Hawn in *Private Benjamin*... Kris Kristofferson in *Convoy*... ik mag Ron Wood, hij ziet er cool uit... *Moonlighting*, allebei... Woody in *Cheers*... Barry Sheen... Kevin Keegan, met het permanent, ja... Ozzy... Slash... de Banana Splits... Showaddywaddy; dat is het eerste optreden dat ik bezocht... Scott Walker en Morrissey... ik wil Oasis ophangen... Wembley, de Twin Towers... JFK... Lee Harvey Oswald... Jacqueline Bisset, in de lift – ik heb aardig wat keren iemand hierom buiten westen geslagen... Kermit, Miss Piggy... Peter Sellers, Clouseau... the Artful Dodger, Jack Wild... Monkey... Kirk Douglas als Spartacus... Sid James... Dat is voldoende om mee te beginnen...'

*** ** ***

Rob loopt snel door de hotelbar, kijkt goed rond, keert terug naar zijn kamer en stuurt dan een van zijn bodyguards weer naar beneden. Op een avond als deze worden ze wel gevraagd om aan een meisje uit te leggen dat Rob haar eerder heeft gezien en dat het moeilijk voor hem is om in de bar te kletsen, maar dat hij het heel erg prettig zou vinden als er wat vrouwelijk gezelschap naar zijn kamer zou komen.

Gewoonlijk doen ze dat.

Daarna verlopen de gebeurtenissen echter niet vaak zoals je zou verwachten. Op deze tournee heeft hij steeds meer te maken met het fenomeen dat ieder afzonderlijk meisje dat hem volgt anders wil zijn dan de meisjes die hem volgen. Een van zijn bodyguards kreeg een paar avonden geleden van een van hen een lange uitwijding oer het verschil tussen volgers (die goed waren; zoals het meisje dat sprak, bijvoorbeeld) en fans (slecht). Volgers vallen de artiest niet lastig. (Dit wordt gezegd door iemand die het zo heeft geregeld dat ze in hetzelfde hotel als de artiest verblijft en rondhangt in de hotelbar, wachtend en hopend.)

'Hoe ik het interpreteerde was,' zegt Rob, 'dat volgers echt *fucking* idioot zijn en je kunnen vermoorden, terwijl fans je gewoon met rust laten en je platen kopen en ze thuis beluisteren. Ik geloof dat ik liever een fan zou zijn. God wat zijn ze maf. En ieder van hen heeft een relatie met mij. Waar ik niets van afweet.'

Als ze wel naar zijn kamer komen wordt deze manier van denken verder voortgezet, iets wat hij frustrerend vindt. Rob is er steeds meer van overtuigd dat meisjes die met de crew of met de band slapen vanwege hun nabijheid tot hem niet met hem naar bed zullen gaan. Ze willen allemaal anders zijn dan de meisjes die dat doen.

Niemand is nog een groupie. Ze hangen dagen rond in hun meest sexy kleren en wachten op een moment om alleen met hem te zijn, tot ze eindelijk uitgestrekt op een bed liggen met het object van hun obsessie en verlangen en eindelijk de speciale magische woorden kunnen zeggen die ze zo ontzettend graag met hem willen delen: 'Ik ben geen groupie.'

Hij hoort steeds weer dezelfde zinnen, keer op keer. Ze zijn ervan overtuigd dat hij een *soulmate* zoekt; hij weet vrij zeker dat wat hij werkelijk wil is een nummertje maken. Het maakt hem stilletjes aan gek.

✳✳✳

'Vanavond,' verklaart hij 's middags voor zijn tweede show in het stadion van Schalke, op de dag dat *The Daily Mirror* hem uitroept tot de 37e minst invloedrijke persoon van Groot-Brittannië, 'ga ik denk ik met een echt lief meisje naar bed.' Hij legt niet meer uit dan dit, maar tijdens de show, na *Monsoon*, wijst hij naar een meisje in de menigte vlak bij het eind van de lange brug die vanaf het midden van het podium de menigte inloopt – en vraagt of ze op het podium kan worden getild. Ze omhelzen elkaar lang en gaan dan samen zitten. *Come Undone* begint en hij zegt tegen haar dat ze er mooi uitziet, dan gaat hij met haar liggen en omhelst haar terwijl hij zingt. Hij staat op voor het eerste refrein, ze doen een *slow dance* en dan vertrekt ze. Hij vertelt haar dat ze mooie borsten en lippen heeft, maar vraagt of ze hier gisteravond ook was en nog dezelfde kleren draagt.

Dit is nog niet eerder gebeurd, maar het is het begin van iets.

✳✳✳

'Ze stonk,' legt hij uit in de bestelbus. (Dit lijkt een eeuwig probleem voor hem te zijn.) Maar afgezien daarvan en van zijn moeheid was de show een ware triomf. Het publiek was nog enthousiaster dan op de eerdere avonden. In sommige gevallen te enthousiast. Tijdens de show probeerde een meisje op het podium te komen door van de stoelen boven op een mobiel toilet te springen, dat onder haar gewicht omviel. Ze hield er een gebroken been aan over, bedekt met de inhoud van het toilet.

'Het geweldige van deze menigten,' zegt David, 'is dat ze loyaal blijven tot aan de dag dat je...' En hij stopt, beseffend dat hij deze zin een doodlopende weg in heeft gestuurd en dat er geen gelukkige manier is om hem voort te zetten. Rob reageert er toch op.

'Tot aan de dag dat ik ze vertel wat ik echt denk?' zegt hij.

***

In Amerika is de wereld van verslaggeving geschokt door het Jayson Blair-schandaal: een reporter van *The New York Times* die betrapt werd op het gedurende een lange tijd systematisch uit zijn duim zuigen van verhalen. Tijdens de onderzoeken en tegenbeschuldigingen die volgen en die uiteindelijk de hoofdredacteur van *The New York Times* zijn baan kost, wordt het werk van andere journalisten tegen het licht gehouden. Het laatste dat het publieke domein heeft bereikt, als we in ons paleis bij Keulen verblijven, is de mediaverslaggeefster Lynette Holloway. Een van de belangrijkste aangehaalde voorbeelden van haar onzorgvuldige of prullige werk is een verhaal dat in maart werd gepubliceerd, het verhaal waarin ze aangaf dat er vier miljoen exemplaren van Robbie Williams' *Escapology* naar de VS waren geëxporteerd. Dit 'feit' is iets dat Robbie sindsdien heeft achtervolgd en eindeloos is geciteerd als het empirische bewijs van zijn vernederende Amerikaanse falen: vier miljoen geëxporteerd, honderdduizend verkocht.

Het was nooit waar en had ook nooit waar kunnen zijn. Er ligt een kleine tevredenheid besloten in deze late erkenning van het feit dat dit een stupide en ernstige fout was. Geconfronteerd met een onderzoek naar een mogelijk patroon van dergelijke fouten, neemt ze vervolgens stilletjes ontslag. Hoewel het natuurlijk al te laat is om er echt nog toe te doen – weinig mensen zullen opmerken dat de staldeuren worden dichtgedaan, en het paard waarop die schade reed is allang op hol geslagen en verspreid nog altijd overal zijn bedrieglijke slechte nieuws.

12

Halverwege de vlucht naar Amsterdam staat hij op en loopt hij door het gangpad waarbij hij zijn blote kont laat zien. De vorige vlucht waren het zijn testikels. Hij is op zoek naar een verdere escalatie.

De lift in het Amstel Intercontinental Hotel is bekleed met hout en voorzien van schilderijen en lampen. Rob besluit dat hij de lift in zijn huis in Los Angeles precies zo wil decoreren.

'Ik wil *The Laughing Cavalier* en *The Haywain* van Constable,' verklaart hij.

'En *The Fighting Temeraire* van Turner,' stelt Pompey voor.

'Nee,' zegt Rob. 'Het is wat in het huis van mijn oma hing. Ze had *The Fighting Temeraire* niet.'

Wanneer hij in zijn zoldersuite aan de gracht arriveert, gaat hij zitten en zegt: 'Josie, kan ik morgen golfen?'

'Hoe laat wil je gaan?' vraagt ze.

Hij denkt even na.

'Helemaal niet eigenlijk,' zegt hij. 'Josie, zit me niet zo te *pushen*.'

✱✱✱

Die avond kijken we een gedeelte van een programma over Jeff Buckley op tv tot Rob het niet meer uithoudt – 'Ik bedoel, God zegene hem,' zegt hij, 'maar ik vind het alleen maar klinken als een hoop gejammer.' – en vervolgens een video van de recente documentaire *The Importance Of Being Morrissey*. Rob is verbijsterd over de opgewonden gekte van Noel Gallagher, wordt enthousiast als hij achter een pratende Morrissey Runyon Canyon waarneemt en ervaart een zeker genoegen in het moment dat een Australische vrouw die tien jaar geleden een wedstrijd had gewonnen om hem te ontmoeten eindelijk de gelegenheid krijgt om dit te doen.

'Je hebt mij en zo veel mensen zo gelukkig gemaakt,' zegt zij tegen hem.

'Dat was niet mijn opzet,' antwoordt Morrissey, maar op een sympathieke manier.

'Hij is echt ongelooflijk,' zegt Rob nadien. 'Ik ben zo blij dat Pure Francis staat te gebeuren, want ik kan een beetje Morrissey nemen en het in hem stoppen en zien of ik echt iets te zeggen heb, weet je? Je weet, in mijn muziek gaat het altijd erg om A-B-C-emoties, met een klein beetje ironie erin. Maar 'eind-van-de-pier'-ironie. In zijn muziek gaat het zo ongeveer van A naar F terug naar A naar S, naar N, weet je. Ik luisterde naar de tekst en dacht: Ik wou dat ik naar hem had geluisterd toen ik depressief was. Ik dacht: *Fuck*, er was een verwante ziel waar ik naar had kunnen luisteren.'

Op sommige manieren, merk ik op, lijken ze sterk op elkaar – ze laten zelfs hun honden uit op dezelfde plaats en leiden een sterk overeenkomstig leven in Los Angeles – maar op andere manieren zijn ze zo ongelooflijk verschillend.

'Ja,' zegt Rob. 'Hij houdt ervan alleen te zijn, ik niet. En waar ik er alles voor zou geven om aandachtig naar een hoeveelheid nonsens te luisteren die iemand zegt, zou hij gewoon zeggen: "Nee, ik wil het niet horen." En het is dan een oprecht "kan me niet schelen".'

Hij staat op. 'Ik ga mijn computer aanzetten en naar hem luisteren,' zegt hij. '*I was happy in the haze of a drunken hour...*' zingt hij terwijl hij in de slaapkamer verdwijnt. '*In my life, why must I waste valuable time...?*'

Als hij de volgende middag wakker wordt, kijkt hij uit zijn raam naar het café aan de overkant van de straat, zes verdiepingen lager. Aan de tafeltjes buiten ziet hij Josie en Lee en Gary genieten van een rustig kopje middagkoffie. Hij opent het raam en schreeuwt naar ze toe.

'Mooi is dat,' brult hij. 'Geniet er maar van. Ik zit hier binnen. Alleen. Op mijn vrije dag.'

Hij zegt dat hij de volgende keer dat hij door paparazzi wordt belaagd speakers uit de ramen wil hangen en keer op keer *Suedehead* van Morrissey over ze wil uitstorten.

Why do you come here when you know it makes me sad?

✳✳✳

De volgende ochtend kijk ik mijn e-mail na en ontdek een bericht dat mij via *Rolling Stone* in Amerika is toegezonden. (In de afgelopen maand stond in de kranten dat ik werk aan een of ander boek over Rob, waarschijnlijk de reden dat de schrijver via mij wenst te communiceren.) Eerst doe ik de e-mail af als waanzin en sta op het punt om het bericht volkomen te negeren als ik me realiseer dat het, waanzin of niet, wel een specifieke waarschuwing is en overwogen zal moeten worden. (En waar het voor waarschuwt is een daad van waanzin, waarom zou ik dus aannemen dat er alleen maar waanzinnige e-mails zijn en geen waanzinnige daden?)

Het volgende staat er in. (Als, zoals wordt beweerd, een eerder bericht werd gezonden, dan heb ik deze nooit ontvangen.)

✳✳✳

CHRIS HEATH-WEER ECHT DRINGEND
GEVAAR VOOR ROBBIE WILLIAMS

Beste meneer Heath,
Ik heb nooit bericht van u ontvangen. Ik stuurde u de informatie dat er op 11 juni een groot gevaar zal zijn voor meneer Williams. Ik had het bij het verkeerde eind, want in het Duits zijn juni en juli bijna dezelfde woorden, namelijk Juni en Juli, dus het gebeurde op 11 juli, maar niet in Londen, het gebeurde gisteravond in Mannheim. Maar iemand die in Londen is geboren is er verantwoordelijk voor. Misschien iemand van de roadies, nog geen dertig jaar oud. Met kaalgeschoren hoofd. Niet de mensen die de installatie hebben gemaakt zijn verantwoordelijk voor het beschadigde spotlicht, maar deze homoseksuele man.
Ik heb berichten gekregen dat hij zal worden doodgeschoten. Maar het was in Duits het woord SPOT *voor dit licht dat op Robbie zou hebben moeten vallen. Ik ben op deze manier niet in staat me te concentreren want ik heb drie kinderen die me storen en een heleboel problemen, en*

ze kennen me dus en ik krijg slechte energiegolven van al zijn vijanden, want de wereld der wetenschap slaapt niet, als u in staat bent me te volgen.

Hij had veel geluk, want zijn Engel paste op hem op. 'And through it all she offers me protection, a lot of love...' Hij zingt altijd nummers over beelden die hij al heeft voorzien. Hij is ook helderziend.

Maar nu is het echt uw beurt om verantwoordelijk te zijn voor zijn gezondheid en leven, want het volgende probleem zou zich voordoen op de 22ᵉ in Antwerpen, het bungeetouw zal worden gemanipuleerd. Echt gevaarlijk. Hij zou een speciale bewaker of detective moeten hebben om de boel in de gaten te houden en de criminelen op heterdaad te betrappen.

Welnu, als u dit bericht niet naar Robbie Williams stuurt dan zal ik het naar Bild Zeitung *of* CNN *of* MTV *of* Radio 7 *sturen en zult u een journalist worden genoemd die erin geïnteresseerd is geld te verdienen in de biografie van een STER die al is overleden. Het is uw beurt. GOD zal u allen zegenen.*

❋❋❋

De schrijfster geeft haar naam en een e-mailadres in Duitsland. Ik forward de e-mail aan Josie, die het met Pompey bespreekt, en ze besluiten om in Antwerpen extra beveiliging te hebben. Natuurlijk zegt elk rationeel botje in je lichaam dat het waanzinnige onzin is – en ook nog eens haatdragende onzin, gezien de paniek en bezorgdheid die zulke idioterie kan veroorzaken – maar aan de andere kant moedigt Rob de wereld om hem heen vaak aan om voortekenen en voorspellingen serieus te nemen. Met wat voor geweten kan men dit daarom achteloos terzijde leggen?

❋❋❋

De vrouw die zijn kamer bezocht in Wenen heeft haar verhaal verkocht.

Hij hoort een samenvatting van haar verslag.

'Dus,' zegt hij, 'ze zei niet: "Wat ik deed was dat ik zijn kamer inging, ik kon niet erg goed Engels praten, daarom deed ik gewoon al mijn kleren uit en pijpte hem en deed mijn kleren aan en vertrok." Zei ze dat niet?'

'Nee,' zei Josie.

In het artikel wordt gesteld dat Rob zich voordeed als een Schotse voetbalmanager, alsof hij werkelijk zou hebben voorgewend niet de popster Robbie Williams te zijn (en alsof ze hem niet als zodanig oneerbare voorstellen deed; ze was in de hotelbar zo gedetailleerd dat hij had gedacht dat ze waarschijnlijk een hoer was). In werkelijkheid had hij Championship Manager aan haar uitgelegd. (Ze had klaarblijkelijk ook Welsh met Schots verward.) Op de een of andere manier komt dit zogenaamde feit los te staan van de intieme details en wordt verder geïnterpreteerd, tot het op grote schaal geaccepteerd is dat hij door Europa reist in de hoedanigheid van de manager van Falkirk.

✳ ✳ ✳

De hele tijd arriveren er dingen: cadeaus, berichten, uitnodigingen. Sommige worden dankbaar aanvaard, andere minder graag. Vandaag kreeg hij een Arsenal-shirt van de laatste FA Cup-finale, persoonlijk bij het hotel afgeleverd door Dennis Bergkamp, en een pakketje met een handgeschreven briefje van Tommy Hilfiger. Op de plaats van optreden geeft Skin, die de laatste paar dagen zijn supportact is geweest, hem schuchter een leren Yohji Yamamato-tas. Josie zegt dat ze een telefoontje heeft gehad waarin hij werd uitgenodigd om het huis van Billy Connolly in augustus te bezoeken. Dat is alleen maar vandaag.

In de kleedkamer voor de show speelt hij een tijdje op zijn gitaar, speelt *Better Man* en *Nan's Song* en zet dan veel platen van U2 op. De zin die hij het hardst zingt, uit *Who's Gonna Ride Your Wild Horses*, is '*you're an accident, waiting to happen*'. (Het herinnert me aan de enge e-mail, en ik word er koud van, maar ik hou het voor me.)

'Ik ben om een of andere reden echt nerveus voor vanavond,' zegt hij tegen de band voor de samenkomst. 'Echt dubbel zo benauwd. Zestigduizend mensen... ik wil naar bed.'

Op het podium is dit minder te zien dan ooit. Tijdens *Monsoon* hijst hij weer een meisje uit het publiek en dit keer gaan ze er al spoedig helemaal voor, kussen elkaar echt en diep. Dit concept van op-toneel-met-een-meisje-liggen is wat hij van Bono heeft gejat, maar als Bono meisjes op het podium trekt om er samen met hem op te gaan liggen heeft het nog een zekere kuisheid, alsof ze aannemen en verwachten dat een zeker respect gehandhaafd blijft. Bij Rob nemen ze, niet geheel ten onrechte, aan dat hij bijna alles zou kunnen doen.

Vanavond grijpt het meisje aan het eind van het nummer de microfoon, zegt dat haar naam Sabine is en verklaart: 'Ik ben de toekomstige Mrs. Williams.' Rob kijkt haar terecht met een idiote blik aan, maar niettemin geeft hij de band het teken om *Come Undone* in te zetten, gaat met haar liggen en kust haar hals. Ze duwt zijn shirt naar boven en wrijft over zijn rug, gaat dan boven op hem liggen en trekt dan de voorkant van zijn shirt omhoog. Backstage heeft het nieuws al de ronde gedaan en de dansers staan nu allemaal aan de zijkant van het podium en kijken. Als ze op hem gaat zitten, met de benen langszij, maakt hij haar haar in de war – deels, denk ik, om de situatie weer enigszins onder controle te krijgen – maar, hierdoor niet afgeschrikt begint ze op hem te draaien.

Voor het tweede couplet lukt het hem om haar te laten opstaan en dansen ze. Ze draagt een zelfgemaakte Chacun À Son Goût-T-shirt – iets wat ofwel aandoenlijk is en getuigt van toewijding of enigszins eng en stalkerachtig is. Terwijl ze dansen wrijft ze met haar hand op en neer over zijn buik, steeds lager.

Ik loop David tegen het lijf en we vergelijken onze ervaringen. We weten absoluut niet of Rob hiervan geniet. Tegen het eind vraagt hij om zijn akoestische gitaar. 'Hier is iets wat ik gewoonlijk niet doe,' zegt hij, en hij zingt zonder band de twee nummers die hij eerder in de kleedkamer speelde. Na deze keer zal hij dit bijna elke avond doen.

Dan volgt *Feel* en een hartgrondige versie van de introductie heeft zich gedurende de laatste paar concerten ontwikkeld: 'Dit is een nummer dat ik schreef toen ik me een beetje depressief voelde. Ik had het gevoel dat ik het niet verdiende om te zijn waar ik ben. Ik had het gevoel dat ik het niet verdiende om voor jullie op het podium te staan. Ik vond dat ik het leven dat ik heb gekregen niet verdiende. Ik voelde me klote. Ik schreef dit volgende nummer. Maar nu, zoals ik al eerder zei, ben ik de gelukkigste man op aarde en moet ik jullie bedanken. Dank jullie wel.'

Ik zie hem backstage als hij zich verkleedt voor de toegiften.

'Wat een fantastische avond,' straalt hij. Het enige moment waar hij zich aan ergerde was toen hij de controle over zijn kuspartner verloor. 'Ze begon tegen m'n ballen aan te rijden,' zegt hij. 'Ik kreeg iets van Alan Partridge over me: "Goed – dat is genoeg. Eraf. Bedankt." Ik wist niet wat ik moest doen.'

✱✱✱

Sara Cox, die in de stad is om hem te interviewen voor *Radio One*, komt de volgende middag langs met haar producer en geluidsman. (Hij droeg *Angels* in de show van gisteravond aan haar op, maar ze was al vertrokken en weigerde hem te geloven toen hij bij het hotelbuffet aan haar vertelde wat hij had gedaan.) Hij is op zijn kamer en kijkt naar golf. Vlak voordat ze arriveert, gaat hij naar het toilet om te plassen en terwijl hij daar is staart hij naar zijn tatoeages. Voor een ogenblik vraagt hij zich af hoe het zou voelen als zijn lichaam weer schoon was, en het maakt hem erg droevig: alle pijn die hij zou moeten doorstaan om zijn lichaam weer zo versierd te krijgen als hij het graag wil. Zoals het nu is.

Ze doen het interview liggend op een bed in zijn suite, al is het in werkelijkheid het bed waar Pompey op slaapt in plaats van zijn bed, en er zijn zes anderen in de nabijheid. Ze blijft haar korte rokje maar naar beneden trekken. 'Waarom leg je daar niet even een kussen neer,' zegt hij en geeft haar er een, 'zodat je je niet de hele tijd bewust bent van het feit dat je slip te zien is?' Hij maakt vriendelijke grapjes over haar verrassend groot uitgevallen voeten. 'Hoe lang is het geleden dat je The Shire verliet?' vraagt hij. 'Ik word geïnterviewd door Bilbo Baggins.'

Voordat de band loopt kletsen ze over liefde en verliefdheid. Ze zegt dat ze *Moulin Rouge* niet met haar man gaat kijken, omdat Kylie Minogue meespeelt. 'Ik heb al lange tijd geen vriendin meer gehad,' zegt hij. 'Op het ogenblik heb ik geen verliefdheden. Afgezien van het huidige gezelschap…' (Ze vertelt hem later dat ze voor dit uitstapje haar eerste massage van haar man kreeg, dat hij drie maaltijden in een week had bereid en enkele 'je ziet er mooi uit'-opmerkingen heeft gemaakt.) Rob vertelt hoe hij tegen het eind van slechte relaties in het verleden, probeerde om de schuldgevoelens van zich af te zetten door de meisjes een andere richting op te sturen. 'Ik probeerde letterlijk om haar als een pooier aan iemand anders te slijten,' herinnert hij zich. 'Als er iemand op de televisie kwam, zei ik: "Hij ziet er echt cool en goed uit, niet? En ik heb gehoord dat hij ook grappig is…" Volgens mij is het zo dat als ze met iemand gaat, ik liever heb dat ze met hem uitgaat dan met iemand waar ik jaloers op zou worden.'

'Ja,' stemt Sara in. 'Als je van ze houdt, laat ze dan gaan, maar niet naar iemand…'

'Als je van ze houdt, laat ze dan vertrekken,' zegt hij. 'Maar niet naar Liam Gallagher.'

Iedereen moet lachen.

'Diddly did dee dee,' zegt hij.

Ze is op het juiste moment gekomen. Hij flirt dan wel en maakt grapjes, maar hij is in de stemming om een serieus gesprek te voeren. Ze spreken uitvoerig over verslaving, op tournee gaan en het kussen van meisjes op het podium.

'Mag ik je trouwens vragen naar de "happy pills", zoals je ze noemt?' vraagt ze. 'Slik je nog altijd "happy pills" of is dit…?'

'Nou, ja, ja,' zegt hij. Het schijnt heel vaak ter sprake te komen en ik denk dat de reden ervan is dat niemand het in het alledaagse leven in Groot-Brittannië of elders noemt, en volgens mij is het heel eerlijk om te zeggen en het doet mijn tenen iedere keer als iemand het noemt een beetje krommen… maar inderdaad, ik neem die dingen die voorkomen dat ik niet op de aarde wil zijn, weet je.'

'Sorry,' zegt ze. 'Ik heb je toch niet ontstemd, hoop ik?'

'Nee. helemaal niet, maar je noemt het enige waarvan ik het lastig vind om over te praten. Maar weet je, en de reden dat ik er toch over praat is dat er heel veel mensen zijn die zich waarschijnlijk net zo hebben gevoeld en die niet weten wat ze er mee moeten of wat ze er aan kunnen doen. En ik denk vaak dat, weet je, ik niet de rest van mijn leven deze pillen zal slikken of zo, maar ik denk dat het een geval is van – weet je als een kind voor een school omver wordt gereden en ze de snelheidsdrempels aanbrengen? En ik breng de snelheidsdrempels aan voordat het kind omver wordt gereden. Dat is het.'

'Dat is een briljante manier om het uit te leggen,' zegt ze.

'Volgens mij bestaat er dat... stigma van "o, hij is gek – dat is gek". En mensen zeggen vaak ook: "Waar moet jij nu depressief om zijn?"... Depressie gaat nergens over. Het gaat niet over "wee mij, mijn leven is zo en zo". Het is alsof je de hele dag de ergste griep hebt die je maar niet kwijtraakt. Het gaat niet over situaties, plaatsen of dingen. Het betreft een chemisch iets in je lichaam dat... hé, weet je wat ik denk? Het komt omdat ik te veel ecstasy heb gebruikt. Volgens mij is het gekomen omdat ik te veel ecstasy heb gebruikt, om je de waarheid te zeggen. Als je ecstasy neemt komt er in je hersenen een enorme hoeveelheid van die stof genaamd serotonine vrij...'

'Serotonine, ja,' knikt ze.

'... en daardoor voel je je geweldig,' gaat hij verder, 'en de reden dat je je geweldig voelt is omdat de serotonine in je hoofd doet: "Hey hey hey, bakken vol ervan!" En dan gebruik je het allemaal op en hebben je hersenen niets meer om in te baden. En dat gebeurt er als je ecstasy neemt.'

Veel van dit gesprek zal worden uitgezonden op *Radio One*, in de week voor Knebworth, en de sensatiebladen zullen zich er ook in vastbijten en logischerwijs aannemen dat Rob zijn depressie nu voornamelijk wijt aan ecstasy-misbruik. Dat is niet het geval. 'Ik weet zeker dat het niet hielp,' zal hij later stellen, 'maar nu ik erover nadenk, nee. Ik was depressief toen ik veertien, vijftien, zestien was en had toen nog geen ecstasy genomen.' Het verband is misschien dat ecstasy zich vermomd als een middel tegen depressie, maar de bronnen om de depressie te bestrijden verder uitput. Het is een beetje als onder armoede gebukt gaan en je voor te stellen dat de oplossing voor al je problemen een heel grote schuld bij de bank is.

✳✳✳

Spoedig is het interview voorbij, is Sara Cox vertrokken en wacht de rest van de dag. Hij lijdt er steeds meer onder dat hij dag in dag uit in het hotel gevangenzit door omstandigheden en beroemdheid. En hij verveelt zich. Kort voordat de avond valt, besluit hij dat hij even naar buiten moet. Een wandeling maken.

Zo'n tien fans zwermen om hem heen als hij de hoteltrappen afloopt, zoals hij al had verwacht.

'Meisjes,' verzoekt hij. 'Ik ga een wandeling maken, laat me alsjeblieft gaan. Ik verveel me en wil wandelen.'

Maar natuurlijk volgen ze hem. Dat doen ze altijd.

Hij loopt de straat in die van de gracht vandaan loopt en we hebben zo'n honderd meter gelopen als hij zich iets heel merkwaardigs realiseert. Iets is heerlijk afwezig. Ik denk dat hij een theater opvoert als hij ze vraagt om hem niet elke keer te volgen, zelfs al weet hij dat ze dat toch doen, omdat het uiten van zulke redelijke verlangens, zelfs als ze altijd worden belemmerd, ervoor zorgt dat je mens blijft. Hij heeft geen realistische verwachting dat ze naar hem luisteren. Maar deze avond staan we hier in de straat en niet één van die fans is achter ons aangekomen. Om te begrijpen wat deze kleine beleefdheid voor hem betekent en hoezeer het zijn dag maakt, moet je de belemmering van zijn welzijn voorstellen bij elk van die duizenden keren dat dit niet gebeurt.

Daarom is wat hij vervolgens doet – al lijkt het de daad van een man die eindelijk vrij weer terugloopt naar zijn gevangenis – heel begrijpelijk.

'*Fuck it*,' zegt hij terwijl hij zich omdraait. Hij loopt terug naar waar de fans rondhangen.

'Aangezien niemand *ooit* heeft gezegd dat ze me niet zal volgen, en jullie me niet volgen,' legt hij uit, 'wil ik jullie trakteren op een drankje.'

Het zijn er dertien. Hij leidt ze naar de cafébar tegenover het hotel en we zitten allemaal buiten, op de stoelen waar hij gisteren naar schreeuwde.

Aanvankelijk stellen ze voorzichtig vragen. Ze willen over de meisjes weten die op het podium kwamen. Hij bestelt drankjes en eten voor ze. Ze vragen wat hij de hele dag heeft gedaan.

'Niets,' zei hij. 'Ik keek naar golf en toen had ik een interview met een radiozender in Engeland.'

'Is er een zwembad?' vraagt een meisje.

'Ja,' zegt hij, verbaasd. 'Maar ik ben er niet in geweest.'

'Hoe was je fotosessie?' vraagt iemand anders.

'Ik heb geen fotosessie gehad,' zegt hij.

'We zagen een flitslicht,' zegt iemand anders.

'Dat was een bruiloft,' merkt hij op.

Ze hebben gedaan wat fans doen: de hele dag voor een hotel zitten en het magere bewijs dat beschikbaar is verwerken in het leven zoals zij denken dat een popster leeft. Gewoonlijk is het een veel drukker leven met veel meer glamour dan de werkelijkheid. Ze kunnen zich maar zelden de verveling voorstellen, of het rondhangen, of de eindeloze koppen koffie, of zelfs dat het object van hun aandacht tevreden op een hotelbed ligt en naar de tv kijkt.

Ze vragen naar Los Angeles; de honden; Justin Timberlake; Take That; hoe hij hier ooit *Mack The Knife* zong als karaoke; hoe hij zijn eerste tatoeage in Amsterdam op zijn been kreeg toen hij achttien was. Hij krijgt iemand aan de overkant in het oog waarvan hij denkt dat het een paparazzo zou kunnen zijn en glijdt een ogenblik van zijn stoel. Hij verbergt zich met zijn hoofd ter hoogte van de knieën van zijn fans.

Als hij weer omhoogkomt, vragen ze waarom Kelly Osbourne mee op tournee is. Sommige mensen lijken dit niet te kunnen begrijpen.

'Ze is een interessante popster,' zegt hij. 'Geef me een interessante popster. Christina Aguilera is niet *interessant*.' Een van hen stelt Jewel voor.

'Ze is *muzikaal*,' zegt Rob. 'Ze is geweldig en ze is knap maar ze is niet interessant. Kelly Osbourne is echt interessant. En we hebben zulke mensen nodig die "*fuck off*" en zo zeggen.'

'Britney Spears?' stelt een ander voor.

'Ik vind Britney Spears goed,' zegt hij, 'maar ze is niet interessant.'

'Björk,' zegt een meisje vol overtuiging.

'Björk is interessant,' geeft hij toe, 'maar ze is geen popster. Ze is buitenaards. En ik bedoel dat op een aardige manier.'

Hij zegt dat hij naar boven gaat om zijn boek te lezen. (Het is een boek dat ik hem heb gegeven: *Us: Adventures With Extremists* van Jon Ronson) 'Complottheorieën, ufo's, dingen waar je paranoia van kan worden,' legt hij hen uit. 'Alsof ik er nog niet genoeg van heb.'

Als hij in zijn kamer komt, ziet hij dat ze nog altijd op het terras zitten en zwaait naar ze voordat hij de gordijnen sluit voor de nacht. Hij zal tot morgen zes uur opblijven en tot de conclusie komen dat het engste personage in een boek waarin verder islamitische extremisten, Ku Klux Klan-leden en zij die geloven dat de wereld wordt geleid door een geheim genootschap van hagedissen voorkomen, dominee Ian Paisley is.

✳✳✳

Na één uur in de middag probeert Josie Rob wakker te praten.

'Je bent een moe jongetje, hè?' zegt ze.

'Ja,' gromt hij uiteindelijk zwak.

Hij strompelt naar de woonkamer, staart naar de kom met cornflakes voor hem, vist dan de stukken papaja tussen de ananas en kiwi uit en laat ze op een krant vallen. 'Ik kan niet uit mijn droom komen,' zegt hij. 'Over kinderen in het voorportaal van de hel. Ze kunnen niet naar de andere kant komen.' Langzaam vertelt hij meer. 'Ik was in het oude huis in Tunstall. Ze wisten niet dat ze in het voorportaal van de hel waren. Ze begonnen dingen te laten bewegen. Ze verbleven in mijn bed. Max, Chris Sharrock en deze twee geesten waren in mijn bed. Ik moet een manier verzinnen om ze weer thuis te krijgen…'

Ik vraag hem of hij de geesten vertelde dat ze echt in het voorportaal van de hel verkeerden.

'Nou,' zegt hij, 'toen ik het tegen hen zei, deden ze er heel onnozel over.

✳✳✳

Sara Cox is in het vliegtuig om het laatste deel van haar interview te doen. Eerst kijkt Rob naar de Britse kranten. Er is een droevig verhaal over de voortdurende ellende van Paul Gascoigne. 'Ik hoop dat het goed met hem gaat,' mompelt hij. 'Hij belde me altijd op. Ik speelde gewoonlijk op zondagochtend in een voetbalteam en hij belde me altijd zo dronken als een lier op rond halftien, net als ik op het punt stond om af te trappen.'

Nadat het vliegtuig is opgestegen verdwijnt hij naar het toilet. Op zijn verzoek heeft Josie boodschappen voor hem gedaan. Sara Cox praat in haar microfoon en beschrijft de sfeer voor haar luisteraars. Ze beschrijft een vlucht in de stijl van Robbie Williams: 'Niet van die belastingvrije trucjes… geen omgang met het uitschot… geen douanenonsens…' Rob verschijnt in het gangpad. Hij draagt een pruik met zwarte krullen, een zwarte bh met franje, visnetkousen die aan de achterkant open zijn om zijn achterwerk te tonen en een glanzende rode g-string waar zijn mannelijkheid in is geprop. Hij paradeert door het vliegtuig.

'Doet Robbie dit soort dingen vaker?' vraagt Sara Cox de stewardess.

'Gewoonlijk laat hij zijn bips zien,' legt de stewardess behulpzaam uit.

Rob keert terug en gaat zitten. 'Zullen we het interview maar doen?'

'Bevalt het je?' zegt Max lachend.

Hij kijkt verontwaardigd bij de gedachte alleen. Dit is entertainment, geen *fun*. '*Absoluut* niet,' zegt hij. 'Het voelt een beetje gek.' Hij vraagt Josie om zijn echte kleren uit het toilet te halen. 'Ik heb visnetkousen aan,' zegt hij. 'Het is echt maf. Ik heb een bh aan.'

'Bevalt het je een beetje dan?' dringt Max aan.

'Nee, absoluut niet,' zegt hij verontwaardigd. 'Het voelde echt idioot op het toilet maar ik vond dat ik het toch door moest zetten.' Hij trekt zijn zwarte broek aan en breekt de g-string zodat hij hem op nette wijze kan verwijderen. Sara Cox vraagt of ze de visnetkousen kunnen weggeven aan de luisteraars van *Radio One*.

'Dat lijkt me geen goed idee,' zegt hij.

***

Hij droomt over honden en dat hij in Italië naar de rechtbank moet. Er is een apparaat met een videospelletje en een lift, en het zit allemaal door elkaar, en hij en Josie kunnen maar niet besluiten wat hij moet dragen voor zijn verschijnen voor de Italiaanse rechtbank.

'Het gaat allemaal om *image*,' zegt hij tegen haar. Hij vindt dat hij een ander pak aanmoet, want iedereen kan al zijn tatoeages zien. 'Ik ga mijn andere pak aandoen,' verklaart hij. 'Hoeveel tijd hebben we nog?'

'We hadden twee minuten geleden twee minuten,' vertelt Josie hem in zijn droom.

13

Degenen die op tournee in de omgeving van Rob zijn, passen hun levens aan aan zijn veranderende ritmes. Naarmate de tournee langer duurt, staat hij steeds later op tot hij exact dezelfde routine heeft die hij zo haatte aan het eind van zijn laatste tournee door Azië – halverwege de middag opstaan, zich op het concert voorbereiden, optreden en dan 's nachts op zoek gaan naar een of andere vorm van amusement, liefde of afleiding. Naarmate de weken verstrijken lijkt hij steeds minder gelukkig met datgene wat hij doet, tot het lijkt alsof hij elke dag met moeite doorstaat. Je kunt de inspanning voelen die degenen om hem heen zich getroosten om hem op de been te houden, hem te helpen om de tijd door te komen – niet zozeer uit pragmatische overwegingen (omdat er zonder hem geen tournee zou zijn) of professionele overwegingen (omdat hij hun werkgever is), maar omdat ze sympathie voelen voor de wijze waarop hij de tournee steeds meer gaat ervaren als een langzame marteling. Iets in hem bewerkstelligt dat mensen rondom hem proberen om voor hem te zorgen en de wens koesteren om het beter voor hem te maken.

Als hij eenmaal op is, en na de show, gaat veel van de tijd op aan het heen en weer bewegen tussen zijn hotelkamer en de openbare ruimten in elk willekeurig hotel – de bar, het restaurant, de lobby – waar iets interessants of enige afleiding zou kunnen plaatsvinden. Hij beweegt zich op een bijzondere eigen manier tussen deze plekken, op een manier die vreemd lijkt voor iedereen die er niet aan gewend is. Zo wacht hij bijvoorbeeld nooit om een kamer te verlaten. Misschien is dit geboren uit een noodzaak niet geconfronteerd te willen worden met de rituelen of verzoeken die het beleefd afscheidnemen in kan houden. (Afscheidnemen kan behoorlijk belastend zijn als je beroemd bent: wat voor de meeste mensen een eenvoudig 'tot ziens' is kan vaak worden opgevat als de-laatste-kans-om-te-krijgen-wat-ik-eigenlijk-wil van de persoon waar je mee praat.) Misschien is het ook simpelweg een luxe die hij zich in het leven permitteert, naast de sigaretten die bijna altijd wel iemand bij zich heeft als hij er een wil.

Als hij klaar is om te vertrekken dan gaat hij simpelweg, gewoonlijk zonder zelfs maar een hoofdknik en doorgaans met enige snelheid. Zoals veel charismatische entertainers weet hij hoe hij een kamer moet binnenkomen als hij wil dat iedereen het opmerkt, maar hij heeft ook een misschien veel praktischer kunst geleerd: hoe een kamer te verlaten zonder dat iemand het merkt. Als je hem wilt volgen, moet je klaarstaan om elke beweging gade te slaan en elk ander gesprek dat je voert af te breken. Om te beginnen vraag ik me de etiquette van het volgende af: betekent het feit dat hij de kamer heeft verlaten, zonder enige uitnodiging dat ik ook zou moeten komen, dat ik niet welkom ben? Of moet ik het op de een of andere manier grof en aannemelijk vinden? Maar het wordt niet op een respectloze manier gedaan, want gewoonlijk wil hij hiermee niet aangeven dat hij verwacht dat iedereen hem volgt en op zijn wenken zijn snelheid aanhoudt, afgezien van zijn bodyguards. Zijn houding is meer: *I ga, omdat ik wil gaan, en doordat ik dit doe begrijp ik dat je mee kan komen of kan blijven...ik ben echter al vertrokken.*

Het meest onaangename en soms ook gênante aspect hiervan, met name op tournee in openbare gelegenheden als hotelbars, is dat er vaak geen manier is om onderscheid te maken tussen een definitief vertrek en een van zijn frequente toiletbezoeken. Als je bij hem wil blijven, blijkt vaak dat je hem volgt om uiteindelijk met Pompey of Gary of Jason voor een toilet te staan en enkele tellen later met hen terug naar de bar te lopen.

✳ ✳ ✳

Backstage in Antwerpen kijkt hij naar Queens Day op *VH1* en zet dan *These Boots Are Made For Walking* van Nancy Sinatra op. Hij deelt mee dat Britney Spears dit met hem wilde zingen op *Swing When You're Winning*. Het gebeurde niet omdat hij wilde dat ze een duet deden met het veel somberder *Some Velvet Morning* (die vervolgens een revival beleefde door Primal Scream met Kate Moss) en Britney had daar geen zin in.

Voordat hij het podium opgaat, stimuleert hij de band. Hij zegt dat ze het aan dit publiek zijn verplicht om hun best te doen. 'In alle ernst, ze wonen in Antwerpen en ze vervelen zich rot. Ze zijn misschien het meest verveelde volk in de wereld. Dat zijn ze. Laten we ze wat *fucking* lol, opwinding, entertainment, wat vrolijkheid en wat tranen geven. En mogelijk wat billen.'

Hoewel ik sinds ik die dreiging via e-mail heb doorgegeven vreemd bezorgd was bij Robs hangact aan het begin van elke show, vergeet ik het gek genoeg deze avond – de avond waar de bedreiging op sloeg. Een goede zaak, want de opening is een beetje een fiasco. Er is op deze plek geen ruimte voor de schermen voor het podium, daarom wordt Rob opgehangen achter twee reusachtige lakens die naar beneden moeten vallen, maar ze weigeren dit te doen. Verscheidene lange seconden trekt de crew wanhopig aan de lakens, steeds harder, terwijl Rob – half zichtbaar voor het publiek in een driehoekige opening door het enorme getrek – daar bungelt.

De shows zijn steeds merkwaardiger geworden naarmate zijn verveling en frustratie langzaam is toegenomen, en de show van vanavond is de meest excentrische tot dusverre: er zijn veel stukjes uit nummers van anderen, een terechtwijzing voor degenen die per se blijven zitten omdat het geen Sting-concert is, een oproep om 'op de goede voet! Op de slechte voet! Op de tussenvoet!' te gaan staan. Aan het eind van de avond, na *Rock DJ* geeft hij waarschijnlijk de meest bijzondere toespraak van de tournee. Het begint met een geïmproviseerde versie van *Hot In Here* van Nelly. 'Dit is het laatste nummer,' zegt hij. 'Ja. Ik weet het. Ik weet het. Ik zei dat ik meer wilde doen en zij zeiden… *nee*. Laat ze de tering krijgen. Laat ze allemaal de tering krijgen. De machten die de baas zijn over ons. Ah. Geheime machten! Hagedissen van vier meter!' Pauze. 'Piepkleine mannen met snorren!' Een langere pauze. 'Middelgrote vrouwen met grote borsten. Ze hebben me in hun macht. Ik weet niet hoe het met jullie zit. Ik zou nergens zijn zonder het volgende nummer. En jullie zouden naar een leeg podium staren. En ik zou… ergens anders zijn, neem ik aan.' Pauze. 'Eh, ik ben mijn verstand vanavond echt kwijt, Antwerpen, echt waar. Ja. En het keert niet terug!'

Hij keert terug om *Back For Good* te zingen. Gewoonlijk maakt hij een potje van de tekst uit speelsheid en gebrek aan respect, maar niet zozeer als nu. 'Zing het voor Barlow!' schreeuwt hij. '*I got lipstick marks a dingy dingy-bingy plinky-plomnky-plinky-plonk plinky plonk. I got a fist of pure emotion, I've got a head of battered beans…*'

De laatste woorden die de minder verveelde maar meer verbaasde mensen van Antwerpen hem vanavond horen zingen zijn:

'*I want you back! I want you back! I want you back! I want you back-a! I want you-back-a! I want Chewbacca! I want Chewbacca! And R2D2!*'

Er is geen enkel teken dat de bevolking van Antwerpen dit alles vreemd vindt. Een van zijn gaven is dat hij ten minste twee tegengestelde soorten triomferende popmuziek maakt – muziek met geweldige gratie (*Feel* en *Angels*, bijvoorbeeld; de nummers die ik instinctief de beste vind) en muziek die op glorieuze en fantastische wijze alle gratie mist (*Rock DJ*, *Monsoon*, bijvoorbeeld) – op dezelfde wijze als hij mensen kan vragen om hun tieten te laten zien en dan binnen enkele seconden een publiek tot tranen toe kan ontroeren. Op de een of andere manier zweven deze tegengestelde krachten, die beslist onaangenaam met elkaar zouden moeten botsen en een soort van oplossing of compromis vragen, als religie en wetenschap door en langs elkaar, ongestoord, en het grootste deel van zijn publiek lijkt in staat te zijn om zoveel van elk van beide te nemen als het wil.

✳✳✳

Aan het hotelbuffet steekt hij weer een sigaret aan. Al zijn Silk Cut-pakjes zijn speciaal voorzien van nieuwe veiligere ziekere gezondheidswaarschuwingen van een website die Andy Franks ontdekte op internet. 'Nicotine beschermt je tegen aids.' 'Roken doet je er stoer en cool uitzien.' 'Jezus rookt.' 'Van sigaretten loop je harder.' 'Roken helpt het internationale terrorisme bestrijden.' 'Laat tussen trekjes in de mond zitten voor extra zwier.'

Rob houdt het pakje voor vandaag op. 'Roken tijdens de zwangerschap maakt je baby cool.' 'Dat is mijn favoriete, denk ik,' zegt hij.

Aan het diner zegt hij tegen Max dat hij een van de twee swingnummers, *One For My Baby* uit de set wil weglaten.

'Waarom?' vraagt Max, onmiddellijk asgrauw, en Rob legt uit dat het te maken heeft met het tempo van de show. Max is teneergeslagen. Een combinatie van ego en bluf, sterk verweven met onzekerheid en hypergevoeligheid is niet ongewoon, maar bij Max is ze buitengewoon extreem.

'Ga je er een kwestie van maken die met jou te maken heeft?' vraagt Rob hem.

'Meen je dat echt?' zegt Max, niet gelovend dat Rob hun nummer echt zou laten vallen.

'Ja, echt,' zegt Rob.

'*One For My Baby* is fantastisch,' zegt Max.

'Kijk toch naar hem,' zeg Rob, op zijn schreden terugkerend. 'Het was maar een gedachte.'

'Het is *fucking* absoluut fantastisch, jij rattenkop,' zegt Max. 'Je zit me te stangen, niet?'

Rob zegt niets. Hij zit Max helemaal niet te stangen, maar Max vat zijn stilte op als een bevestiging.

'Te gek,' zegt Max. 'Goed gedaan.'

Rob besluit het mee te spelen. 'Had ik je te pakken?' zegt hij.

'Goed geacteerd,' feliciteert Max hem.

'Dank je,' zegt Rob.

'Ik wil overgeven,' zegt Max, opgelucht.

Het vervelende moment is voorbij. Behalve één klein detail: dat Rob op een gegeven moment toch aan Max moet vertellen dat hij van plan is om *One For My Baby* uit de set te verwijderen.

✳✳✳

De volgende ochtend vindt Josie een olijfgroene bh hangend aan een kantoorstoel in de woonkamer van de suite van Rob, achtergelaten in de loop van een onbekende gebeurtenis. Ze pakt hem op en kijkt onderzoekend naar Rob.

Hij haalt zijn schouders op.

'Soms hou ik ervan om een bh te dragen,' liegt hij.

✳✳✳

'Dat was een wreed grapje over *One For My Baby* gisteravond,' zegt Max in het vliegtuig tegen Rob. 'Je speelde het zo goed. Ik was echt niet blij.'

Rob haalt diep adem. Hij moet een beslissing nemen.

'Nee...,' begint hij.

'Wat?' spot Max. 'Meende je het echt?' Hij denkt dat Rob probeert om hem nog een keer voor de gek te houden. 'Slecht uitgevoerd, jongen,' zegt hij.

'Nee,' zegt Rob. 'Ik meende het eerlijk.'

'Maar...,' zegt Max ongelovig. 'Het gejoel als je de eerste zin zingt...'

'Daarna vinden ze het saai,' zegt Rob.

Max beseft dat Rob het meent, en nu dat zo is accepteert hij het snel, ongelukkig maar waardig.

In Hotel D'Angleterre in Kopenhagen wordt hij begeleid naar de Karen Blixen-suite. Blixen, die onder het pseudoniem Isak Dinesen schreef, is een van de beroemdste schrijvers van Denemarken en is het meest bekend door haar boek *Out Of Africa*, hetgeen misschien de enorme geweikop in de woonkamer verklaart. Rob lijkt er enigszins verstoord door, maar hangt zijn RW-baseballpetje aan het linker gewei. De foto van een dode leeuw op de muur brengt hem meer van zijn stuk.

Maar hij maakt zich daar nu niet al te veel zorgen over. Op weg het hotel in zag hij Pia, het meisje dat naar hem toekwam toen hij de Deense tv-studio verliet toen hij de vorige keer in het land was en hem een doos met een 'soulmate'-kaartje gaf. Hij gaat haar zoeken. In haar kamer haalt ze onmiddellijk haar Angel-kaarten tevoorschijn. (Ze merkt op dat er één ontbreekt. De 'soulmate'-kaart, natuurlijk.) Ze legt uit dat ze een gevoel in haar hoofd had: *boek een kamer in het hotel en hij zal komen.* Ze kletsen tijdenlang en hij zegt niet dat hij veel van wat ze zegt tamelijk idioot vindt. Uiteindelijk liggen ze op het bed en staat het te gebeuren, en hun shirts gaan uit, maar dan stopt ze hem. Hij zegt daarom dat hij moet gaan.

'We komen uit twee verschillende werelden,' legt hij uit.

'Wat bedoel je?' vraagt ze.

'Nou, weet je al dat gedoe in het begin?' zegt hij. 'De 'soulmate'-kaart. Dat is eng. Om verteld te worden dat dit je toekomstige vrouw en maatje is.'

'Wat bedoel je,' herhaalt ze.

'Weet je,' zegt hij, 'dat ik vijf meisjes op deze tournee heb ontmoet die allemaal denken dat ze mijn soulmate zijn…'

En hij ziet het kwartje in haar ogen vallen en ze is kapot. Ze zegt dat ze niet als iedereen wil zijn en hij legt uit dat iedereen tegen hem zegt dat ze niet als iedereen wil zijn. En dan hebben ze een lang en goed gesprek over seks en hoe hij oordeelt en hoe zij oordeelt. Hij zegt dat hij elk recht heeft om te suggereren wat hij heeft gesuggereerd en zij elk recht heeft om nee te zeggen. Maar hij zegt dat het gewoon seks is. En dat andere gedoe is eng.

'Verplaats je nou eens in mijn situatie,' zegt ze tegen hem. 'Jij bent mij en ik ben Robert. Vertel me dan maar eens wat ik zou moeten doen.' Ze legt uit dat ze op het platteland woont en ze is er zeker van dat het voorbestemd is dat ze een stel zullen zijn. 'Wat moet ik dan zeggen?' zegt ze.

Het is een verrassend diep gesprek, gezien de situatie. Uiteindelijk zijn ze er alleen maar in geslaagd om een soort van band te vormen, doordat ze beginnen te begrijpen hoe ontzettend ver ze van elkaar afstaan en hoe verschillend hun hoop en verlangen en verwachtingen van dit moment zijn.

***

Na dit alles keert hij terug naar zijn kamer en zegt dat het voorbij is.

Ik merk op dat de ideeën die meisjes als zij koesteren misschien niet zo verrassend of gek zijn als ze hem lijken. Ze zijn een voorspelbaar product van een tijdperk waarin we leven en de dromen die elke dag aan ons worden verkocht. De helft van alle films die elk jaar uitkomen durven ons te laten geloven in voorbestemming en onmogelijke liefde. Vaak moedigen ze ons in hun zoektocht aan om alles op te offeren – alle verstand en praktische zin.

En net als de schijnbaar-onmogelijke-liefde-die-wordt-vervuld tussen iemand uit het volk en de prins, of tussen de mens en de god, een vast ingrediënt is van de mythologie, zo is de schijnbaar-onmogelijke-liefde-die-wordt-vervuld tussen iemand uit het volk en de beroemdheid een vast ingrediënt in onze moderne mythen en entertainment. En terwijl Rob denkt dat ze het moeten opmerken dat ze een van de velen zijn die hetzelfde denken als ze met honderdtwintig anderen voor een hotel staan of met zestigduizend in een menigte, maakt dat niet uit als je geloof hecht aan die mythen: de mythe zegt je dat je moet verwachten om één individu te zijn te midden van velen in een menigte en dat je hoop vergeefs lijkt, maar dat je uiteindelijk uit de massa zal worden getrokken en dat je je voetstuk of prins of onmogelijke liefde zal vinden, omdat het zo is voorbestemd.

Hij beschouwt dit geïnteresseerd, delibereert er een beetje over en erkent dat het zo zou kunnen zijn.

'Hoe dan ook,' zegt hij als hij ziet dat ik mijn gedachten over dit onderwerp heb uitgeput, 'toen maakten we een nummertje.'

❊❊❊

Hij heeft een slechte nacht. Ik denk niet dat het een residu van vandaag is dat hem kwelt. Het is simpelweg dit hotel. Misschien zijn het de dode leeuwen en de geweien en de hoge daken, maar hij neemt iets specifiekers waar. Hij kan geesten horen. Er lopen twee rond zijn woonkamer, en dan hoort hij een knal en openen ze de deur naar de slaapkamer.

Dat is het dan. De geesten hebben gewonnen. Ze kunnen blijven; hij vertrekt.

Hij belt Gary Marshall, de bodyguard die dienst heeft en die het telefoontje mist. Als Gary de telefoon niet beantwoordt, gaat Rob zelf om vijf uur 's ochtends naar de receptie beneden. Gary heeft zich ondertussen gerealiseerd dat Rob heeft gebeld, haast zich naar zijn kamer en is in alle staten als hij ontdekt dat de kamer leeg is. Uiteindelijk komen ze elkaar tegen. Rob vraagt het hotel om de kleinste kamer, met een eenpersoonsbed tegen een muur, achter in het hotel. Daar stopt hij oordopjes in zijn oren, drukt ze stevig aan om elk geluid uit te sluiten en vindt uiteindelijk wat rust tegen zeven uur in de morgen.

❊❊❊

's Middags als hij wakker wordt ontdekt hij dat zijn problemen nog niet voorbij zijn. Het zijn nu niet de geesten. Het zijn de oordopjes. Hij heeft een van hen per ongeluk zo diep in zijn oor gedrukt dat je alleen de bovenkant ervan kan zien als je met een zaklantaarn in de oorholte schijnt. Zelfs Rob beseft dat dit potentieel een te ernstige zaak is om er zelf aan te frutselen, en er wordt een dokter gebeld.

Terwijl hij wacht vertelt Jason hem dat hij, toen hij drie was, een krijtje in zijn neus stak. Twee maanden lang dachten zijn ouders dat hij gewoon snipverkouden was, tot het werd ontdekt.

Max komt ook even langs.

'Raad eens wat ik heb gedaan?' zegt Rob.

'In je broek gepoept?' raadt Max.

De dokter arriveert, kijkt hem na en zegt dat hij het juiste instrument uit zijn operatiekamer moet halen. Terwijl Rob naar de kamer ernaast gaat, grijnst hij en vraagt schaamteloos: 'Twee gratis kaartjes voor het concert?'

'We kunnen wel iets regelen, denk ik,' zegt Pompey knarsetandend. Dokters en tandartsen vragen bijna altijd iets. Je zou verwachten dat dit banen zijn waarin professionele trots en principes en het verlangen om mensen op hun gemak te stellen als ze zich kwetsbaar voelen en zorg behoeven elke dwaasheid jegens een beroemdheid wel zou intomen, maar dit is niet het geval. Rob is gewend geraakt aan dokters die langskomen om hem een medisch onderzoek te geven met hun doktersuitrusting en een stapel kalenders die hij moet signeren, of in de tandartsstoel te zitten en gevraagd te worden of de tandarts zijn naam ter promotie van een speciaal soort mondwater kan gebruiken.

De dokter keert bijna onmiddellijk terug nadat hij het geschikte instrument in zijn auto heeft gevonden, trekt het geplette met oorsmeer bedekte oordopje uit het oor en vertrekt. Rob is blij dat hij het oordopje kwijt is maar doet een teleurstellende constatering voor iemand die van plan is om vanavond voor duizenden te zingen. 'Ik kan nog niets horen,' legt hij uit.

Er wordt een andere dokter naar het stadion geroepen om zijn oren uit te spuiten. Er wordt heet water ingespoten. Een enorme klont oorsmeer stroomt uit een oor met het water mee; een klein stukje uit het andere oor.

✳✳✳

De tourmanager van Ozzy Osbourne, waar Kelly haar hele leven al een band mee heeft, is dood aangetroffen in zijn hotelkamer in Amerika. Ze moet naar huis vliegen en zal het concert in Zweden missen. David en zijn agent Ian Hufham leggen aan Rob uit dat ze een vervangende supportact nodig hebben.

'Bel Noel op,' zegt Rob schalks, 'en vraag of hij een akoestische set wil doen.' Terwijl hij het zegt, wordt hij warm voor dit idee. 'Doe maar,' dringt hij aan. 'Doe maar. Vraag het.'

'Vragen kan geen kwaad, toch?', geeft Ian toe.

'Doe maar,' zegt Rob opgewonden. 'Vraag het alsjeblieft. Doe dat alsjeblieft voor me.'

'Hij zou hierheen kunnen komen met Easyjet, niet?' lacht Ian.

'Zeg maar dat ik hem een vliegtuig stuur,' zegt Rob in ernst, de inzet verhogend. 'Doe het alsjeblieft.'

'Wil je echt dat ik het doe?' controleert Ian.

'Ja,' zegt Rob vastberaden. 'Ik wil hem in de week voor Knebworth gewoon stangen. En het aanbod van een vliegtuig is om het echt te laten klinken. En als hij ja zegt, zullen we het vliegtuig sturen.' Hij gaat het Max vertellen, verrukt over de lol waar hij niets mee te verliezen heeft. 'Het kan twee kanten opgaan,' zegt hij. 'Het is voor 98 procent zeker dat hij totaal geschokt en geïrriteerd zal zijn. Ideaal voer voor Knebworth. En voor de andere twee procent zou hij het kunnen doen. Je weet maar nooit.'

Ian meldt een paar minuten later dat de agent van Noel Gallagher het verzoek serieus heeft aangenomen en het zal overwegen.

✹✹✹

Rob is merkbaar vermoeider geworden voor, en vreemd genoeg ook tijdens de laatste paar shows, alsof hij ze nu nog maar net kan doorstaan. Vanavond deelt hij mee dat hij banger is dan ooit tevoren bij het ondersteboven hangen. 'Omdat ik vermoeider was dan ooit,' legt hij uit, 'en een psychose was ontstaan.' Tegen het derde nummer van de avond gooide hij zijn zwarte overhemd en witte das het publiek in; ongetwijfeld veronderstellen ze dat dit een terugkerend onderdeel van de show is en dat hij veel van dergelijke outfits heeft, maar geen van beide is waar. Zijn stem wordt ook minder.

Tussen de nummers zegt hij steeds dat dit 'het beste publiek van Europa' is, en alhoewel het publiek goed is denk ik dat hij misschien bedoelt dat ze goed voor hem moeten zijn om door te kunnen gaan. Tijdens het swinggedeelte zegt hij tegen de Denen: 'Ik zal jullie zeggen waarom ik vanavond droevig ben – omdat ik hierna naar Zweden moet.' Er is een enorm gejoel. 'De laatste keer dat ik erheen ging was het shit,' zegt hij. In het akoestische deel keert hij terug naar zijn roem en verzint er een nummer over. *I'll go to Sweden,* zingt hij. *I don't know what for. When in Denmark. I should have done one more.*

Het is verbazingwekkend hoe vaak hij wegkomt met dergelijke uitbarstingen waarin hij rivaliserende landen voor de lol tegen elkaar uitspeelt. Het is natuurlijk veel veiliger als je een plaats afkraakt die je net hebt bezocht in plaats van een plaats waar je dadelijk naar toe gaat. Deze keer zal aan zijn geluk een einde komen.

***

Hij vraagt Max om vanavond met hem in zijn tweepersoonsbed te slapen om meer bescherming te hebben tegen de hotelgeesten.

'De spoken,' zucht hij. 'Het is een vervloekte nachtmerrie.'

'Als twee homoseksuele mannen?' vraagt hij. 'Kan ik een hapje krijgen?'

'Ja natuurlijk,' bluft Rob met een stalen gezicht.

Misschien zou *The Daily Mail* het fantastisch vinden om te ontdekken
dat hij er zeer gewoon over doet wanneer zijn beste mannelijke vrienden
met hem in één bed slapen. Hij houdt van gezelschap en de troost niet
alleen te zijn. Hij sliep weleens samen met Max toen ze voor het eerst
samen in het huis in Los Angeles waren, gewoon kletsend en televisie-
kijkend tot ze op hetzelfde bed in slaap waren gevallen, en ze hebben
beide goede verhalen over de grappiger momenten. Max die wakker
wordt met Rob om hem heen verstrengeld; Rob die zijn ogen opendoet
en de verlamde geschrokken uitdrukking van Max ziet.

14

Rond het Grand Hotel van Stockholm zijn talloze echo's en herinneringen aan het verleden van Rob. 'Dat is het balkon waarop ik
Nellee Hooper sloeg,' zegt hij als we naar beneden lopen. Of, in zijn
suite: 'Ik kan me herinneren dat ik in die hoek piste.' Of een gang lager
de deur waar hij niet in mocht maar het toch deed. En nog een andere gang lager; de kamer van Victoria Beckham, waar hij bleef bonzen
en 'de vrouw van de aanvoerder van Engeland' bleef eisen.

Rob wil het niet horen of er aan denken.

'We leren allemaal van deze ervaring,' zegt hij.

***

Het is weken later tijdens een rustige middag in Londen. Jonny zit vlakbij. Rob is bereid om te praten over datgene wat er in Stockholm
gebeurde toen hij de plaats bezocht voor de MTV Awards in november
2000. Het was niet lang voordat hij het drinken opgaf en hij had van zijn
doktoren het advies gekregen om niet naar Zweden te gaan. Hij had net
een tournee afgesloten, en op de tournee had hij alleen gedronken op
avonden voordat hij een vrije dag had. In het vliegtuig erheen dronken
hij en Jonny twee bier – om te bewijzen, zoals Jonny zich herinnert, dat
hij in staat was om gewoon een paar biertjes te drinken.

'Ja,' herinnert Rob zich. 'maar sociaal drinken was niet goed voor me. Weet je, het had geen enkele logica. Ik hou niet van de smaak ervan. Waarom zou ik dan sociaal drinken? De hele kwestie met betrekking tot alcohol was dat ik dronk om dronken te worden – ik dronk niet omdat ik ervan genoot.'

Hij stond de volgende dag op en deed *Kids* met Kylie Minogue in de show. Hij had niet de allerbeste stemming. Hij herinnert zich een gozer die, terwijl hij stond te pissen, tegen hem zei: 'Zo, eindelijk ontmoeten we elkaar dus,' en hij had geen idee wie het was, en hij vond het allemaal irritant. (Het was iemand van Dolce en Gabbana.) Hij verveelde zich en was depressief. Bono trok hem zijn kleedkamer binnen om wat te kletsen, maar zelfs dat hielp niet: 'Hij was erg complimenteus en hij was erg aardig maar ik kon het niet aan dat ik met Bono stond te praten. En alles wat ik tegen mensen te zeggen of te vertellen had was: "Hoe *fucking* depressief ben ik?"'

Dan was er Nellee Hooper. Hij had in het verleden weleens met Nellee Hooper rondgehangen, maar had geconcludeerd dat hij Nellee niet beschouwde als een aardig persoon. De laatste keer dat Rob hem had gezien, in het zuiden van Frankrijk, had Rob 'jij *fucking* lul,' tegen hem geroepen. Nu was Rob moe en dronken en liep wat rond om wakker te blijven – 'Ik liep gewoon door omdat mijn lichaamsgewicht mij droeg,' herinnert hij zich. Hij zag Nellee en brabbelde tegen hem, in een soort van vijandige excuses: 'Weet je wat? Het is niet goed om slechte dingen met mensen te hebben... laten we dat gewoon stoppen... het spijt me dat ik je in het zuiden van Frankrijk een lul noemde – ik wil geen moeilijkheden met je.' Vanbinnen voelde hij nog precies hetzelfde jegens Nellee Hooper, en als er een patroon in deze ontmoetingen is dan is het dat Rob nooit dichter bij woede en geweld is dan wanneer hij zijn excuses aanbiedt, en als hij van mening is dat een dergelijke verontschuldiging niet waardig wordt aanvaard, dan loopt de boel uit de hand.

'Nou, Rob, het is gewoon niet goed, weet je,' herinnert hij zich dat Nellee Hooper zei. 'Ik dacht dat we vrienden waren; wat ik voor jou heb gedaan waren altijd alleen maar goede dingen en ik wenste je goeds toe en...'

Tegen die tijd luisterde Rob al niet meer.

'Ik ga naar beneden,' zei hij tegen Nellee Hooper. 'Als ik terugkom zal ik heel anders zijn.'

Hij ging naar beneden en dronk zes Sambuca's, de een na de andere, en kwam weer op krachten. Hij werd de trap op gevolgd door Mel B en Emma Bunton, die hadden besloten dat alle anderen saai waren en dat Rob het middelpunt van lol leek en ze wilden bij hem rondhangen. Seconden later zouden ze op hun schreden terugkeren en zeggen dat dit allemaal een beetje te veel voor hen was.

'Ik was niet van plan om hem te slaan, weet je, maar… ik deed het wel,' beseft Rob. 'Nu ik er over nadenk zou ik hem hebben geslagen als ik niet alles had gehoord wat ik wilde horen.' Dat bleek niet het geval. Hoe dan ook, Nellee Hooper sloeg hem eerst, in de maag.

Dat was het ergste dat hij had kunnen doen. Jaren eerder, toen Rob gewoon was om met Hooper 's avonds laat zijn verstand te verliezen, had Hooper de gewoonte om hem te slaan. Het was min of meer leuk bedoeld, maar Rob haatte het. Hij maakte zich klein, en Hooper sloeg hem dan. Misschien zoals een maat dat zou doen. Misschien zoals een bullebak dat zou doen.

En nu zond de nieuwe stoot van Hooper Rob rechtstreeks terug naar die vreemde avonden in het huis van Hooper en daarom sloeg Rob hem in het gezicht. Rob denkt dat hij nog een keer heeft geslagen voordat ze uit elkaar werden gehaald. 'Sla me nooit in mijn maag!' bleef Rob roepen, en hij had het shirt van Hooper nog beet en verscheurde het. Toen, terwijl iedereen probeerde om ieder ander te kalmeren, probeerde Rob op zijn handen en voeten er tussen uit te glippen. Een paar minuten later liep hij Kevin van de Backstreet Boys tegen het lijf. Het was tegen die tijd dat hij een black-out had en hij moet vertrouwen op de herinneringen van anderen voor alles wat nog volgde.

Na het gevecht ging Rob manisch op zoek naar cocaïne. Jonny herinnert zich dat hij vond dat ze moesten proberen om Rob in bed te krijgen voordat hij cocaïne zou vinden, dan zou hij bewusteloos raken en alles zou in orde zijn. Ze kregen hem in de lift van het hotel.

'Rob, kalmeer nou een beetje,' werd hem gezegd.

Hij keek naar Jonny en naar Josie en riep, dronken verzekerend, alsof ze iets helemaal verkeerd hadden begrepen, uit: 'Ik sta aan *jullie* kant'.

Daarna begon hij op de deur van Victoria Beckham te bonzen.

'Laat me erin! Laat me erin! Ik wil met de vrouw van de aanvoerder van Engeland praten.'

Ze ging naar de deur en was aardig.

'Ga naar bed, Robbie,' adviseerde ze.

Aan het eind van de gang was een deur die leidde naar een balzaal waar het MTV-feest na de show plaatsvond en waar de wereldpers aanwezig was. Ze zeiden hem dat wat hij ook zou doen, hij niet door die deur moest gaan. Natuurlijk rende hij naar de deur en de camera's begonnen te flitsen zodra hij de deur had geopend. Zijn shirt was verscheurd door het eerdere gevecht en er waren sporen van drank op zijn witte vest en hij bulderde letterlijk tegen de fotografen toen ze foto's namen. Op het podium was Wyclef aan het rappen, en Richard Blackwood was daar ook, daarom leek het Rob volstrekt voor de hand liggend dat hij het podium opsprong en met ze mee ging doen. De menigte werd gek. Iemand in het publiek overhandigde hem een bier en hij gulpte het in drie slokken leeg, in de stijl van Chubby Brown. Wyclef keek geamuseerd toe. Rob greep de microfoon van Richard Blackwood en begon te rappen: stukken uit *Rock DJ* en wat er maar in zijn hoofd opkwam. Jonny en Josie probeerden zijn aandacht te krijgen om hem van het podium af te krijgen.

'We hebben Robbie Williams!' schreeuwde Wyclef.

'Wyclef!' schreeuwde Rob.

Het enige wat Rob zich nog herinnert van het feit dat hij op het podium stond, was dat hij opeens Josie en Jonny zag en zich toen afvroeg: 'Wat ben ik hier aan het doen?' Daarna had hij weer een black-out.

Het lukte hen om hem uit het feest te krijgen en hielden hem voor de gek. Ze zeiden dat er nog een ander feest aan de gang was waar hij misschien cocaïne kon scoren. In plaats daarvan leidden ze hem naar zijn kamer en sloten hem op. Hij probeerde zich te bevrijden. Een tijdlang was hij rustig, dan klonk opeens gebulder en een vergeefse bons tegen de deur. Bij een poging veegde zijn bodyguard Jonah zijn benen onder hem weg met een rugbytackle. Op een gegeven moment begon Rob met Josie te vechten en echt dronken te worstelen, maar hij was zo buiten zichzelf en zwak dat ze het gemakkelijk van hem won, hoewel hij haar nog wist te bijten. Toen gaf hij het op, kieperde zijn bed om en deed al zijn kleren uit, gooide zijn sportschoenen door de kamer en piste uit protest tegen de muur van het hotel. Hij viel op de vloer in slaap terwijl Jonah bij hem in een stoel zat en hem in de gaten hield. Toen hij wakker werd was Jonah vervangen door Marv, zijn andere bodyguard van toen. Rob was volledig naakt en lag op zijn buik met zijn knieën onder hem. Hij opende zijn ogen en voelde zich afschuwelijk, verplaatste zich voldoende om de indrukken van het tapijt op zijn voorhoofd te voelen, keek voor hem naar zijn omgekeerde lege bed, keek vervolgens om zich heen en ontdekte dat Marv net achter zijn achterwerk zat en naar hem keek.

'Hi,' zei Rob.

✳✳✳

Jonny is naar Stockholm overgevlogen en gaat Rob begroeten terwijl hij wakker wordt. 'Raad eens wie achter me in het vliegtuig zat?' zegt Jonny. 'Guy Chambers.'

Ik ben Guy al tegen het lijf gelopen in de lobby, waar hij enigszins verbaasd leek dat ik naar hem toe kwam en hem begroette. Toen ik had gezegd dat ik hem later wel zou zien, had hij bitter opgemerkt dat het niet waarschijnlijk was dat hij op de plaats zou komen waar ik was.

'Ik wist niet dat hij zou komen,' zegt Rob tegen Josie met een hint van beschuldiging als zij zijn slaapkamer binnenkomt.

'Ik heb het je gezegd,' merkt ze op.

David steunt haar.

'Ik ga hem niet ontmoeten,' zegt Rob vastberaden.

'Ik weet het,' zegt Josie, 'Hij wil jou ook niet zien.'

Rob zet een theatrale gekrenkte uitdrukking op. 'Wel,' stelt hij met nadruk.

Iedereen verzamelt zich in de woonkamer terwijl Rob zich zogenaamd aankleedt. Een paar seconden later verschijnt hij in de deuropening van de slaapkamer, volledig naakt op een handdoek na die om zijn penis is gewikkeld en op zijn plaats wordt gehouden door zijn linkerhand, en hij poseert voor foto's.

In de bestelbus zegt hij dat hij zich niet lekker voelt. 'Na een tijdje zullen mensen er zich niets meer wat van aantrekken als ik zeg dat ik me niet lekker voel,' beseft hij.

'Waarom niet?' vraagt Jonny.

'Omdat ik maar blijf zeggen dat ik me slecht voel en dat ik echt ziek ben,' zegt hij, 'en dan sta ik op en doe echt *fucking* goede optredens.'

Frida van Abba en haar twee stiefdochters (die prinsessen van Liechtenstein zijn) arriveren backstage om gedag te zeggen. 'Je ziet er fantastisch uit,' zegt hij tegen Frida. Ze is, tegen alle Abba-logica in, recentelijk blond. Rob raakte met hen bevriend toen ze elkaar tegenkwamen bij het skiën in Zwitserland. (Hij zegt dat ze sympathiek zijn. Het moeilijkste deel van het skireisje was dat hij de Abba-nummers niet uit zijn hoofd kon krijgen en stond voortdurend op het punt om uit te barsten in *Super Trouper* toen hij naast Frida zat in de stoeltjeslift.)

'Nu,' vertelt hij ongeveer halverwege de show tegen het Zweedse publiek, 'misschien hebben jullie vandaag iets in de krant gelezen.' Zijn neerbuigende opmerkingen in Denemarken zijn veelvuldig gepubliceerd. De menigte is verdeeld: sommige joelen, sommige roepen boe. 'Ik had zeer zeer ongelijk…,' begint hij. Hij hoeft niet meer dan dat te zeggen, maar doet het toch. Hij versterkt zijn verontschuldigingen met een akoestisch slaapliedje dat zo begint: '*Stockholm you are lovely, you really are very nice, sorry if I said something in the papers… chicken and fried rice…*'

'Het was het enige wat ik kon vinden dat rijmde,' verontschuldigt hij zich en excuseert zich vervolgens voor het feit dat hij niet erg goed gitaar speelt. 'Maar dat is niet waar het echt om gaat,' zegt hij. 'Het gaat erom jezelf te uiten, en jezelf vanuit je hart te uiten, en ik bedoel alles wat ik ooit heb geschreven. Ik bedoel al mijn droevige nummers, ik bedoel al mijn opgewekte nummers en ik bedoel al mijn liefdesliedjes, weet je.'

Guy Chambers kijkt toe vanaf het geluidspodium in het midden van het stadion. Hij deelt Andy Franks tijdens de show op een briefje mee dat het fantastisch is en Josie brengt dit aan Rob over voor de toegiften. Ik vraag me af of, als hij bij *Angels* is, in elk geval Guy zal noemen en op de een of andere manier het feit erkent dat, wat er verder nu ook waar is, de meeste van deze nummers van hen beiden zijn. Maar hij zegt niets.

15

De plaatselijke krant van Stoke, *The Sentinel*, is door de jaren heen niet gemakkelijk voor hem geweest. Hoewel niet alles wat erin wordt geschreven een gemene ondertoon heeft – zo bespreekt het zijn Give It Sum-werk met respect – lijkt de krant hem evenzeer met onwetendheid, onnauwkeurigheid en spot te benaderen als veel van de nationale concurrenten, maar dan met een beetje extra boosaardigheid als thuishaven. Het is alsof iedereen weet dat hij een paar toontjes lager moet zingen, en zij hebben het gevoel dat ze in de bevoorrechte positie zijn om daarvoor te zorgen; het is ook alsof elk gevoel van trots over het feit dat hij uit Stoke afkomstig is voor hen minder zwaar weegt dan de grotere verwaande kwast die hij is als hij niet in Stoke is.

Maandenlang heet *The Sentinel* geprobeerd om drie feiten met elkaar in verband te brengen: de ernstige financiële situatie van de voetbalclub Port Vale, de steun van Rob aan het team en zijn rijkdom. Ze hebben het plaatselijke gevoel opgeklopt: hoe gemakkelijk moet het niet zijn voor de beroemdste fan van de club, de meneer van tachtig miljoen pond, om hen een paar miljoen te geven? Enkele weken loopt Rob al met het idee om een brief te schrijven om zijn gevoel uit te leggen: dat hij van de club en van zijn thuis houdt en dat hij in de verleiding heeft gestaan om zich met de club te bemoeien, maar dat het op dit moment in zijn leven niet het juiste is om te doen, en dat het niet redelijk is als mensen het van hem verwachten. (Deze verwachtingen druppelen soms tot hem door op de vreemdste momenten. Op een dag in deze winter was hij in Malibu, genoot van de lucht van de Stille Oceaan en zijn relatieve anonimiteit, toen een gozer op hem af kwam lopen. 'Robbie,' zei hij bij wijze van hallo, 'ga je de Vale nou nog kopen?')

Deze week komt het tot een crisis. Op de dag na het concert in Stockholm krijgen Rob en Jonny een rondleiding door Chelsea en de skybox die Rob er voor het hele jaar heeft gekocht als een verjaardagscadeau voor David. Iemand lekt een verdraaide versie van zijn bezoek uit aan de sensatiebladen, en er wordt gedrukt dat Rob zo onder de indruk was van de organisatie van Chelsea dat hij zich verplicht heeft tot een lease van tien jaar van een skybox van één miljoen pond en zijn chequeboek tevoorschijn trok om het eerste miljoen ter plekke te voldoen. (Volledige onzin op verschillende niveaus, niet in het minst het feit dat hij helemaal geen chequeboek heeft.) Het verhaal werd opgepikt door *The Sentinel* en gekarakteriseerd als 'een trap tegen de tanden'.

'*Fuck*,' denkt hij en grijpt de telefoon. Seconden later houdt Samantha Lawton, een verslaggeefster op haar bureau in Stoke, een van de twee goede Britse persinterviews die Rob dit jaar zal geven.

✳✳✳

Hij legt de situatie met de skybox uit: hoeveel het in werkelijkheid kost en dat het niet voor hem is maar voor zijn manager, die zijn leven lang al fan is van Chelsea. Ze zegt dat de mensen in Stoke zo van streek zijn over de gevolgen van de financiële problemen van de voetbalclub voor de plaatselijke bedrijven, dat ze graag willen dat hij langskomt en een kijkje neemt. Hij merkt op dat hij drie miljoen pond van zijn eigen geld aan liefdadigheid heeft geschonken. 'Ga naar de Donna Louise Trust,' stelt hij voor, 'en neem de mensen van de plaatselijke bedrijven mee, en kijk eens naar de kinderen die op sterven liggen. Wat wil je? Wil je dat ik het leven van iemand anders red of wil je een nieuwe links-achter?'

Hij heeft het gevoel dat ze het niet snapt en hij wordt steeds bozer en geïrriteerder. Hij vertelt haar dat wat bij Port Vale aan de hand is hartverscheurend is en hem raakt, maar het is nog hartverscheurender als je je kindertijd doorbrengt met vijf pond gekregen van het pensioen van de grootmoeder zodat je op zaterdagmiddagen in de Railway Paddock kan staan, en dan toegelaten worden tot de skybox van de directeur wanneer je eenmaal beroemd bent en, beseffend dat terwijl de club wordt gefinancierd door grootmoeders en hun pensioengeld, daar totaal andere egoïstische motieven spelen. Hij zegt dat ze ten aanzien van de geldproblemen van Port Vale de mensen moeten vragen die de club de afgelopen jaren hebben geleid, niet hem. 'Ik heb het gevoel dat ik wordt geschurkaniseerd vanwege iets dat niet mijn fout is. Je vraagt me om bakken met geld te geven en dan over twaalf maanden weer bakken met geld te geven vanwege iets dat niet mijn schuld is.' In de toekomst zal hij zich er misschien mee bemoeien, maar nu niet.

Ze zegt dat een deel van het probleem is dat ze geen telefoonnummer hebben waarop ze hem kunnen bereiken om deze zaken te checken. Alsof zijn ideale oplossing zou zijn om een hotline te openen met het nieuwsbureau van *The Sentinel*.

'Om eerlijk te zijn,' zegt hij tegen haar, 'vertrouw ik je niet en iets anders kan me niets schelen. Haal mijn naam maar door het slijk, wat je wilt. Maar laat Port Vale met rust.'

Het verhaal verschijnt de dag voor het eerste optreden in Knebworth en hij leest het op internet voordat hij zijn flat verlaat. Het is een redelijk verslag van hun gesprek dat ermee begint dat 'de tranen hem na stonden' terwijl hij het allemaal besprak. Hij lijkt bijna opgelucht dat ze hem niet geciteerd met betrekking tot 'geschurkaniseerd', want naderhand is hij tot het besef gekomen dat een dergelijke uitdrukking niet bestaat. (Ze heeft het veranderd in 'er als de schurk doen uitzien'.)

'Ik kom uit Tunstall,' zegt hij in het verhaal. 'Mensen in Tunstall gaan niet stom met hun geld om, ik evenmin.'

✳✳✳

Een ander verhaal heeft Rob geërgerd. Het staat in de plaatselijke krant van Hertfordshire, *The Comet*; hij is er via Google-nieuws op gestuit. Het artikel stelt dat de plaatselijke bedrijven in het dorp Knebworth woedend zijn over de wijze waarop de concerten van Rob hun omzet in het weekend zal beïnvloeden door de verkeersopstoppingen en parkeerverboden. De meeste klachten worden geuit door ene Paul Elleston, eigenaar van slagerij Trussels in High Street. 'Dit alles voor alleen maar een popster is belachelijk,' jammert hij. 'Wij zullen eronder lijden maar niemand zal me voor mijn verliezen compenseren.'

Iets hieraan heeft Rob ontzettend geërgerd. Over het algemeen zullen zijn concerten veel mensen in de buurt van Knebworth een meevallertje bezorgen. Hij zegt dat hij heeft overwogen om de slager een paar duizend pond te sturen, wat volgens mij voor Rob niet zozeer is om hem te compenseren als wel om dramatisch duidelijk te maken hoe stom hij bezig is.

Toevallig loopt onze route vandaag door het dorp.

'Daar is het!' schreeuwt Rob als hij de zaak ziet. 'Slagerij Trussells! Stomme klootzakken.'

Het terrein van het concert ziet er erg vreemd uit zonder de honderdvijfentwintigduizend mensen die het zullen bevolken – een gigantisch podium in een licht glooiende kom, met grasland dat zich tot in de verte uitstrekt. Rob loopt rond. 'Ik kan dit echt intiem doen lijken,' zegt hij. Op het podium gaat hij een paar nummers bij langs. Mensen die op het terrein werken en bij de stalletjes verzamelen zich bij een barrière ergens achter in het veld. 'Dank dat we in jullie stad mogen spelen,' zegt hij. 'En ik wil mij graag persoonlijk verontschuldigen bij Slagerij Trussells in High Street die erg ontdaan is over het feit dat wij hier zijn.' Hij zingt een stukje van *Hot Fudge*, alles van *Come Undone* maar voor het grootste deel in een ongebruikelijke toonhoogte en rotzooiend met de melodie, alles van *Kids*, een beetje van *Better Man* met een verzonnen tekst over de mensen van Knebworth en een couplet en refrein van *Nan's Song*. Dat is zijn volledige repetitie voor het grootste concert van zijn leven.

'Ik probeer het niet tot me te laten doordringen,' zegt hij in de bestelbus naar het hotel. 'Volgens mij is dat het beste.' In plaats daarvan hebben hij en Jonny een conflict over wat het beste nummer is: *Ignition* van R. Kelly (de keuze van Rob) of *Crazy In Love* (de keuze van Jonny). De gemoederen raken verhit en uiteindelijk ben ik stom genoeg om tussenbeide te komen en de suggestie te doen dat het misschien een onenigheid is die niet opgelost hoeft te worden. Jonny zet me op mijn plaats. 'Ja, zeker wel,' bijt hij me toe, 'Of we gaan dood.'

Ze gaan beiden de nummers zingen die ze zouden zingen als ze jong waren. Beangstigend genoeg herinneren ze zich *Agadoo* van Black Lace perfect – niet alleen het refrein maar ook de coupletten en de begeleidende bewegingen. Evenals *Superman* van Black Lace.

'Niemand maakt het toen wat uit of hij er als een lul uitzag, niet?' zucht Rob. Hij zegt dat de eerste keer dat hij mode überhaupt opmerkte en hoe mensen er uitzien in de video's van Madness was. Hij zag ze altijd in het huis van Zak Bentley, want de Bentleys hadden MTV. Rob bestudeerde Madness en dacht dat hij en zijn vrienden er zo uitzagen.

'Weet je,' zegt hij, 'het Fred Perry-shirt en de pyjamabroeken, rossige jochies van acht met ongekamd haar. Kleine onbenullen aan het eind van de jaren zeventig en begin van de jaren tachtig.'

Ze hebben het om de beurt over de plaatsen waar ze altijd naar toe gingen om stiekem te drinken. Jonny zegt dat hij altijd heel bang was dat de politie hem zou arresteren en in de gevangenis zou gooien.

'Ik kan me herinneren dat ik een jaar of negen was,' zegt Rob. 'Alle jongens dronken cider, een grote fles Scrumpy Jack, en ik wilde gewoon niet meedoen omdat het *fout* was. Ik was tegen alles tot ik een jaar of dertien was en toen – het moet ineens zijn gebeurd – had ik zoiets van: *Toe maar! Doe me maar wat je hebt!*' Hij zwijgt een ogenblik. 'Ik vermoed dat het iets te maken had met de dood van mijn tante Jo,' zegt hij. 'Ik ging naar de begrafenis van mijn tante Jo, en iedereen ging van het graf naar de kroeg, en ik was alleen. En ik snikte, het langst en het luidst dat ik ooit heb gesnikt. En toen ging ik de kroeg in. En sindsdien niets. Geen emotie meer ten aanzien van Auntie Jo.'

Ik vraag hem waar hij volgens hem om moest huilen.

Hij kijkt me vreemd aan. 'Mijn tante Jo was dood,' zegt hij.

***

Laat die avond leidt Rob een klein gezelschap in het besluipen van een prooi in het duister op het terrein van het hotel. We kruipen als slechte commando's en verbergen ons achter struiken, kruipen over het gras en proberen om het grind niet te laten knarsen. De telefoon van Jonny blijft maar overgaan.

Misschien omdat ze niet op de gedachte zijn gekomen dat ze het gevaar lopen in een hinderlaag te lopen wanneer ze genieten van een wandelingetje door de tuin van een luxe hotel in Hertfordshire, merken Kelly Osbourne en de bassiste in haar band niets van al deze actie in de omringende schaduwen. Ten slotte leidt Rob de verrassingsaanval. Er klinkt wat geschreeuw en gekrijs, een 'jij klootzak!' van Kelly, wat gelach en dan nog veel meer gelach om de heerlijke idioterie van de hele manoeuvre. Kelly legt uit dat ze net twee mensen door het glas van de gesloten kas hebben gezien die daar onmogelijk hadden kunnen zijn, en als we teruglopen naar het hotel ontdekken zij en Rob dat ze beiden dezelfde psychiater hebben gehad en vergelijken hun ervaringen.

Kelly wil niet naar binnen gaan. Ze heeft een idee: laten we de golfkarretjes stelen en ze in het donker rondrijden. Het hotel heeft al geweigerd haar de sleutels te geven. 'Heeft iemand een zakmes?' vraagt ze.

'Niet een goed idee, golfkarretjes stelen op de eerste avond in een hotel,' zegt Pompey terecht.

'De stem der volwassenheid,' plaagt Rob. 'Echt waar, het is alsof pa bij je is.' Hij klaagt over de wijze waarop Pompey het pruimen gooien vanaf het balkon van zijn flat in Londen heeft beperkt.

'We moeten naar de receptie gaan,' zegt Kelly, die denkt dat een verzoek van Robbie Williams misschien kan bereiken wat het verzoek van Kelly Osbourne niet kon bereiken.

'Nee,' zegt Rob. 'Het is leuker om vandalen te zijn.'

'Zal ik een mes uit de keuken halen?' stelt ze voor. Rob zegt dat dit een goed idee is en ze gaat er vandoor.

'Ze is *fucking* geweldig,' zegt hij.

Kelly keert terug met een zakmes geleend van iemand van het barpersoneel, maar het blijkt dat het ontstekingsmechanisme van het karretje veel gecompliceerder is dan ze had gedacht. Ze simpelweg omdraaien levert geen enkel resultaat op. Niet van haar stuk gebracht wrikt ze het hele ontstekingsmechanisme en bestudeert het. Pompey, die naar ik vermoed binnen seconden zou kunnen ontdekken hoe hij het karretje aan de praat moet krijgen, is voorzichtig genoeg om geen aanmoediging of hulp te bieden. Spoedig wemelt het van de draden.

'We hebben ons een beetje in de nesten gewerkt, niet?' lacht Rob.

'Ik zal het weer dichtdoen,' verklaart Kelly en duwt de draden terug en zet de ontsteking weer op haar plaats, 'zodat ze niet weten dat wij dit hebben gedaan.'

Rob zegt dat hij een manier zal bedenken hoe ze morgenavond een paar karretjes kunnen stelen. Pompey staart hem streng aan.

'Dat is wat ik *behoor* te doen! roept Rob uit. 'Ik mag niet drinken, ik mag geen drugs hebben… laten we een golfkarretje het meer in rijden! Snap je wat ik bedoel?'

✸✸✸

Op de avond voor zijn eerste show in Knebworth zit Rob laat in zijn hotelkamer met Jonny en mij. Hij begint met Jonny te kletsen over de chaotische oude tijd, zoals Robs grote boemelnacht in Newcastle. Om zeven uur 's ochtends maakte het hotelpersoneel David wakker en vroeg of hij naar beneden kon komen. 'Ik denk dat Mr. Williams enige assistentie nodig heeft,' zeiden ze tegen hem. Rob was toen de zon opkwam in zijn pyjama en slippers naar de golfbaan gegaan en had daar een tijdje gestaan en liet drie Sambuca's per keer naar hem brengen.

'Hi, Dave,' zei hij toen David arriveerde en hem aantrof op een bank. 'Alles goed?'

En toen stortte Rob snikkend al zijn gevoelens uit. Uiteindelijk leidde David hem naar zijn kamer, in de verwachting dat ze nog een rustgevend spiritueel gesprek zouden voeren voordat Rob in slaap zou vallen, maar toen Rob de deur opende, was hij verrast en verheugd te ontdekken dat er een meisje in zijn bed lag. Hij was volledig vergeten dat hij haar had versierd. In één beweging deed hij de deur voor David dicht en sprong onder de lakens.

Hij was de vorige avond van het podium afgekomen, had een hele fles champagne gedronken en was toen naar een club gegaan waar hij onophoudelijk 'Waddler! Waddler! Waddler!' schreeuwde naar Chris Waddle en alles afzocht naar cocaïne. Ze hadden hem bijna de club uit toen iemand die hij eropuit had gestuurd om wat te vinden naar de bus toe rende terwijl ze op het punt stonden te vertrekken: 'Robbie! Ik heb wat voor je gevonden!' Dat was ook de nacht dat hij zo grof was tegen Alan Shearer, iets wat hem terug doet denken aan een andere voetbalontmoeting: nuchter maar duizelig van de cafeïne in San Tropez, proberend om bij zijn positieven te blijven terwijl hij luisterde naar een eindeloos verhaal van de vrouw van Trevor Francis.

'Dat was de eerste nacht dat ik naar een nachtclub ging en ik zocht naar de idioot die wat rondstrompelde en hij was er niet,' herinnert Rob zich. 'Ik zocht degene die volledig was verslonsd, buiten zinnen, rondstrompelend en die zich te kijk zette als een idioot, en hij was niet in die club te vinden. En ik realiseerde me dat die persoon gewoonlijk ikzelf was.'

Hij vertelt nog een verhaal van dwaasheid en uitspatting voordat hij naar bed gaat. Hij was in Jamaica en schreef met Guy nummers voor wat *I've Been Expecting You* zou worden. Op deze avond was hij al slecht gehumeurd en Guy lag al in bed, daarom liep hij het gebouw waar ze in verbleven uit en wandelde naar de ruwe vissersbar aan het einde van de straat waar het binnen heel donker en vol was en de klandizie boven de manische staccato muziek uit 'bo bo bo' schreeuwde.

'Heeft er ook iemand coke?' vroeg hij.

'Wil je cocaïne, rockster?' antwoordde iemand, en hij werd naar een man geleid die Blacker werd genoemd. ('Hij heette Blacker,' legt Rob uit, 'omdat hij zwarter was dan de rest. En hij had een indrukwekkend gestalte. Ik weet niet waarom dat deel uitmaakt van het verhaal.')

'Wat moet je?' vroeg Blacker.

'Coke,' zei hij.

'Wat heb je?' vroeg Blacker.

'Ik heb geen geld,' legde hij uit, 'maar ik heb deze reischeque.'

Blacker liet hem de reischeque van honderd dollar ondertekenen en overhandigde wat aluminiumfolie. ('Ze bewaren het in aluminiumfolie omdat ze allemaal werken met jetski's en zo,' legt Rob uit. 'Ik weet niet waarom dat ook deel uitmaakt van het verhaal.') Hij ging terug naar zijn hut, sneed een enorme lijn en snoof het op en besefte dat het helemaal niets met hem deed. Krijt. Hij was woest. Hij ging daarom terug naar de vissersbar.

'Oi, Blacker!' zei hij. 'Je hebt me *fucking* krijt verkocht.'

Blacker nam hem mee naar buiten, haalde een machete tevoorschijn en hield deze tegen de strot van Rob.

'En,' concludeert Rob, 'ik zei: "kan ik alsjeblieft nog wat krijgen?"' Tekende opnieuw een reischeque voor honderd dollar, nam het spul aan, ging terug, wist dat het krijt was en snoof het op. *Dat* is drugslogica.'

✳✳✳

Hij zegt dat hij niet in staat is om te slapen.

'Ik heb die geweldige gave: ik kan altijd slapen,' zei Jonny. 'In tegenstelling tot onze insomnie-jongen.'

'Weet je wat het is?' zegt Rob, 'ik hou er gewoon niet van om het licht uit te doen en na te moeten denken.'

'Is dat het?' vraagt Jonny verrast.

'Ja,' zegt hij. 'Absoluut, ja. Dat ik helemaal alleen in de duisternis lig en moet nadenken voordat ik ga slapen.'

'En is het anders als je een griet bij je hebt? vraagt Jonny.

'O, *totaal* anders,' zegt hij.

Rob opent een pakje kaarten met de naam Deja Vu dat uit een pakketje viel dat door een fan is gestuurd en verspreidt ze met de plaatjeskant naar beneden op het witte tapijt. Hij laat zijn hand over de kaarten gaan en schreeuwt tegen Jonny dat hij zijn kop moet houden zodat hij zich kan concentreren. Jonny leest een exemplaar van het voetbaltijdschrift *4-4-2*. Rob vraagt de kaarten om sturing in de liefde. Op de eerste die hij omdraait staat: 'Rijkdom is aan de horizon en zal je uit je geldzorgen verlossen...' De volgende twee lijken niet veel relevanter.

Hij blijft de kaarten schudden en omdraaien tot hij een tegenkomt die volgens hem van toepassing is; hoewel ook nu alleen indirect.

'Je hebt vijftien keer kunnen kiezen,' zegt Jonny. 'Volgens mij is dit allemaal... we zijn geen echte paranormaal begaafden, weet je.'

'Ik wel,' zegt Rob.

'Nee, dat ben je niet, jongen,' zegt Jonny. 'Dat denk je, maar dat ben je niet.'

Ze beginnen te kibbelen.

'Jongen, ik ben het wel.'

'Dat ben je niet, jongen. Dat ben je echt niet.'

'Wel.'

'God zegene je voor het feit dat je het denkt... maar je bent het niet.'

'Ik ben het *fucking* wel,' zegt Rob vastberaden.

'Dat ben je niet, ' schreeuwt Jonny.

'Nee, dat ben ik wel, jongen,' zegt Rob met nadruk.

'Jongen, dat ben je niet,' zegt Jonny. 'Je bent een zanger. Songwriter.'

'Ik ben ook paranormaal begaafd,' zegt Rob koppig. Dit is op sommige momenten een echte ruzie geweest, maar nu probeert hij ook gewoon om Jonny op stang te jagen.

'Ik maak me enigszins zorgen,' zegt Jonny, 'omdat je denkt dat je nu Mystic Meg bent. Jij bent niet paranormaal begaafd…'

'Goed dan, jongen,' zegt Rob, zwaaiend met de kaarten, 'geef hier dan maar eens antwoord op: zullen jij en ik elkaar over vijf jaar nog kennen en in elkaars leven zijn?'

'Dat is een *verschrikkelijke* vraag,' werpt Jonny tegen. 'Dat is verschrikkelijk. Dat is een verschrikkelijke vraag.'

'Wat maakt het jou nou uit wat de kaart zal zeggen?' vraagt Rob.

'Je zou bij vriendschap geen vraagtekens moeten plaatsen,' zegt Jonny.

Rob pakt drie kaarten op. Ze lijken naar geen van beide kanten toe op het onderwerp betrekking te hebben.

'Ik kan niet paranormaal begaafd zijn als ik moe ben,' zegt Rob.

En ze beginnen weer.

'Je bent niet paranormaal begaafd,' zegt Jonny.

'*Fuck you*, ik ben het wel!' zegt Rob.

'Niet waar, *lul*! Je bent niet paranormaal begaafd.'

'Je meent het echt, hè?' zegt Rob geamuseerd.

'Ja. Je bent *niet* paranormaal begaafd,' zegt Jonny. 'Je bent veel dingen, jongen, maar je bent niet paranormaal begaafd. Waarom denk je dat je paranormaal begaafd bent? Vertel me dat eens.'

'Ik weet gewoon dat ik dat ben.'

'Dat ben je niet. Wat heb je ooit gedaan dat bewees dat je paranormaal begaafd bent?'

'Ik weet gewoon dat ik het ben.' Hij glimlacht. 'Ik ben de Zoon van God.'

Dat laatste was een grapje. Maar ik kom tussenbeide en vraag hem ook of hij echt gelooft dat hij paranormaal begaafd is. Hij zegt, op tamelijk serieuze toon: 'Ja. Ja. Echt.'

'Volgens mij hebben die drugs en alcohol er in je hoofd een rommeltje van gemaakt,' zegt Jonny.

'Er is een hele zaak die ligt te wachten om gebruikt te worden en ik hoef alleen maar in te pluggen, dat is alles,' zegt Rob.

'Je bent het niet,' zegt Jonny. 'Straks ga je nog scientology doen.'

'Dat kan ik niet geloven,' zegt Rob. 'Dat is zo respectloos.'

'Wat?' zegt Jonny.

'Tegen mij zeggen dat ik niet paranormaal begaafd ben.'

'Je bent niet paranormaal begaafd.'

'Nou, het is eigenlijk niet respectloos,' bedenkt Rob zich. 'Het maakt me alleen droevig dat jij denkt dat ik niet paranormaal begaafd ben.'

'Het is al goed, jongen,' troost Jonny hem. 'Je *hoeft* ook niet paranormaal begaafd te zijn. Je bent heel wat beter dan dat. Je bent *spiritueel*, maar je bent niet paranormaal begaafd. Ik geloof in alle spirituele dingen die je doet, enorm, maar je bent niet paranormaal begaafd.'

'Het is erg moeilijk om iets positiefs te bewijzen,' zegt Rob. 'Jij kunt iets negatiefs bewijzen.'

'Het noodlot is de belangrijkste zaak,' zegt Jonny. 'Ik geloof sterk in het noodlot. En karma.' Pauze. 'Maar jij bent niet paranormaal begaafd.'

'JIJ BENT NIET PARANORMAAL BEGAAFD is goed voor op een T-shirt,' zegt Rob. 'Het is een goede titel voor een album. *Jij bent niet paranormaal begaafd*. Het is een goede titel voor een album. Net als *The Man Who Suddenly Fell Over...*'

'Jongen,' zegt Jonny serieus. 'Denk je dat je paranormaal begaafd bent?'

'Nee,' zegt hij.

'Echt?' vraagt Jonny.

'Echt, ik denk het niet,' zegt Rob.

'Wees eerlijk tegen mij,' zegt Jonny.

'Oké, ik denk het niet,' zegt hij.

'Goed,' zegt Jonny. 'Ik dacht dat je een beetje gek was geworden.'

Jonny kijkt op en ziet hoe Rob met zijn mond 'ik ben het' tegen mij gebaart en slaat hem.

'Definieer de term paranormaal begaafd,' zegt Rob.

'Die persoon die de toekomst van andere mensen kan zien,' zegt Jonny.

'Ik wil de toekomst van andere mensen niet zien,' zegt Rob.

'Die de toekomst van zichzelf kan zien,' zegt Jonny.

'Ik wil mijn toekomst niet zien,' zegt Rob.

'Wat voor paranormaal begaafd iemand ben je dan?' vraagt Jonny.

'Ik kan stront laten bewegen,' zegt hij schertsend. 'Nee, ik denk dat ik in staat ben om met de doden te praten.'

'Dat is spiritueel,' zegt Jonny.

'Dat is een paranormaal begaafde,' zegt Rob.

'Ja, goed, maar ik kijk naar een volledig paranormaal begaafde,' zegt Jonny. 'Iemand die honderd procent paranormaal begaafd is. Waarbij je de toekomst voorspelt.'

En dan verandert Rob simpelweg het onderwerp. 'Huilen meisjes niet veel?' zegt hij.

Even na drieën in de ochtend deelt hij mee dat hij gaat proberen te slapen. 'Ik was helemaal vergeten dat ik morgen een show moet doen,' zegt hij, 'en toch druppelt het zo nu en dan door in het bewustzijn.'

'Ik verheug me er erg op,' zegt Jonny.

Rob glimlacht luguber naar hem. 'Ik weet het,' zegt hij.

16

Tegen de tijd dat hij wakker wordt, rond vier uur 's middags, staat er al een helikopter met RW op de staart geparkeerd op het oefenbaantje voor het putten, niet ver van zijn slaapkamerraam. Hij hoort het in zijn slaap arriveren en vraagt zich af wie er hier in godsnaam rondvliegt in een helikopter. Het duurt een poosje voordat hij beseft dat het voor hem is.

Hij eet cornflakes, melk druppelt van zijn kin, en zegt dat hij niet zeker weet of hij ziek is en dat hij niet zeker weet of het hem wat uitmaakt. Jonny vertelt Josie en David over de ruzie gisteravond over Robs gebrek aan paranormale vermogens of juist niet.

'Hij moest me echt hebben,' klaagt Rob.

'Hij begint te zeggen: "Ik ben paranormaal begaafd,"' zegt Jonny, zichzelf verdedigend.

'Ik zei niet dat ik paranormaal begaafd was,' werpt Rob tegen, 'totdat jij tegen me zei: "Je bent niet paranormaal begaafd, weet je," en toen zei ik: "Ik ben het *fucking* wel."'

'Hij is niet paranormaal begaafd,' zegt Jonny.

'Ik ga hierover niet met jou discussiëren,' zegt Rob. 'Ik vind het grof.'

✳✳✳

Er is ons verteld dat het verkeer zestig kilometer rond Knebworth stil-staat, maar als de helikopter vertrekt, is hier weinig bewijs van. Rob gebaart naar de golfbaan beneden, waarop de golfers genieten van een typisch wandelingetje op een zomerse vrijdag. 'Ik heb de golfbaan tot *staan* gebracht,' zegt Rob. Hij wijst naar een leeg veld. 'Ik heb dat veld tot staan gebracht. Ik heb die koeien tot staan gebracht.'

Het terrein doemt op; een onwaarschijnlijk grote stad spreidt zich onder ons uit.

'Mijn God,' zegt Josie.

Jonny slaat op de knie van Rob. 'O Jezus,' roept hij uit.

Rob zegt een tijdlang niets, en wat voor verbazing en vreugde hij ook voelt voor datgene wat hij ziet, is begraven onder zorgwekkender emoties.

✳✳✳

'Voor jullie is het mooi,' zegt hij tegen de rest in de cabine. 'Jullie hoe-ven niet voor die *fuckers* te gaan staan.'

✳✳✳

In zijn kleedkamer opent hij de fanmail die op de bank ligt te wach-ten. Een paar goed bedoelde berichten en veel van de gebruikelijke waanzin. Zo hebben twee vrouwen hem geschreven omdat ze weten dat ze op zondag later zullen arriveren dan ze hoopten en vragen zich af of hij goede parkeerruimte voor hen vrij kan houden.

Chris Briggs arriveert. Terwijl het conflict met EMI gaande was, moest Rob zijn kaken op elkaar houden over de Pure Francis-nummers. Maar nu is de vrede voldoende dichtbij dat hij in staat is om Chris zijn nieuwe nummers voor het eerst te laten horen. Rob laat hem op de bank in de kleedkamer zitten en kiest op zijn computer de nummers die hij hem wil laten horen: *Misunderstood, Everyone Needs It, Boom Boom, Love It Up, The Trouble With Me.* Bij het tweede nummer straalt Chris Briggs, overduidelijk zeer gelukkig en lichtelijk verrast over datgene wat plotseling is gepresteerd.

'De melodieën,' zegt hij. 'Jezus. Het is ongelooflijk… je hebt goed werk geleverd.'

Met enthousiasme begint Rob alle manieren te beschrijven waarop ze nummers hebben geschreven: 'Hij is heel goed van vertrouwen en oordeelt niet en zeer geduldig en hij zegt dan: "Ga achter het keyboard zitten"… en ik heb de gitaarmelodieën geschreven voor andere dingen… het is als mijn eerste soloalbum.'

Chris knikt. 'Als ik luister naar een album van Lilac Time en als ik luister naar een album van Robbie Williams, dan had ik dit niet verwacht.' Hij vraagt hoeveel nummers er zijn.

'Twaalf,' zegt Rob. 'Zeven dagen.'

'Waar zijn ze?' vraagt Chris verbijsterd.

Afgezien van deze afleiding voelt Rob zich benauwd en misselijk. Er is een gezamenlijke inspanning geweest van alle betrokkenen om zo te doen alsof Knebworth niet anders is als een datum op de tournee. Helemaal geen *big deal.* Er is zorg voor gedragen dat zijn tijdsindeling voor de show, afgezien van de rit in de helikopter, exact gelijk is als op andere dagen van de tournee: zich ontspannen en naar muziek luisteren (de meeste nachten was het zijn eigen nieuwe muziek), televisie kijken, een massage krijgen, elke dag waarop hij moet optreden dezelfde maaltijd eten (tonijn of steak, aardappels, gebakken bonen), lopen op de tredmolen om energie te krijgen, omkleden in zijn podiumkleren terwijl hij luistert naar een paar oude favoriete hits die uit zijn computer schallen.

Knebworth is echter niet zomaar een show, en hij weet het. 'Ik denk dat deze drie optredens een ontzettende druk op me leggen om ze alleen al te doorstaan,' zegt hij. 'Want je weet dat al deze optredens worden gefilmd en zo. En, weet je, de mogelijkheid bestaat dat ik na Knebworth niet meer in staat ben om zoiets ooit nog weer te doen. Die mogelijkheid bestaat, weet je. Dit gaat dus die film worden die je met Robbie Williams associeert. Weet je, zoals je Freddie Mercury associeert met zijn concert in het Wembley Stadion of als je denkt aan Bob Marley dan zie je hem met zijn drie achtergronddanseressen bij dat ene optreden… dit gaat het optreden worden waar je mij mee associeert.'

***

Afgezien van een glimp toen de helikopter daalde, uren eerder, is zijn eerste blik op de menigte van Knebworth ondersteboven, een hemel van schreeuwende gezichten en bungelende armen boven zijn horizon. Als hij eenmaal rechtop staat, lijkt hij diep onder de indruk. Het is een bijzonder uitzicht. Het veld dat handelbaar klein leek toen het leeg was, lijkt zich nu wel eindeloos uit te strekken. Als iedereen in het publiek de handen boven het hoofd strekt om te klappen op het ritme van *We Will Rock You* hoort iedereen het geluid van het podium een fractie later dan de persoon voor hem, waardoor hun handen op dezelfde wijze een fractie later klappen. Vanaf het podium lijkt elk collectief geklap als een perfect gevormde rimpeling die golvend naar het uiteinde toe beweegt. Het is een prachtig gezicht.

'Knebworth, voor het eerst in mijn leven ben ik sprakeloos,' vertelt hij het publiek als hij voor het eerst diep ademhaalt, en het voelt niet zozeer aan als zijn podiumkwaliteit maar als een weergave van zijn gevoel. Zoals altijd verwelkomt hij ze meteen in zijn wereld waar nederig, grandioos en arrogant fantastisch samengaan in dezelfde zin. 'Ik hoop echt dat ik vanavond een show kan geven waar jullie allemaal trots op kunnen zijn,' zegt hij. 'Want tot dusverre waren jullie beter dan ik. Ik zal er een paar nummers over doen, want toen ik jullie vanavond allemaal zag, moet ik zeggen dat ik nog nooit zoiets in mijn leven heb gezien. Nog nooit. En na deze drie avonden denk ik ook dat Groot-Brittannië zoiets dergelijks lange tijd niet meer zal zien.'

Het is natuurlijk ook een wereld waarin hij op het grootste concert in zijn carrière grootse emoties en ideeën zou kunnen uiten of het simpelweg hebben over de plaatselijke kruideniers. 'Ik zou deze gelegenheid willen aangrijpen om mijn verontschuldigingen aan te bieden aan Slagerij Trussells in High Street van Knebworth voor het ongemak dat ik heb veroorzaakt voor de verkoop van karbonades dit weekeinde,' zegt hij. 'Het is *erg* belangrijk. En hier een goede raad voor Mr. Trussell van High Street, Knebworth – waarom ga je niet buiten staan en serveer je geen hotdogs voor die aardige mensen die vanavond naar mijn show zijn gekomen. Hè? Het gaat niet om verliezen, maar om een *nieuwe manier van denken*, niet? Ahhh…'

Tegen deze tijd is hij op dreef gekomen. Hij maakt gebruik van de vele trucs die hij op de tournee heeft geleerd en een paar nieuwe. Aan het eind van een bijzonder geconcentreerd en vurig *No Regrets* gebeurt er iets ongebruikelijks. De intensiteit van het gejoel van de menigte lijkt hem een ogenblik te doen stoppen, en dit versterkt het gejoel nog meer. Hij staat stil en kijkt naar de grond, misschien om het moment langer te laten duren of om zichzelf te concentreren, en de aanmoedigingen nemen steeds meer toe. Hij kijkt op, zijn uitdrukking wekt de indruk dat hij verbijsterd is en bijna moet huilen. Het wordt nog luider. Uiteindelijk spreekt hij.

'Weten jullie, tijdens de show van vanavond, raak ik er soms erg aan gewend,' zegt hij, 'en, weten jullie, ik heb mijn zelfvertrouwen en ik kan jullie allemaal zien en het is mooi en ik geniet… en dan kijk ik naar jullie en kijk ik helemaal tot achterin… en dan weet ik niet wat ik heb gedaan.'

✸✸✸

Van het podium gaat hij rechtstreeks een wachtende jeep in die de paar honderd meter naar de wachtende helikopter aflegt. We zijn al in de lucht nog voordat de menigte zeker is dat het concert voorbij is en we zijn voor elf uur terug in zijn hotelkamer.

'Heb je ervan genoten?' vraagt David onzeker.

'Ja, natuurlijk,' zegt hij. 'Ik ben erg relaxed.'

Het was, zo legt hij uit, leuk toen hij er eenmaal aan was gewend, maar hij stond zich maar in beperkte mate toe te genieten, want innerlijk wist hij dat hij zichzelf enigszins moest sparen voor de beide volgende avonden. 'Mijn lichaam houdt zichzelf in toom,' zegt hij.

Hij laat het bad vollopen met de deur open en zingt *Babe* van Take That in zichzelf.

'*Then a voice I once knew…* AUUUUU!'

Er is meer koud water nodig.

✱✱✱

Hij zit in het donker op het terras van het hotel met Jonny en de vrienden van Jonny, Brian en Julie. Ze vertellen over de moeite die hun zoon heeft met slapen en hoe bang hij is.

'Zo was ik ook toen ik opgroeide,' zegt Rob. 'Het houdt zichzelf echter in stand. Misschien is het alleen maar angst voor angst. Hij heeft ook een creatieve geest. Ik bedoel, zelfs nu ik 29 ben is mijn geest continu bezig en als ik er geen label op plak en zeg: "Je bent creatief en dwaas bezig..." Iets wat bijna onmogelijk is om te doen. Voor iemand van elf is het nog moeilijker.'

Hij mijmert over de vraag of het te maken heeft met tegenslagen die hij eerder op die bepaalde dag leed. 'Als kind,' zegt hij, 'kon je niet aan me zien dat ik diep in de put zat. En ik liet het nooit aan mijn pa zien uit angst dat ik mijn pa zou teleurstellen. En dat is gewoon dat je kind goed voor je wil zijn. Toen ik als kind voetbalde had ik last van een *verlammende* onzekerheid. Ik wilde niet dat ik de bal kreeg. Weet je, ik wilde onder de jongens zijn en zo, maar, ja, angst om te falen. Als ze me een pass gaven, wilde ik de bal niet. Ik liep er met mijn *fucking* kop naar beneden door. Het was vreselijk. En pas onlangs ben ik het kwijtgeraakt. Echt. Eerlijk. 27.'

Julie zegt dat als Brian niet thuis was en haar ouders niet in de buurt waren, zij in een hotel incheckte. 'Is dat niet stom?' zegt ze.

'Nee,' zegt Rob. 'Dat is niet stom. Ik ben precies zo. De afgelopen drie of vier jaar heb ik geen enkele nacht alleen geslapen. Nee, ik heb geen enkele nacht alleen geslapen... ooit. Sinds ik een kind was.' Zonder dat er iemand in de buurt was. 'Ik blijf op omdat... volgens mij blijf ik nu meer op omdat er een gevoel van *rust* is als iedereen is gaan slapen. Er is een gevoel van rust. En daarnaast, als ik wakker ben wil ik niet gaan slapen. En ook, om het je grondig uit te leggen, heb ik geen zin om het licht uit te doen, mijn hoofd neer te leggen en dan met al die gedachten te worden geconfronteerd. Ik wil al die gedachten niet. Als ik op ben.... dan voeden gedachten gedachten en deze gedachten voeden gedachten en deze gedachten voeden gedachten en ik heb zoiets van: ik wil dit niet. En ik moet mezelf letterlijk bewusteloos krijgen om te kunnen slapen.'

Hij zegt dat hij zou willen dat hij vroeg naar bed kon gaan en vroeg kon opstaan. Als hij met iemand samen was, denkt hij dat hij het zou kunnen. 'Ik heb zoiets van: doe me nu maar een vrouw, want ik wil vroeg naar bed gaan,' zegt hij.

Ik stel hem voor dat als hij een potentiële echtgenote tegenkomt, hij misschien niet te veel de nadruk moet leggen op *Ik wil echt met je trouwen want ik wil vroeg naar bed gaan.*

'Ja,' geeft hij toe. 'Maar ik zal je zeggen wat er met mij gebeurt. Ik heb het gevoel dat de dag te snel gaat als ik vroeg opsta. Omdat van zeven tot twaalf niet echt telt. Ik denk ook dat het een beetje te maken heeft met toen ik mijn eerste flat had en niet meer bij mijn moeder thuis woonde; ik kocht altijd die enorme Barn Cake van Mr. Kipling's en ik dacht altijd: "Ik kan dat *fucking* allemaal opeten." Dus deed ik dat. En dan haalde ik er nog een. En het slapen moet iets ondeugends hebben. "Ooo, het is vier uur 's ochtends." Het is tegenwoordig het voornaamste rock-'n-rollding dat ik doe.'

Rob gaat in de heg pissen. Terwijl hij daar staat krijgt hij een raar gevoel, alsof er iemand in de bosjes luistert. Hij stuurt Gary om rond te kijken, maar niemand of niets wordt aangetroffen.

***

Max voegt zich bij ons en men begint gênante verhalen uit te wisselen.

'Doe het spuugverhaal,' stelt Max Rob voor, 'of is die te grof?'

'Nee,' zegt hij. 'Ik was dus een beetje onervaren in bed...'

Hij was achttien en zijn vriendin in Londen nodigde hem uit. Hij ging op haar liggen.

'Spuug op me,' stelde ze voor.

En hij wist het niet.

Dus – en hij beeldt het uit – stond hij op en spuugde haar in het gezicht.

'Duidelijk weer een prachtig verhaal voor Parky,' becommentarieert hij, terwijl het gelach langzaam wegebt.

✳︎✳︎✳︎

Wanneer de helikopter de volgende dag voor zijn tweede show in Knebworth landt, ziet hij een meer achter het terrein backstage en besluit om het op te zoeken. Hij ergert zich eraan dat de kranten alleen maar geïnteresseerd zijn in de vraag hoeveel hij verdient (de *Sun*) en in het ophalen van zijn problemen in het verleden (*The Daily Mail*) en volstrekt niet door lijken te hebben wat er dit weekeinde wordt gepresteerd, en sowieso wordt alles hem een beetje te veel. Op zoek naar het meer passeert hij Justin van The Darkness, die aan het eind van de dag spelen.

'In de kranten wordt gezegd dat we vrienden zijn,' zegt Justin, 'dus is het fantastisch om je eindelijk te ontmoeten – we zijn zulke goede vrienden geweest.'

Op aandringen van Justin worden ze samen gefotografeerd. Rob neemt aan dat het voor Justin is, maar het is voor het tijdschrift *Word*.

We kunnen niet bij het meer komen – dezelfde omheining die het terrein van het concert afbakent, verhindert dergelijke expedities – daarom gaan Rob, Jonny en ik midden in een klein kreupelbosje zitten, grenzend aan een kleine vijver met stilstaand water.

'Kun je je nog herinneren dat we naar Las Vegas gingen en dat we van plan waren om naar Mexico te vluchten?' zegt Jonny.

'Ik zou naar de bank gaan, een paar duizendjes in contant geld opnemen en dan naar Mexico vertrekken,' zegt Rob. 'Zonder het iemand te vertellen.'

'Alleen hij en ik,' zegt Jonny.

'En dan gewoon blijven reizen met contant geld,' zegt Rob.

'Heb je een bankpas?'

Pauze.

'Volgens mij wel,' zegt Rob.

'Weet je het nummer van de pas?'

Pauze.

'Nee,' zegt hij. 'Ik zou mijn paspoort en mijn bankpas hebben en een bank binnen kunnen gaan.'

'Hoe serieus heb je het overwogen?'

'Heel serieus. Ik wilde er gewoon tussenuit.'

'Wat zou je in Mexico hebben gedaan?'

'Ik weet het niet. Het zou een beetje een avontuur geweest zijn. Het zou ondeugend geweest zijn.'

'Voor wie zou je op de vlucht zijn gegaan?'

'Niemand,' zegt hij. 'Het zou alleen maar ondeugend zijn geweest. En iedereen had ons moeten zoeken.'

'We zouden een uitbrander hebben gekregen,' zegt Jonny. 'De

avond voordat we vertrokken, hoe gaan we het doen? We zouden om vier of vijf uur 's ochtends opstaan als iedereen nog sliep…'

'… en dan de trein nemen,' zegt Rob.

'Waarom hebben jullie het niet gedaan?'

Pauze.

'We hadden er geen zin in, niet?' zegt Rob.

✻✻✻

In zijn kleedkamer luistert hij naar muziek, kijkt televisie en smoort in zijn eigen angst. Zijn moeder vraagt hem, alsof het de meest onbeduidende gunst is, of hij *Nan's Song* wil opdragen aan een paar kinderen in Stoke waarvan ze weet dat ze het moeilijk hebben. Hij antwoordt niet. Ik geloof dat hij niet kan geloven dat hem dit wordt gevraagd. Ze zegt dat ze het tegen Josie zal zeggen.

'Mam,' zegt hij ten slotte. 'Ik ben een beetje gespannen.'

Hij vrolijkt wat op bij de komst van zijn neef Richard en aanverwante familie en vrienden uit Stoke. Ze gaan allemaal naar de catering waar hij vraagt om een kleinere portie dan gewoonlijk van zijn tonijn, gebakken bonen en aardappels en pureert het allemaal met een vork tot een brij, zoals een kind het wel doet. Hij haalt met de mensen uit Stoke herinneringen aan oude vrienden op. Sommigen zijn overleden. Een naam wordt genoemd en Rob praat over het feit dat hij met hem op een feest was; de vriend wist dertig ecstasy-pillen in twee uur te slikken. Later vond hij Rob boven. 'Heb je Rob gezien?' vroeg hij Rob. 'Hij is beneden,' zei Rob tegen hem. 'Bedankt, makker,' zei zijn vriend en dat was de laatste keer dat Rob hem ooit nog weer zag.

Hij probeert de mensen uit Stoke over te halen om vanavond naar het hotel te komen voor de schooldisco na het concert en na enige bedenkingen – Richard heeft morgen een belangrijke golfverplichting – stemmen ze in. 'Wel komen alsjeblieft,' benadrukt Rob.

De show van vanavond zal live worden uitgezonden op Channel 4. (In werkelijkheid zenden ze de show uit met een niet aangegeven vertraging, die hen in staat stelt om advertenties uit te zenden en het gepraat tussen de nummers te redigeren. Slagerij Trussells zal bijvoorbeeld weer worden gecensureerd, maar de tv-kijkers zullen er nooit achter komen.) Toch is er tegen het einde van de show een zekere mate van paniek backstage. Misschien omdat hij een beetje gespannen is, racet Rob door de set, en de show is niet lang genoeg voor de gecontracteerde tijd op televisie. Een plan wordt uitgebroed. Terwijl hij zich omkleedt voor de toegiften in een hokje direct onder het midden van het podium, vraagt Lee Rob of hij er in toestemt om *Millennium* ook toe te voegen aan de toegiften, een nummer dat de afgelopen maand soms werd gespeeld. Lee legt de situatie uit. 'Kunnen we het erbij doen?' vraagt hij.

'Om je de waarheid te zeggen,' zegt Rob, 'nee.' Hij legt uit waarom. 'Ik ben mijn lef kwijt,' zegt hij. 'Ik ben mijn kloten kwijt.'

'De show is fantastisch, echt,' vertelt Lee hem.

'Ja, weet ik, weet ik,' zegt hij, 'maar ik lijd. Ik ben gewoon mijn lef kwijt. Ik ben al doodsbenauwd sinds *Monkey*.'

'Nou,' zegt David, 'dan heb je je…'

'… gedragen als iemand die…,' zegt Rob en hoeft de zin niet af te maken. *Je je gedragen als iemand die zich niet zo voelt als hij zich voelt.* De tweeling, tegengestelde gaven van dit soort die grote entertainers nodig hebben, zijn het vermogen om te laten zien hoe je je voelt en het vermogen om te verbergen hoe je je voelt – een Robbie Williams-show is een meesterlijk, gevaarlijk, onvoorspelbaar gejongleer met beide eigenschappen.

'Op de televisie ziet het er geweldig uit, man,' stelt Lee hem verder gerust.

'Ja, nee, dat geloof ik wel,' zegt hij. 'Maar ik ben zo bang.'

'Ik dacht dat je ervan genoot,' zegt Jonny.

'Het is een van je beste optredens,' zegt Josie.

'Niets van te merken, makker,' geeft David toe.

Ik zeg dat ik ook geen idee had.

'Goed,' zegt hij en vraagt om een Gatorade. 'Het zal wel de live televisie zijn. En er zijn daar honderdvijfentwintigduizend mensen. Ik ben oké, maar het is niet gemakkelijk. Maar geen zorgen. Ik zal acteren tot mijn kloten eraf vallen.'

Hij ligt met zijn gezicht naar beneden op het karretje dat hem door de tunnel zal rijden tot het eind van de looppier, waar hij plotseling omhoog zal rijzen en te midden van de dansers zal verschijnen in *Rock DJ*. Terwijl hij de duisternis in wordt gereden, beweegt hij zijn benen ter hoogte van de knieën op en neer, zijn voeten bijeen, als een vis op het droge.

✱✱✱

'Dat,' zegt Rob, terwijl hij in de helikopter plaatsneemt, 'was op pure wilskracht. Wat ik wilde was met de piano na *Bojangles* verdwijnen.'

Door de tijdsvertraging van de uitzending op de televisie en de snelheid van de helikopter wordt Rob, als hij het hotel inloopt, begroet door de buitengewone aanblik van zichzelf live op de televisie. Hij is in de verlaten lounge van een plattelandshotel, maar voor de Britse televisiekijkers is hij op dit moment op het podium voor honderdvijfentwintigduizend aanbiddende fans in Knebworth *Kids* aan het zingen.

'Ik wil het niet zien,' zegt hij, maar hij beweegt niet van zijn plaats. Hij bekijkt de rap in *Kids* en gaat dan naar zijn kamer en kleedt zich om, terwijl Josie hem vertelt over een vreselijk misverstand backstage tijdens de toegiften. Gareth Gates werd door zijn veiligheidsmensen, die iets op hun koptelefoons hadden gehoord dat ze verkeerd hadden geïnterpreteerd, verteld dat hij op het podium werd verwacht – iets wat nooit was besproken of overwogen – en Josie moest daar staan en aan een beleefde en zich verontschuldigende Gates uitleggen dat dit niet het geval was, terwijl de veiligheidsbeambte bleef proberen om beiden iets anders te doen wijsmaken. 'Het was zo gênant,' zegt ze.

'*Bless him*,' zegt Rob. 'Het is een knappe vent, niet?'

Rob besluit om het akoestische deel op de televisie in zijn kamer te bekijken.

'Ik word ouder,' zegt Rob op televisie tegen de menigte, 'en ik wil dat jullie oud met mij worden.' David applaudisseert voor het scherm. De camera beweegt over de menigte tot aan het statige landhuis van Knebworth. 'Wauw,' zegt Rob in de hotelkamer. 'Dat ziet er fabelachtig uit. Wauw.' Hij grijnst en keert zich om naar Jonny. 'Je weet dat we erover dachten om naar Mexico te gaan, jongen…?'

De Rob op televisie zegt dat hij 'de gelukkigste mens op de planeet is'.

De Rob in de hotelkamer knikt.

'Ik zei er niet bij *welke* planeet,' zegt hij.

✹✹✹

Vanavond is er een schooldisco in een deel van de openbare ruimten van het hotel en een speciaal opgerichte tent. Er zijn proppenschieters voor eenieder die ze wil gebruiken, het eten bestaat uit traditionele schoolkantinehapjes en Rob is gekleed in zijn oude schooluniform. Hij neemt Jack Osbourne mee naar een rustig hoekje om wat te kletsen en biedt hem zo te zien steun en aanmoediging. Hij ontmoet Gareth Gates voor het eerst. Als de mensen van Stoke vertrekken, gaat hij naar de oprijlaan om ze uit te zwaaien. Hij lijkt meer geroerd door de tijd die hij vandaag met hen heeft doorgebracht dan door bijna al het andere, alsof ze hem een kans bieden om weer in verbinding te komen met iets wat hij was kwijtgeraakt. Hij zegt weemoedig tegen mij over Richard: 'Hij is als ik voor de drugs.'

Weer binnen gaat hij de dansvloer op en draait rond op *No Diggety* met Jonny en Kelly Osbourne, terwijl er op de achtergrond een St. Trinians-video speelt.

Een poosje later loop ik voorbij Sharon Osbourne in de deuropening die tegen haar dochter zegt dat ze zich goed moet kleden als ze het podium opgaat, en ik tref Rob en Jonny zittend en pratend aan in het park, weg van het feestje. Hoog in de duisternis boven het tijdelijke helikopterplatform zien we een vallende ster.

✳✳✳

Als hij wakker wordt, gluurt hij voorzichtig door de gordijnen zonder zichzelf te laten zien. Er staat buiten op het gras een vrouw die naar zijn vensters staart en wacht tot ze hem te zien krijgt. Ze beweegt niet. 'Ze ziet eruit alsof ze zo uit de grond is gegroeid,' merkt hij op.

Een tijdje later heeft er zich een grotere menigte verzameld en hij opent het raam en kletst een poosje. Hij vertelt ze over de show van gisteravond en hoe eng het allemaal was. 'Luister, een fijne dag verder,' concludeert hij, en ze applaudisseren allemaal.

'Je bent een man van het volk,' zegt Josie tegen Rob, hem licht plagend.

'Ja,' stemt Jonny in. 'Laten we er nu vandoor gaan in je helikopter.'

✳✳✳

'Hoe voelt u zich vandaag, Mr. Williams? vraagt de helikopterpiloot door de intercom.

'Stijf maar opgewonden,' zegt Rob. 'Maar niet opgewonden en stijf. Je weet wel wat ik bedoel.'

'Zeker,' bevestigt de piloot.

Rob begint *Hold Me Close* van David Essex te zingen en kijkt naar de golfbaan onder ons. 'Ik moet een Dean Martin-achtige levensstijl ontwikkelen,' verklaart hij.

'Deed Deano aan golf?' vraagt Jonny hoopvol.

'*Elke* dag,' zegt Rob. 'Elke dag. En hij repeteerde nooit. En hij ging naar binnen, één opname, bye! en vertrok dan om te gaan golfen. En dat ga ik ook doen.'

Dean Martin is een van de bende die hij altijd heeft bewonderd en waarmee hij zich het meest verwant voelde. Nadat *Swing When You're Winning* was uitgekomen, vond hij het geweldig om een brief te ontvangen van de vrouw van Sammy Cahn, Tita, waarin stond dat zij en Jeannie, de weduwe van Dean Martin, er samen naar hadden geluisterd en ervan hadden genoten. 'Frank heeft de beste stem, maar hij heeft de meest *bijzondere* stem,' oordeelt hij. 'Dean is veel relaxter. Hij was meer ontspannen. Hij deed het makkelijk lijken. Ik denk dat het voor hem gemakkelijk was. En hij was het grappigst. Ik hou van Sinatra, maar ik *adoreer* Dean Martin.'

: 431 :

'Ik denk dat ik me tegen volgende dinsdag laat inchecken in een psychiatrische kliniek,' vertelt hij tegen Mark Owen backstage. 'De hele tournee is geweldig geweest en soms als een wandelingetje in het park. Ik ben hier terechtgekomen en ik voel me helemaal als… gebroken biscuits.' Hij vertelt Mark een tijdje over de angst die hij heeft gehad en heeft en beseft dan dat Mark misschien hetzelfde voelt ten aanzien van zijn aanstaande optreden op het podium. 'Hoe gaat het met jou?' vraagt hij.

'Goed,' zegt Mark. 'Ik ben alleen blij dat we goed hebben gerepeteerd.' Hij doet spottend. 'Ik doe het in mijn broek,' voegt hij er aan toe. Hij leunt naar voren in de richting van Rob. 'Verdwijnt het als je er eenmaal staat?'

'Nee,' zegt Rob.

Ze repeteren voor de eerste en enige keer, zittend op de plastic stoelen op het gras voor de kleedkamer van Rob. Mark Plati speelt op een akoestische gitaar, die ze proberen te horen door de set van Moby, en ze zingen voor het eerst sinds Rob Take That verliet een stukje van *Back For Good* samen. Rob zingt het eerste couplet, Mark zingt het tweede, ze zingen de middelste acht maten samen – plotseling tamelijk ontroerend als je ziet hoe ze gemakkelijk en onbewust terugglijden in hun oude gewoonten en oude rollen – en Rob zegt dat Mark in het refrein kan doen wat hij wil. Dat is de hele repetitie.

'Ik deed mijn harmonie,' beseft Rob. 'En het was er zomaar, als een natuurlijke reactie. Hoe maf is dat?'

'Toen er eenmaal nog een Take That-jongen in de kamer was,' lacht Mark, 'kon je niet anders dan teruggaan naar de oude harmonie.'

Wayne Rooney arriveert backstage om gedag te zeggen. (Rob is wekenlang in stilte enthousiast geweest over het feit dat Wayne Rooney zou komen; hij is de enige andere persoon die ze hebben toegestaan om hun tijdelijke helikopterplatform te gebruiken.) Ze kletsen wat over koetjes en kalfjes en Rob krijgt twee gesigneerde ROONEY-shirts. Hij denkt even na. 'Laat mij iets voor je pakken,' zegt hij en verdwijnt zijn kleedkamer in, maar hij kan niets geschikts vinden. Hij komt met een kussen tevoorschijn. 'Ik heb een kussen voor je,' zegt hij.

Mark Owen komt aan het begin van het tweede couplet van *Back For Good* tevoorschijn uit het gat in het podium dat wordt gebruikt voor de piano van Max. Er is een prachtige vreugde in de manier waarop ze samen pogoën in het refrein, vervolgens de middelste acht zinnen tot

elkaar zingen-spreken, en er is de hele tijd een verbazingwekkend gejoel vanuit de menigte.

'*Dat* hebben ze gisteravond niet gekregen,' schreeuwt Rob aan het eind. 'De herinnering aan TT leeft voort.'

In het akoestische deel speelt hij een paar akkoorden op de gitaar, maar hij zingt de begeleidende tekst niet en ik weet niet zeker of veel mensen in het publiek de betekenis van zijn volgende commentaar hebben begrepen.

'Nou, dat was de enige manier dat ze het op de derde avond zullen horen, niet?' zegt hij.

Hij speelde *Wonderwall* van Oasis; opnieuw een onopvallend salvo in de koude oorlog die maar geen einde vindt.

✳✳✳

Voor *Angels* herhaalt hij wat hij gisteravond zei, maar uitgebreider. 'Ik word ouder,' zegt hij. 'Ik wil dat je met me meegaat. Je hebt me zien opgroeien, ik wil met jullie oud worden.'

En dan, net als het nummer begint, zegt hij nog een zin, misschien de meest onverwachte die hij het hele weekeinde heeft gezegd. Misschien probeert hij alleen maar de emotie van het moment uit te melken en gaat hij een beetje ver, maar misschien is de stille wanhopige onzekere smeekbede eerlijker dan hij het bedoelt.

'Alsjeblieft, alsjeblieft, laat me niet in de steek,' vraagt hij iedereen.

✳✳✳

Als de helikopter boven de menigte opstijgt, zwaait Rob naar beneden.

'Ze zien je nooit,' zegt Jonny.

'Toch zwaai ik,' zegt hij. 'Zonder onderscheid zwaaien. Het is als een bekerfinale, weet je.'

We vliegen weg.

'Ik ga de hele nacht opblijven,' deelt Rob mee.

'O, niet doen,' zucht Jonny. 'Waarom? Om wat te doen?'

'Omdat ik het elke nacht doe,' zegt Rob. 'Jij hoeft niet op te blijven.'

Pauze.

Rob grijnst.

'Maar je zult dan wel veel missen,' zegt hij.

✳ ✳ ✳

Na de show is er zoals altijd het hotelbuffet. Hij zit een tijdje met Mark Owen, en al spoedig bespreken ze de uitmuntendheid van Agas, tot Rob zichzelf betrapt op het verkopen van onzin. 'Ik zit over Agas te praten,' spot hij. 'Terwijl ik niet eens weet waar de messen in mijn huis zijn.'

Ze gaan naar buiten om verder te praten en lachen om sommige streken die ze in Take That deden. Als het even stilvalt, zegt Rob: 'Kom op, kom op – meer verhalen, meer verhalen. Kun je je nog iets herinneren? Kun je je nog herinneren hoe alles *voelde*?'

Mark glimlacht.

'Herinner je je het eiland Wight nog?' vraagt Rob. 'We deden een optreden in een club voor mensen boven de achttien en erna was een gelegenheid waar men ons kon ontmoeten en begroeten. Toen kwam er een meisje binnen en terwijl iedereen wat rondliep, hield ze me van achteren vast, greep mijn lul en besloot me af te trekken terwijl ik daar was. Ik had zoiets van: geweldig!...'

'Daar gaat het allemaal om,' lacht Mark.

'Ja, daar gaat het allemaal om, *maar...*' zegt Rob, 'het werd een probleem vanwege Nigel, weet je. Omdat Nigel niet wilde dat we bij de meisjes waren. Dus vertrokken we toen en keerden terug naar de B&B, daarna lagen we wat op het strand, alleen de jongens. Kun je je het nog herinneren?'

'Ja,' zegt Mark.

'En toen kwamen plotseling al deze meisjes uit de club naar ons toe. En Nigel zei toen: "Oké jongens, het is mooi geweest, iedereen terug naar het hotel.' We gingen terug naar het hotel, een beetje B&B, en ik liep de gang door en er liep een meisje op me af en, geen woord gelogen, ze doet haar broek naar beneden terwijl ze naar me toe liep, en Nigel kwam ergens de hoek om en ik zei...' – hij speelt zijn nerveuze, paniekerige gefluister – '"Ga naar buiten, ga naar buiten, ga naar buiten, je moet het begrijpen, ga gewoon naar buiten en wacht op me, wacht op me." We kwamen daarna bij onze kamers en zij staat buiten. Ik zei: "Mark, ik ga gewoon op zijn deur kloppen en zeggen: 'Ik ben een jongeman en ik moet dit doen bla bla bla bla bla...'" dus ik klopte op de deur van Nigel – ik was altijd enorm bang voor hem – en ik zei: "Ik ben een jongeman en ik moet gewoon alleen deze keer even neuken, Nigel, alsjeblieft." Dus zegt hij, na enige overweging – omdat ik ging proberen om haar de douches in te smokkelen die achterin waren, en ik wist dat het raam niet groot genoeg was – dus na veel nadenken zei Nigel: "Laat me er even wat over nadenken." Ik ging naar mijn kamer, ze klopt op mijn raam, want we waren op de begane grond. Ik sloot daarom de gordijnen en ging terug naar Nigel en hij zei: "Goed dan." Dus kwam ik binnen en Mark zei: "Ik verberg me wel in de klerenkast." Kun je je het nog herinneren? En ik zei: "Ja, goed dan, ga de kast maar in," en we wachtten zo en ik lachte en hij giechelde en Nigel stormt na zo'n twee minuten binnen en zegt... hij was binnengekomen om letterlijk te zeggen: "Ik ben van gedachten veranderd," en hij zei: "Wat is hier gaande?" en ik zei: "Mark zit in de kast."'

'Ik kan me nog herinneren dat je het raam in en uit ging met je kont bloot,' zegt Mark.

'Dat is het volgende deel van het verhaal,' zegt Rob.

'O, goed, oké,' zegt Mark.

'Mark komt dus uit de kast en ik ben bang, jij bent bang, we krijgen een uitbrander, en Nigel gaat naar bed en sluit de deur. Dit meisje heeft me veel problemen gegeven. Veel problemen. Maar ik heb mijn Calvins aan, Mark is verdwenen, het meisje is weer bij mijn raam, en ik ga mijn deur uit, klop op de deur van Nigel en *eis* dat het oké is dat ik seks heb. Wat er dus gebeurde was dat ik mijn deur uitga en de deur achter me dichtvalt en ik heb geen sleutel om weer binnen te komen. Niet? Iedereen is weg. De mensen die eigenaren zijn van de B&B zijn in hun huis naar bed gegaan, dat gescheiden is van de B&B. Ik klop op de deur, Nigel opent de deur en hij gaat tegen me tekeer. Hij zegt waarom, bla bla bla bla. Om een of andere reden. En hij doet de deur dicht. En ik heb zoiets van: ik heb net een uitbrander gekregen, ik heb geen sleutel om mijn kamer weer in te kunnen en ik wil niet nog meer problemen geven. Ik loop wel om en kruip door het kleine raampje boven in het raam. Dus ik ben nu naakt en ren zo langs het strand met mijn Calvin Kleins aan…' – hier staat hij ongeveer op en beeldt de nieuwe vernedering uit – '… en ik kom bij de hoek van het binnenplein en dat meisje is daar en ik doe…' – hij demonstreert hoe hij woedend en in ellende schreeuwde – '"Je hebt me genoeg problemen gegeven! Oprotten!" Alles wat ik nu dus wil is in mijn slaapkamer komen, zonder gedoe, in mijn bed gaan liggen en slapen. Dus ik sta op en steek mijn hoofd door het raampje… en ik zit vast. De helft van mijn lichaam stak buiten het raam en de andere helft was binnen.' Hij staat nu op zijn stoel om zijn hachelijke situatie te illustreren. 'En ik wil in hemelsnaam geen lawaai maken, want ik heb zo al genoeg problemen. Hoe dan ook, mijn been bleef haken achter de klink. De enige manier naar binnen was om mezelf door het raampje te trekken en mijn been *open te rijten*. Tegen deze tijd was de klink al in mijn been gegaan. En ik moest grijnzen, tandenknarsen en het volhouden en ik trok mezelf erdoor en de klink ging door mijn been, helemaal tot hier, en ik kwakte op de vloer en ging in bed liggen.' Pauze. 'En toen kwam ze terug. En ik zei gewoon: "Oprotten!"'

Als ze de verhalen uit die tijd weer ophalen, is het meest opmerkelijke dat ze zo weinig verhalen delen. Rob heeft vijf jaar van zijn leven in Take That gezeten, maar dit is zo'n beetje de eerste keer sindsdien dat hij zijn ervaringen vergeleek. De vijf verlieten de band met hun eigen puzzelstukjes van belevenissen en hadden ze nooit aan elkaar gelijmd; nadat ze het allemaal hadden meegemaakt, hebben ze er nooit samen over gesproken tot een gedeelde gemeenschappelijke geschiedenis was ontstaan. Maar de herinneringen zijn er wel, en vanavond beginnen ze naar buiten te komen.

'Herinner je je het moment dat Kurt Cobain stierf en wij op het dak in Denemarken zaten?' zegt Mark.

'Ja,' zegt Rob.

'Herinner je je dat?' zegt Mark. 'De dag dat hij stierf. Ik zal me dat altijd blijven herinneren als iemand het noemt. Ik herinner me altijd dat jij en ik op het dak waren gaan zitten.'

'Ja,' zegt Rob.

'Was het je verjaardag toen je je litteken kreeg?' zegt Mark. 'Herinner je jouw litteken? Het was de verjaardag van Howard. En wij trokken de planten uit als zijn verjaardagscadeau, we bleven hem steeds meer planten als cadeaus geven…'

'En Howard duwde me in het zwembad,' zegt Rob. 'Nou, hij duwde me niet – hij mepte me gewoon en ik ging er zonder pardon in en stootte mijn hoofd...'

'... en kreeg je litteken...,' zegt Mark.

'Toen moest het worden gehecht...,' zegt Rob.

'... wij moesten lachen,' zegt Mark.

'... toen gingen we weer uit, terwijl hier allemaal bloed uitstroomde,' zegt Rob.

'Iedereen moest om je lachen,' zegt Mark.

'Nee, ik moest ook lachen,' zegt Rob.

Ze halen herinneringen op aan de outfits en de verschillende podiumshows.

'Een keer traden we op met die tinnen hoedjes op,' zegt Rob.

'Dat bedoel ik,' zegt Mark. 'De tinnenhoedjes en de zonnebrillen.'

'Een keer gingen we op een avond het podium op en ik was zo moe,' zegt Rob, 'het was de logica van de moeheid. We moesten het onderdrukken, niet, en ik dacht, ik ga even een tukje doen. En de band begon en alles, maar ik was zo moe dat ik tegen mezelf zei: "Ik ga even een tukje doen voordat we dit gaan doen." We staan in positie om het podium op te komen. Even een tukje. Ahhh... en ik viel in slaap. Iemand komt me wakker maken en ik doe...' Hij beeldt uit hoe hij wakker wordt geschud. 'Het was vreselijk. Ik wist niet waar ik was en opeens was er een enorm gejoel...'

'O jee,' lacht Mark.

'Kun jij je je favoriete onderdelen van de show nog herinneren?' vraagt Rob.

'Ik vond die tournee goed toen we *Pray* deden in zwarte regenjassen,' zegt Mark. 'Kun je je herinneren dat we het een keer op de repetitie deden en dat we er niets onder droegen...? En we kwamen bij het moment en we lieten allemaal onze jassen zakken en waren allemaal naakt. En Nigel was als...' Hij doet een woeste, geïrriteerde zucht.

'Ik denk dat ik vooral van de ballades genoot,' zegt Rob. 'Zittend.'

Ze praten over oude bekenden, over wie Mark allemaal zeer positief is.

'De Tao van Owen,' zegt Rob.

'Wat is dat?' vraagt Mark, een beetje achterdochtig.

Rob legt het uit. 'Een heleboel zaken op deze tournee waren gewoon De Tao van Owen. *Het doet er niet toe.* Het zette me echt aan het denken. Het zette me *echt* aan het denken. Omdat je heel veel tijd kan besteden aan het ophalen van kennissen en zeggen: ik mag ze niet want x y z en z en z... wat denk je? Ik mag ze niet ik mag ze niet. En dan zeg jij dat het er niet toe doet. De Tao van Owen.'

'Dat klinkt goed,' zegt Mark.

'Er was die ene keer dat ik *"Fuck off!"* tegen Nigel riep,' zegt Rob. 'Kun je je dat nog herinneren?'

'Ja!' zegt Mark. 'Ja!'

'Maar dit is wat er gebeurde,' zegt Rob. 'We waren in de bestelbus en we waren allemaal giechelig en Nigel zei iets en ik zei *"Fuck off!"* en in de bus was het...' Complete stilte. 'En ik zei, *huuu...*' Hij kon niet geloven dat hij het had gezegd. 'En Gaz zei...' – hij lijkt zelf even verrast dat hij hem Gaz noemt, maar dit was de tijd dat Gary Barlow Gaz was en Rob staat op het punt om zijn dankbaarheid jegens hem te uiten – '... en Gary hielp me eruit. Hij zei: "Nou, Nigel, Rob heeft wel een gevoel voor humor ontwikkeld in de tijd dat je weg was..." En hij hielp me eruit.'

Rob gaat in de heg pissen.

'Mark, kun je je herinneren...?' schreeuwt hij terug naar de tafel.

'Waag het niet te beginnen over het aftrekken in de tourbus,' waarschuwt Mark.

'O, dat ben ik al vergeten,' zegt Rob. 'Ik won.' Pauze. 'En verloor tegelijkertijd op een bepaalde manier ook.'

✳✳✳

Mark vraagt of Rob zich herinnert dat ze prinses Diana ontmoetten.

'Dat was een goede avond, niet?' zegt Rob. 'Wat was ze knap. We gingen langs Di. Ze was echt aardig. Ging je naar huis en dacht je: "Ze heeft een oogje op me?"'

'Ze was een beetje groot voor me,' zegt Mark. 'Te groot.'

'Ze was geweldig,' zegt Rob.

'Ze was een schoonheid,' zegt Mark.

'Dacht jij dat ze een oogje op je had?' vraag ik Rob.

'Nee, niet echt,' zegt Rob. 'Ik had gedacht dat ze een oogje had op J.'

'Jason.'

'Ja, zo was het altijd, niet?' zegt Mark.

✳✳✳

Mark heeft een vraag.

'Wat zou je doen als je Nigel zag?' vraagt Mark aan Rob.

Pauze.

'Mag ik dat vragen?' zegt Mark.

'Ja,' zegt Rob, en denkt even na. 'Ik zou waarschijnlijk huilen.'

'Echt waar?' zegt Mark.

'Ik zou waarschijnlijk echt in tranen uitbarsten,' zegt Rob.

Mark en Jonathan zagen hem een paar jaar geleden in zijn club in Manchester.

'Het is een andere man,' zegt Mark.

'Een compleet wrak,' zegt Jonathan.

'Het is zijn club en hij draait jou de hele tijd,' zegt Mark.

'Hij is erg veranderd,' zegt Jonathan. 'Eerlijk.'

'Volgens mij ook,' zegt Mark. 'Ik denk dat hij is veranderd.'

'Hoe ziet hij er tegenwoordig uit?' vraagt Rob.

'Hij kan je niet aankijken,' zegt Jonathan. 'Hij praat zonder je aan te kijken...'

'De kwestie met Nigel is ook,' zegt Rob, 'dat ik gewoon wilde dat hij van me hield. Want hoezeer ik hem ook haatte, ik hield net zoveel van hem. Dat was echt gek. Ik wilde gewoon...'

'Je wilde geaccepteerd worden, niet?' zegt Mark. 'Dat was alles wat het was. Het ging erom dat je werd geaccepteerd.'

'Ze zeggen dat hij ook een begrafenisonderneming heeft.'

'Nou,' zucht Rob, 'er gaan altijd mensen dood.'

❋❋❋

'Het was idioot,' zegt Mark. 'Het was...'

'Het was wat het was,' zegt Rob.

'... wat het was, ja,' zegt Mark. 'En, ik bedoel, ik kijk er nu op terug, en er zijn zoveel dingen... ik weet niet hoe ik...'

Hij wil duidelijk iets belangrijks zeggen.

'Ik weet niet hoe ik er mee om had moeten gaan, maar ik heb zelfs nooit... ik heb zelfs niet...' Mark aarzelt. 'Ik kan me niet herinneren dat ik ooit zei: "Gaat het goed met je?"' zegt hij.

Het is een intens, zoet en droevig moment.

'Ja, maar omdat je het niet kon, omdat...,' zegt Rob.

'Waarom?' zegt Mark. 'Waarom kon ik dat niet? Ik kan me niet herinneren waarom ik dat niet kon...'

'Omdat iedereen in die tijd...' begint Rob. 'Niemand had er schuld aan.'

'Was iedereen gewoon bang of...?' vraagt Mark.

'Iedereen was gewoon doodsbenauwd...' zegt Rob.

'Ja?' zegt Mark.

'... want, weet je, ik kon niet meer terug,' zegt Rob. 'Ik had die tournee nooit kunnen afmaken. Ik was *kapot*...'

'Nee, maar ik zei het in je show gisteren,' zegt Mark. 'Als ik er nu op terugkijk, gingen wij allemaal naar huis, terwijl jij naar een hotel ging...'

'Ja,' zegt Rob.

'... en hoe *fucking* belachelijk is dat wel niet?' zegt Mark. 'Waarom werd je alleen achtergelaten in een hotel? Ik weet het niet.'

'De band was op dat punt aanbeland, denk ik, waar we allemaal zo *bang* voor waren... er was niet veel communicatie,' zegt Rob. 'En ik zei sowieso al nooit wat ik echt dacht, want wat ik echt dacht zou alles hebben *verwoest*. Helemaal niemand had er schuld aan. Iedereen moest om zichzelf denken, want dat is... weet je, als er een situatie is waar iemand verdeelt en heerst...'

'Was het gewoon dat het water kookte en kookte en dat het uiteindelijk wel moet...?' vraagt Mark.

'Weet je, Nigel verdeelde en heerste – hier een beetje zeggen, dat kleine beetje daar zeggen,' zegt Rob.

'Ja, dat zagen we allemaal,' zegt Mark.

'En ik denk dat iedereen daardoor de hakken in het zand zette en zich in zichzelf terugtrok,' zegt Rob. 'Het niet de fout van iemand. Niemand had er iets aan kunnen doen.'

'Wat zo moest zijn...?' vraagt Mark zich af.

'Ik werd... een beetje geschift.' Rob grinnikt. 'Iedereen gaat er weer op zijn manier mee om.'

'Ja, maar ik heb het niet alleen over hoe het met jou ging,' zegt Mark, 'ik bedoel alles, het feit dat we lange tijd samen waren... de eerste paar jaren hadden we een vrij sterke band. Vooral jij en ik. Maar de laatste paar jaren, kan ik me niet... het werd gewoon een beetje maf, niet? Het werd gewoon maf.'

'Omdat er geen nazorg was,' zegt Rob.

'Ja, dat was het,' zegt Mark.

'Maar, tegelijkertijd wist niemand hoe hij het moest doen,' zegt Rob. 'Nigel niet. En het leven thuis was idioot, en je kreeg een gekke perceptie van de wereld. En dan staan er honderd *fucking* meisjes voor je huis, weet je. En al die dingen gemengd met de waanzinnige promotie die we deden. Want we werkten ons te pletter. Dat alles bij elkaar... we waren moe en bang. *Ik* was moe en bang...'

'Dat is het,' zegt Mark.

***

'Dat was aangenaam, niet?' zegt Rob, terug in zijn kamer, zich opmakend om te gaan slapen.

'Volgens mij wilde Mark op een gegeven moment heel diep gaan,' zegt Jonny.

Rob knikt. 'Ik was niet klaar voor de...,' zegt Rob. 'Ik zou uiteindelijk hebben kunnen janken. Dat wilde ik niet. Ik ben al emotioneel genoeg de afgelopen drie dagen. Ik wilde dat gewoon niet. Maar niets was zijn schuld.'

17

Het duurt twaalf minuten om met de helikopter terug naar Londen te vliegen op de maandag na de drie concerten in Knebworth, met een koers die over Buckingham Palace en de flat van Rob loopt. We kunnen de stoelen op zijn balkon zien als we er over vliegen.

In de wachtende auto vindt hij de *Sun*. HIJ IS HET – ROBBIE IS DE KING OF POP, ZEGGEN FANS is de kop, en de belangrijkste pop-schrijver van de *Sun* refereert aan het concert als 'zonder twijfel de beste live show die ik ooit heb gezien'.

Bijna meteen als hij thuiskomt, na een paar minuten rusteloos zitten, belt hij Stephen Duffy op en vraagt of hij naar de studio kan komen. We vertrekken. Bij een paar verkeerslichten koopt hij een *Evening Standard* met zijn foto op de voorpagina. ROBBIE – DE BESTE OOIT? is de kop. *Ster huilt na zingen voor 375.000 fans.*

Hij leest enkele stukken uit het artikel hardop voor – '*Hij leek wan-hopig bewieroking te willen, maar was niet zeker of hij het verdiende. Hij is niet in staat om zich te verzoenen met de zekerheid dat hij is mis-lukt met het bewijs voor zijn ogen*' – en lacht. Ik vraag hem wat hij vindt van hun analyse van zijn psyche.

'Ik ben een showman,' zegt hij, afwijzend. 'En wat "*...dat hij is mis-lukt met het bewijs voor zijn ogen...*" betreft, dat was twee jaar geleden. Ik ken mijn waarde nu.'

'En het "wanhopig bewieroking te willen maar niet zeker of hij het verdiende"? Dat is onderdeel van de show nu, niet?'

'Ja,' zegt hij.

Er is nog een passage die de aandacht trekt: *Net zoals Oasis nooit meer hetzelfde was na hun weekeinde hier, lijkt zelfgenoegzaamheid onvermijdelijk voor Robbie nadat hij een stunt van deze omvang heeft verricht...*

Zelfgenoegzaamheid lijkt onvermijdelijk. Dat klinkt Rob tamelijk komisch in de oren als hij de dag na deze drie concerten al weer op weg is naar de opnamestudio en hij voordat hij vanavond naar bed gaat weer een nieuw nummer voor zijn toekomst zal hebben klaargelegd.

❋❋❋

Hij is zo'n halfuur in de studio als de telefoon gaat. Stephen neemt op. George Michael werkt in de studio beneden en wil naar boven komen om wat te kletsen. Een paar minuten later wordt er op de deur geklopt en George Michael komt binnen, met een Starbucks-bekertje in de hand. (Het Starbucks-bekertje krijgt het eerst de aandacht van Rob. Hij wist niet dat er in de buurt een Starbucks was. Hij vraagt de route en stuurt Pompey direct op pad om inkopen te doen. Een mocha frappuccino voor George Michael, kokosnoot voor Rob.)

George Michael zit op de stoel van Andy en draait hem rond zodat hij tegenover Rob, Stephen en mij zit. Hij vertelt Rob over zijn nieuwe album en hoe moeilijk hij het altijd vindt om te schrijven. 'Jij had een complete carrière sinds mijn laatste album, niet?' lacht hij.

'Ik denk dat de reden dat ik zo veel albums achter elkaar uitbreng,' legt Rob uit, 'is dat ik altijd zoiets heb van: volgens mij is dit *het* album. En dan verschijnt het en dan denk ik, nee, toch niet... het is niet *het* album. Snel! Laten we er nog een maken... En wat we hier nu aan het doen zijn, klinkt als mijn eerste soloalbum.'

'Je moet wel genoten hebben van dit weekeinde, niet?' zegt George.

'Ja,' antwoordt Rob, maar zonder enthousiasme. 'Ik denk dat ik er pas over een jaar van zal genieten. Op dit moment heb ik een beetje zoiets van: "We halen je persoonlijkheid en alles een poosje uit je en leggen het hier neer, en dan kun je het het volgende weekeinde terugkrijgen als je Ierland hebt gedaan." Ik ben een beetje uitgeblust.'

Hij vraagt George waarom hij niet op tournee gaat.

'Omdat ik het niet kan verdragen,' zegt George. Hij houdt niet van de hielenlikkerij; omringd te zijn door mensen wier dag van hem afhangt; de zorgen om zijn stem. Hij zegt dat zelfs in de tijd van Wham!, terwijl ieder ander uitging en zich goed vermaakte, hij in zijn hotelkamer zat met zijn luchtbevochtiger, citroenen etend.

'Weet je hoe ik zelfkritiek kan verdragen?' zegt Rob. 'Er nooit naar te luisteren, nooit. Als ik er naar luister, zullen mijn diepste ergste angsten misschien bewaarheid worden en zou ik nooit meer optreden.'

Ze vergelijken hun ervaringen ten aanzien van roem. 'Het wordt gekker,' belooft George hem. 'Hoe langer je op de voorkant van kranten en op de televisie en in de levens van mensen bent. Je bent nu zo'n tien jaar bezig. Als het eenmaal twintig jaar is wordt het echt idioot.' Zoals hij het beschrijft ontwikkelt het zich zo dat in de loop der tijd mensen eerder geschokt dan opgewonden zijn om je te zien, en hij heeft dat als moeilijk ervaren. Hij zegt dat het anders moet zijn voor Rob, omdat hij voor de helft een ouderwetse ster is die zichzelf als iets speciaals presenteert, maar hij geeft mensen ook het idee dat hij knipoogt en zichzelf kleineert, waardoor hij veel meer benaderbaar is.

'Ik ga helemaal linkervelder en idioot worden,' lacht Rob. George Michael vraagt naar de nieuwe muziek van Rob en Rob noemt Scott Walker en David Bowie en zegt dat hij op bepaalde momenten heeft gezongen als Morrissey en Neil Young. Ze praten beiden een tijdje enthousiast over The Smiths en bespreken het fascinerende raadsel

Morrissey. (Zijn volgende album wordt genoemd en ik vertel dat het naar verluidt *Irish Blood, English Heart* zal heten. Op het moment is er geen enkele aanwijzing dat Rob het zelfs maar heeft gehoord.)

'Je bent in een fase waarin je zo lang als je wilt over een album kunt doen,' adviseert George Rob. 'Ik bedoel, wat zou er gebeuren? Wie zou je nog wat kunnen maken?'

'Ik heb een platencontract waar ik van af wil,' vertelt Rob hem.

'O, dat zou je nooit moeten doen,' adviseert George. 'Laat ze maar wachten.'

'Bij dit album,' vertelt Rob hem, 'heb ik genoten van de promotie, van de tournee. Ik heb genoten van alles wat er mee te maken had.'

'En wat was het verschil?' vraagt George hem.

'Effexor,' zegt hij.

'Denk je dan dat je hiervoor altijd depressief was?' vraagt George.

'*Absoluut,*' zegt Rob.

'Altijd een soort van milde chronische depressie?' vraagt George.

'Ja,' zegt Rob. 'Niet echt "een pistool pakken en je hersens eruit schieten" maar ik kon het me in die situatie wel voorstellen. Snap je wat ik bedoel? Hij legt uit hoe hij, toen hij naar Los Angeles verhuisde, dacht dat hij was ontsnapt aan alle specifieke dingen die dit veroorzaakten, maar besefte dat hij zich nog altijd niet goed voelde. 'Alles waarvan ik dacht dat ik er depressief door was, was er niet echt,' zegt hij. 'Dan vraag je je af wat het dan wel is. Ik had geen dingen meer die ik de schuld kon geven. Ik was gestopt met drinken en drugs en ik vocht een goede dertien, veertien maanden om ze niet te nemen tot ik op het punt was gekomen dat ik me slechter voelde dan toen ik aan de drugs was. En ik dacht, goed, dit is het dan – of weer aan de drugs gaan of ik ga naar een psychiater en laat me wat tabletten voorschrijven. En dat deed ik, en sinds die tijd gaat het echt goed.' Hij glimlacht. 'In sociaal opzicht nog altijd een beetje shit.'

Nadien mijmert hij over de vriendelijke maar afstandelijke en enigszins vreemde relatie die George Michael en hij hebben gehad op hun verschillende wegen. Het was George Michael die hem berispte toen Rob in een opzettelijke aanvaarding van de conventionele wijsheid aan het eind van Take That dat Gary Barlow de nieuwe George Michael zou worden, verklaarde dat hij de nieuwe Andrew Ridgeley zou worden. 'Hou Andrew niet voor de gek,' werd hij berispt. Toen het succes van Rob toenam, belde George Michael Rob soms voor shows waar onderscheidingen werden uitgereikt om hem te zeggen dat hij had gewonnen. 'Het begon altijd met: "Goed gedaan, jij *bitch*",' zegt Rob. 'En ik kon maar niet begrijpen waarom hij het deed, omdat ik niet eens wist dat ik die dag naar een *awards show* zou gaan.

***

Drie weken geleden viel *Escapology* eindelijk uit de Britse Top-75 van albums. Sindsdien, gedreven door het succes van de huidige single van Rob, *Something Beautiful*, en de aanloop naar Knebworth was de situatie iets verbeterd, maar niemand had echt voorzien wat driehonderd-vijfenzeventigduizend mensen op een concert in één weekeinde en live uitzendingen op zowel de tv als de radio in staat zouden zijn te doen. Op dinsdag is het al duidelijk.

Rob belt me heel vrolijk op om het nieuws te vertellen. In de hitlijst van volgende week zal *Escapology* op de eerste plaats staan. Dat niet alleen, een groot deel van de week lijkt de mogelijkheid te bestaan dat al zijn albums de Top-75 weer binnen zullen komen. (Uiteindelijk komen een paar albums net te kort.)

***

Op woensdag is hij weer terug in de studio. Hij verzint een tekst voor een nummer, geschreven rond een basloopje dat hij net heeft bedacht en gespeeld.

... white 74... white 74... when she waited, they said 'what for?'... you want some more... white 74... into Dusty, into fame... into working your silly games... Friday's your payday... white 74... talking on the phone... sleeping all day... getting it wrong... the way it should be done... white 74... white 74... ice cream in sand dunes... magnifying ants... white 74...

'Ik moet muziek maken die bij mijn tatoeages past,' verklaart hij.

Hij pakt het *Smash Hits Yearbook* van 1986 dat Stephen heeft meegenomen. Geamuseerd leest hij een citaat van Simon le Bon voor: 'Ik wentel mezelf niet in eigenliefde. Ik vind alleen dat ik geen slechte kanten heb.' Hij zucht. 'Popsterren waren zoveel interessanter,' zegt hij. Hij leest meer. (Gaandeweg ontdekt hij dat hij zijn verjaardag deelt met Peter Hook en Peter Tork. En Peter Gabriel, hetgeen hij al wist. Allemaal Peters. 'Ik zou "Pete" worden genoemd,' merkt hij op.)

'Jezus!' roept hij uit. 'Popsterren waren toen *geweldig*. Het maakt me bijna aan het huilen.' Hij schudt zijn hoofd terwijl hij in dit raamwerk kijkt van een verleden waarin popmuziek en de popsterren een veel omvangrijkere botsing van rijkdom en idioterie en stomheid en slimheid vormden. Voor tieners die hun dromen en plaats in de wereld probeerden te verwoorden, terwijl ze de fantastische dingen en de troep die hun omringde een plaats wilden geven, leken de popsterren een veel gevarieerdere en provocatieve inspiratiebron te bieden. Jarenlang hadden de critici en culturele commentatoren die er niet echt aandacht aan schonken de popmuziek die tieners goed vonden belachelijk gemaakt als smakeloze en betekenisloze productielijnonzin. Dat was het niet. Het trieste is dat het in de laatste jaren steeds meer die kant uit gaat: de lelijkste versie van zichzelf van de domste critici.

'Want omdat popsterren al deze ideeën over dingen hadden, gaf het de mensen het idee dat ze ook ideeën moesten hebben over dingen,' zegt Stephen, die halverwege de jaren tachtig zijn eigen popmoment genoot als Stephen 'Tintin' Duffy. 'En nu denkt niemand nog dat hij ergens ideeën over hoeft te hebben anders dan het meedoen aan *Pop Idol*.'

Rob slaat bladzijde na bladzijde om. 'Ik verwacht steeds mezelf tegen te komen,' zegt hij. 'En ik ben behoorlijk teleurgesteld dat ik er niet in sta. Kunnen we iets doen aan het feit dat ik in 1986 niet beroemd was?'

***

George Michael belt van beneden en vraagt of Rob naar beneden kan komen om hem te ontmoeten. Hij speelt Rob een van zijn nieuwe nummers voor, *Through*, zijn statement dat hij met 'pensioen' gaat, en vraagt of Rob hem op de tv zou willen interviewen als zijn album verschijnt. Rob stemt toe erover na te zullen denken en vindt het nummer goed, al is hij een beetje geïrriteerd over het feit dat George Michael tegen hem zegt: 'Je gaat nu door je rockfase, niet? Nou, dan moet je eens naar *Closer* van Joy Division luisteren, een album – de tweede helft is echt mooi.' Het leek meer dan een beetje neerbuigend. ('Ga jij door je "geen platen meer verkopen"-fase?' mompelt Rob nadien. 'Wat je zou moeten doen is een hit schrijven.')

Vanavond gaat Rob voetballen op een veld onder de Westway. Drie pond per persoon voor de huur van het veld. Er zijn overwegend televisiemensen – Jonny, Ant, Michael Greco, die Bepe in *EastEnders* speelde. Maar het is Rob die wordt gehekeld. Om te beginnen is het afkomstig van mensen die op een van de kleinere aangrenzende velden spelen.

"Homo…'
'Klootzak…'
'Robbie, jij mietje…'
'Dikke lul…'
'Robbie, jij dikke lul…'

Hij speelde aan de linkerkant, maar begint steeds meer aan de rechterkant van het middenveld te spelen. De scheldende lui zijn klaar met hun wedstrijd en gaan over op de sport waar ze echt van houden.

'Homo…'
'Mietje…'

'Laat je tieten eens zien...'

Hij houdt het niet meer en gaat op hen af.

'Gewoon wat geplaag, Robbie, gewoon wat geplaag,' zegt een van hen.

'O ja,' zegt hij. 'Ik heb wat geplaag voor jou. Jouw broertje vertelde me hoe het is om aan je pa's lul te zuigen.'

'Ooooo,' doen de anderen.

'Homo,' reageert degene die Rob net heeft beledigd.

Rob zegt tegen hem dat hij dit hele zaakje kan kopen en hem eraf laten gooien.

'Waarom zeg je dat nou?' zeggen ze. 'Waarom moet je hier nu dingen komen kopen? Wat is dat nou?'

'Homo,' roepen ze.

'Ja, ik ben *fucking* gay,' explodeert hij. 'Ik ben hier het *fucking* meest gay. Waarom ga je niet met me mee naar het hek daar om op mijn lul te zuigen?' Hij loopt snel naar het hek, van plan om naar de andere kant te gaan waar zij staan en het uit te vechten. (Gary en Jason zijn ook hier, maar ze staan aan de andere kant van het veld en hebben deze keer deze dreigende confrontatie volledig gemist.)

De lastpakken beginnen weg te lopen. In de tussentijd wordt het spel even stilgelegd als iedereen beseft wat er gaande is. Nu rent Jason ernaartoe, gaat door het hek en gaat ze achterna.

'Kan hij niet tegen een grapje?' schreeuwt er een.

'Hij moet er wel tegen kunnen, hij is beroemd,' roept een ander.

✳✳✳

Hij gaat de volgende dag en de dag erna de studio in om meer te schrijven. Dit zijn allemaal nummers die worden aangewakkerd door basloopjes die hij uitvindt.

'Dit is plezier,' zegt hij op vrijdagmiddag. 'Dit is de vorm die plezier heeft.'

Hij is opgetogen over het feit dat de nummers zich op zo'n manier ontwikkelen dat zijn warrige ambities en intenties erin behouden blijven. Op een bepaalde manier is het misschien zeer gelukkig geweest dat alles waaraan hij met Guy Chambers begon, vaak eindigde als de meest popachtige popmuziek, maar het frustreerde hem ook. Wat Rob probeerde om te maken met behulp van *Ecstasy* van Barry White was een gekke dansplaat, maar het werd uiteindelijk *Rock DJ*. Toen hij Guy *Still Dre* van Dr. Dre en Snoop Doggy Dogg voorspeelde en zei dat hij zo'n plaat wilde maken, werd het uiteindelijk *Something Beautiful*. Hij lijkt opgelucht dat niets van dat al momenteel lijkt te gebeuren.

Deze middag, als Stephen niet kijkt, wijst Rob naar de foto aan de muur van een man, een zeer Frans aandoende bohémien, en vraagt aan mij: 'Wie is dat?'

'Serge Gainsbourg,' zeg ik terug.

Een paar minuten later vraagt hij nonchalant aan Stephen, alsof hij de foto voor het eerst ziet: 'Is dat Serge Gainsbourg?'

'Ja,' zegt Stephen.

✳ ✳ ✳

De afgelopen twee weken ongeveer is er ook iets anders aan de hand, iets wat de laatste dagen van de tournee veel van Robs aandacht en energie heeft gevraagd. Een romance, of in elk geval iets wat er op lijkt. Het is met iemand die redelijk beroemd is en het begint met een brief-je en een korte ontmoeting, wat uitgewisselde complimenten maar verder niets, afgezien van een gevoel dat er mogelijk iets is begonnen. Vanaf dat moment beginnen ze telefoongesprekken met elkaar te voe-ren en hij vindt deze gesprekken zowel aangenaam als stimulerend. 'Of ze is een heel aardig iemand, of ze heeft een oogje op me,' concludeert hij in deze vroege fase, en hij wordt overtuigd van het feit dat beide mogelijk waar zijn.

Thuis in Londen, voor Knebworth, ziet hij haar, een avond die ein-digt met een lange omhelzing en intimere woorden, maar verder niets. Hij is behoorlijk onder de indruk van haar. 'Ze is Real Madrid,' verklaart hij vastberaden. 'Ze is Zinédine Zidane.' Na de ontmoeting bellen ze elkaar vaker, hetgeen ook goed gaat, al is hij zoals altijd zenuwachtig als het om zijn sociale vaardigheden gaat. 'Het enige waar ik me zorgen om maak zijn de conversaties,' zegt hij op een dag, ter-wijl de relatie zich ontwikkelt. 'De stukjes tussen de nummers. Begrijp je wat ik bedoel?' Op een dag herinner ik hem eraan dat de persoon de paniek in zijn hoofd niet kan horen; hij lijkt tamelijk verrast en onder de indruk van deze invalshoek en hij herhaalt het verscheidene keren in de dagen die volgen.

Er worden rozen verstuurd, en hij merkt dat hij meer aan haar denkt dan hij misschien verwachtte als hij op het podium in Knebworth staat. Er worden plannen gemaakt, vliegtuigen gereserveerd en er wordt een rendez-vous georganiseerd voor de week tusen Knebworth en Phoe-nix Park. Dan komen echter de eerste complicaties. Er arriveert een tekstbericht dat hij idioot vindt, waarin de ontmoeting wordt afgezegd. Hij werkt hard aan een antwoord waaruit zijn teleurstelling niet blijkt. 'De grillige hand van het lot is een wrede meesteres,' schrijft hij onder andere. Maar dan volgt een bemoedigend bericht en een goed tele-foontje, en op een dag loopt hij de kamer weer binnen en verklaart: 'Ik ben weer knap. Ik weet niet of je het hebt gemerkt. Ik ben als dik dertienjarig jongentje uit Stoke-on-Trent vertrokken en ik ben terugge-komen en heb net Knebworth veroverd.'

Het gaat op en neer – allemaal zonder dat ze elkaar weer hebben gezien – en hij begint verward te raken van alle gemengde signalen. Ze stelt voor dat hij gewoon alleen op een commerciële vlucht moet stappen om haar te bezoeken, en hij denkt dat ze het niet begrijpt. Het is net alsof ze zich verbeeldt dat dit een soort paranoia en dikdoenerij van hem is, niet gebaseerd op goed uitgeteste noodzakelijkheid. Het is weer aan, het is weer uit en ten slotte maakt hij het zelf uit.

'Luister, liefje,' zegt hij tegen haar als hij de deur sluit van iets dat een tijdlang zoveel leek te betekenen, maar dat nooit echt van de grond kwam, 'om je de waarheid te vertellen denk ik niet dat mijn ego een nieuw pak slaag aankan. Luister – ik hou de kaarten in handen van alles, behalve romance. En als ik er vlakbij ben en het niet slaagt, dan herinnert het me er aan hoe eenzaam ik ben...'

Zelfs dat gevoel houdt niet erg lang aan.

'Ik had ijsjestriestheid, geglaceerd met woede, en een van die Flakes met een gebrek aan eigenwaarde erin,' verklaart hij op de dag na de laatste dag, 'maar toen werd ik de volgende dag wakker en was alles weer cool.'

***

In de studio pakt hij Stephens exemplaar van de NME van deze week. Keith Richards staat op de cover, maar ook de woorden ROBBIE GEKROOND. 'Eens kijken hoezeer ze me deze week haten,' zegt hij en bladert hun schizofrene reactie van twee bladzijden op het weekeinde. Hij leest sommige dingen voor:

... waardeloze Brit in microkosmos...

... net als het jubileum van vorig jaar, de viering van opnieuw een overbetaalde oude Queen...

... als hij gezichten trekt voor de camera, is het alsof je eindelijk de duisternis en depressie kunt zien waar hij in interviews maar over doorgaat, wat zijn optreden het karakter geeft van een spannende wanhoop. Hij heeft echt de liefde van honderdvijfendertigduizend mensen per nacht nodig – hoe gestoord is dat?

Rob lacht om al deze opmerkingen, vooral de laatste. 'Dat is heel, heel grappig,' zegt hij. Hij leest hun lijst met redenen waarom Amerika onverschillig voor hem is gebleven. De definitieve dolkstoot is dit: *'En ontdaan van context, zien ze in dat hij maar zo'n acht echt geweldige nummers heeft.'*

Hij leest deze zin keer op keer hardop voor. Hij kan niet geloven dat ze dit hebben gezegd.

'Acht!' zegt hij. *'Acht!'* Als het leven een cowboyfilm was geweest, zou hij zijn hoed hoog in de lucht hebben gegooid en zijn pistool in de lucht hebben geschoten. 'Dat is geweldig, man,' zegt hij. *'Fucking hell.'* Het is in feite een van de aardigste dingen die hij ooit over zichzelf heeft gelezen. 'In mijn hoofd,' zegt hij, 'heb ik er twee of drie. *Fucking hell.* Acht. Dat is geweldig. Goh. Dat is het beste dubbelzinnige compliment dat ik ooit heb gekregen.' Hij blijft er op terugkomen. 'Dat heeft me eindeloos opgevrolijkt,' zegt hij.

18

Voor het laatste concert van zijn zomertournee, en de grootste, heeft Rob ervoor gekozen om op dezelfde dag naar Dublin te vliegen en weer te vertrekken. Dublin is een stad waar hij van houdt, maar niet een stad waar hij zich op zijn gemak voelt om wat rond te hangen. Er zijn te veel associaties met vormen van ontspanning die hij heeft afgewezen.

Een politie-escorte begeleidt ons naar Phoenix Park. Wanneer we op het terrein achter het podium arriveren, kijkt Rob sip.

'Ik dacht dat het een stadion was,' zegt hij. Het is een verdomd groot veld, niet?'

'Inderdaad. Zoals al subtiel door de naam wordt aangegeven, is het een reusachtig park.'

'O nee,' zegt hij zenuwachtig en volledig van slag door deze verrassing. 'Het gaat ontzettend eng worden. Ik kan het aan als ze allemaal hoog en rond me zitten. Grote velden boezemen me enorme angst in.'

✳✳✳

'Goedenavond Ierland,' schreeuwt hij in het midden van *Let Me Entertain You*. 'Ik ben Robbie Williams. Dit is mijn band. Ik heb Engels bloed, maar ik heb een Iers hart.' Het lijkt erop dat de titel van het album van Morrissey uiteindelijk toch tot hem is doorgedrongen.

Hij lijkt vanavond niets te veinzen. Privé dweept hij het meest met het Ierse publiek, en het is zonneklaar dat hij verguld is met de manier waarop het op hem reageert. Halverwege weet hij alle honderddertigduizend aanwezigen ertoe te bewegen *'piss off'* naar een rondcirkelende helikopter te schreeuwen. 'Magnum PI, jij klootzak,' moppert hij. Een poosje later deelt hij iedereen de aanwezigheid van zijn oude schoolmeester Mr. Bannon mee. 'U was altijd streng, maar u was gelukkig wel altijd eerlijk,' zegt hij. 'En ik zal u nooit vergeten, en ik zal mijn school nooit vergeten. Dank u…'

Tegen het eind van de set begint het te regenen, aanvankelijk licht, maar dan steeds harder. Als hij zijn akoestische gitaar oppakt, verzoekt hij om zijn microfoonstandaard naar het einde van de loopbrug te brengen, te midden van de menigte en onder de blote hemel. 'Als jullie nat worden,' zegt hij tegen hen, 'kan ik beter samen met jullie nat worden.' Dit wordt, zoals te verwachten, heel goed ontvangen.

Voordat hij het podium verlaat vertelt hij ze dat ze hier de beste band in de wereld hebben. 'En Bono, in mijn ogen ben je gewoon God,' zegt hij. 'Ik vind je de mooiste prachtigste man en de beste frontman die er ooit is geweest. En als ik maar half zo goed kon zijn…' (Dit is, hoopt hij, duidelijk genoeg. De laatste keer dat hij in Ierland optrad, zong hij *Beautiful Day* en droeg het op aan U2, 'de *fucking* beste rock-'n-roll-band in de wereld'. In de *Sun* meldden ze de volgende dag dat hij had gezegd: 'dit is voor Bono en zijn jongens, de slechtste rock-'n-rollband in de wereld'. Hij liet zijn kantoor onmiddellijk hun redactie bellen om uit te leggen dat hij juist het tegenovergestelde had gezegd.)

Als hij *Feel* zingt, wikkelt hij een Ierse sjaal om zijn hoofd.

'De beste ooit,' zegt Jonny als Rob zich omkleedt voor de toegiften.

'De beste show ooit,' stemt Rob in, en als hij weer opgaat laat hij Jonny het podium betreden om voor de menigte te herhalen wat hij net zei.

❋ ❋ ❋

Hoewel hij vanavond terugvliegt naar Engeland, moet hij eerst zijn gezicht laten zien en afscheidnemen op het feest ter gelegenheid van het einde van de tournee in het Four Seasons-hotel. Hij heeft boven een kamer geboekt om zich in te kunnen omkleden. Hij doucht zich, gaat op het bed zitten, naakt afgezien van een handdoek rond zijn middel, en kijkt naar een herhaling van *Have I Got News For You?* en laat winden. 'Het is de gave die maar blijft geven,' deelt hij vrolijk mee.

We zijn de eersten op het feest. Aan de buffettafel loopt Rob het beste eten dat het Four Seasons heeft te bieden voorbij en maakt zichzelf waar hij echt zin in heeft: een sandwich met patat. Hij bestelt tegelijk een dubbele espresso en een gewone koffie. Misschien komt het omdat hij in Dublin is, maar hij zegt opeens: 'Het is *fucking* verschrikkelijk om een alcoholist te zijn. Verschrikkelijk. *Fucking* verschrikkelijk.' Pauze. 'En soms gaat er niets boven dat. Echt.'

'Maar je denkt er niet vaak zo over, wel?' vraagt Josie. 'Dat dit iets verschrikkelijks is?'

'Nee,' zegt hij. 'Het einde van de tournee. Ik kan het niet verklaren. Ik ga niet drinken, maar ik voel me erg *drinkerig*…' Hij schudt zijn hoofd. 'Ik bedoel, de tournee is vijf weken lang jezelf volledig aan hen geven. En dan nog het feit dat ik het hotel niet uitgeweest ben. En nu is het allemaal een beetje... ik voel me niet gemakkelijk met het einde van dit gevoel.' Al die stress was al moeilijk genoeg. Maar nu breekt het einde van die stress aan, en hoe ga je daar mee om als je het niet weg kunt spoelen met te veel drankjes, zoals de meeste mensen hier vanavond zullen doen?

Ik vraag hem of hij enige bevrediging voelt ten aanzien van het feit dat hij heeft gedaan wat hij van plan was te doen.

'Ik zou me nu graag zo voelen,' zegt hij, 'maar waarschijnlijk voel ik me volgende week pas zo.' Hij bijt in zijn sandwich. 'Die vriendin-kwestie speelde me deze week veel door het hoofd. Het is als die fles met slib onderin dat er altijd in blijft en nooit verdwijnt, en dan, als iemand langskomt en de fles schudt, gaat het slib...'

Een poosje later zie ik hem naar het raam lopen met Freddie Robert op zijn schouder. Hij staat er een lange tijd in de schaduw, ergens tussen bedachtzaam en overdreven sentimenteel, starend in de duisternis. Als hij weer gaat zitten is Freddie Robert, nog altijd op zijn schouder, in een diepe slaap verzonken.

✱✱✱

Het feest wordt hem snel veel te chaotisch. Een dronken Keith Duffy blijft maar proberen om hem in een andere kamer te trekken, hij voelt zich geïntimideerd door alleen al de aanwezigheid van Ray Winstone, en als hij naar het toilet gaat probeert een man een foto van zijn penis en andere objecten te maken tegen het kroonmotief achter op het jasje van Rob, want hij interpreteert het als een symbool van de Britse monarchie en een belediging voor de republikeinse gedachte.

'Wat een nachtmerrie,' zucht hij als hij opgelucht in de auto gaat zitten.

We rijden een tijdje voordat hij weer iets zegt, en dan is het om iets te zeggen waar hij nog nooit op heeft gezinspeeld, maar wat hij klaarblijkelijk al een tijd heeft willen zeggen.

'Weet je, ik wil dat ondersteboven gedoe nooit meer meemaken,' zegt hij tegen Josie.

'Dat is prima,' zegt zij. 'Werd je er bang van?'

'O, *absoluut*,' zegt hij.

'Je hebt het echt goed gedaan,' zegt ze.

Hij zegt dat het hem steeds meer dwarszat naarmate de tournee vorderde.

'Ik had dat verhaal in mijn hoofd over die vent die de parachute door had gesneden,' zegt hij, 'en Owen Hart die door het plafond viel...'

'Nou,' zegt Josie, 'je hebt het nu toch achter de rug?'

Na

1

De dag na Phoenix Park vliegt hij terug naar Los Angeles. Hij heeft het er vaak over gehad hoe hij zich erop verheugd om niets te doen, en hij heeft gezegd dat hij weer wil gaan golfen, maar hij doet geen van beide. Binnen een paar weken zijn Stephen en Andy ook in het huis, de hoofdslaapkamer is omgetoverd tot een tijdelijke studio met de drums naast het bed. Ze werken tot diep in de nacht, elke nacht. Wanneer Mia, de kleindochter van David, langskomt, wordt haar gevraagd om hun werkplaats een naam te geven en zij doopt het Rock Band Studios. Vanaf dat moment wordt, als de telefoon gaat, altijd opgenomen met een helder 'Rock Band Studios!' Op een dag neemt Rob de telefoon op en blijkt het de vrouw te zijn met wie het aan het einde van de tournee nooit echt iets is geworden. Hij doet alsof hij iemand anders is en neemt een boodschap aan, weer een boodschap die hij nooit aan zichzelf zal doorgeven.

Als hij voor het eerst weer terugkeert naar Los Angeles koopt hij ook veel auto's: een nieuwe Ferrari, een nieuwe Porsche, een nieuwe Mercedes. Hij bezit nu zeven auto's die geparkeerd staan bij zijn huis in Los Angeles, al heeft hij nog altijd geen rijbewijs. Hij heeft deze nieuwe auto's gekocht om zichzelf te trakteren en als een vervulling van een fantasie uit zijn kindertijd – hij vergelijkt het met spelen voor Port Vale – maar misschien ligt het plezier vooral besloten in de spanning om ze te kopen en in het feit dat hij in staat is om ze te kopen, dan in het feitelijk bezit of het gebruik van de auto's. Hoewel hij momenten kent dat deze nieuwe auto's hem veel vreugde bezorgen, begint hij binnen een week te wensen dat hij ze nooit had gekocht.

In Londen wordt de cd *Live At Knebworth* in hoog tempo samengesteld. David brengt het proefexemplaar en hij schudt het voor zijn oor zodat het een beetje ratelt. 'Klinkt fantastisch,' zegt hij. Op een dag in de verre toekomst zal hij ernaar luisteren, lang nadat zijn fans dit hebben gedaan, maar nu nog niet.

Op een dag aan het eind van augustus wordt in de *Sun* bericht – hoewel het verhaal klein genoeg is om te doen geloven dat ze maar heel weinig geloof hechten aan hun eigen verslaggeving – dat hij met 'pensioen' is gegaan. Een paar dagen eerder irriteerde hij zich enorm aan de paparazzi. 'Je kent zo'n dag waarop je niet wilt dat het een nationale gebeurtenis is als je naar een café gaat en je de hele dag het huis niet uitgeweest bent en ze de hele dag op je hebben gewacht,' legt hij uit, al ken ik het niet echt. Op die dag kwam een vent met een camera naar hen toe om met ze te kletsen. Hij bestempelde zichzelf als een ex-marinier, iets wat vooral Pompey verontrustte, en hij gaf zijn visie op wat hij aan het doen is, het stalken van beroemdheden met zijn camera. Het leek alleen maar fair dat Rob hier zijn eigen perspectief tegenover plaatste. 'Het is echt triest,' zei Rob tegen hem, 'want door mensen als jij verlies ik de zin om platen te maken'. En zo'n half-uur dacht hij dat het allemaal niet de moeite waard was, en voor die paar minuten was hij met pensioen.

✶✶✶

Een van de meest voorkomende kritieken op hem is dat hij altijd klaagt. De echte beschuldiging is in dit geval denk ik een van ondankbaarheid, en het geeft weer eens aan op wat voor merkwaardige manier mensen tegenwoordig aankijken tegen roem en beroemdheden. Tegelijkertijd is het in zwang geraakt om bijna medelijden te hebben met beroemdheden – ze uit de hoogte neerzetten als arme dorpsgekken die idioot genoeg zijn om midden op het marktplein te gaan staan terwijl iedereen naar ze kijkt – nog altijd wordt gedacht, bijna als een geloofsdaad, dat roem alles goedmaakt. Zozeer als mensen de beroemdheden ook verachten als ze ermee pronken hoe gelukkig hun talenten en succes en rijkdom ze hebben gemaakt, het enige waar mensen een nog grotere hekel aan hebben is als ze een beroemdheid zien die pronkt met zijn ongelukkig zijn. (Alles wat je maar hoeft te doen om ervan beschuldigd te worden dat je ermee pronkt is, in deze context, dat men hoort hoe je het amper hoorbaar fluistert.) Hoewel je, als je beroemd bent, heel goed kan worden geconfronteerd met dezelfde problemen als de rest van ons, en nog enkele extra problemen die het gevolg zijn van de bijzondere situatie waarin je verkeert – als men je, met alles wat je hebt, hoort klagen, word je beschouwd als iemand die de boel voor de gek houdt. Om alles te hebben waarvan mensen denken dat ze er gelukkig van zouden worden en dan het lef hebben om te beweren dat je nog altijd niet tevreden bent…

Op dezelfde wijze geloof ik dat de beide zaken aan elkaar verwant zijn: maar weinig mensen worden in de moderne wereld harder veroordeeld dan een bevoorrecht of beroemd persoon die erop wordt betrapt zichzelf tegen te spreken. Wanneer je zo wordt waargenomen, zul je worden bespot als stom of onoprecht. Maar het ligt niet in de natuur van mensen om beschaafd te zijn. Alle levens blijken, als ze goed worden bestudeerd, barstensvol tegenstrijdigheden te zitten. Vaak worden deze, als de levens worden beschreven, gladgestreken in een cosmetisch, onecht verhaal, maar er zijn veel van zulke tegenstrijdigheden verspreid over deze bladzijden, en de meeste ervan staat het onderwerp van het boek even duidelijk voor de geest als de lezer.

Het kan hard zijn wanneer men verantwoordelijk wordt gehouden voor die tegenstrijdigheden, maar het is tenminste op een bepaalde manier fair. Het is echter veel harder dat je als je beroemd bent ook kunt worden beoordeeld en geroosterd vanwege zaken die tegenstrijdig lijken of aanvoelen zolang ze niet te nauwkeurig of zorgvuldig worden betracht. Rob heeft hier veel mee te maken. Is het bijvoorbeeld werkelijk ongerijmd dat men in algemene zin alleen wenst te zijn – weg van de constante, herhaalde verzoeken die het alledaagse leven kunnen hinderen – terwijl men bang is om alleen te zijn? Is het echt tegenstrijdig om op sommige terreinen in je leven een grote behoefte aan en verlangen naar aandacht te hebben, terwijl men angstig terugdeinst voor de gegeneraliseerde niet te stoppen aandacht die de wereld je schenkt? Als een kwestie van pure logica, in het geheel niet, maar de reactie van mensen op deze vragen lijkt eerder emotioneel dan logisch. Zo lijken mensen bijvoorbeeld geërgerd wanneer ze denken gemengde boodschappen waar te nemen die spelen met hun affectie – *hou van me, hou van me, hou van me, ga weg, ga weg, hou van me.* Hun instinctieve reactie op iemand die op een podium hunkert naar aandacht en haar vervolgens in het leven vermijdt, hoe logisch het ook lijkt, is dat die persoon onoprecht is, manipuleert en op irritante wijze van twee walletjes wil eten.

✸✸✸

In augustus trouwen Josie en Lee in een prachtig strandhuis in Malibu. Golven spatten op de priester als ze hun huwelijksbelofte afleggen. Twee dagen laten verschijnt er in de *Sun* een foto van hen en Rob, genomen vanuit een verder gelegen huis aan het strand, en de bruiloft wordt beschreven.

Hij bracht een medley van nummers – waaronder zijn hit Angels... *Robbie – onder wiens albums zich ook het hitalbum* Sing When You're Winning *bevindt – brulde de hele zaterdag nummers... De gasten gingen daarop naar het strand. Om de beurt lieten ze zich fotograferen met de bruid en de zanger. Robbie bleef tot laat in de nacht en betrad herhaaldelijk het podium om voor zijn kameraden op te treden.*

Dit is pure fantasie – vermoedelijk van iemand die mogelijk een klein beetje vanuit de afstand heeft gezien en die zich voorstelt wat er plaatsvindt op een bruiloft waarbij een beroemde zanger aanwezig is. Het enige wat hij tijdens de ceremonie heeft gezongen is een haastig gerepeteerde versie van *All I Want Is You* van U2, begeleid door Stephen op akoestische gitaar, en terwijl hij vanzelfsprekend werd gefotografeerd met de bruid en bruidegom, waren dat de enige foto's waar hij voor poseerde.

Die nacht, na de bruiloft, het diner en het feest, keert hij terug naar zijn huis en schrijft een nieuw nummer. Aan het einde van de nacht zitten Rob, Max, Stephen Duffy en Chris Sharrock allemaal met gekruiste benen op het tapijt aan het voeteind van Robs bed, rond een enkele microfoon op akoestische gitaren te spelen.

'Of ik ben vals,' verklaart Max na een poosje, 'of iedereen is vals.'

✳✳✳

Het schrijven en opnemen in de Rock Band Studios verschilt vaak sterk van de snelheid en concentratie van de schrijfsessies in het claustrofobische zolderkamertje van Air. Een groot deel van de tijd speelt Rob de bas, zoals hij aan het eind van de sessies in Londen ook al deed, maar nu begint hij plezier te krijgen in jammen, met Chris op drums, Stephen gewoonlijk op gitaar en Max over het algemeen op keyboard. De late avonden worden gestimuleerd door blikken *double shot*-koffie van Starbucks, 24 per pak. Rob lijkt evenzeer te genieten van het gevoel dat hij in een band zit, in zijn eigen huis met mensen die hij graag mag, als van datgene wat ze proberen te maken. Soms lijkt het alsof hij, nu hij enkele nummers heeft waarvan hij weet dat ze goed zijn, zich in de luxe baadt om elke muziekstijl die hij maar kan bedenken uit te proberen, een luxe die de meeste muzikanten in hun tienertijd verkennen, als hun band nog een publiek moet vinden en nog repeteert in een kleine repetitieruimte of kelder. Hij heeft dat nooit gekend, maar nu heeft hij de mogelijkheid. Er wordt veel muziek gemaakt die hoogstwaarschijnlijk nooit op een album zal verschijnen. Max leidt verscheidene nummers in de richting van onverwachte funkjazz van het soort waarvan hij houdt; op een avond brengt Paul, die Rob soms traint, een dronk uit op een reggaenummer dat ze net hebben geschreven.

Op een middag in augustus zit Rob op het tweepersoonsbed van de Rock Band Studios met Stephen en luisteren ze alle nummers af die ze hebben gemaakt sinds ze naar Los Angeles zijn gekomen, dan lopen ze door een lijst van al hun nummers en vinken die nummers aan die op het Pure Francis-album zouden moeten verschijnen. (Al lijkt het idee van het Pure Francis-personage niet meer zo belangrijk en er bestaat weinig twijfel over dat datgene wat hier wordt geschreven en opgenomen, de volgende nummers zijn in de carrière van Robbie Williams, blijft de naam Pure Francis gebruikt worden – niet per se als de naam van een personage of een band of een album of een samenwerking in het schrijven van de nummers, maar als overkoepelende naam waarmee alle betrokkenen aan dit project refereren.) Wanneer ze vandaag de vinkjes tellen, blijken er dertien te zijn, al is Rob tijdelijk teleurgesteld dat zoveel van de nummers afkomstig zijn van de oorspronkelijke hoeveelheid die in Londen werd geschreven.

Misschien is dit het dat de rijke ader stimuleert waarop ze de volgende paar weken zullen stuiten, of misschien is het gewoon de concentratie die opduikt als Rob maar weinig tijd meer heeft voordat hij weer op tournee moet. Hij ziet op tegen zijn terugkeer naar Europa. Er moeten nog een maand concerten worden gegeven in overdekte stadions in Europa op de plaatsen die hij deze zomer niet heeft aangedaan, en dan volgen na een korte pauze enkele laatste shows in stadions in Nieuw-Zeeland en Australië. Hij zou liever in Los Angeles blijven en bezig zijn met zijn nieuwe nummers. 'Ik overdenk ze nog eens goed,' zegt hij, minder een zonde dan wel een luxe opbiechtend. 'Zoals ik er nu tegenaan kijk, is dat alles wat ik heb gedaan mij hier heeft gebracht, en daarom ben ik in staat om te doen wat ik nu doe.'

De muziek die hij hier heeft gemaakt wordt nog altijd verondersteld geheim en een verrassing te zijn, en hoewel af en toe het gerucht is gepubliceerd dat hij met Stephen Duffy heeft samengewerkt, is deze informatie verloren gegaan in het algemene geklets en de kakofonie van halve waarheden en onzin over hem. Daarom is het verrassend dat, als hij begin oktober terugvliegt naar Londen om in de Royal Albert Hall te verschijnen op een evenement dat Fashion Rocks wordt genoemd en Vernon Kay hem backstage interviewt voor de camera van T4, hij zegt dat hij 42 nummers met Stephen Tintin Duffy heeft geschreven. Het is puur toeval dat deze opmerking uit de uitzending wordt gemonteerd.

✳✳✳

Deze maand wordt Rufus Wainwright geïnterviewd in *Rolling Stone*. Hier volgt een kort deel eruit.

Welke muzikanten ontkennen hun homoseksualiteit?

'*Zoals Robbie Williams? [lacht] Ik weet het niet. Een deel van me denkt dat het beter geweest was als ik het verborgen had gehouden dat ik homo was, als het gaat om verkoopcijfers van de albums. Als ik iemand bewonder, dan wel degene die zijn homoseksualiteit verbergt.*'

'Dat is gek, niet?' zegt Rob. 'Ik moest er om grinniken. Ik denk dat ik gewoon in stilte in mijn nopjes was over het feit dat ik in zijn psyche zit.'

***

In de nazomer trek ik me iets terug uit zijn omgeving. Hoewel Rob en ik elkaar nog continu spreken en elkaar geregeld ontmoeten, verberg ik me voor een groot deel van de tijd, omringd door de tientallen aantekeningenboekjes en honderden opnames die in het afgelopen jaar zijn verzameld, en begin ermee dit boek in al dit materiaal te ontdekken. Halverwege oktober 2003 gaat Rob weer op tournee en speelt hij gedurende een maand in stadions in heel Europa die hij deze zomer had overgeslagen. Als hij achter een rood gordijn staat terwijl de intro-tape speelt, op de eerste avond van deze nieuwe tournee in Lissabon, beseft Rob dat hij zich hierop mentaal niet heeft voorbereid. Achttien-duizend mensen wachten om hem te zien en hij is er in het geheel niet klaar voor om hen te zien. 'Het was een beetje alsof ik bijvoorbeeld let-terlijk aan het zappen was om te kijken wat er op de televisie was en plotseling liet iemand me op het podium vallen met de stok en een mooi nieuw pak en een groot kapsel, en ik stond op het punt om twee uur op te treden,' legt hij later uit.

Oppervlakkig gezien gingen beide avonden in Lissabon goed, maar hij beseft iets dat hem zorgen baart. Het maakt hem eenvoudigweg niet meer uit. In het midden van *Nan's Song*, tegen het eind van de eerste avond, alleen op het podium met zijn akoestische gitaar in zijn hand, wordt hij zich ineens bewust van een stem in zijn hoofd die zegt: 'Ik ga het podium aflopen – gek niet?' Hij is er zeker van, alsof hij toekeek van buitenaf, dat hij midden in zijn concert simpelweg zijn gitaar afdoet, naar de zijkant van het podium loopt en blijft lopen tot hij thuis is. Hij gelooft dat hij het op een heel kalme wijze zal doen, maar hij zal het niettemin doen. Het is zo'n vreemd gevoel.

Op de een of andere manier houdt hij zichzelf tegen. Voorlopig.

De dag na het tweede concert in Lissabon en op weg naar het vlieg-veld om naar Madrid te gaan, vertelt hij David dat hij de geplande tour-nee door Zuid-Amerika en Zuid-Afrika aanstaande februari niet meer wil doen. Vijf dagen eerder had hij nog bevestigd dat hij wilde gaan, en tickets stonden op het punt om in de verkoop te worden gedaan. Hij staat er nu op dat het hele bezoek wordt afgelast.

2

Ik rijd door Madrid van de plaats waar ik me verborgen heb gehou-den en tref Rob zonder shirt en uitgestrekt in zijn hotelkamer aan. 'Ik ben zo dicht bij dat punt dat mijn hele carrière gewoon te veel is en weer al die toestand,' zegt hij. 'Ik denk dat als ik februari ook had gedaan het voor lange tijd *game over* voor mij zou zijn geweest. Ik breng de snelheidsdrempels weer aan.'

Hij vraagt naar het boek. Op een gegeven moment merk ik op dat er, gedurende een jaar, enkele personen (Gary Barlow, Noel Gallagher) en handelingen (voornamelijk scheten laten) zijn die, als elk van deze incidenten zou worden vastgelegd in de gecondenseerde vorm van een boek, hem geobsedeerd en uitgesproken winderig zouden doen lijken. Hij neemt het ter harte. De komende paar maanden, steeds als ik hem een tijdje niet heb gesproken en vraag hoe het is gegaan, zegt hij gewoonlijk iets als: 'Je weet wel – scheet, Gary Barlow, Noel Gallagher.'

Josie komt binnen en herinnert hem eraan dat hij twee radio-interviews moet doen voor Nieuw-Zeeland. Hij zit op de bank in zijn suite en zij overhandigt hem de telefoon. Hij kletst met de dj's over zijn tournee, Take That en zijn Maori-tatoeage, en dan vragen ze hem naar iets wat Sheryl Crow na Fashion Rocks gezegd schijnt te hebben – dat Rob veel te *camp* was om het in Amerika te kunnen maken.

'Nou,' zegt hij in zijn meest *camperige* stem. 'Ik weet niet waar ze het over hebben, echt. Ik bedoel, je pijpt een paar lullen...'

Hij wordt live in de ether van Nieuw-Zeeland uitgezonden, tegen ontbijttijd.

'O,' zegt hij na hun reactie. 'Ik zal de boete betalen. Het spijt me... is dit live?... Het spijt me zeer...'

Ze herhalen de vraag over Sheryl Crow.

'Ik weet het niet, waarschijnlijk heeft ze gelijk,' zegt hij. 'Ze loopt al een tijdje mee, dus heeft ze veel informatie...'

In Robs wereld wordt Amerika tegenwoordig amper meer genoemd. Nadat *Feel* niet het gewenste succes bracht, lijkt het erop dat de Amerikaanse platenmaatschappij verder weinig meer heeft gedaan. Als er werkelijk enige moeite is gedaan om *Come Undone* te promoten, dan weet Rob er niets van, en het had in elk geval geen succes. Het is alsof de hele ervaring nooit heeft plaatsgevonden. Hij denkt er alleen over na als ik hem ernaar vraag.

'Volgens mij kun je je soms tot de ambitie dwingen,' overweegt hij. 'Mijn diepste gevoel was "*fuck* dat" en is het altijd geweest. En dat ik in Amerika niet aansla kan me niets schelen. Wat me wel kan schelen zijn de hatelijke commentaren over het feit dat ik daar niet aansla; het kan mij niet schelen dat het zo is, het kan mij wel schelen dat ze denken dat het heel veel voor me betekent. En ook heb ik voldoende tijd om het te betreuren en ik heb voldoende tijd om het iets te laten betekenen. Maar op dit moment betreur ik het niet en betekent het *fucking* niets. Ook is er absoluut niets in mij dat denkt dat het zo is omdat ik niet goed genoeg ben. Ik denk dat Amerika...' – hij pauzeert even – '... gelukkig – ik probeer het op een betere manier te zeggen dan "gelukkig met me zou moeten zijn". Volgens mij zou Amerika, de entertainmentindustrie, er veel voordeel bij hebben als ik er was.'

❇❇❇

Op zijn tournee heeft hij de wereld van iChat ontdekt, waardoor hij, door middel van de breedbandverbinding van het hotel en een kleine camera bevestigd aan zijn laptop, videoverkeer in twee richtingen kan creëren met Rock Band Studios in zijn huis in Los Angeles, waar Stephen en Andy verblijven. Elke nacht werken ze alledrie samen aan nummers: Rob luistert naar de mixen in zijn hotelkamer en levert commentaar en speelt ze soms zelfs ideeën voor op zijn gitaar. Tijdens pauzes draait Andy of Stephen de camera naar het dal, zodat Rob het weer kan zien; wanneer enkele van zijn bezittingen uit Groot-Brittannië arriveren, lopen ze met de camera door het huis zodat hij die ook kan zien.

We luisteren allemaal naar zijn nieuwste nummers op de computer. Sommige van de nummers die hij het best vindt zijn uitstekend, en sommige van de nummers die hij over het hoofd lijkt te hebben gezien zijn ook prachtig. Mijn favoriete nummer is een sober nummer genaamd *Cake*, waarvan hij de stem in één keer uit het hoofd inzong in zijn slaapkamer in Los Angeles, terwijl hij *Ms Pacman* speelde en een lolly at.

... And I'm drowning slowly
You'll be at home
And I'll be here wired
Because this is what we get
For having our own
Sense of identity
When we leave our homes
We get to do drugs
We get to eat cake...

Hij zegt het niet, maar ik veronderstel dat het iets te maken heeft met die tijd die hij heeft genoemd toen hij voor het eerst zijn eigen plek om te leven had en de vrijheid bezat om zich aan uitspattingen over te geven. Het nummer klinkt buitengewoon eerlijk; vol wanhoop, maar ook vol troost die ontstaat wanneer men het tot een nummer verwerkt.

❇❇❇

Als we naar het nummer luisteren, opent hij de lade van het bureau in zijn slaapkamer en ontdekt een potlood en een potloodslijper. Het potlood is al scherp, maar hij maakt het desalniettemin toch scherper met de slijper.

Hij kijkt verrukt naar het scherpe potlood.

'Ik heb dat vijftien jaar niet meer gedaan,' zegt hij.

***

David komt langs en ze praten over de afzeggingen.

'We houden van drama, niet?' lacht David. In werkelijkheid is het grootste probleem dat de afzegging tot gevolg heeft dat hun positie tegenover EMI zwakker wordt doordat een van hun argumenten tegen de *greatest hits* wordt ondermijnd – dat ze door wilden gaan met de promotie van *Escapology* rond de wereld, zowel om er meer exemplaren van te verkopen als Robs publiek uit te bouwen voordat de *greatest hits* verschijnen. Daar kan nu echter niets aan worden gedaan.

'Het enige waar ik aan kan denken is,' zegt Rob, 'dat het gezien mijn huidige situatie duidelijk is dat ik het niet voor onmogelijk hou dat ik weer instort.'

'Ik snap het,' zegt David. 'Ik snap het.'

'Begrijp je wat ik bedoel?' vraagt Rob met nadruk.

'Ja, ik snap je,' zegt David.

Ze praten over de mogelijke selectie van nummers voor de *greatest hits* van volgend jaar.

'Ik heb een idee voor een verborgen nummer,' verklaart Rob. 'Het is verborgen in Swindon.'

***

Rob wordt wakker door een briefje en een paar voetbalschoenen die door Luis Figo naar het hotel zijn gestuurd. Real Madrid heeft vanavond in de stad een wedstrijd in de Champions League, maar toch hebben verscheidene spelers geprobeerd om uit te vinden hoe ze op het concert van Rob kunnen komen. (Op een gegeven moment werd serieus door een van hun vertegenwoordigers voorgesteld dat Rob zijn concert voor hen zou kunnen uitstellen. Als antwoord werd teruggestuurd dat ze de voetbalwedstrijd misschien eerder konden laten plaatsvinden.)

'Waar zijn mijn antidepressiva?' vraagt Rob als hij uit bed strompelt. 'Vandaag heb ik ze *fucking* nodig.'

In de kleedkamer arriveert nog een geschenk. Een gesigneerd shirt voor Rob en een voor Freddie, van David Beckham. Rob leest:

Beste wensen

'Amigo'

besos

David x

Hij worstelt tijdenlang met de vraag wat hij op het Robbie Williams-shirt moet schrijven dat hij terugstuurt, en zoekt ideeën.

'*Ik heb hierin gescoord – let op de natte plek?*' stelt hij voor. '*Ik heb hierin gescoord en ze was geweldig?*'

'Alles wat hij schreef was "beste wensen",' merkt Lee op.

'Ja,' zegt Rob, 'maar hij gebruikte Spaans. Wat vind je van *Hola, patatas fritas, het allerbeste, Robbie Williams?* Dat is het enige Spaans dat ik ken.'

Het gaat nog een tijdje zo door en Rob wordt er steeds bezorgder over. Uiteindelijk schrijft hij: *Aan Mr. David Beckham, liefde en bewondering vanuit Stoke-on-Trent.*

❋❋❋

In dit deel van zijn tournee begint de show niet langer met het ondersteboven hangen. Het is een gestroomlijnde productie en er is sowieso geen scherm voor het podium waarachter hij had kunnen hangen. In plaats daarvan verschijnt hij als *Let Me Entertain You* begint op het hoogste deel van het podium, aan de achterkant, zonder te bewegen. Tijdens het optreden van vanavond noemt hij zowel David Beckham als Figo in *Me And My Donkey*, en wanneer hem wordt verteld dat Figo, die na de 1-0-overwinning van Real Madrid werkelijk van het veld moet zijn gelopen en in zijn auto zijn gesprongen, net in het publiek is gearriveerd, belooft hij backstage: 'Ik zal er nu dan een paar tandjes bijdoen,' en doet het ook. Hij draagt *Rock DJ* aan hem op en besluit na *Angels* een tweede keer *Come Undone* te spelen 'voor de vrienden die hier aan het begin van de show niet aanwezig konden zijn.'

In de bestelbus spreekt Josie met de nieuwe rechterhand van David Beckham, Terry, en Rob vraagt om de telefoon. 'Met Rob,' zegt hij. Terry stond kennelijk naast David Beckham, want zonder verdere discussie hebben beiden hun eerste echte gesprek.

'Hi, makker... het gaat goed, het gaat goed... hoe was de wedstrijd?... hebben jullie gewonnen?... weet je, dat is precies zoals mijn concert is verlopen. Ik speelde beter maar ik won met 1-0... het was maf, het was echt maf – de eerste vijf nummers dacht ik dat ze hadden betaald om iemand anders te zien... eerlijk... ik won ze uiteindelijk voor me, maar het was echt hard werken... hoe gaat het ermee?... echt?...'

Hij raakt de verbinding kwijt. 'Hij zei: "Met mij eigenlijk net zo – in het begin was het gevoel er niet,"' legt Rob uit. David Beckham belt terug en Rob stemt ermee in om langs te wippen op het feest waar hij naartoe gaat, voor zijn teamgenoot Michel Salgado, om in levende lijve gedag te zeggen.

Rob spoedt zich terug naar het hotel om zich om te kleden, een snelle espresso te drinken en voor David Beckham een cd te branden met zijn nog niet verschenen nummer *Blasphemy* als geschenk. De club, Calle Serrano 41, zit stampvol. Ik kan het kale hoofd van Ronaldo op een paar meter afstand zien. We wachten bij de bar terwijl David Beckham wordt getraceerd. Als hij aan komt lopen, cirkelen andere mensen om hem heen en blijk ik als onofficiële vierde man van een veiligheidscordon rondom hen dienst te doen, onze ruggen naar hen toe, terwijl zij in het midden kletsen, hun hoofden dicht bij elkaar. Het enige wat ik opvang en boven het feestgedruis uit te horen is, is dat Rob David Beckham iChat uitlegt, maar van het weinige dat Rob er nadien over zegt is op te maken dat ze het niet over koetjes en kalfjes hebben gehad – ze lijken beiden in de ander een van de weinige mensen te zien met wie ze bepaalde ervaringen kunnen delen en kans maken begrepen te worden.

Terug in de hotelbar wacht Figo met zijn vrouw en zijn vrienden. (Als zaak van voetbaletiquette moest Rob wegsluipen om David Beckham te ontmoeten zonder dat Figo het wist en zich onheus bejegend zou voelen, en nu lijkt hij uit zijn kamer te zijn gekomen.) Hij vertelt Figo over de moeilijkheden van de show van vanavond, waarbij het meest idiote moment was dat een echt gigantisch insect opdook in het midden van het podium en hem lastigviel en maar niet wilde weggaan, tot het eindelijk nadat het zijn punt had gemaakt in een lange boog over het publiek naar de achterkant van de arena vloog.

'Ik weet niet hoe ik me op het podium tegen sprinkhanen moet verweren,' legt hij uit. 'Fans kan ik wel aan, sprinkhanen niet.'

Terug in zijn kamer belt hij Jonny en bouwt de spanning langzaam op door hem eerst over Figo te vertellen en dan nonchalant de naam David Beckham te laten vallen. 'Wat zeg je me daarvan? zegt hij. 'We hadden een lang diep persoonlijk gesprek en hij was echt heel aardig. En ik zei dat het niet verder zou gaan dan mij, en dat gebeurt ook niet…'

Hij zet een video op van de wedstrijd van Manchester United van vanavond; een vriend van Figo was zo aardig om het voor Rob op te nemen en is er vervolgens de stad mee ingereden.

'Wat een fantastische avond,' zucht hij. 'Van met pensioen willen gaan in de eerste vijf nummers tot optreden als internationale woordvoerder voor popsterren. Ik slechtte de barrières van sociale ongepastheid.'

***

De tournee slingert zich door Oost-Europa en Rusland. Rob laat zijn haar langer worden, haalt de chatroom van zijn website uit de lucht nadat hij was geschrokken door de idioterie ervan (op een avond ontdekt hij iemand die beweert dat hij net in een auto-ongeluk was overleden), speelt weer Scrabble, en haalt in de loop van de weken steeds meer nummers uit de setlist. We houden contact via iChats.

Op een avond draait hij Morrissey-nummers terwijl hij typt. 'Op dit ogenblik,' zegt hij, 'ben ik Morrissey voor het waardeloze Groot-Brittannië.' Een paar dagen later schrijft hij: 'Ik ben weer in een modus van halfpensioen gegaan. Ik ben een beetje teleurgesteld over... mijn hele carrière tot dusverre. Ik maak een paar melodramatische dagen door... waarin ik me een beetje shit en fake voel. Het maakt me droevig dat er zoveel dingen zijn verschenen die mij niet vertegenwoordigen. Mijn muziek.' Nadat ik enkele vragen stel, verduidelijkt hij dat hij zich niet down voelt. 'Ik heb geen Elliott Smith-moment. Ik voel me echt wel relaxed. Ik wil alleen goedmaken wat volgens mij slecht is, dat is alles.'

***

Halverwege november vlieg ik naar Oslo voor de laatste twee Europese concerten. Op de avond dat ik arriveer spelen we Scrabble en voeren ondertussen een lang gesprek over zijn gedachten gedurende de afgelopen paar maanden, en wat hij hierna wel of niet zou moeten doen. Hij heeft enkele onverwachte conclusies getrokken.

'Knebworth was onplezierig,' begint hij. 'Het was een hoop stress. Ik heb van geen enkel deel van de tournee echt genoten, met uitzondering van de twee uur voordat ik het podium opga als iedereen op dezelfde plek is. Daar geniet ik van. Ik heb Amerika afgelast want het is het laatste stukje in de puzzel, en het ergert me niet, en Justin Timerlake wint drie onderscheidingen bij de MTV Awards en het maakt me totaal niets uit... Volgens mij draagt het er allemaal toe bij dat het me niet uitmaakt. Ik heb mijn geld, bedankt. Zo ver als ik kan kijken, hoeveel bewijs wil ik dan? Hoeveel bewijs dat ik goed ben?'

'Denk je dat Elton John zo is?' interrumpeert Pompey.

'Nee, Elton John houdt van optreden en Elton John houdt van geld verdienen en hij houdt van geld uitgeven,' zegt Rob. 'Hij geniet feitelijk van een tournee – hij treedt drie uur op, alleen hij met zijn piano, en geniet ervan. Ik neem aan dat als ik geld zou moeten verdienen, ik in de toekomst weer op tournee zou kunnen gaan. Met een bepaalde standaard, een paar stadions of zo. Alles wat ik doe is dat ik kijk naar waar ik echt van geniet en waar ik echt van geniet is het maken van nummers.'

De enige vraag is, zeg ik, of je je niet zult ergeren wanneer je de platen maakt waar je het meest trots op bent en je, omdat je je hebt teruggetrokken uit het hele circus, minder succes en aandacht krijgt.

'Weet je, laten we het eens onder de loep nemen,' zegt hij. 'Als ik geen passie heb voor het op tournee gaan en ik er niet van geniet – en dat is het geval – en ik hoef het niet te doen, dan zou ik het niet hoeven doen als ik het niet wil. Zoals met de hele kwestie Amerika: "Goed, je wist van begin af aan dat je het niet echt wilde maar je ging toch om te kijken of je het toch wilde." Nou, ik wilde niet, weet je. Het enige waar ik me rot om zou voelen wanneer ik het volgende album niet zou promoten is dat Stephen Duffy niet de erkenning zou krijgen die hij verdient. Dat zou het enige zijn dat me iets zou uitmaken.'

'Maar, even de advocaat van de duivel spelen: als je het album maakt waar je geweldig van houdt en het loopt goed, maar niet net zo goed omdat het niet vergezeld gaat van alle hoepla eromheen, zou je je dan echt op je gemak voelen? Of zou je een beetje in paniek raken?'

'Alles wat dit me ooit heeft gemaakt,' zegt hij krachtig en vurig, alsof het woorden zijn die hij allang had willen zeggen, 'is ellendig en rijk. Wat het heeft gedaan is dat het mijn gezinsleven naar de mallemoer heeft geholpen, het heeft het moeilijk voor me gemaakt om vrienden te leren kennen. Wat roem heeft gedaan is dat het me *fucking* ellendig en dronken heeft gemaakt, en in het laatste anderhalf jaar heb ik een andere manier gevonden om mijn leven te leven, iets wat ik me nu kan veroorloven. Ik geloof echt dat ik als entertainer talent heb. Ik twijfel er niet meer aan – ik doe het gewoon en ze komen kijken en ze genieten ervan en ze klappen aan het eind. Maar ik geloof ook echt dat ik niet hard genoeg ben om dit te doen. Ik bedoel dat ik geestelijk behoorlijk heb geleden omdat ik gewoon niet hard genoeg was. En ik weet alleen dat alles wat gepaard gaat met het uitkomen van een plaat, het feit dat ik er dingen voor moet doen, maakt me bedroefd. Dat is de alfa en omega. Snap je? Ik ben nu de wereld rond geweest. Ik heb niet veel andere dingen gezien dan hotels.'

'Hoe zit het dan met dat deel in je dat er gek op lijkt te zijn? Je hebt een groot ego en heel veel trots, en die kant van het succes heeft veel voor je betekend vanwege de bevestiging die het geeft. En ook het winnen van de wedstrijd. Jij houdt van winnen.'

'Ja,' zegt hij. 'Maar ik heb gewonnen. Voor mij is het als… is het als de decatlon, en ik loop de 1500 meter en ik ben Daley Thompson en ik heb het toch al gehaald, daarom kijk ik achterom. Wat ik liever denk is dat ik gelukkig zou zijn wanneer ik muziek maak en albums uitbreng, en als iemand ze koopt dan is dat geweldig. In de tussentijd zal mijn publieke persoon niet verdwijnen, maar wordt honderd keer kleiner – of dat nu in een periode van achttien maanden, vijf jaar of zes jaar is – en in die tijd geniet ik van mijn leven, schrijf ik een musical, schrijf ik nummers voor andere mensen, speel ik *fucking* golf en heb ik een leven. Een *echt* leven. Want zo *fucking* lang is het niet, zonder in clichés te willen vervallen… echt niet. Ik zou het *fucking* haten als ik 35, 36 zou zijn en nog tweeënhalf of drie platen of vier platen zou hebben uitgebracht en nog altijd zoiets had van: "Ik *fucking* haat dit." Weet je, alles in mij schreeuwt altijd "je haat dit."'

'Word je nu elke dag wakker met die gedachte?'

'Ik ben er niet gedeprimeerd onder. De reden waarom ik er niet gedeprimeerd onder ben is dat ik weet… eerst was het: *je haat dit en je bent niet rijk genoeg om te stoppen.* Nu is het: *je haat dit en je bent rijk genoeg om te stoppen.*'

'Haatte je het net zo erg voordat je weer op tournee ging?'

Hij pauzeert en denkt na voordat hij antwoordt. 'Ik bedoel, als je het bekijkt, waar gingen we heen?' zegt hij. 'We gingen naar Japan, wat interessant was, maar met de interesse komt eenzaamheid en verveling. Wie weet? Misschien maak ik wel een album en ga ik het promoten omdat ik getrouwd ben en drie of vier weken weg wil van vrouw en kinderen. Maar met Japan kwam… een lichte interesse. En waar gingen we verder nog naar toe? Amerika, we stonden vroeg op om in het vliegtuig te stappen en naar radiostations te gaan, en de reden dat het goed was, was omdat ik er niet onder leed. Het was alleen goed.'

Pompey zegt dat hij misschien zou kunnen worden als andere mensen die voornamelijk bekend zijn als songwriters, zoals de Bee Gees. Ik zeg dat het raadsel ten aanzien van Rob is dat zijn publiek van zijn nummers houdt, maar dat iedereen van mening is dat zijn grootste talent dat van performer is. En dat ze, als ze zien wat hij doet – of dat nu drie minuten op de televisie is of wanneer ze naar Knebworth gaan – ze *niet kunnen geloven* met het bewijs voor hun ogen dat hij er geen bevrediging in vindt. Ze kunnen het gewoon niet geloven.

'Ja,' knikt Rob, 'maar het is zoiets als… gisteravond hadden we een fenomenaal optreden. We bestormden het. En ze vonden het geweldig. En ik *geef toe* dat het een goed optreden was. Ik *geniet* er niet van. Alles wat ik wil zeggen is dat alles in mij nee zegt. En niets in mij zegt ja.' Hij glimlacht in zichzelf. 'Ik zou denk ik een semi-gevaarlijk spel spelen als ik erachter zou proberen te komen of ik er zonder gelukkig zou zijn. Want wat als ze me niet terug willen? Maar ik moet erachter zien te komen.'

✳✳✳

Josie is de volgende ochtend in haar kamer als haar mobieltje gaat. Als de beller zijn naam zegt, is ze achterdochtig. Ze denkt dat het misschien de Teddy Sheringham-imitator is die een nieuwe manier probeert. Ze verontschuldigt zich, zeer op haar hoede, en legt uit dat er dit jaar veel imitatoren hebben gebeld. De beller zegt dat hij dit volkomen begrijpt, maar dat hij graag in contact zou komen met Rob.

'Ik wil niet dat er nog een Kerst voorbijgaat zonder dat ik hem heb gesproken,' zegt hij. Ze noteert zijn telefoonnummer. Vervolgens belt ze Mark Owen en laat een berichtje achter waarin ze de situatie uitlegt. Hij belt terug. Ja. Het nummer dat ze controleert is het nummer dat toehoort aan de man die hij beweerde te zijn.

Ze werd zonet echt gebeld door Gary Barlow.

***

Rob verschijnt halverwege de middag in de woonkamer van zijn suite. Een meisje dat gisteravond door de gangen van het hotel liep en dat hij tegenkwam is nog steeds in zijn slaapkamer. Josie laat Rob de uitnodiging voor een lunch zien die Donny Osmond heeft gestuurd – het is natuurlijk een soort van gebeurtenis met een of andere bedoeling in plaats van een tafel voor twee om wat te babbelen. Rob zegt niet veel. Hij eet zijn cornflakes. Dan vertelt ze hem over Gary Barlow. Zijn uitdrukking doet alleen vermoeden dat hij dit belachelijk vindt en ook dat hij denkt dat men een soort reactie van hem verwacht en dat hij dat genoegen niet zal geven. Hij zegt er geen woord over.

'Hoe laat is het nu?' vraagt hij uiteindelijk. Het is halfvijf.

Rob zegt dat er te veel mensen in deze kamer zijn om het meisje langs iedereen te laten lopen en stelt voor dat ze de kamer zelf verlaat zodra ze allemaal weg zijn. Men raadt dit af en Jason blijft om haar te begeleiden. Pompey vraagt of hij haar een ticket voor de show moet bezorgen. Rob knikt. Hij staart naar zichzelf in het raam. 'In de weerspiegeling,' mompelt hij vermoeid, 'zie ik er uit als Jack White van de Red Stripes.' Hij denkt hier een ogenblik over na. 'The White Stripes,' corrigeert hij zichzelf.

***

'Ik ben uit mijn humeur,' zegt Rob in de bestelbus.

'Waardoor?' vraagt David bezorgd.

'Dat ik nog altijd op tournee ben,' zegt hij.

David lijkt opgelucht dat het niets onverwachts is.

'We zijn er bijna,' zegt Josie.

'Nee, ik had heel veel nachtmerries,' zegt Rob. 'Hele levendige. En toen werd ik wakker en zei jij dat Gary Barlow had gebeld.'

'Sorry,' zegt ze.

'Ik weet zeker dat er een bijbedoeling is,' zegt David.

'Ja, ik weet het wel zeker,' zegt Rob.

'Het zou interessant zijn te weten welke,' zegt David.

'Nee,' zegt Rob.

'Nee?' zegt David.

'Nee,' bevestigt Rob. 'Zei hij dat? "Voordat er nog een Kerst voorbij-gaat"?'

'Hij belde en zei...,' begint Josie.

'Dat is erg dapper van hem,' zegt Rob. 'De kwestie is dat ik geen behoefte aan contact met hem heb. Ik wil niet echt herinneringen ophalen. Er is niets dat ik hem wil zeggen...'

'Je koestert geen wrok meer, niet?' informeert David.

'Nee,' zegt Rob en ziet dan mijn uitdrukking. 'Hou je er buiten, Chris.'

'Als je nog wrok koestert, zou het een ideale gelegenheid zijn om het kwijt te raken,' zegt David.

'De kwestie is,' zegt Rob, 'dat ik ben vergeten waarom ik wrok koes-ter.' Hij kijkt weer naar me. 'Laat jij het me weten?'

Een poosje later komt hij terug op het onderwerp. 'Ik zat te denken, wil ik dat doen? En het antwoord is nee. Klaar. Ik ging na of er iets aan hem was wat me zou doen zeggen: "Ja, het zou leuk zijn om contact met hem te hebben, alleen even gedag zeggen... je weet wel, hoe gaat het, hoe is het leven...?" Maar het interesseert me niet om te weten wat er van zijn leven is geworden of wie hij tegenwoordig is. Ik ben gewoon niet geïnteresseerd.' Hij haalt zijn schouders op. 'Je weet wel. Scheet. Noel Gallagher.'

✳ ✳ ✳

'Het is jammer dat ze is getrouwd,' vertelt Rob de menigte in Oslo. 'Stel je eens voor! Robbie Williams, prins van Noorwegen!'

Hij treedt twee avonden op in Oslo. De eerste wordt bijgewoond door de prinses van Noorwegen en hij spreekt kort met haar op het feest dat in zijn naam na de show wordt gegeven. De volgende avond praat hij over haar.

'Het huwelijk lijkt te gaan standhouden, niet?' zegt hij tegen het publiek. 'Niet dus. Ik wil prins van Noorwegen worden...'

Na een paar nummers keert hij op dit thema terug:

'O ja. Prins Robbie. Ik zie het helemaal voor me. Als ik koning ben, zullen jullie worden bevrijd! Geen belastingen meer! Gratis bier en wodka! Wat kan ik nog meer doen? Ja! Plastic tieten verplicht! Of als ze groot genoeg zijn, prima. Dit is de nieuwe wet.'

Een paar nummers later:

'Ze is ook een echt mooie prinses, echt waar,' zegt hij. 'Ik bedoel in Engeland, in Engeland hebben we ook een koningshuis, maar ze zien er allemaal uit als buldogs die op wespen kauwen... "Ik ben 987..."' Pauze. 'Nu zal ik wel niet meer tot ridder worden geslagen,' zegt hij.

De spirit van het einde van de tournee is pas merkbaar bij de toegiften als hij voor de tweede keer deze avond *We Will Rock You* zingt en het laat overlopen in *Bohemian Rhapsody* en de geamuseerde band vervolgens leidt naar een compleet onvoorbereide en rammelende medley van *Another One Bites The Dust, I Still Haven't Found What I'm Looking For* en *Suspicious Minds*, voortdenderend van het ene nummer in het andere. Na *Angels* biedt hij zijn verontschuldigingen aan – 'Luister, vanavond was ik zo *fucking* moe, ongelooflijk' – en zegt dat hij een nummer toevoegt dat hij al een tijdje niet meer heeft gespeeld. 'Doe het voor Gary Barlow!' schreeuwt hij in het refrein van *Back For Good* en begint dan in de middelste acht maten, de tekst te analyseren. '*We will never be uncovered again...,*' zingt hij. 'Wat betekent dat in hemelsnaam? Wat *betekent* het?'

✺✺✺

Gewoonlijk kunnen de auto's een afgescheiden route nemen vanuit dergelijke locaties, maar hier moeten we over de parkeerplaats rijden en komen we vast te zitten tussen de vertrekkende menigte en de verkopers van bootlegs terwijl we langzaam wegrijden van het stadion. Alleen de geblindeerde ramen zorgen ervoor dat Rob niet wordt herkend. Hij zit in het donker en zingt een nummer van Randy Newman voor zich uit; het is een satirisch nummer over roem, geschreven toen Newman weinig roem kende, iets wat – of Rob het bewust doet of simpelweg een nummer zingt dat hij graag zingt – nieuwe, warriger lagen in de stem van Robbie Williams legt, terwijl hij ongezien via een parkeerterrein van zijn tevreden fans ontsnapt.

Listen, all you fools out there
Go ahead, love me, I don't care
Woah... it's lonely at the top

✺✺✺

Zijn tournee is nog niet helemaal voorbij. Direct na de show gaat hij naar het vliegveld, waar een vliegtuig wacht om hem naar Berlijn te vliegen; morgen moet hij een korte swingset zingen op een afterparty van de Duitse première van *Finding Nemo*.

Het is twee avonden geleden dat hij met zorg, logica en oprechtheid zijn argumenten en gevoelens aangaf die verklaren waarom hij dit niet meer wil doen. Tegen de tijd dat we in de bestelbus in de voorsteden van Berlijn rijden, discussieert hij enthousiast met David over de logistiek van het opnemen van een swingtournee in zijn tijdsschema. 'Ik weet wat ik heb gezegd…,' zegt hij tegen mij, ongevraagd; soms is het een last waar je kwaad om wordt dat je verantwoordelijk wordt gehouden voor een eerdere uitspraak.

'Denk je dat een swingtournee minder stress zou opleveren?' vraagt Josie.

Hij knikt. 'Omdat ik gewoon sta. Het is relaxed. Geen geren. Ik zou na die tijd kunnen slapen.'

We naderen het hotel.

'Ik zeg je wel dit over de bezigheid van het toeren. Het is erg verslavend,' zegt hij. 'Altijd ergens naar toe gaan, altijd iets doen. Ik bedoel, als we weer zouden gaan, met stadions en zo, vier weken optreden en twee weken vrij, vier weken optreden en twee weken vrij?'

'Ja,' zegt David.

'Denk je dat we terug zouden kunnen gaan naar Praag en er een stadion doen?' vraagt hij.

Hij boekt nú een swingtournee en een nieuwe stadiontournee.

Er is nog meer.

'We zouden het Pure Francis-album veel moeten promoten,' zegt hij. 'Over de hele wereld, want het is briljant. Dan zouden we een swingalbum moeten doen, want dat werkt. We laten nog een studioalbum verschijnen; tegen die tijd hebben we aan onze contractuele verplichtingen voldaan…'

Hij stopt zichzelf.

'Hoe dan ook, ik doe het niet,' verklaart hij, weinig overtuigend. 'Ik ben voor de helft met pensioen.' Hij lacht. 'Het fantastische van mij zijn is dat ik altijd van gedachte kan veranderen,' zegt hij. 'Is het niet komisch hoe ik absoluut kan stellen dat het allemaal voorbij is, en ik absoluut stel dat het niet zo is?'

3

Hij kan het eind van het jaar nu al zien – en, nu hij Zuid-Amerika en Zuid-Afrika heeft afgezegd, het eind van de cyclus die *Escapology* begon. Er zijn nog vier optredens te doen in stadions in Australië en Nieuw-Zeeland, en daarvoor een korte adempauze in Los Angeles. Eerst moet hij een tijdje in Londen verblijven om aan een aantal promotionele verplichtingen te voldoen en een huis op het platteland te vinden voor het volgend jaar. Hij is van plan om de honden over te brengen en er een paar maanden door te brengen. Josie regelt een helikoptertochtje om huizen te bekijken en hij vindt een landgoed dat hem bevalt.

In het Odeon aan het Leicester Square wordt een première met rood tapijt gehouden voor de dvd van Knebworth, *What We Did Last Summer*. In de avond komt het nieuws van de aanstaande arrestatie van Michael Jackson op verdenking van kindermisbruik, en als gevolg daarvan worden enkele nieuwscamera's op het laatste moment bij de première weggehaald.

De enige andere keer dat hij in het middelpunt van een evenement als dit stond, was de première voor de documentaire *Nobody Someday*, en zijn deel erin was een ramp. De eerste vraag waar hij aan het eind van het rode tapijt mee werd geconfronteerd was: 'Een uur en drie kwartier – dat is wel een beetje zelfobsessie, niet?'

'Ik weet het niet,' zei hij.

Er volgden meer vragen van dezelfde interviewer. Hij antwoordde 'ik weet het niet' op elk van deze vragen. Na vier van dergelijke interviews – en nadat hij de pers had gezegd 'ik wil hier niet zijn' – werd hij weggeleid.

Vanavond zet Rob op weg naar binnen geduldig tientallen handtekeningen en geeft een reeks korte tv-interviews. 'Ik heb de dvd nog niet bekeken,' legt hij geduldig aan iemand uit. Hij wordt vervolgens naar een kleine ruimte geleid waar talloze journalisten zitten voor een persconferentie. Een vrouw uit Oostenrijk vraagt hem of hij er nog steeds over nadenkt om te stoppen.

'Ja,' zegt hij. 'Elke dag. Elke dag. Maar dan... ik ben schizofreen. Weet je, er was een avond op de tournee dat ik nooit meer op tournee wilde gaan, en de volgende dag op weg naar het concert wilde ik drie extra tournees inlassen – een swingtournee, deze en gene tournee. Dus, weet je, kan ik mezelf nooit echt vertrouwen.' Het eerste deel hiervan – *Robbie Williams: Ik Overweeg Elke Dag Te Stoppen* – is het citaat van de avond dat het meeste nieuws zal maken.

Tijd voor enkele vragen van de Britse sensatiebladen.

'Hi, ik ben Nadia van de *Star* – ik wilde vragen wat je vindt van George Bush en zijn bezoek aan Engeland op dit moment.'

'Wat ik vind van George Bush en zijn bezoek?' herhaalt Rob. 'Van de *Star*? Je maakt zeker een grapje? *Echt*?' Ze knikt. 'Goed. Eh... ik hoop dat hij veilig is aangekomen en veilig weer vertrekt en dat er niemand gewond raakt als hij hier is.' Pauze. 'En ik hou van tieten en bier.'

Hierop wordt er gelachen en sommigen applaudisseren.

Zijn volgende klus is dat hij zijn gezicht voor het publiek moet laten zien in de bioscoop. Hij staat met Ralph Fiennes aan de zijkant van het podium; Fiennes introduceert een Unicef-film over uitbuiting van kinderen die Rob in april presenteerde, en introduceert vervolgens Rob, die op zijn beurt de Knebworth-film introduceert. Tegen de tijd dat de Robbie Williams op het scherm op het podium wordt neergelaten loopt Rob al de voordeur van de bioscoop uit, die nu verlaten is, en maakt plannen voor het avondeten.

✳✳✳

Onder het eten bespreken we de waanzin van het signeren. 'Het is al jaren zo,' zegt Jan. Rob zegt dat op een keer een vrouw hem in een park benaderde, en hij vroeg haar waarom. 'Zodat ik mijn vrienden kan laten zien dat ik je heb ontmoet,' zei ze. Hij vroeg waarom ze dat wilde doen. 'Omdat het leuk is,' zei ze. Hij bleef vragen stellen op elk antwoord, totdat ze zijn bedoeling leek te begrijpen en wegliep zonder zijn handtekening, noch geïrriteerd, noch teleurgesteld.

Hij geeft toe dat hij de handtekeningen van Bryan Robson en Paul Gascoigne verzamelde toen hij jong was, maar dat het anders is als je een kind bent. Tussen kinderen is het een ruilmiddel, en kinderen laten elkaar handtekeningen zien. Volwassenen doen dit maar zelden, al zeggen ze misschien wel 'ik heb de handtekening van die en die', waarom zou het dus niet voldoende zijn als men kan zeggen dat men ze heeft gezien, of gegroet, of wat dan ook?' Als je jong bent is er nog iets anders,' stelt hij. 'Je wilt dat iets ervan op jou afstraalt,' zegt hij.

Hij merkt op dat hij niet altijd negatief reageert op verzoeken om een handtekening. 'Als ik die dag niet al dertig keer ben gevraagd, dan zet ik er een,' zegt hij. 'Het is alleen dat je iets van jezelf voor jezelf wilt behouden, en veel mensen denken dat ze de enige persoon zijn die jou die dag om een handtekening vraagt. En dat is niet zo. Iemand die een andere baan heeft en afklokt, klokt af en gaan naar huis. Als ik mijn huis verlaat en je komt op me af en je wilt een minuut met me, dan werk ik voor die minuut. Weet je, het is de eerste reactie als mensen me zien, ze kijken me aan en ze zoeken meteen in hun tas pen en papier.' Als je beroemd genoeg bent, smeden zich deze minuten simpelweg aaneen totdat je bijna elk uur of dag of maand of een heel leven op vriendelijke wijze wordt lastiggevallen. 'En hoe ik het ook zeg en wat ik ook doe,' bespiegelt hij, 'het zal altijd worden opgevat als klagen.'

Ik vraag hem wat hij denkt als hij leest – en het is tegenwoordig bijna vaste prik in *Hello*-achtige interviews met beroemdheden – over beroemdheden die naar het signeren worden gevraagd en die allemaal zeggen: 'Het is een enorm plezier om te worden gevraagd.' Ik vraag hem of hij als hij dat ziet denkt 'je liegt', 'je bent niet zoals ik', of 'je bent niet goed wijs'.

'Ik denk dan,' antwoordt hij openhartig en brutaal, 'je bent niet zo beroemd als ik.' Na een poosje vertelt Jan haar eigen onverwachte geschiedenis als handtekeningenjager. 'Ik wist er een te bemachtigen,' zegt ze. 'Michael Holiday. Ik weet niet of iemand hem heeft gekend. In de jaren vijftig was hij een zanger. Hij was in het Theatre Royal in Hanley. En ik ging er naar toe om hem te zien en was verrukt en kreeg zijn handtekening.

Ik denk dat ik met zekerheid durf te stellen dat niemand van ons – zelfs Rob niet – enig idee heeft waar dit verhaal naartoe gaat, en als het de richting ingaat die het ingaat staat iedereen met de mond vol tanden.

'En de volgende dag,' legt ze heel zakelijk uit, 'pleegde hij zelfmoord in het Grand Hotel.'

29 oktober 1962. Een overdosis.

'En sindsdien heb ik geen handtekening meer verzameld,' zegt ze.

✳✳✳

Verscheidene dagen voordat hij terug naar Los Angeles moet, probeert Pompey hem te wekken. Hij weigert op te staan maar zegt op een toon die duidelijk maakt dat hij het meent en dat hij verwacht dat dit wordt geregeld voordat hij weer van onder zijn kussen vandaan komt, dat er voor de volgende dag een vlucht terug naar Los Angeles moet worden geboekt. Terwijl de plannen worden omgegooid en vliegtuigen opnieuw worden geboekt, slaapt hij.

Als hij uiteindelijk opstaat praten we lange tijd over het verleden. Jonny komt binnen met een paar nieuwe dvd's en nadat hij zijn aankopen van de *Muppets* vurig verdedigt gaat hij zitten, luistert en neemt zo nu en dan deel aan het gesprek. Na ongeveer een uur lang moeilijke ervaringen te hebben besproken, verklaart Rob dat hij nu echt gelukkig is. 'Misschien bestaat er nog meer geluk dan dit,' zegt hij. 'Maar als ik het met iets moet vergelijken, is dit geluk. Als ik het vergelijk met hoe ik was, weet je. Ik word nu alleen maar moe – ik word niet moe én depressief meer. Dit gevoel zou ik voor de rest van mijn leven kunnen hebben. Weet je, ik ben hier behoorlijk gelukkig mee... Ik lag gisteren om halfvier in bed en ik dacht: "O – lag je gewoonlijk niet altijd in bed te wensen dat er iemand bij je was die van je hield?" "Ja, dat was zo, hè?" "Wil je nu gewoon gaan slapen?" "Ja." "Alles oké met je?" "Ja."'

✳✳✳

Het is echt gecompliceerd, zeg ik, hoe je over je fans denkt.

'Mmmm,' zegt hij. 'Ik hou niet van het woord "fans". Als ik nummers schrijft, ben ik altijd enthousiast over ze, wat ik ook zeg, en mijn enthousiasme wordt op een bepaalde manier versterkt door het feit dat mensen er van zullen genieten. Ik voel dat echt zo. En ik ben erg dankbaar dat ik een publiek heb, om vele redenen. In mijn ideale wereld zouden mensen dat enthousiasme ook ervaren, de tekst snappen en zich op dezelfde wijze voelen. Misschien kunnen mensen die mijn albums kopen zich niet zo uiten zoals ze zouden willen en uit ik het voor hen in een nummer. In een ideale wereld luisteren ze naar de tekst, komen ze naar de shows, waarderen ze het en gaan dan naar huis, luisteren ze er een week nadien naar en krijgen ze dat gevoel dat je krijgt.'

'Helaas zijn niet alle fans zo.'

'Wat je met dit alles ook hebt zijn die mensen die, weet je...,' begint hij, en denkt dan een ogenblik na. 'Mijn teksten zijn teksten van een alcoholist. Ze vormen het -isme dat alcohol is. Ze vormen de agorafobicus, ze vormen de woorden van iemand die niet zeker van zichzelf is, onzeker over zijn plaats in het leven, die niet in zichzelf gelooft. Weet je, alcoholisme is een geestelijk probleem. Hoe je er ook tegenaan kijkt, als je een probleem hebt en je drinkt omdat je een probleem hebt, dan is dat een geestelijke ziekte, want je bent niet gezond als je dat doet. Ik heb daarom een geestelijke ziekte. Daardoor trek ik mensen aan met geestelijke ziekten. Als ze me volledig begrijpen, dan is een percentage van hen ziek.'

Hij gaat naar het toilet en als hij terugloopt door de kamer zegt hij: 'Laten we niet vergeten dat het woord "fan" een afkorting is van het woord "fanaticus". En laten we niet vergeten dat ik iemand ben die niet erg van zichzelf heeft gehouden. En Groucho Marx zei dat hij geen lid zou willen zijn van een club die hem als lid zou accepteren – vandaar dat ik er een tijdlang niet van genoot dat mensen van mij genoten, omdat ik mezelf haatte.'

'En mag ik dan veronderstellen dat je vooral je bedenkingen had jegens mensen die echt dol op je waren?'

'Ja. "Nou, ik haat me – je moet wel een idioot zijn." Snap je wat ik bedoel? Zo voel ik me nu niet. Ik voel me nu anders. Maar er is een klein percentage mensen... Ik zou zeggen dat iedereen die ons van hotel naar hotel volgt en in de lobby zit een probleem heeft. Mijn conclusie is dat die mensen die in de hotellobby's zitten in bepaalde perioden van hun leven niet voldoende liefde hebben gehad. Of geestelijk ziek zijn. Terwijl ze niet weten dat ze gek zijn. Dat maakt me bang. En ook, weet je, werd het begrip "fan" gebezigd voor de honderd meisjes die voor het huis van mijn moeder stonden. Ik haatte ze. Ik haatte ze vanwege het feit dat ze daar waren. Ik haatte ze vanwege het feit dat ze niet konden beseffen dat datgene wat ze deden mij misschien leed zou kunnen berokkenen en mijn familie leed zou kunnen berokkenen.

Het feit dat we 24 uur per dag in de gaten werden gehouden. Of dat ik 24 uur per dag gewild was. Of de persoon die ze dachten dat ik was, was gewild. En dat was ik niet. Dat wist ik al vanaf het begin.'

'Sommige mensen hebben een houding van – omdat je vanzelfsprekend houdt van het feit dat miljoenen mensen je albums willen kopen en naar je concerten willen gaan...'

Hij knikt. 'Maar dat heb ik gezegd.'

'... maar sommige mensen hebben een houding van: natuurlijk moet je een beetje van dit verdragen als onderdeel ervan.'

'Ja, dat doe ik dus duidelijk ook,' stemt hij in. 'Maar uiteraard maakt me dat bang. Want veel deze mensen kunnen maar niet geloven dat ik niet hun echtgenoot zal worden. Ik zou alle anderen geen fans willen noemen, want wat ik fans noem zijn deze onophoudelijke pestkoppen. Niet de mensen die mijn platen kopen, van mijn platen genieten. Ik lever een dienst, ik zeg: "Dit is wat ik maak," en de mensen zeggen: "Ik vind wat je maakt goed, ik denk dat ik dat ga kopen," en dan kopen ze het, en als ze dat doen ben ik echt opgewekt over het feit dat ik in staat ben om iets uit te brengen wat mensen goedvinden. Maar er is een fractie van de mensen dat zegt: "Vergeet niet wie je daar gebracht heeft waar je nu bent." Nee. Ik zei: "Dit ben ik – bevalt het je?" En jij zei ja, en je kocht het. Je komt alleen terug omdat je het goedvindt. Hoeveel mensen zie je voor het huis van John Sainsbury staan en gratis appels vragen omdat ze gek zijn op zijn appels? Misschien klinkt dit totaal ondankbaar, maar ik lever een dienst. Als die dienst je niet bevalt, hoef je het niet te kopen. Nooit. Ik ben niemand iets verschuldigd.'

'Maar je zou natuurlijk behoorlijk gekrenkt zijn als ze het niet langer goed zouden vinden.'

'De enige reden dat ze het niet langer goed zouden vinden, zou zijn dat het iets was waarvan ze niet meer genieten. En ik zou zeggen dat dat heel redelijk is.'

'Wat degenen betreft die je volgen en in jouw buurt rondhangen, is er enige contradictie in het feit dat je zo nu en dan het verveelde moment of eenzame moment of zwakke moment hebt dat je eens met een van hen naar bed gaat?'

'Eh... nee. Er is geen contradictie. Waar is de contradictie?'

'Ik neem aan dat als je heel redelijk kritiek op ze hebt omdat ze de illusie hebben dat ze je vrouw kunnen worden en als je suggereert dat de meeste van hen problemen hebben, dit een argument zou zijn om te stellen dat dit niet de beste groep mensen is om je mee in te laten...'

'Ik denk dat voor mij als mens de harteloze mythe van rock-'n-roll is: dronken worden en seks hebben. Niet? Je weet wel. Nou, dronken word ik niet meer. En misschien is het een intrinsieke zwakte van mij als persoon. Misschien is er… nee, het is echt een zwakte. Want als gezond persoon zou ik zeggen: laat ik dat niet doen.'

'Of het goed of fout is, het is beslist in het hol van de leeuw springen…'

'Ja, maar doe ik dat al niet de hele tijd?'

'Je hele carrière?'

'Ja. Het is niet iets waar ik trots op ben. Mijn conclusie over die mensen is iets waar ik lange tijd over heb gedaan en is eigenlijk pas de laatste drie maanden tot stand gekomen. In de laatste drie, vier, vijf maanden. Ik ben nog steeds een jonge man, en ik ben vrijgezel – ik mag aan seks doen. Er is geen wet tegen twee mensen die er beiden voor zijn. Als ik vijf weken op mijn hotelkamer opgesloten zit omdat ik niet naar buiten kan, dan ga ik naar de bar, en als er iemand is die me wat lijkt… weet je. Het is meer dan waarschijnlijk dat ik probeer om mijn zin bij hen te krijgen. Net als iedere andere vrijgezelle man in de wereld. Weet je. En: ze zijn hier om mij te ontmoeten – waarom niet? Dus laat je ze naar je kamer komen en klets je wat met ze en dan blijken ze uiteindelijk hetzelfde te zeggen. Ze willen allemaal dat andere meisje zijn dat niet met me slaapt, dus ben je constant op zoek naar iemand die niet op hen wil lijken. Het is idioot en ik heb geen goddelijk recht om te neuken. Dat weet ik wel. Ik zeg niet dat het mijn recht is als een popster. Ik zeg alleen dat het zeer, zeer interessant, bizar en een beetje eng is.'

✳✳✳

Als de avond valt, hier boven de Theems, praten we over oprechtheid. Hij legt uit dat het moment dat hij bijna het podium afliep in Portugal plaatsvond tijdens *Come Undone*.

'If I stopped lying, I'd just disappoint you,' zong hij.

'En,' zegt hij, 'ik dacht: "Ik sta te liegen. Ik stop ermee. Ik voel dit nummer niet. Ik voel jullie daarbuiten niet."' Hij hoorde onlangs Bob Geldof op de radio praten over het uitvoeren van *I Don't Like Mondays*, waarbij hij zei dat er bij hem nog altijd een gevoelige snaar wordt geraakt als hij zingt *'the lesson today is on how to die'*. Bob Geldof benadrukt met enige passie dat dit de reden was dat hij het nog altijd deed, en dat hij het anders niet zou doen – als hij het niet voelde zou het alleen maar variété zijn, en hij doet niet aan variété. En Rob concludeerde dat hij heel anders is. 'Ik doe aan variété,' zegt hij. 'Ik doe vrij veel aan variété.' Hij zegt dat toen hij Bono in Californië vroeg hoe hij deed wat hij elke avond leek te doen, Bono hem antwoordde: 'Ik zie mijn baan op sommige avonden als een acteur.' Het deed Rob goed dat te horen. Hij dacht: 'Ik ben dus niet de enige.'

Ik vraag me af of dat niet karakteristiek is voor de meeste performers

– het is alleen typisch voor Rob dat hij er gebukt onder gaat en het bekent.

'Het is,' zegt hij, 'dat het komt omdat ik theatraal ben. Veel mensen zullen er niet over worden gevraagd of ervan worden beschuldigd. Bono zal niet worden beschuldigd van onoprechtheid als hij optreedt.'

Maar, merk ik op, Rob doet bijna altijd het tegenovergestelde van wat de meeste mensen in deze situaties doen – hij legt de nadruk op en dramatiseert potentiële onoprechtheden. Hij accentueert alles wat onoprecht zou kunnen zijn en moffelt de fundamentele oprechtheid van het meeste wat hij doet weg. Terwijl de meeste entertainers constant proberen om datgene wat ze doen oprechter te laten lijken dan het is, probeert hij gewoonlijk wat hij doet te vermommen als minder oprecht dan het is.

'Ja,' zegt hij. 'Het is een kopieermechanisme. Omdat je, als je het elke avond zingt met de oprechtheid waarmee het werd geschreven en iemand je beschuldigt van… wat dan ook, dan kwetst dat. Door het onschadelijk te maken, *if you can't beat them, join them*. Snap je wat ik bedoel? Het is zoiets als – als ik me op een bepaalde manier gedraag waarvan je me beschuldigt dan kun je me niet kwetsen, ha ha ha.'

'Iets wat je op verschillende manieren doet…'

'Ja, weet je, het is als wanneer iemand naar je toe komt en zegt: "Ik ga je op je neus slaan," waarop ik "bang" doe.' Hij slaat zichzelf en lacht minachtend. 'En het is allemaal omdat ik emotioneel gezien in veel opzichten nog erg jong ben. Ik wil niet zeggen onvolwassen, maar het is iets waarin ik nog niet ben gegroeid, dat datgene wat mensen van me denken niet zo veel betekent. En het betekent al veel meer dan twaalf maanden geleden, dus ik boek vooruitgang. Maar iemand in Mis-teeq zei: "Ik vind Robbie Williams goed omdat hem echt niets kan schelen." En ik moest daarom lachen, want mij kan het meest schelen. Zoals Noel Gallagher, diep vanbinnen, iets kan schelen. *Ontzettend* iets kan schelen. Het is allemaal een façade.'

❋ ❋ ❋

Het is nu donker in zijn flat in Londen en we zijn maar met zijn drieën: Rob, Jonny en ik. Tegen deze tijd zal hij morgen op weg zijn naar Los Angeles. Ik vraag hem of hij als kind dacht dat als hij maar eenmaal beroemd was alles goed zou komen.

'Ik dacht dat als je beroemd was – ik *dacht* het niet eens, het was gewoon zo – als je beroemd was, dan is alles oké,' antwoordt hij. 'Weet je, alles is oké.'

'Welk deel van roem willen of niet willen werd gespeeld door de bescheiden roem van je vader toen je opgroeide?'

'Ik hield van alle aspecten ervan, eigenlijk. Ik kan me herinneren dat ik toen ik heel jong was op een vakantiekamp in Perrenporth was. Mijn vader trad er op en dan zou er 's avonds variété zijn en ze maakten me aan het lachen en ik luisterde naar de zangers en ik genoot van hun zingen, en toen zag ik goochelaars en ik genoot ervan. Ik was in staat om achter het podium te komen, naar buiten te lopen, weer achter het podium te lopen en weer naar buiten te lopen. En ik herinner me dat ik tegen mezelf zei: "ik wil nooit op het podium staan. Ik wil altijd in staat zijn om terug te lopen." Want het gaf me het gevoel dat ik belangrijk was.'

'Je *verwachtte* dat je beroemd zou worden,' merkt Jonny op. 'Het was gek. Ik keek altijd naar Rob alsof hij al beroemd was, al vanaf elf jaar. Hij was de plaatselijke jongen die de hele tijd in *The Sentinel* stond.

'Volgens mij is de kwestie,' zegt Rob, 'dat als ontdekt wordt dat je als vijfjarige een talent hebt om met een golfclub te zwaaien, je wordt aangemoedigd om zoveel mogelijk golf te spelen als je kunt tot je als professional de banen afgaat. Ik ontdekte dat ik een natuurtalent had om... mensen naar me te laten kijken.'

4

Een dreigende en niet besproken kwestie voor deze laatste vier stadionshows in Australië en Nieuw-Zeeland, waarin de volledige productie van de zomertournee in zal figureren, is of hij na zijn verklaring in Dublin ermee zal instemmen om nog vier keer ondersteboven te worden gehangen. Uiteindelijk gaat hij zonder tegenstribbelen akkoord. Op het podium begint hij zelfs *Sexed Up* te doen, een nummer dat hij de hele zomer weigerde te doen. Buiten de optredens zijn er enkele uiteindelijk niet geslaagde maar afleiding biedende audities voor de rol van zijn vrouw, en hij gaat eindelijk weer golfen en speelt met een soort van hypergeconcentreerde manie waarmee zijn meest recente enthousiasme vaak gepaard gaat. Op de meeste dagen speelt hij 36 holes; soms is hij nog altijd niet tevreden en gaat hij er weer op uit voor nog eens negen.

Innerlijk is hij niet zo geroutineerd als hij lijkt. 'Het is geen excuus,' zal hij nadien zeggen. 'Het gebeurde gewoon. Het einde van de tournee naderde, een jaar waarin er, evenzeer als er enorme menigten en fantastische ervaringen waren, een zware druk bestond. Het kwam gewoon tot een punt... het was de druppel die de emmer deed overlopen.

✻✻✻

Er is één uitzonderlijk slechte dag in Nieuw-Zeeland. Hij is op de golfbaan en het is duidelijk dat het gerucht de ronde heeft gedaan dat hij
hier vandaag aanwezig is, want op de balkons van sommige huizen
aan de rand van de baan hebben de eigenaren de Engelse vlag gehangen, en ze verwachten in ruil hiervoor enige aandacht. 'Kom nou!'
schreeuwen ze. 'Je kan ook gewoon met ons *praten.*' Kinderen volgen
hem van hole tot hole op de fiets. Op de tiende *tee* roepen de kinderen en enkele gerelateerde volwassenen allemaal 'Hoera!' als hij de bal
put en ze roepen door de afslag van zijn vader heen. 'Alsjeblieft, als je
het niet erg vindt...,' verzoekt Rob dringend. De slag van Pete belandt
in het meer en Pete richt zich tot de ongewenste cheerleaders. 'Op een
golfbaan is dat niet toegestaan,' vertelt hij ze.

'Wij hebben je gebracht waar je nu bent,' vertelt een van de volwassenen tegen Rob. 'Je kunt toch gewoon hallo of zo zeggen.'

'Ik ben op een golfbaan – u moet me excuseren,' legt Rob uit. 'Dit
is een rustpauze voor mij.'

'Onthoud wie je gebracht heeft waar je nu bent,' herhaalt een van
hen, en ze lopen weg. Ze zijn ontevreden; hij is woedend.

Terug in het hotel ligt hij afgepeigerd op zijn bed en hoort dat er op
de deur van zijn woonkamer wordt geklopt en het geluid van Gary
Marshall die antwoordt. Als Gary de deur opent, verklaart een groep
mensen: 'We zijn gekomen om hem te zien,' en beginnen lomp langs
Gary te lopen, die ze tegenhoudt. Hij legt uit dat ze dit niet kunnen
doen, en uiteindelijk gaan ze weg. Rob doet een dutje, en als hij wakker wordt ligt er een envelop voor hem, achtergelaten door dezelfde
groep mensen, die verblijven in een kamer aan het eind van de gang.
In de envelop zitten vijf van zijn cd's en vier tickets voor de show van
morgen – teruggegeven als protest tegen zijn onvriendelijke gedrag –
en een klaagbrief: '*Wij zijn de mensen die je hebben gebracht waar je
nu bent... we hebben op je deur geklopt om je te zien en je had niet eens
de beleefdheid om gedag te komen zeggen... een van je apen zei ons dat
we...*'

Enzovoort. Ze citeren sarcastisch wat hij zei op het podium in Knebworth en op de live-cd ervan – 'word oud met me' – en suggereren dat
hij onoprecht en vol shit is.

Hij is niet in de stemming om dit vandaag over zijn kant te laten
gaan. Hij haalt de cd's uit de enveloppe, pist erin en laat het achter voor
hun deur. Later kan hij ze bij de beveiliging van het hotel horen klagen
over wat er is gebeurd, maar de beveiliging denkt dat ze een grapje
maken... *en toen piste Robbie Williams in de enveloppe en retourneer-
de hem...?* Het is duidelijk een absurde gedachte.

***

In Los Angeles, als 2003 langzaam overgaat in 2004, laat hij zijn haar groeien en speelt nog steeds elke dag golf. Als hij niet op de golfbaan is, is hij op de oefenafslagplaats. 'Golf neemt me helemaal in beslag, maar het is geweldig,' zegt hij. 'Ik ga vroeg naar bed, het enige dat op de televisie komt is het golfkanaal, ik word vroeg wakker, ik ga golfen, ik koop golfuitrusting en golfkleren, speel golf, en dan speel ik goed of slecht. Ik ben nu de *bitch* van golf. Maar ik laat me niet verslaan.' Zijn beste ronde in Los Angeles was 14 over. 'Ik blijf het doen tot mijn handicap uit één cijfer bestaat,' stelt hij, 'en dan geef ik op.'

Zijn monomanie creëert mogelijk een probleem. Stephen Duffy en Andy Strange zullen begin januari in zijn huis arriveren om door te gaan met het werk aan het Pure Francis-project. Deze maand is voornamelijk bestemd voor het schrijven van teksten – de zang op de bestaande demo's bestaat over het algemeen uit datgene wat Stephen heeft geselecteerd uit de woorden die Rob zong en die hem ter plekke te binnen schoten terwijl de nummers werden geschreven. Een deel ervan heeft al een prachtige vorm, maar er is ook veel onzin bij, soms heel letterlijk.

Het laatste waar Rob nu in is geïnteresseerd, is zich hiermee bezig te houden. 'Ik weet niet waar er tijd is voor Steve, eigenlijk,' zegt hij nerveus. 'Echt niet. Ik maak me enigszins bezorgd. Serieus. Ik speel elke dag golf en ga dan slapen.' Op dit moment verlangt hij er absoluut niet naar om aan muziek te werken.

Het is vrij duidelijk dat het praktische obstakel – golf – een veel fundamentelere verbergt. De hele zomer en herfst, toen hij geacht werd zich op zijn tournees te concentreren, was Pure Francis zijn vrijheid en zijn ontsnapping van al die dingen. Het was datgene wat niemand hem opdroeg te doen, zijn dierbare geheim voor de rest van de wereld en zijn bevrijding van Robbie Williams.

Nu is de situatie veranderd. In zijn afwezigheid verloopt de vorige carrière van Robbie Williams uitstekend – het live-album stijgt boven de verwachtingen uit en de Knebworth-dvd is meer verkocht dan welke Britse muziek-dvd dan ook – maar het voltooien van deze nummers wordt nu geacht zijn voornaamste doel te zijn. Ten minste twee nummers zijn nodig als singles voor het *greatest hits*-album en, zo enthousiast als hij in theorie nog over deze muziek mag zijn, in de praktijk geldt zij als opnieuw iets waar hij zich gedwongen toe voelt om aan te ontsnappen. Het gaat niet alleen om de Pure Francis-nummers. Vaak praat hij alsof hij nooit meer een nieuwe plaat zal uitbrengen of dit nieuwe leven dat hij heeft gevonden zal verlaten.

***

Wanneer de Rock Band Studios weer in zijn slaapkamer wordt ingericht, toont de voornaamste cliënt zoals voorspeld weinig interesse om
de studio te bezoeken. Heel af en toe loopt hij binnen, maar stilzwijgend wordt overeengekomen dat niet veel van het schrijven van teksten dat ze verwacht hadden te doen nu zal plaatsvinden. In plaats
daarvan zullen Stephen en Andy werken aan enkele van de vele nummers die onderweg zijn blijven liggen, in de verwachting dat een paar
misschien toch goed genoeg kunnen worden, en dat in de tussentijd
een paar mogelijke B-kanten worden afgemaakt. Dit lijkt voor iedereen
meestal goed uit te pakken, al merkt Stephen op een dag bij de lunch
op: 'Het is een beetje vreemd om aan tachtig nummers te werken voor
een gepensioneerde golfer.'

Eind januari houdt Rob de overweldigende rol die golf in zijn leven
is gaan spelen tegen het licht. Hij realiseert zich dat het geen oplossing is voor de problemen van het leven, maar misschien gewoon een
manier om zichzelf voldoende bezig te houden om de kwestie uit de
weg te gaan. Daarnaast raakt hij uitgeput, zowel van al het mijmeren
dat het wandelen op een golfbaan toestaat als van golf zelf. 'Na de
tournee,' ziet hij in, 'geloof ik niet dat ik mezelf de gelegenheid gaf
om te gaan zitten en te zeggen: "ik ga twee weken lang niets doen."
In plaats daarvan zei ik na de tournee: "ik ga elke dag golfen als een
gek…"'

Na een paar weken toont hij ook een beetje meer interesse om vanuit de hal op de eerste verdieping de studio in te lopen. Stephen geeft
hem de doos met provocatieve creatieve instructies van Brian Eno en
Peter Schmidt, Slinkse Strategieën. Op de eerste kaart die Rob eruit
trekt staat: 'Gebruik "ongekwalificeerde" mensen.' Op een dag wandelt
hij naar binnen, gaat zitten en deelt Stephen mee: 'Het heeft me maar
een maand gekost om met de hele muziekindustrie te willen wedijve-
ren,' al blijft hij niet lang. Op een andere avond komt hij binnen, enigszins afwezig, en begint een melodisch rifje op de elektrische gitaar te
spelen, waarbij Stephen en hij heel snel een nieuw nummer schrijven.
Heel januari heeft hij er op aangedrongen dat wanneer deze nummers
worden uitgebracht het onder de naam van een band zou moeten
gebeuren, maar nu is hij van gedachten veranderd. 'Ik ga weer Robbie
Williams zijn,' zegt hij.

Een paar avonden later loopt hij binnen en vraagt Stephen en Andy
te stoppen met wat ze aan het doen zijn. Hij schrijft een tekst en zingt
de zang voor het nieuwe nummer, dat nu *Ghosts* wordt genoemd.
'Volgens de theorie,' legt hij uit, 'dat al je relaties uit het verleden nu
geesten zijn. Relaties die toen zoveel pijn veroorzaakten of zoveel

betekenden, zijn nu alleen nog maar geesten.' Hij werkt het idee uit, regel voor regel, neemt suggesties aan van iedereen in de kamer en past ze aan en komt op de regel: *I did what I could for one of us, I always thought it would be you.* Hij vindt dit goed, maar er zit hem ook iets dwars. 'Schrijf je ooit nummers die compleet tegenovergesteld zijn aan wie je bent?' vraagt hij Stephen en legt vervolgens uit waarom hij het vraagt. 'Ik heb nog nooit een relatie gehad waarin ik niet egoïstisch was,' zegt hij. Aan het eind van het nummer is een lukrake lijst met locaties waar dergelijke geesten ons achterna kunnen zitten.

...ghosts!... in the restaurants and the cinemas!... ghosts!... in the library and the coffee shop!... ghosts!

'Ik wou gewoon "bibliotheken" in een nummer dat ik zing,' grijnst hij.

✳✳✳

Op een dag in Los Angeles leest Rob dat hij uitgekozen is als de Achtste Meest Sexy Man in een opiniepeiling. Slechts achtste. Hij is beledigd en hij uit dit op een bekende manier. Hij doet alsof hij in een komisch ongepaste mate geïrriteerd is, en deze komedie moet uitdragen dat hem dergelijke stupide en oppervlakkige zaken hem niet in het minst kunnen schelen, waaronder hij het feit verbergt – en daarvan is hij zich goed bewust, en hij is zich ook bewust van het feit dat degenen om hem heen dit ook beseffen – dat hij echt licht is gekrenkt en gekwetst door deze ongebruikelijke lage notering. Het grappiger deel van zijn reactie is dat hij, om zijn tekortkoming goed te maken, besluit om de rest van de dag thuis 'sexy te doen'. Vaak kijkt men op van wat men aan het doen is om Rob in de deuropening te zien staan, vaak met zijn shirt uit, zijn hoofd omlaag en zijn ogen omhoog, zijn lichaam gespannen, zijn mond het midden houden tussen een glimlach en een grom, een hand opgeheven en leunend tegen de deurpost, het soort theatrale sexy-man-voor-de-camera-acteren dat hij perfectioneerde in de foto-opnames voor Take That-kalenders.

✳✳✳

Ik trek in de zolderflat van zijn huis in Los Angeles om aan dit boek te werken. Soms komt hij naar boven om Scrabble te spelen. Hij leest enkele openingshoofdstukken. 'Jezus, wat kan ik een onzin uitkramen,' zegt hij. 'Het is ik-kan-de-stilte-in-mijn-hoofd-niet-uitstaan-ik-zeg-maar-iets...'

5

Meer dan een jaar geleden nam Rob voor het eerst de dialoog als Dougal op voor een filmversie van de kindertekenfilm *The Magic Roundabout*. Sindsdien is de regisseur vervangen, sommige delen zijn opnieuw gemaakt en een groot deel van de dialogen zijn herschreven. Rob heeft deze tweede sessie maandenlang uitgesteld. Hij werd geacht het in Londen te doen, vlak na de laatste show in Noorwegen, en hij zegde op het laatste moment af. De sessie staat nu gepland voor twee dagen in de studio van platenproducent Trevor Horn in zijn huis in Bel Air; hij is er niet, maar zijn vrouw en manager, Jill Sinclair, wel.

Rob staat in het zanghokje, kijkt naar elke actie op een scherm voor hem en spreekt de bijpassende dialoog in. (Het grootste deel van de animatie is verre van voltooid: wat hij dus ziet zijn rudimentaire geanimeerde omtrekken van de personages, al zijn de uitdrukkingen aanwezig en bewegen de monden synchroon met de tekst.) Zijn Dougal-stem is als zijn eigen stem, maar noordelijker, hoger en klaaglijker:

'O, ik begrijp het, de stille behandeling, niet?... Mijn toverballen? O nee! Er is nog maar één over!... Alleen een zee van kokende lava kan me stoppen om die diamant te bemachtigen...'

Tussendoor spreekt Clive, de regisseur, in zijn koptelefoon, biedt suggesties en doet verzoeken.

'Als je driemaal "*Zebedee!*" met toenemende paniek kan doen...,' vraagt hij. 'Waarom roep je me niet gewoon een paar wild "*sugar*"?...'

Terwijl Rob zijn regels inspreekt, beweegt hij een grote clip over zijn gezicht en klemt het vast op de huid, waardoor nieuwe tijdelijke vervormingen ontstaan. Uur na uur wordt zijn stem steeds geaffecteerder totdat hem gevraagd moet worden om iets wat op een Eric Morecambe-impressie begint te lijken af te zwakken.

Ze pauzeren voor sushi.

'Dit is echt het beste eten, niet?' zegt de regisseur.

'Ja,' stemt Rob in. 'Behalve de desserts. Brood en boterpudding is vele malen lekkerder.'

Hij keert de volgende middag terug om meer in te spreken. Op weg erheen praat hij over een artikel over de jaren negentig dat hij net in het tijdschrift *Word* heeft gelezen dat aan hem refereerde als iemand met 'het dunste laagje vernis van kracht'.

'Ik dacht, *yes!*' schatert hij. 'Stap in! Ik heb kracht en acht geweldige nummers! Is dat niet geweldig? Hoe dun het ook is, het is nog altijd kracht. Dat is niet slecht voor de *junior captain* van de Burslem-golf-club en lid van de amateurtoneelvereniging.'

Josie vraagt hem of de opnamesessie van gisteren zijn verlangen om te acteren heeft aangewakkerd.

'Dat verlangen verdween toen ik een jaar of 22, 23 was,' zegt hij, 'En, eens kijken… nee. Wat een armzalig beroep.'

'We moeten denk ik aan het moeilijke spul beginnen,' zegt de regisseur als Rob arriveert.

'Het moeilijke spul klinkt paniekerig, want ik ben aan de pillen,' legt Rob uit.

Hij begint de zinnen van vandaag te doen:

'Ik kan niet slapen!… Ik maak me te veel zorgen om Florence… de Renaissance begon er…'

Als alle tekst is ingesproken wordt hem gevraagd om een lange lijst met kreten op te nemen als Dougal, die in de film gebruikt kunnen worden waar en wanneer ze nodig zijn. Ik kan de lijst niet zien, maar afgaande op wat hij doet, en beseffend dat ze alfabetisch geordend zijn, kan ik erachter komen: alarm, angstig, boos, balancerend, boeiend, grinnikend, juichend, verbijsterd, verward…

Hij stopt bij 'giechelend.' Hij vindt dat hij dat al heeft gedaan. 'Grinniken is toch hetzelfde als giechelen?' vindt hij. 'Weg ermee.'

De volgende is 'grijnzen'.

'Wat moet ik doen voor "grijnzen"?' vraagt hij. Het is niet echt een geluid. Hij weigert.

'"Huppen" hebben we niet nodig,' zegt Clive behulpzaam.

'"Springen?"' zegt Rob. 'Weg ermee.'

Dan zijn er nog O's. Oeps. Au. Verbluft. Rennend. Geschokt. Verbaasd. Ssshhhhh. Verrast. Klapperen met de tanden. (Hij probeert het. 'Lukt me niet,' zegt hij.) Denkend. ('Een diepere,' moedigt Clive aan.) Gooiend. Geeuwend. Wauw's.

*** * ***

In de auto naar huis zegt hij: 'Ik zat te denken, er is niets dat ik een tijd heb gedaan waarmee ik heb bewezen dat ik goed ben in iets waarvan niemand weet dat ik er goed in ben.'

'Ja,' zegt Josie, 'tot nu.'

'Nee, nee, dat gaat het niet worden,' zegt hij afwijzend. Hij legt uit wat hij bedoelt. 'Toen de tournees voor het eerst plaatsvonden en ik een festivalpubliek voor me won en zo, had je dat alles…'

'Wat wil je dan nu bewijzen?'

'Ik weet het niet.'

'Zoek je iets?'

'Ja.'

'Waarom?'

'Om me weer voor mezelf te bewijzen. En omdat het leuk is. Swing was zoiets.'

'Was het doen van de Knebworth-concerten en zo iets?'

'Nee. Nee.'

'Is Pure Francis iets?'

'Nee.'

'Waarom niet?'

'Eh...,' zegt hij, niet van gedachten veranderend maar geen antwoord vindend.

'Bedoel je meer dingen waar je eigenlijk bang voor bent?' vraagt Josie.

'Ja.'

'En je bent redelijk zeker van Pure Francis en daarom is dat er geen,' zegt ze.

'Ja,' zegt hij en geeuwt. 'Misschien moet het wel een film zijn.'

'Het is bijna, al zeg je nooit, nooit,' zegt Josie, 'je weet bijna dat als er iets echt briljants je pad kruist... zou het je in de verleiding kunnen brengen.'

Hij zegt hier nu niets meer over, maar een paar dagen later, als we kletsen en hij kleren zoekt in zijn kast, vraag ik hem om er meer over te zeggen. Hij heeft het afgelopen jaar iedere interviewer die de mogelijkheid ter sprake bracht op hoon onthaald, maar nu zegt hij: 'Nou, James Bond zou iets zijn, niet?'

'Sinds ik 23 was zag ik ernaar uit om dertig te zijn,' vertelde hij me vele maanden geleden. 'Ik geloof een beetje dat het die mythische leeftijd is wanneer je, als je als twintiger hebt geleden, begint een balans te vinden. Ik heb een beetje het gevoel dat mijn jaren als twintiger een periode was van enorme groei – groei die ik niet per se wilde, maar ik heb gewoon het gevoel vanbinnen dat ik toen een heel belangrijke les leerde, en als dertigjarige zou ik erachter komen wat deze les was en iets ontspannener worden.'

Als de feitelijke dag nadert, lijkt hij erop gebrand te zijn om het belang ervan te bagatelliseren. Er is afgesproken dat zijn dertigste verjaardag pas echt zal worden gevierd als hij terug is in Engeland, waar de meeste van zijn vrienden en familie zijn, maar zijn moeder, zus, haar vriend en neef zullen naar Los Angeles vliegen bij wijze van verrassing. Op de ochtend zelf weigert hij uit bed te komen tot hij wat cafeïne heeft gehad. Vervolgens opent hij slaperig met een Starbucks-koffie in zijn hand cadeautjes op de bar in de keuken. Dit is niet de dag dat hij roken opgeeft, en zijn besluit van veel eerder om het wel te doen wordt niet genoemd. Hij zegt later dat hij zich innerlijk voornamelijk realiseerde dat hij nu nooit een professionele voetballer zou worden.

Die avond heeft hij een verjaardagsdiner in Nobu in Malibu. Onder het eten stelt hij zijn zus en haar vriend voor om spoedig te trouwen. Ze zijn het met hem eens. Twee dagen later vliegen ze allemaal met een privé-vliegtuig naar Las Vegas voor de bruiloft.

Een paar dagen later komt hij de kamer binnen waar ik aan het schrijven ben en bladert door de laatste *NME*. Hij leest de resultaten van de opiniepeiling onder de lezers van dit jaar. Hij is in de lijst gezakt: slechts derde grootste Schurk van het Jaar. Niettemin nog altijd indrukwekkend. Hij kijkt naar de anderen in de top-tien.

'Dus,' zegt hij, 'George Bush besloot oorlog te voeren met een land onder valse voorwendselen, Pete Doherty is een heroïneverslaafde die inbrak in de flat van een vriend, Michael Jackson is beschuldigd van pedofilie, Tony Blair is beschuldigd van hetzelfde als George Bush en het negeren van de VN en circa tien miljoen mensen protesteerden op de hele wereld tegen de oorlog... ik speelde in Knebworth.'

❋ ❋ ❋

Hij gaat kleren kopen en krijgt de smaak helemaal te pakken. Hij past steeds andere kleren in een van de meest luxe winkels van Los Angeles. Als hij wil betalen, wordt zijn creditcard geweigerd. Hij moet Josie bellen.

'Hoeveel is het?' vraagt ze.

Hij maakt een onzingeluid door de telefoon. Zij begrijpt hem volkomen. Hij wil het niet zeggen.

'Ik ben er zo,' zegt ze.

Als ze arriveert betaalt ze de rekening van twintigduizend dollar. Veel ervan is afkomstig van de ontwerpers Libertine. Zulk nieuws verspreidt zich natuurlijk snel. Die middag krijgt ze een telefoontje waarbij Rob wordt uitgenodigd voor hun modeshow in New York. (Hij gaat natuurlijk niet.)

Rob, zijn moeder en Lee Lodge zien *The Passion* van Mel Gibson op de dag van de première. 'Het deed me beseffen om hoeveel shit ik me druk maak,' zegt hij. 'En ik moest denken hoe bizar het geweest moet zijn om naast Jezus te zitten in de kantine toen ze de film maakten.' Als Jezus aan het kruis wordt genageld, is de gedachte die door zijn hoofd gaat: 'En zo begonnen een paar duizend jaar schuld.' Tijdens het korte gedeelte waarin de wederopstanding wordt getoond, wou hij dat hij had uitgeschreeuwd: 'Doorgaan, Jezus!' Hij zweert de film weer te gaan zien om dit alsnog te kunnen doen.

De film deed hem denken aan de tijd dat hij het vormsel kreeg toegediend. 'Hoe je als kind een versie wordt voorgeschoteld van wat er gebeurde,' legt hij uit, 'en nergens uit blijkt dat het in werkelijkheid verschrikkelijk was.' Als zijn naam bij het vormsel koos hij Maximillian Colby. 'Want het was de naam van de meest te gekke heilige die ik kon vinden,' zegt hij. 'Hij was de laatste die tot heilige werd gewijd.' Maximillian Colby bood in de oorlog aan om in plaats van de echte schuldige te worden terechtgesteld, zodat de vrouw en kinderen van de schuldige man niet alleen zouden achterblijven.

Na de film gaan ze winkelen in Book Soup. Zijn moeder koopt enkele spirituele boeken en Rob koopt wat *comedy*-boeken – de complete Peter Cook en de nieuwe *Onion*-anthologie – en enkele fotoboeken. 'Om enig idee te krijgen hoe Francis er uit komt te zien,' verklaart hij. Hij bewondert vooral een oude foto van Humphrey Bogart. 'Ik vind de bretels mooi,' merkt hij op.

✳✳✳

Op een avond komt Rachel Hunter langs en we zitten in de kamer, en leggen onze vinger op een willekeurig woord in het woordenboek om te kijken wat het zegt over het onderwerp dat we van tevoren hadden afgesproken. Hoewel er een vreemd overwicht van antwoorden over de koran gegeven schijnt te worden, besluiten we er geen aandacht aan te schenken. Afgezien daarvan worden er geen grote waarheden onthuld.

✳✳✳

Op de dag van de Oscars zit hij met enkele vrienden op het terras van de delicatessenwinkel in de buurt van zijn huis. Hij verklaart dat hij zo-even Demi Moore en Ashton Kutcher over onze schouders heeft gezien. Jack White loopt de winkel uit en neemt foto's van zijn vrienden voor de etalage naast ons. Rob eet zijn gewoonlijke geïmproviseerde maaltijd met weinig calorieën en weinig koolhydraten: een hamburger, Hüttenkäse en tomatensaus. 'Ik eet het elke dag,' zegt hij.

'Word je er nooit ziek van?' vraagt Alex, een pienter vijftienjarig meisje dat door een van zijn vrienden is meegebracht. Haar vraag ontlokt een antwoord dat niet alleen eerlijk is, maar ook enkele grotere waarheden over de manier waarop hij het leven benadert onthult.

'Uiteindelijk wel,' stelt hij. 'En dan zal ik het nooit weer eten.'

Op een andere avond heeft Rob zin om te bowlen, dus rijden we het dal in – Rob, zijn moeder, Pompey, Greg de acteur en ik – naar Pinz Bowl. Gewoonlijk is er daar wel plaats, maar nu is elke baan bezet – het is een competitieavond. Het duurt even voordat we beseffen dat er meer aan de hand is.

Rob komt er het eerst achter en wijst naar de woorden op de achterkant van het shirt van de man die voor de receptie in de rij staat.

Gutter Queens.

We zijn op een bowlingavond voor gays beland. Bij deze bowling-banen werd Rob voor het eerst stiekem gefotografeerd met Rachel Hunter; misschien is het beter dat niemand hem hier vanavond foto-grafeert.

In de tussentijd komen er zo nu en dan meisjes langs, zonder dat Rob iets vindt dat ook maar in de verste verte lijkt op wat hij zoekt. Een van hen belt hem twee weken lang elke dag en laat steeds vijandelij-ker berichten achter. Hij houdt als een grove maar redelijk strikte vuist-regel aan dat als iemand hem vaker dan twee keer belt zonder te wor-den teruggebeld, dit voldoende uit de pas is om hem zijn interesse te doen verliezen. Hoe dan ook, in deze winter staat het volgende bericht op zijn mobiele telefoon: 'Hé, je bent verbonden met Rob. Ik ben als persoon heel wisselvallig. Laat alsjeblieft een bericht achter want ze zijn altijd vermakelijk, maar om eerlijk te zijn kan het zo zijn dat ik je niet terugbel.'

6

In maart verhuist hij voor een tijdje naar Engeland. Nog voordat hij het landgoed dat hij huurt heeft betrokken, hebben er al in vele kran-ten foto's van gestaan – niet alleen van de buitenkant, maar van elke kamer, genomen door een fotograaf die met een truc binnen wist te komen. Natuurlijk wordt de waarheid al spoedig ver achtergelaten – de consensus lijkt te zijn dat zijn nieuwe huis 22 slaapkamers heeft; in werkelijkheid zijn er zeven, als het moet – maar er worden voldoende details gegeven van de locatie dat de brieven binnenstromen. Een ervan is simpelweg gericht aan 'Robbie Williams, Achttiende-eeuws Kasteel'. (Het is geen kasteel uit de achttiende eeuw – in feite is het splinternieuw – maar zo werd het door een publicatie omschreven.) Een andere is geadresseerd aan 'Robbie Williams, zingende superster.'

In zijn eerste week in Engeland bladert hij door een deel van zijn cor-respondentie, waarvan niets zal worden beantwoord. Vele van de schrij-vers willen vanzelfsprekend iets. Eentje veronderstelt, alsof het de gewoonste zaak van de wereld is, dat Rob wel een dinosaurustand van ruim twaalf kilo wil kopen om hun museum een financiële injectie te geven. Een Poolse man verwacht de handtekening van Rob voor een liefdadigheidstentoonstelling van handtekeningen van beroemdheden. Een achttienjarig meisje somt zakelijk het geld op dat ze nodig heeft voor de drie jaar om een opleiding tot danslerares te voltooien en legt uit dat ze zevenentwintigduizend pond nodig heeft. Een huisvrouw van 66 jaar in West-Maleisië die een kopie van haar paspoort en andere details heeft aangeniet aan een brief met vier volgeschreven kantjes, neemt de tijd om te komen tot waar het haar om te doen is. Na zich laatdunkend te hebben uitgelaten over zijn geestelijke toestand, geluk en familie ('*paradijs ligt aan de voeten van moeders*', merkt ze op) komt ze als bij toeval op het onderwerp van haar schuld van dertienduizend pond. Ze vraagt het hem nergens direct, maar schildert een beeld van wat haar leven zou zijn zonder deze last en stuurt hem haar zegeningen. Een tachtigjarige vrouw uit Sussex – '*Ik zou me moeten schamen dat ik je schrijf,*' stelt ze aan het begin – is minder subtiel. Ze merkt op dat hij veel geld uitgeeft. '*Ik zie het als een kans dat jij van oude plekken houdt, ik heb een toilettafel van 54 jaar oud die je misschien wel wilt kopen, ik heb een helpende hand nodig om rond te komen van mijn pensioen, als je van walnotenhout houdt... dit zou in elk van je 22 slaapkamers kunnen passen en ik heb nu contant geld nodig, niet als ik dood ben... mijn vriend denkt dat dit in de prullenmand verdwijnt, misschien hebben ze gelijk...*'

Er zijn ook andere brieven met minder duidelijke bedoelingen. Vele hebben gemeen dat ze veel specifieke details over alcoholisme en depressie geven. Er is een aantal van een paar mensen uit het naburige dorp, de meeste ervan vriendelijk en uitvoerig, die gewoonlijk beginnen met de uitdrukking van een gevoel, zoals 'ik hoop dat je wat rust krijgt tijdens je verblijf', hem vervolgens voor het avondeten uitnodigen of hem vragen het plaatselijke voetbalteam te sponsoren, of, in één geval, om naar hun bruiloftsreceptie in de plaatselijke pub te komen. Hij verneemt ook van een man die Rob wil laten weten dat hij ooit een telescoop had die op de een of andere manier coördinaten gebruikte om ufo's op de muur van zijn huis te projecteren. ('Hij zegt,' leest Rob, '"*Laat je niet in met homo sapiens, het gevaarlijkste schepsel op aarde.*" En hij wil dat ik doorga met de swingmuziek.')

Anderen gaan in op de problemen waarvan ze voelen dat hij ze heeft, echt of ingebeeld. Veel van deze brieven zijn aangezet door twee artikelen rond de tijd van zijn verjaardag, een in *The Daily Mail* en een in *Hello*, die hem beide afschilderen als een tragische figuur – rijk en ongelukkig en eenzaam. Het zou niet nodig moeten zijn om er hier op te wijzen – al is dat misschien toch het geval – dat hij misschien onmiskenbaar rijk is en dat hij zo nu en dan ongelukkig is op de manier waarop veel, zo niet alle mensen ongelukkig kunnen zijn, en dat hij, hoewel hij veel vrienden heeft, soms de eenzaamheid voelt die degenen voelen die een partner hopen te vinden om de rest van hun leven en tijd mee door te brengen en dit nog niet hebben gevonden, maar zijn alledaagse leven, met al zijn ups en downs, is haast komisch ver verwijderd van het beeld dat ze er van schilderen. Deze artikelen hebben echter wel het idee doen postvatten dat hij een droevig mens is, die in een crisis verkeert en gered moet worden, en er zijn veel vreemde mensen met advies en voorstellen.

Veel van degenen die hem hebben geschreven, besteden er meerdere zinnen aan om te verzekeren, hetzij naar Rob toe of naar zichzelf toe, dat ze niet gek zijn. *'De laatste keer dat ik iemand schreef nadat ik een droevig artikel las,'* stelt een correspondent, zodat Rob zeker weet dat ze niet willekeurig dergelijk gedrag vertoont, *'was aan lord Brocket toen hij in de gevangenis zat.'* Vaak schemert er door dat zij wel eens de persoon zouden kunnen zijn die hij in deze duistere tijd nodig heeft. Als regel hebben ze het gevoel dat ze het innerlijk van de mens begrijpen en niet alleen de popster, en willen ze met alle plezier er gewoon voor hem zijn om mee te praten. (Sommige leggen er zozeer de nadruk op dat ze zijn geïnteresseerd in de echte, normale niet-beroemde persoon die ze in hem zien dat het een wonder is dat ze er niet in zijn geslaagd om andere echte, normale niet-beroemde personen te vinden in de wereld, die hun aandacht wellicht meer zouden waarderen.) Een merkwaardig hoog percentage van deze brieven is afkomstig van alleenstaande moeders. Bij sommige zijn foto's van henzelf en hun kinderen bijgesloten. *'Ik ben geen modelachtige schoonheid maar ik ben een aantrekkelijke vrouw met een goed figuur... ik ben sociaal en word sympathiek gevonden... als je eens over de telefoon wilt kletsen...'* zeggen ze. Eén moeder verklaart botweg: *'Mijn dochter van vier wil jou als haar pappie...'* (Het is verbazingwekkend hoe snel de brieven die beginnen met de wens hem te willen redden hem uiteindelijk vragen om hen te redden.)

Eén brief is afkomstig van een moeder in Noord-Ierland, die een foto heeft bijgesloten van haar dochter die bij de gootsteen in de keuken staat (op de achterkant heeft ze geschreven *'deze foto doet haar eigenlijk geen recht want ze trekt een gek gezicht met haar mond en ze lacht niet goed – ze heeft een prachtige lach'*). De moeder legt uit dat hij het risico niet zou moeten lopen om niet iemand te ontmoeten die zijn *soulmate* zou kunnen zijn: *'Vooruit, vergeet Geri Halliwell, Rachel Hunter en Samantha Mumba en ga eens op stap met mijn prachtige dochter,'* dringt ze aan en laat zien dat ze al goed heeft nagedacht over enkele praktische zaken: *'Weet je, als je hierheen komt om in de flat van Angie te logeren (in de logeerkamer, natuurlijk) dan weet ik zeker dat je het naar je zin hebt, want niemand zou geloven dat jij het was.'*

Voor alle duidelijkheid, voor het geval je denkt dat dit geen echt beeld is van hoe het schrijvende publiek zichzelf in deze tijd presenteert aan beroemdheden: dit zijn geen voorbeelden van buitengewone idioterie, geselecteerd uit duizenden typische brieven van fans. Dit *zijn* de typische brieven.

***

iChat, maart 2004, terwijl hij worstelt met de tekst voor het nummer *Tripping Underwater*:

Er zit nu nog geen ziel in het verhaal. Iets over geweld en stilte. Beide interesseert me niet zo… Vandaag had ik last van jetlag. Ik stond om vijf uur op. Of, zoals ik het graag noem, om *In De Val Gelopen*-uur. O, het genot tot de jetset te behoren… Teksten schrijven is moeilijk. Het kan maar niet briljant worden. En dat wil ik nou juist zo graag. Ik pieker me suf. In Engeland zijn doet alles heel claustrofobisch lijken. Doet de weg smal lijken. Er is niet veel om over te schrijven als je wereld kleiner wordt… ik ben gewoon moe en ondankbaar, neem ik aan.

***

Ter promotie van zijn nieuwe album *Patience* geeft George Michael een interview aan het tijdschrift *Telegraph*, waarin hij kritiek uitoefent op het platencontract van Rob. (Het is eerlijk om hier te vermelden dat dit iemand was die tegen Rob zei dat hij serieus overwoog om geen traditionele platenmaatschappij te gebruiken en in plaats daarvan een deal te maken met een van de grote supermarktketens.)

'*Die Robbie Williams-deal is de nekslag voor iedere artiest, want het zegt "Oké jongens, jullie maken niet genoeg geld met de platen waarmee je me belazert, neem wat van mijn koopwaar, neem mijn boekenuitgeverij, neem dit, neem dat…" Het is zoiets als: jij fucker. Het punt is, hij heeft – en hij heeft het me verteld – nee, ik ga ook niet zeggen wat hij me heeft verteld…*'

De interviewer moedigt hem aan om het te vertellen.

'*Nee, dat kan ik niet zeggen. Als het puntje bij het paaltje komt is het volgens mij een enorm verraad aan elk gevoel van gemeenschap. Maar goed, er is geen gemeenschap meer, dan is het dus ook wel begrijpelijk…*'

'Oooo,' zegt Rob als hij dit hoort, op een 'wat-is-hij-toch-vinnig-vandaag'-toon.

'Ik kan hieruit alleen maar concluderen dat ik lange tijd een enorme doorn in zijn oog moet zijn geweest. En hij was niet in staat om er mee om te gaan. Maar ik zal het ter sprake brengen bij de volgende bijeenkomst van de gemeenschap.'

***

De voornaamste zitkamer op de eerste verdieping is veranderd in de studio. Aan de muren hangen verscheidene vreemde schilderijen – een van een bijzonder sinister meisje boven de bank waar Rob zijn teksten schrijft, en bij de computer een van koeien die uit een plas op het platteland drinken. Boven de haard rust een exemplaar van *Horses* van Patti Smith, veel te hoog om er zonder ladder bij te kunnen, tegen de schoorsteenmantel; dat is duidelijk het werk van Stephen, net als alle Rolling Stones-boeken die overal rondslingeren. Ik tel negentien elektrische en drie akoestische gitaren. Er staat ook een vleugel met enkele kapotte toetsen en, onder de overige instrumenten, een melodica met blaasbuisje.

Eindelijk toont hij zich bereid zich in te spannen om de tekst af te maken. Vandaag, na het voltooien van een nummer genaamd *Please Please* dat is geoormerkt als B-kant – waarbij hij aan Stephen uitlegde dat hij simpelweg weigert om een woord als 'hullabaloo' te zingen – is het *Misunderstood*. Veel nummers zullen worden beschouwd als de eerste single van het *greatest hits*-album – op verschillende momenten deze lente zal het beslist *Tripping Underwater Radio*, *Boom Boom* en *Ghosts* zijn – maar *Misunderstood* lijkt zeker van zijn plaats als tweede single.

Voordat hij de tekst van *Misunderstood* kan voltooien, probeert hij vast te stellen wat hij ermee wil zeggen. Op dit ogenblik lijkt het iets heel anders dan wat het in de zomer betekende. 'Ik probeer te denken in de context van, ik probeer om verkeerd te worden begrepen... de grap is als een boemerang teruggekomen,' legt hij uit. 'Het is alsof je jezelf op een manier presenteert waarvan je weet dat deze niet de jouwe is, je denkt dat het goed genoeg zal worden maar dan valt alles in duigen. Je denkt dat je de boel laatdunkend voor de gek houdt – *ik probeer om verkeerd te worden begrepen* – en dan besef je dat je zelf voor de gek wordt gehouden.'

'*Waarom* probeer je dan verkeerd begrepen te worden?' vraagt Stephen.

'Nou,' zegt hij, 'het is eigenlijk dubbele bluf.'

Een poosje stelt hij een tweede regel voor – '*we can't all be Robin Hood*' – half herinnerd uit de zomer. '*I can't say it's gone as planned,*' biedt hij vervolgens aan. 'Zo zag het er in de brochure niet uit,' legt hij uit. Het is meer een kwestie van toeval dan men zou verwachten als hij worstelt om het hart van het nummer te vinden. Na ongeveer een uur lang ideeën tegen de rest van ons te hebben gespuid, één stap voorwaarts, één stap terug, staat hij op. 'Ik ga naar bed, denk ik,' zegt hij op een manier alsof hij zelf niet van deze zin zeker is. 'Maar ik denk dat het morgen gaat lukken.'

✳✳✳

iChat, maart 2004:

D12-single staat nu op. Geweldig, op de manier van een jongere mafkees *brother* van Outkast… *Ghosts* bleek een prachtexemplaar te zijn. Geen B-kant. Hoera. Net als *Louise*. Hetzelfde nostalgische gevoel, maar een beetje meer majestueus. Ik zeg niet dat het beter is, het is alsof Bono *Louise* heeft geschreven. De woorden kloppen nu allemaal. Wie wist het?… Ik luister naar *After The Goldrush*. *Fuck yes*. Bijzonder mooi… het toppunt van muziek… The Shins zijn echt goed. Ik ben al van plan om ze in Brighton te ontmoeten… Ik heb *The Harper Valley PTA* op Limewire… en *World In Motion*… Candi Staton *You Got The Love*. Een Robert top-tien, makkelijk… zelfs Roxette klonk goed. *It Must Have Been Love*, op de televisie. Of het klinkt goed of er was op dat moment iets aangenaams gaande in mijn leven… Hoe dan ook, ik zocht naar Roxette op Limewire maar kon mezelf er niet toe brengen te downloaden. De schande als deze computer gestolen zou worden. 'Hij downloadde niet alleen Eminem maar…' Je kunt het je voorstellen. 'Iemand die van Eminem en Britse porno houdt.' 'Dat moet Robbie Williams zijn…'

***

Hij luistert een van de andere nummers terug die ze hebben voltooid, '1974', dat is bestempeld tot B-kant. 1974 is het jaar van zijn geboorte. Hij zingt mee.

> *Child of the eighties, the Hillsborough crush*
> *That girl in the fourh year that was up the duff*
> *Lisa Parkes, I loved you, but you never saw*
> *A year below you, 1974*

Hij slaat in de lucht als hij *I loved you* zingt.

Hij was zo verliefd op Lisa Parkes. Elke keer als hij haar zag, begon hij te rappen, omdat hij dacht dat zij dat cool zou vinden. 'Waarschijnlijk dacht ze dat ik een idioot was,' verzucht hij.

***

In de loop van de maanden komen soms andere beelden van de jongen die hij was naar buiten. Hoe, toen hij nog heel klein was en ze in de kroeg woonden, zijn zus Sally hem in de bar van boven opbelde en zei dat ze Wonderwoman of een van Charlie's Angels was en dat Rob haar geloofde en naar de crèche ging en de andere kinderen vertelde wie hij had gesproken. Hoe hij, toen hij tweeënhalf jaar was, met een vriendje uit de straat speelde maar besloot dat hij de mamma van zijn vriend niet mocht. Hij zette een afvalemmer bij het hek achter het huis, klom er op, sprong over het hek en liep naar huis. Hoe hij van plan was om weg te lopen met twee schoolvriendjes, maar toen ze langskwamen om hem op te pikken, antwoordde zijn moeder aan de deur en vroeg hem wat hij van plan was, waarop hij uitlegde: 'O, ik was van plan om weg te lopen maar vanavond heb ik er geen zin in.' Hoe hij zichzelf altijd zag als een van de kinderen die geen drugs zou nemen, maar dat hij op een dag een folder zag voor een houseparty in Blackpool dat een meisje mee naar school had genomen: 'Ik keek er letterlijk naar en dacht: "Mmmmm, ik moet drugs gebruiken."' Hoe hij bloemen bezorgde voor de bloemist van zijn moeder, Bloomers, toen hij dertien was: 'Het was net als optreden. Als het een sterfgeval was, geneerde ik me altijd ontzettend.' Hoe, toen hij zijn interesse in school verloor, het voor hem een oefening werd in uitgebreid dagdromen, waarbij het de uitdaging was om ongestoord de volgende negentig minuten les te doorstaan, zodat hij met zijn kameraden kon spelen. 'Ik deed drie jaar "kijk geïnteresseerd",' herinnert hij zich. Hoe, als hij naar Port Vale ging kijken, de avondwedstrijden het beste waren: 'Aftrap om halfacht en dan stond je dicht op elkaar, licht aangeschoten, veel springen, toen mensen nog niet bang waren om te zingen – volgens mij waren mannen zich minder bewust van zichzelf als ze stonden. We zongen altijd de hele wedstrijd, of we nu wonnen of verloren. Natuurlijk denk je dan dat je dan zo hard bent als staal. Je denkt dat je tien mannen bent. Ik genoot dus van het gevoel tien mannen te zijn, maar ik was de eerste die er vandoor ging.' Hoe, toen hij zo'n jaar of zeventien was, hij van Manchester naar Stoke fietste en halverwege terug met een vriend; ze gingen pas het laatste stuk met de trein omdat het donker werd en hij zich verveelde. Hoe de pa van Jonny hem een baan gaf om voor Tesco's in een bolhoed en een groot gestreept pak te staan, vijftig pond per dag, en mensen voor dividendbewijzen liet tekenen. Hoe hij kort werkte als maat van een diamantboorder, buizen dragend tot iedereen pauzeerde in de pub. Hoe, toen Take That begon, zijn Uncle Danny er nog vast van overtuigd was dat Rob een vreselijke fout beging. 'Bakstenen en specie, jongen,' zei hij tegen Rob uit zorg over zijn eigenzinnigheid. 'Dit alles zal komen en gaan. Leer een vak…'

Pas onlangs, na de show in de Royal Albert Hall, zei Uncle Danny tegen zijn neef: 'Ik moet bekennen, Robert, dat ik het verkeerd had…

✳✳✳

iChat, maart 2004:

Het is gek als het land weet wat je op je verjaardag doet en jijzelf niet.

Zijn uitgestelde dertigste verjaardagsfeest vindt in maart plaats in Skibo Castle, de grootse Schotse residentie voor privé-leden, waar Madonna in het huwelijk trad. Hij wordt geacht geen idee te hebben waar hij heen gaat. De sensatiebladen ontdekken het en publiceren de dag tevoren de details, maar hij is gewaarschuwd en belooft ze niet te lezen en misschien vermijdt hij het ook wel echt. Op weg naar het wachtende privé-vliegtuig in Farnborough raakt de auto de weg kwijt op het platteland en hij vraagt zich af of het allemaal onderdeel is van een slimme verjaardagsafleiding.

Ik denk dat een deel van hem elke gebeurtenis als deze vreest en eigenlijk niet wil gaan – als er één ding hetzelfde is bij de zaken die hij vermijdt, dan is het dat ze situaties en plaatsen betreffen waar er iets van hem wordt verwacht – maar als hij eenmaal voorbij de begroeting van de doedelzakspeler bij de voordeur is, lijkt hij zich iets te ontspannen. Hij hangt rond in zijn kilt (die Pompey in het geheim heeft teruggebracht uit Amerika en voor hem heeft ingepakt) en speelt wat golf (ballen afvurend in de richting van de paparazzi die hem en zijn vrienden fotograferen vanaf de openbare weg). Op de tweede van beide avonden is er in de bibliotheek een decor gebouwd voor een privé-aflevering van *Family Fortunes*, met als hilarische gastheren Ant en Dec en met echte vragen en de echte mnnn-uhhh-zoemer. Hij en zijn familie nemen het op tegen een team van vrienden: Jonny, Max, Milica, Pompey, Greg. Aan het begin zingt iedereen de themamuziek.

'We vroegen honderd mensen om een grote uitvinding te noemen…' begint Ant.

'Het wiel!' schreeuwt Rob opgewonden.

'Dat was het meest gegeven antwoord,' onthult Dec.

Na deze grote quiz trekt iedereen zich terug in de lounge, waar enkele van de andere gasten van het kasteel al aanwezig zijn en waar de mensen zich ontspannen met drankjes na het diner en zingen bij de huispianist. Ondanks datgene wat de sensatiebladen beweerden – zoals gewoonlijk gebaseerd op hoe ze verwachten dat hij dit soort zaken doet – heeft hij niet het hele kasteel geboekt. Noch is iedereen hier gedurende vijf dagen. Noch heeft hij alcohol verboden – degenen die willen drinken, kunnen dit doen, en aan het eind van de avonden zitten sommigen aan belachelijk dure moutbieren. De legende die nadien blijft overheersen, gebaseerd op een spontane opmerking van Max toen hij vragen op het vliegveld ontweek, is dat iedereen uitsluitend milkshakes heeft gedronken, hoewel er natuurlijk geen enkele milkshake te zien is.

Rob zegt dat hij *One For My Baby* wil zingen, iets wat bij Max grote paniek veroorzaakt; Max is eraan gewend de bladmuziek voor zich te hebben, en hij zit stil aan het orgel dat in het receptiegedeelte is ingebouwd, akkoorden uitzoekend en ze opschrijvend. Daarna gaan ook anderen om de beurt zingen – zijn vader biedt een vrolijke versie van *I've Got You Under My Skin* en *King Of The Road*, Jonny doet wederom zijn Neil Diamond-imitatie met *Hello*, waarvoor hij *Celebrity Stars In Their Eyes* won, en nadat Rob bij haar aandringt en zegt dat ze er zo lang naar heeft uitgezien om op het podium te staan, zingt zijn moeder *Sentimental Journey*. Rob staat weer op en zingt *Mr. Bojangles*. 'Het was waarschijnlijk mijn favoriete nummer,' verklaart hij, 'totdat we het elke avond op de tournee vorig jaar afmaakten.'

Om 2.30 in de morgen gaan de pretmakers die nog wakker zijn naar buiten om naar de sterren te kijken, dan keren ze terug naar de lounge, waar Rob met Ant en Dec een diepe discussie heeft over *Pop Idol*. Pete vertelt van zijn ervaringen op de tv-talentenjachten van de vorige generatie. Zijn carrière nam een aanvang toen hij op *New Faces* was. Hij zegt dat de groep die de finale van de eerste reeks in 1973 won een week in het Palladium mocht staan; Les Dennis was tweede en hij was derde. Hij keerde terug bij het begin van de volgende reeks. 'Dat was de eerste keer dat hij op de televisie werd genoemd,' zegt hij, doelend op Rob. Hij was geboren tussen de eerste en de tweede reeks, en Pete had het voor de show verteld, en zijn introductie bij zijn terugkeer was dan ook: 'Sinds u hem voor het laatst zag, heeft hij een zoon gekregen, Robert...!'

Als het later wordt, discussiëren ze over de verschillende manieren waarop roem kan veranderen met het verstrijken van de tijd. Rob stelt dat als hij alles nu zou stoppen, hij over tien jaar niet langer beroemd zou zijn. Niemand is het met hem eens. De waarheid is, denk ik, dat wanneer je een bepaald niveau van roem hebt bereikt, je het niet kan verwerpen of ontkennen of het opgeven of er voor weglopen. Misschien vervaagt, verbleekt en vermindert de roem, met of zonder eigen toedoen, maar de kern blijft. Je kunt het saboteren, natuurlijk, maar wat je dan alleen maar overhoudt is een lelijker, gebroken roem – een last die niet minder zwaar is en minder compensaties oplevert.

❋ ❋ ❋

iChat, april 2004:

Erg huilerig. Gewoon depressief. Geen speciale reden. Het is oké. Niets is er anders dan twee weken geleden, alleen zit het me nu dwars en maakt het me zorgen. Het is dat gevoel van alleen met iedereen. Ik weet het, het is 'wee mij'. Sorry... Hoe dan ook, terug naar de tekentafel. Het leven is *fucking* geweldig. Ik wil gewoon lekker in mijn vel zitten om ervan te genieten. Het is alsof iemand mijn hersenen uitperst.

Dit is het gevoel dat een decenniumlang maar dag in dag uit aanwezig was. Geen rem en geen uitstel... Ik ga naar *The Sopranos* kijken.

✹✹✹

'Ik verveel me stierlijk,' zegt hij na een paar weken op het platteland. 'Ik word er gek van.' Voor een poosje vond hij het hier prettig, hij en de honden en het platteland en de studio opgebouwd in de zitkamer; hij sprak er enthousiast over dit landgoed te kopen of eentje dat er op lijkt, en Los Angeles lijkt niet meer zo prominent in zijn gedachten aanwezig, alsof het niet langer zijn voornaamste huis is, alleen voor het overwinteren. Maar als de weken in Engeland verstrijken, begint de herhaling van de dagen op hem te drukken. Het is vooral het feit dat zodra hij het terrein verlaat de gekte begint. Hij kan er niet tegen. Hij wenst dat hij in de buurt iets kon bezoeken, waar hij een goede kop koffie kon drinken en de wereld aan zich voorbij kan zien trekken zonder dat de wereld hem in de gaten houdt, maar nergens is zo'n plek te vinden. Hij speelt de meeste dagen op de plaatselijke golfbaan, rijdt dag en nacht quad bikes door de velden en bossen wilde hyacinten ('Ik ben altijd bang op zo'n ding,' bekent hij, 'maar hoe sneller ik rijd, des te banger ik word en des te gelukkiger ik ben'), reist naar de stad voor voetbalwedstrijden en feesten, werkt aan zijn muziek en speelt eindeloos *Fawlty Towers*-darts op Sky Interactive. Hij vergat zijn medicijnen mee te nemen naar Skibo en voelt zich goed zonder ze, daarom houdt hij zichzelf voor dat hij er af kan komen. Twee weken later neemt hij ze weer.

Hij lijkt zich ongemakkelijk te voelen bij zo'n leven tussen extremen, dat dag na dag na dag voortkabbelt. Hij kwalificeert veel dagen vrij snel als ofwel een van de beste dagen of een van de slechtste dagen, en hij vindt de tussenliggende dagen moeilijk te accepteren. Hij is gemakkelijk en vaak verveeld; hij heeft weinig geduld in zijn eigen verveling, en hij heeft weinig geduld in het veinzen geduld te hebben. Als hij iets niet wil doen of als hij ergens niet wil zijn, dan zal hij zich uit de situatie bevrijden. Ik denk dat hij dit niet zozeer ziet als intolerantie jegens andere mensen of de wereld, maar als een intolerantie jegens zichzelf en zijn onvermogen om verveling te kunnen verdragen.

De kwestie van hoe en wanneer hij geïnteresseerd is in de buitenwereld, in al zijn chaos en glorie, is gecompliceerd. Hoewel hij gewoonlijk geobsedeerd is door zichzelf en hij de eerste is die laat weten hoezeer hij door zichzelf in beslag genomen is (als hij dit doet zou je kunnen zeggen dat het zowel een manier is om iedere kritiek het hoofd te bieden als, neem ik aan, een manier om zichzelf weer in de conversatie te doen terugkeren), is hij op geen stukken na zo geobsedeerd door zichzelf als een boek als dit hem doet lijken, aangezien het een leven vol zelfobsessie destilleert in een lange dag met samengebundelde hoogtepunten. Hij is enorm nieuwsgierig en onderzoekend – hij pepert mij en anderen in zijn buurt voortdurend in met vragen over allerlei soorten dingen – maar hij is nieuwsgierig en onderzoekend ten aanzien van alles waar hij op dat ogenblik nieuwsgierig en onderzoekend naar is, en nog niet over iets wat nog voor hem zou kunnen liggen. Het zou zo kunnen lijken, afgaande op de eerste indruk, dat hij altijd graag het middelpunt van de aandacht wil zijn, maar volgens mij is het in werkelijkheid veel subtieler en gecompliceerd dan dat: hij houdt ervan het middelpunt van zijn eigen aandacht te zijn en voelt zich ongemakkelijk als dit niet gebeurt.

✳✳✳

Er zijn natuurlijk goede dagen. Op een avond als ik terug ben in Londen zoekt hij via iChat contact met me. 'Sta op het punt om het bed in te duiken met een blond iemand van één meter tachtig… waar ging het allemaal de mist in?' (Natuurlijk kan hij het op zulke momenten niet nalaten om enkele commentaren te leveren. 'Het is een mooie jongen,' typt hij.) Op een andere avond verblijf ik op het platteland – ik heb zitten schrijven in een belvédère op het dak – en ondernemen wij met z'n vieren een lange nachtelijke wandeling door het bos, ons een weg banend door de modder. De zaklamp geeft de geest. Slechts een handjevol sterren weten een beetje licht door de wolken te duwen, maar in de verte kunnen we het kasteel zien, aan de overkant van het meer. Als we het verst van huis zijn, legt Rob geduldig aan Mia, de kleindochter van David, uit waar de elfjes wonen.

7

iChat, april 2004:
   Ik ben in mijn hele leven nog nooit zo gay geweest als deze week, vind je niet?

✳✳✳

Zoals nu wel duidelijk zou moeten zijn, houdt hij er al lange tijd van om te dollen met de complexen die andere mensen ten aanzien van seksualiteit hebben, en hij beschouwt dit als een deel van zijn wapenrusting als een popster. Rob is echter altijd enigszins verbijsterd, zijn leven levend zoals hij het leeft, als hij beseft dat er werkelijk mensen zijn die geloven dat hij homo is. Deze lente lijkt er een plotselinge verandering te zijn in de manier waarop er over hem wordt geschreven, alsof een groot deel van de media heeft besloten dat dit echt het geheim van Robbie Williams moet zijn. De katalysator hiervoor is een televisiedocumentaire over Take That, waarin Howard Donald zegt dat hij niet verbaasd zou zijn als Rob biseksueel is, en waarin Kevin Kinsella opnieuw verschijnt en het botweg nog scherper stelt door te stellen: 'Ik denk niet dat hij biseksueel is – ik denk dat hij volledig homo is' en beweert dat hij zich een gesprek herinnert waarin Rob inging op het onderwerp. 'Hij zei: "Ik weet niet of ik hetero of homo ben,"' deelt Kinsella mee. 'Ik zei: "Nou, het lijkt erop dat je neigt naar gay, maar geniet je ervan?" Hij zei: "Ja."'

Ik ben in Londen maar ik bel hem als het programma is afgelopen.

'Gay hulplijn,' antwoordt hij. Hij lijkt er eerder geamuseerd dan geërgerd over en realiseert zich niet hoezeer dit voor sommige mensen zal worden beschouwd als een geloofwaardige bevestiging. Hoewel de uitzending slecht en onzorgvuldig was en een gemene ondertoon had, lijkt ze de opvatting uit te dragen dat Nigel Martin-Smith de niet gewaardeerde, slecht behandelde held van die tijd was, het deed hem met nostalgie aan Take That terugdenken: 'Ik moest echt lachen en vond het grappig. Ik dacht dat ik tegen het eind ervan echt kwaad zou zijn, dat ik mensen zou willen aanklagen en ze opbellen om te zeggen wat een klootzakken ze zijn. Ik genoot er gewoon van.' De enige dingen die hem echt konden schelen waren de momenten waarop hij sprak als Liam Gallager, want hij vond dat hij klonk als een idioot.

Maar, zoals zijn volgende iChat erkent, neemt zijn veronderstelde homoseksualiteit in de komende dagen toe. De citaten van Kevin Kinsella gaan de wereld rond. De roddelwebsite Popbitch herhaalt een verhaal waarin wordt beweerd dat George Michael de uitgever van een nationale krant heeft verteld dat zowel hij als zijn vriend Kenny afzonderlijk het plezier van Robs gezelschap heeft genoten. Een van de sensatiebladen schrijft over een tuinman – Rob weet niet eens wie ze bedoelen, maar het was kennelijk iemand die ooit op het landgoed werkte – die zijn nieuwe maatje zou zijn nu Jonny niet meer zo veel in de buurt is en dat hij geregeld in huis zou worden uitgenodigd. Kijk, kijk.

Het kan hem niet zoveel schelen, maar we bespreken het bekende raadsel: dat het beledigende deel van dit alles niet zozeer de suggestie is dat hij homo zou zijn maar de implicatie dat hij leugenachtig leeft, en hoe gek het is om te weten dat, als het hem wel had kunnen schelen, er vrijwel niets is dat hij er aan had kunnen doen.

✳✳✳

Hij kiest uiteindelijk voor *Ghosts* als de eerste single van de *greatest hits*, hoewel hij gelooft dat alle anderen hem willen bewegen tot de schreeuwerige zwier van *Boom Boom*. Die zaterdag, als hij David Enthoven ontmoet in de skybox bij Chelsea als ze een saai 0-0-gelijkspel zien, vertelt David hem dat hij denkt dat het enige nummer waar ze aan werken dat als een eerste single klinkt niet *Ghosts* is, maar het nummer dat ze de vorige zomer schreven, genaamd *Radio*. David zegt dat hij niet goedvindt wat er is gebeurd met *Boom Boom*, hij vindt de achtergrondzang op *Ghosts* goedkoop en is in de war gebracht door de afwezigheid van een conventioneel refrein.

Rob is behoorlijk van zijn stuk gebracht door dit gezichtspunt en hij broedt er het hele weekeinde op. Hij wil *Boom Boom* echter zelf ook niet meer als single, deels omdat hij denkt dat het te zeer voor de hand ligt, omdat hij denkt dat het zo'n enorme voorspelbare hit zal worden. Hij is verrast door elke suggestie dat dit wel eens niet het geval zou kunnen zijn. Wat *Ghosts* betreft vertelt hij me: 'Ik denk dat het echt nostalgisch en mooi is. Ik vind het juist goed dat er geen refrein is.' Hij probeert Chris Briggs te bereiken om het te bespreken, maar hij is niet thuis, dus zit hij daar laat op zaterdagavond en is er steeds meer zat van, terwijl hij tegelijkertijd op internet zoekt wat de sterkste espresso's zijn. (Jolt Espresso schijnt de eerste keuze te zijn. 'Wauw, ik wed dat die goed is,' zegt hij. 'Ik wed dat dat een klapper is. Daar moet ik wat van zien te krijgen.')

Hij realiseert zich dat hij misschien bij een tweesprong is aangekomen met de keuze die hij moet maken. 'Het is in feite zo simpel als dit,' legt hij uit. 'Of privé-vliegtuigen voor de rest van mijn leven, of eersteklas. Snap je wat ik bedoel? Met betrekking tot welke richting ik nu kies.'

Als dit zijn dilemma is, is het niet een dilemma dat zo simpel is als het op het eerste gezicht lijkt. Het is niet zo dat de platenmaatschappij of zijn management hem altijd in een bepaalde richting duwt van de meer commerciële keuzes die de levensstijl met privé-vliegtuigen in stand zal houden (al doen ze het soms wel), en dat hij altijd de minder commerciële en artistiek puurdere keuze maakt (al doet hij dat soms wel). De echte strijd speelt zich in hemzelf af: tussen het deel in hem dat ten koste van alles wil entertainen, zoveel mogelijk mensen behagen en verbijsteren op de meest boeiende manier die hij kent, en het deel in hem dat het niet eens is met sommige keuzes die zijn eerste instinct heeft gemaakt en dat meent dat er een andere weg is. Zelfs innerlijk is het bij hem geen simpele krachtmeting tussen kunst en commercie: veel van zijn meest gepassioneerde impulsen zijn het meest commercieel, en hij staat even wantrouwig tegenover bewuste mateloosheid als het laffe behagen van de menigte.

Deze discussie wordt heftig gevoerd tijdens het tochtje dat hij naar Monaco maakt – met Jonny, Pompey, Gary en ik – om de eerste wedstrijd van de halve finale in de Champions League te zien tussen Chelsea en Monaco. We vliegen er twee dagen van tevoren naar toe. Nog geen eersteklas: een privé-vliegtuig naar Cannes en een helikopter over de baai naar de helikopterhaven aan de kust van Monaco.

Op zijn kamer luistert hij naar *Radio*. 'Ik zag dit nooit als een single,' zegt hij, zijn hoofd schuddend.

'Ik dacht altijd dat het twijfelachtig was of dit nummer op het album terecht zou komen,' zegt Jonny.

'Ik heb *Radio* altijd gezien als een gek en geweldig nummer op een album,' zegt Rob.

Jonny en hij gooien golfballen naar elkaar; ze worden geacht de voltreffers te ondergaan zonder zich te bewegen. Ze beschuldigen elkaar constant van ontwijken.

'Niet op mijn kloten richten, Rob,' verzoekt Jonny.

'Ik richt op je kloten,' zegt Rob. 'Dat deed jij net ook.'

'Ja, maar jij hebt een sportbroek aan,' zegt Jonny.

Nadat ze een tijdje zo door zijn gegaan, luisteren ze naar *Ghosts*. 'En hier kan ik pas zingen,' zegt Rob, de conversatie van voor de golfbaloorlog weer oppakkend. 'Het is mijn "Vienna". Ik bedoel, het is niet zo groot als "Vienna"... zoals ik laatst al zei, het is het verschil tussen privé-vliegtuigen en eersteklas. Het is zoiets als privé-vliegtuigen – ongelukkig, eersteklas – gelukkig.'

Ik merk tegen hem op dat als dit de keuze is die hij voor zich ziet, hij deze recentelijk niet aan wie dan ook kenbaar heeft gemaakt.

Hij knikt. 'Ik wil nooit een compromis sluiten, en dan vergeet ik het,' zegt hij. 'Als ik 's ochtends een bord voor mijn spiegel zou hebben waarop stond GEEN COMPROMIS, dan zou ik me herinneren dat ik geen compromissen moet sluiten, maar nu vergeet ik het gewoon. Om geen compromis te sluiten. Omdat het veel gemakkelijker is om te zeggen: o... Maar ik *kan het niet*. Ik heb het zo vaak gedaan. Ik heb het *zo* vaak gedaan. En een compromisalbum als *Escapology* maken en denken dat ik het kan promoten – "Nou, alleen deze dan" – ik wil dat niet meer. Geen compromis!'

Hij heeft een besluit genomen.

✳ ✳ ✳

Hij brengt wat tijd door in het casino van het hotel. Hij speelt het meest een paardenracespel, waar je omheen zit terwijl zes plastic paarden tegen elkaar rennen en je wedt op de uitkomst. Het wedden vindt plaats in hoeveelheden van één euro, zodat het moeilijk is om te veel in te zetten, en hij doet het sowieso vrij goed. De blackjacktafel is minder vriendelijk voor hem, en in een paar rondjes is hij met frustrerend gemak duizend euro kwijt. Tussen het spelen door kletst hij onschuldig met een van de spelersvrouwen van Chelsea, tot de vader van de speler op serieuze toon vraagt: 'Wil hij neergestoken worden?'

Een avond gaan we op stap met Jenson Button. (Laatst probeerde Jenson Rob na een race te bellen via de telefoon van Pompey en liet een bericht achter – hij, Michael Schumacher, Pablo Montoya en David Coulthard die gezamenlijk *Rock DJ* door de telefoon zongen.) Jenson woont in Monaco, maar komt helemaal niet over als de playboy zoals hij wel is afgeschilderd. Hij neemt ons mee naar een rustige bar aan de zee voor frisdrank, en hij en Rob gokken bescheiden op de paardenraces, hoewel hij amper bekend lijkt met de binnenkant van een casino. Terwijl ze de weg aflopen – ons hotel bevindt zich in een van de kronkelende straten die deel uitmaken van het Grand Prix-circuit – wijst Rob de plaats aan waar hij altijd crasht op zijn Playstation Monaco-spel. Jenson glimlacht en wijst naar de tunnel, in de richting van de plaats waar hij vorig jaar in het echt crashte met tweehonderdveertig kilometer per uur en het bewustzijn verloor.

Terug op zijn kamer overhandigt Rob mij een van de chocolaatjes die het hotel voor hem heeft neergelegd.

Ik neem een klein hapje, maar ik hou er niet van.

'Te rijk,' verontschuldig ik me.

'Ja, ik weet het,' zegt hij, 'maar ik heb ons hier weten te krijgen, niet?'

❋❋❋

David arriveert op de dag van de wedstrijd en treft Rob vol geestdrift aan om over zijn single en de richting die hij uitgaat te discussiëren. 'Ik vind *Ghosts* echt goed,' benadrukt hij. 'Dat gaat over mij. Dat geeft aan waar ik ben.' David knikt, kent het gezichtspunt van Rob en bereidt zijn tegenargumenten voor. 'Ik zat net te denken,' zegt Rob, alsof hij nog een excentrische gedachte toevoegt, 'om geen compromis meer te sluiten over datgene wat ik goed vind.'

'Goed,' zegt David. 'Het is een goed nummer, echt waar, maar ik denk niet dat het een grote hitsingle is.'

'Nou, dan moet de discussie zich richten op…,' begint Rob.

'Andere nummers?' zegt David.

'Nee,' zegt Rob. 'Op: hoe gelukkig heeft het maken van grote hitsingles me gemaakt? Als ik terugkijk naar al mijn singles, dan vind ik *Ghosts* beter dan de meeste ervan. Als iets creatiefs dat bij me past prefereer ik *Ghosts* boven… *alle* singles. Misschien is het geen hitsingle – dat zeg ik ook. Ik zeg alleen maar: hoe gelukkig heeft het maken van hitsingles mij gemaakt?'

Ze debatteren over de voors en tegens. Rob zingt een nieuw refrein bij *Ghosts* en David geeft toe dat hij er een koude rilling van krijgt en begint iets te weifelen. In de tussentijd moet Rob erkennen dat het nummer waar David voor pleit – *Radio* – geen goedkoop, veilig nummer is om het publiek te behagen. Het is eigenlijk een zeer excentrisch en bijzonder nummer. David stelt dat het de ideale manier is om Rob en Stephen te introduceren als de nieuwe partners in het schrijven van nummers. 'Voor mij zegt *Radio* meer over de toekomst,' zegt hij. 'En, dat ben ik wel met je eens, *Ghosts* ook wel, alleen voelt dat niet aan als een hitsingle.'

'Ik weet niet meer voor welk nummer ik zou kiezen,' zegt Rob geeuwend.

De wedstrijd is spannend, maar Chelsea verliest met 3-1 tegen tien man van Monaco na een rampzalig laatste halfuur dat ons met een ontredderd gevoel achterlaat. In de bestelbus naar het vliegveld doet het hem in dezelfde context aan zijn solocarrière denken. 'Ik moet zeggen,' overpeinst hij, 'dat het is alsof ik al acht lange jaren in de Champions League zit, zonder eruit geknikkerd te worden.' Hij lacht. 'En dan naar de Copa America gaan en ingemaakt worden. En te denken dat ik te veel wedstrijden heb en ik niet meer wil gaan.'

In het vliegtuig probeert hij te denken aan mogelijke vriendinnen en vertelt David dat hij een gouden tand in zijn gebit laat zetten. Hij zal het niet doen. De volgende avond, terug op het platteland, is hij zo verveeld dat hij zich tot halverwege Guildford laat rijden en dan weer wordt teruggereden. Twee dagen later is er een topbespreking in het huis over de single. Rob herhaalt en versterkt zijn nieuwe favoriete metafoor. 'We zijn dus van elkaars argumenten op de hoogte, je weet dus hoe ik er over denk,' begint hij. 'Ik moet een keuze maken, en mijn keuze is: privé-vliegtuigen of eersteklas. Privé-vliegtuigen – compromissen en me *fucking* ellendig voelen en weer een enorme selectie aan nummers hebben die ik live moet zingen en die ik niet goed vind, of dingen doen als *Ghosts* en *Radio* en heel gelukkig en tevreden zijn.' (Merk op dat *Radio* nu aan de kant van goede nummers staat) 'In het proces,' gaat hij verder, 'zou het beste zijn dat iedereen met ons meegaat. Het slechtste dat zou kunnen gebeuren is dat het alleen maar een klein beetje druk van me wegneemt. Wat ik bedoel is dat we het ook anders zouden kunnen hebben. Het zou *anders* kunnen zijn. Hoewel het prettig is om drie avonden in Knebworth te doen en al dat geld en zo te verdienen… waarom doen we het niet gewoon rustig aan?

Iedereen lacht.

Hij spreekt gepassioneerd over *Ghosts* en dan luisteren ze naar *Radio* en hij zegt: 'Weet je, ik zou het prima vinden als dat de single zou worden. Want het is… *fucking* gestoord.' Het is bijna alsof hij tevreden is dat hij zich heeft verdedigd en heeft standgehouden en dat iedereen zijn pleidooi heeft geaccepteerd dat *Ghosts* de single zou moeten zijn en dat hij zich nu vrij voelt om van gedachten te veranderen. 'Dat is dus de single,' zegt hij van *Radio*. 'Volgens mij zullen jongeren er ook *fucking* van houden. Het is niet alleen somber en gestoord, maar de jongeren gaan dat in drommen kopen. Ik denk gewoon dat ze dat zullen doen. "Dit is te gek." En je kunt dat nummer iedereen laten horen en dan ze zouden niet zeggen: "Robbie Williams".'

✳✳✳

In een wijnbar annex restaurant in het stadje Billingshurst in Sussex proberen ze uit alle macht niet te laten merken hoe verrast ze zijn dat een van de weinige eetgasten op deze rustige vrijdag in april Robbie Williams is. Op de achtergrond klinkt ondraaglijke lichte jazzsoul en hij begint een gesprekje met het jonge stel aan de tafel naast hem.

'Ik verveel me wat,' zegt hij opgewekt tegen hen. 'Misschien vergiftig ik mezelf wel.'

Op de weg terug noemt hij het verhaal in de kranten dat Britney Spears in de buurt gaat wonen en dan zegt hij: 'Weet je wat ik morgen echt zou willen doen? Op een promotietocht gaan. Denemarken. Dan Frankrijk. Ik zou wakker willen worden en dan een persconferentie willen doen, dan drie nummers zingen waar ik echt van hou. *Ghosts*, *Misunderstood* en een die we nog niet hebben geschreven.'

We stoppen voor de plaatselijke pub. (Hij babbelt met Jonny aan de telefoon als hij naar binnen loopt: 'Ik ben in een pub… op het platteland… misschien word ik wel gedood…') Eerst zit hij rustig in de achterste ruimte, dan nodigt een lesbisch stel hem uit naar de voorste ruimte om poolbiljart te spelen. Iedereen hier is straalbezopen – borrels tequila worden in een angstaanjagend tempo achterovergeslagen – en op een enge manier vriendelijk. Elke keer als ze je aanspreken, buigen ze zich naar je toe alsof ze op het punt staan om tegen je aan te vallen.

Hij begint pool te spelen. De overeengekomen inzet is tien pond voor het spel.

Een van de vrouwen vraagt of hij een aansteker heeft.

'Zeker,' zegt hij.

'Ja?' zegt een van de andere vrouwen verbaasd.

'Ja,' zegt hij verward.

'Dat verbaast me,' zegt ze.

'Dat ik rook?' zegt hij, verward.

'Nee, dat je een aansteker hebt,' zegt ze.

Ze moedigen hem herhaaldelijk aan om een tequila te nemen.

'Nee,' zegt hij, 'je zou me niet leuk vinden als ik zou drinken.'

Hij gaat naar het toilet. Een van de enge oudere mannen – deze ziet er een beetje uit als Pete Waterman – volgt hem. Hij wil weten of Rob er niet gek van wordt als mensen hem alleen maar willen leren kennen omdat hij Robbie Williams is. ('Dit,' beschrijft Rob nadien, 'terwijl ik mijn lul in mijn hand heb.')

Nothing's Gonna Stop Us van Starship wordt gedraaid.

'Heeft nog nooit zo goed geklonken,' zegt Rob als hij de zwarte bal in de pocket schiet. Hij vertrekt na 'drie kwartier complete waanzin', tien pond rijker.

✹✹✹

Hij heeft zijn haar maandenlang laten groeien, maar nu laat hij het knippen.

'Ik dacht dat het "nieuw kapsel, nieuw gevaar" zou zijn,' legt hij uit, 'maar het was alleen maar "nieuw kapsel, eruitzien als een voetballer".'

✹✹✹

In de *Daily Mirror* staat een verhaal dat Gary Barlow deze week op een feestje vertelde dat Take That aan het eind van het jaar weer bij elkaar zal komen voor een speciaal evenement en dat zelfs Rob er voor te vinden is. Het is voor het eerst dat hij het hoort. Sterker nog, voordat hij dit hoort, levert zijn managementkantoor hem een citaat van hem voor de kranten: 'Ik ben bang dat er meer kans is dat de hel bevriest.'

Rob keurt het gevoel dat hem wordt toegeschreven goed, maar hij zou er misschien voor hebben gekozen om zich anders uit te drukken, aangezien hij het beroemdste precedent dat met die uitspraak in popmuziek wordt geassocieerd kent. Nadat The Eagles met ruzie uit elkaar waren gegaan, was er zoveel onoverkomelijke wrok jegens de voormalige leden dat een van hen, geïrriteerd dat hem voor de honderdste keer werd gevraagd of ze ooit nog weer bij elkaar zouden komen, zei dat de hel eerst zou bevriezen. Om deze reden hadden The Eagles verscheidene jaren later de humor om hun tournee en het album van hun reünie *Hell Freezes Over* te noemen.

✹✹✹

Op een avond ben ik bijna in slaap in het landhuis van Rob als ik iets bekends hoor. De slaapkamer van Rob ligt direct boven de kamer waar ik in verblijf, en als zijn tv hard wordt aangezet kan ik haar horen dreunen door het plafond. Vanavond herken ik het gedreun. Ik ben verbaasd over wat ik hoor, maar niet verbaasd genoeg om langer wakker te blijven dan een paar seconden waarin ik me afvraag waarom Rob in hemelsnaam in bed naar *Angels* ligt te luisteren.

De volgende ochtend is Rob net uit bed, zonder shirt en geeuwend, en heeft nog geen woord gezegd, als hem wordt verteld dat Mark Owen aan de telefoon is. Voordat hij de telefoon oppakt, vertel ik hem wat hij misschien moet weten – dat in de *Sun* van deze ochtend wordt meegedeeld dat Take That deze Kerst zonder hem weer samenkomen voor een eenmalig optreden, als onderdeel van een promotiecampagne voor het uitbrengen van enkele Take That-dvd's. Hij zegt kort hallo tegen Mark, verneemt genoeg om te weten dat Mark geen plannen heeft om mee te doen aan een reünie van Take That, zegt dat hij hem terug zal bellen als hij wakker is geworden en gaat zitten om het verhaal te lezen. Hij glimlacht.

'Ik zie het wel zitten,' zegt hij.

Echt? vraag ik.

'Ja. Als ik deze Kerst niets te doen zou hebben, zou ik het doen.'

Zelfs als Nigel erbij betrokken is? (*The Sun* beweert dat Nigel Martin-Smith de onderhandelingen doet voor de deal van de reünie van de vier.)

'Ja,' zegt hij. 'Ik zag *Everything Changes* gisteravond op de televisie.'

Pas nu herinner ik me dat ik *Angels* hoorde.

'Die was erop,' knikt hij, 'en dus keek ik daar wat naar en toen koos ik een andere zender en daar was *Everything Changes*. Ik was gewoon aan het zappen.' Hij glimlacht. 'Het zou echt maf zijn om *Radio* uit te brengen en dan een Take That-concert te doen... ik weet niet of dat goed is.'

'Waarom zou je het doen?' vraag ik.

Soms negeert hij vragen of beantwoordt hij ze gewoon niet, maar nu zit hij aan de eettafel, kijkt de andere kant op, zijn lippen tuitend. Hij denkt duidelijk diep over deze vraag na. 78 seconden lang zegt hij helemaal niets. 'Ik weet het niet,' zegt hij ten slotte. 'Ik zat te denken: waarom zou ik het doen? Ik weet het niet. Ik vond die documentaire laatst goed, en de nummers. Heel onschuldig. *Everything Changes* gisteravond...' (Wat hem ook opviel aan de video was dat hij toen een Franz Ferdinand-kapsel had.)

Hij zegt dat hij het liefst *Why Can't I Wake Up With You* wil zingen en nu heeft hij het gevoel dat hij echt flink wil repeteren om zich voor zoiets voor te bereiden.

'Hoe zou je het vinden om met Gary te repeteren?' vraag ik.

Pauze. 'Prima,' zegt hij.

'En de eerste keer dat je het gevoel zou hebben dat hij iets echt neerbuigends zou hebben gezegd...?'

'Ik zou zoiets hebben van: ik weet waarom ik dit doe en jij bent een idioot,' zegt hij. 'Hij is een van die mensen die geen *fucking* idee hebben waar je het over hebt als je hem over dingen vraagt. Hij voelt zich waarschijnlijk erg gekwetst door alles wat ik heb gezegd.'

Hij is echter wel bezorgd dat, hoe kalm hij ook doet over de betrokkenheid van Nigel Martin-Smith, als hij hem zou zien hij hem van kant zou maken.

Hij eet wat vis en rijst en belt dan Josie op. 'Luister, ik heb erg zin om iets te doen... ik ben... ja... ja...' Ik kan haar verbazing horen. 'Ja, compleet voor de lol, geen bijbedoelingen anders dan dat het een mooie tijd is geweest en ik dat zou willen vieren...,' zegt hij.

'Ik moet mijn helbevriezer tevoorschijn halen,' zegt ze tegen hem.

Hij belt Mark. 'Hi, makker... ik ben nu wakker...' zegt hij. Ze keuvelen wat en dan zegt hij: 'Ik heb veel zin om iets te doen... met Take That... ja...' Nu is het Marks beurt om verbaasd te zijn. Hij had tegen Gary gezegd dat hij het alleen zou doen als Rob het deed, maar hij verwachtte totaal niet dat Rob geïnteresseerd zou zijn. 'Ik denk persoonlijk dat ik gewoon iets wil erkennen dat ik heb afgekraakt als iets goeds – snap je wat ik bedoel?' zegt Rob. 'David en Tim zullen waarschijnlijk in alle staten zijn...'

Ik vertel hem dat David net op de andere lijn heeft gebeld. Hij belt David terug. David is niet gelukkig.

'Ik geloof niet dat je dat weer moet meemaken...,' zegt David streng, licht in paniek. 'Ik denk dat je het met rust moet laten... je kunt nooit weer creëren wat je toen deed.'

Rob zegt dat hij er over na zal denken.

✳✳✳

Hij is benaderd voor de hoofdrol van *Boys From Oz* op Broadway, als vervanger voor Hugh Jackman. Drie maanden. Acht shows per week.

'Hoeveel?' vraagt Rob. Hij denkt na. 'Drie maanden in New York. Volgend jaar zou kunnen. Ik zeg nog geen nee...'

✳✳✳

Op een vrijdagochtend zit hij aan de tafel in de eetkamer en brandt een cd voor Matt Lucas, naar wiens feest naar aanleiding van zijn dertigste verjaardag hij vanavond zal gaan. Hij knipt figuren uit het tijdschrift *Attitude* als decoratie voor het cd-hoesje en de cd. Voor de rest gebruikt hij gewoon het cd-hoesje van *Patience* van George Michael. Hij noemt de compilatie *Lonely At The Top*.

In de stad wipt hij even bij Air Studios langs, waar violen worden opgenomen, voornamelijk voor *Misunderstood*. Hij kletst met Chris Martin – Coldplay neemt hier ook op – en vertelt Stephen dan, minuten voordat de sessie gaat beginnen, dat hij van plan is om een stem in te zingen maar dat hij de derde en vierde regel van het nummer wil veranderen: *Love the way they smiled at me, held their face for eternity.* Hij weet hoe de vierde regel volgens hem zou moeten klinken – *I'd break my heart to make things right* – zijn verkeerd horen van Scott Walker waaraan hij werd herinnerd toen hij een eerste versie van dit boek las. Hij wil een derde regel, meteen. Hij leidt Stephen in een kamer achteraf, wacht tot zijn sushi arriveert en eist ideeën.

'Het zou *you do*… iets slechts kunnen zijn,' stelt Rob voor, *'and I'll break my heart to make things right.'* Dat niet. *'I'll do the same again tonight,'* stelt hij voor. *'I'll be the same again tonight?'*

'Het is moeilijk om afstand te nemen van de regels die niets betekenden maar groots aanvoelden,' zegt Stephen. 'Iets anders lijkt het kleiner te maken, niet?'

'I always thought that you were right…,' zingt hij. *'I always knew that you were right?… I'm committed to the fight?…'*

Hij besluit te kiezen voor *'I always seem to start to fight.'*

'Dat is goed,' zegt hij. 'Ja? Dat is het. Ja?'

Hij ritst zijn zwarte jas dicht. Dit is de juiste kleding voor zo'n stem. 'Alleen rechte lijnen,' verklaart hij. 'Zwart. Hoofddeksel op. Als een staatsman.'

Hij zingt het alleen in het zanghokje.

I'm trying to be misunderstood. But it doesn't do me any good. I always seem to start a fight. I'd break my heart to make things right.

Zijn jas is dichtgeknoopt en zijn handen zitten in z'n jaszakken.

I'll be misunderstood by the beautiful and good in this city. None of it was planned. Take me by the hand. Just don't try and understand.

In de hoofdruimte van de studio lopen de violen door de orkestratie van Claire.

Still I find myself outside. You can't say I haven't tried. Perhaps I tried too hard. No excuses. I won't apologise. Or justify your lies.

Tegen het eind haalt hij zijn handen uit de zakken en houdt ze voor zich.

Can't forgive, sorry to say. You don't know you're guilty anyway. Isn't it funny how we don't speak the language of love?

Terwijl het nummer wordt gemixt, overtuigt Stephen Rob ervan dat het oude couplet met *'face for eternity'* het toch beter doet.

***

Het is gewoonlijk niet leuk om ineens een magneet te zijn voor de aandacht van vreemden, en soms is het helemaal niet leuk.

Op een middag arriveert een vrouw in een gele Mini Cooper bij het huis, ze is het hek al gepasseerd en rijdt over hectares privé-terrein en legt uit dat ze wordt verwacht: ze heeft met Rob gesproken. Ze geeft Gary haar naam en een foto van zichzelf en haar kinderen, alsof dit de gebruikelijk manier is om zichzelf te identificeren als men aankomt bij het huis van een beroemde vriend. Hij brengt deze naar Rob, die zich down voelt en een middagslaapje houdt. Rob kent haar niet. Als Gary weer naar buiten gaat, legt ze uit wat ze bedoelde. Ze is paranormaal begaafd, zegt ze, en ze spreekt in feite via de psyche met Rob. Ze hebben de afgelopen maand veel met elkaar gesproken, vertelt ze rustig, en in wezen heeft ze hem geholpen.

Uiteindelijk moet Gary uitleggen dat zijn telefoon uitgerust is met een heel echt mechanisme waardoor hij echt met de politie kan spreken, en ze stemt ermee in om te vertrekken. Later wordt ze gezien aan een naburige openbare weg, geparkeerd. Gary wordt om vijf uur de volgende ochtend gewekt door het blaffen van de honden; ze is tot voor het huis gereden, wachtend. Zelfs als hij de politie belt, weigert ze te vertrekken. Ten slotte komt de politie en in tranen is ze bereid te vertrekken, maar tegen de middag is ze terug, haar auto verborgen achter een heg op het landgoed. Rob besluit niet te gaan golfen en blijft in huis tot het is afgehandeld. De politie komt en moet haar uiteindelijk arresteren. Ze vertelt hen dat ze afgelopen nacht met Robbie heeft geslapen. En deze middag. 'Luister naar de god in je hoofd,' krijst ze.

Als de politie niet in staat is om haar te kalmeren of een redelijk gesprek te voeren, wordt ze ingerekend.

***

Een week na zijn gesprek met Mark Owen vraag ik hoe de vooruitzichten op een reünie van Take That lijken. Zijn antwoord is geen enorme verrassing.

'Ik heb er geen zin in,' lacht hij schaapachtig.

***

Er is al maandenlang naar een betekenis gezocht voor *Misunderstood*, maar in de afgelopen paar weken is deze eindelijk gevonden.

'Volgens mij is het waar dit boek in feite over gaat,' zegt Rob. 'Iets vastgelegd hebben waarin het echte verhaal wordt verteld.'

Hij bijt in een appel.

'Als twee mensen zien dat er een misdaad wordt gepleegd en je neemt ze mee om ze apart te horen, geven ze twee verschillende verslagen…,' begint hij. Hij bonst op de tafel. 'Het is *alweer* autobiografisch,' zegt hij, alsof dit de oorzaak van een frustratie is. 'Ik vind dat er unfaire shit over mij is geschreven, en volgens mij heeft dat tot gevolg dat mensen die me ontmoeten, denken dat ik iemand anders ben, en dat is niet zo. En het maakt me kwaad en irriteert me. *Misunderstood* is als het oudere broertje van *Strong*, maar dan iets volwassener, denk ik.'

Hij zucht.

'Het is een beetje vergeefs, want mensen die ervoor kiezen om me zo te zien willen me niet op een andere manier zien. Ze hebben liever een beeld van me als een dilettant in plaats van iemand die niet zo voorbereid of zo cynisch is als mensen denken dat ik ben. Ik heb alleen geleerd om cynisch te zijn omdat mensen aangeven wat de cynische dingen zijn. Volgens mij is het tweede couplet meer uitdagend. Ik hou er altijd van als Bono en Morrissey zinnen zeggen als: *"Ik ben niet bang voor wie dan ook in deze wereld, er is niets dat je me voor de voeten kan gooien dat ik niet al heb gehoord."* Als ze dat echt menen, dan is dat briljant, maar ik ben vrij geregeld bang voor mensen en wat ze me aan kunnen doen met woorden. Het is erg prettig om me wat volwassener te zien worden in het tweede couplet – *I won't justify your lies.* Er zijn zoveel dingen dat je het gewoon over je heen moet laten gaan. Je hebt een gokverslaving van twee miljoen pond en men heeft gezien hoe je dronken uit een of andere bar kwam… de documentaire die beweerde dat ik beslist homo was. Ik hoef helemaal niets zeggen of iets doen. Ik zal niets rechtvaardigen. Als je zo denkt, rot dan maar op. *I'll be misunderstood by the beautiful and good in this city… none of it was planned.* Weet je, het was helemaal niet mijn plan om dit monster te creëren dat een onderscheiding krijgt als de slechtste boosaardige schurk van het jaar. Ik wilde alleen maar enkele popnummers maken en ze zingen.'

✳✳✳

Op de ochtend na de onsuccesvolle tweede wedstrijd van Chelsea tegen Monaco voegt hij zich bij Jonny en Dec – die beide na de wedstrijd terugkwamen – aan de ontbijttafel. In de kranten van vandaag heeft Britney Spears een interview gegeven waarin ze Rob omschrijft als 'hot en erg sexy'.

'Ze bedoelt dik en sociaal gehandicapt,' zegt hij met een chagrijnige blik, maar in stilte is hij vereerd.

***

Radio lijkt nu definitief de eerste single te worden, en Rob besluit dat het nummer een tweede couplet nodig heeft. Op dit ogenblik wordt het eerste couplet simpelweg twee keer herhaald; veel van de tekst bestaat uit woorden die Rob uit zijn hoofd bedacht toen het nummer de vorige zomer werd geschreven op de zolderkamer van Air. (Sindsdien heeft hij de tekst iets bewerkt en het woord 'ouch' toegevoegd boven het naar beneden lopende instrumentale tussenstuk voor de climax van het nummer.)

Vandaag zit hij met Stephen op de bank in de studio, misschien rekenend op een van die lange slepende avonden die altijd nodig waren om nieuwe teksten te krijgen, maar na een paar minuten zegt Stephen, die bezig is geweest het volledige werk van Belle & Sebastian op zijn iPod te verzamelen, dat hij zelf al een poging heeft gewaagd. Rob leest het en verklaart dat het perfect is. De nieuwe woorden helpen niet echt het nummer begrijpelijk te maken, maar ze helpen wel om de suggestie te wekken dat de willekeurige gekte een opzettelijke bedoeling van de zanger is. Wat het nummer nu betekent, zegt Rob, enigszins onwillig om het gesprek aan te gaan: "Het was gewoon een gedachtestroom. Ik heb er niet over nagedacht. Het is zoiets als "…Monkey" – ik wil niet worden gedwongen om in de achterafstraten van "…Monkey" te kijken om te zien waar het over gaat.' Ik krijg in elk geval enig inzicht in de regel in het refrein dat het nooit leek te kunnen maken in het voltooide nummer – *make it effervescent, dear* – maar wat wel was gelukt.

'Waarom "effervescent"?' vraag ik.

'Omdat ze die week op nummer één stonden,' zegt hij.

Het was allemaal één grote vergissing. Het blijkt dat hij denkt aan Evanescence, waarvan hij altijd dacht dat ze Effervescence werden genoemd.

Hij doet de zangpartij opnieuw. Overeenkomstig met zijn nieuwe gewoonte van het dragen van bijpassende kleding voor elk nieuw nummer dat hij zingt, zegt hij dat hij niet tevreden is over zijn schoeisel voor deze zangpartij. Hij draagt bruine Nikes en ze passen niet bij zijn blauwe sportbroek. Hij wilde dat hij zijn witte Nikes zonder veters droeg, maar die zijn in de auto. Maakt niet uit. Hij zal er boven staan.

Hij zingt, en terwijl hij zingt begint hij te dansen en zijn nieuwe personage aan te nemen.

'Ouch!' zegt hij.

'Ouch!' kweelt hij.

'Ouch!' schreeuwt hij.

❋ ❋ ❋

iChat, lente 2004:
  Eindigt het ineens? 'En toen ging Robbie naar bed...?'

❋ ❋ ❋

In de afgelopen maanden hebben we soms gesproken over de vraag hoe een boek als dit moet eindigen. Afhankelijk van zijn stemming wil hij dat het eindigt met een willekeurig beeld van de vele beelden van triomf, 'pensioen', berusting, wanhoop, tevredenheid, dwaasheid, concentratie, doelloosheid, hoop of inspiratie waaruit zijn leven tegenwoordig bestaat en dat het de beelden weerspiegelt die eerder hebben bestaan.

Hij staat op het punt om naar de golfbaan te gaan en hij zal tegen me zeggen 'The end', alsof dat het moment is dat moet worden bevroren in de tijd: een man in golfkleren die wegloopt. Of hij doet dit nadat hij 'Geen compromis' roept in een hotelkamer in Monaco en belooft het niet te zullen vergeten. Of hij verklaart op een ogenblik van weinig betekenis: 'Wat zou je er van vinden als het boek er gewoon mee eindigt dat ik vinaigrette over mijn hoofd uitgiet?' Of, zoals hij op een dag met spottende plechtigheid dicteert, stelt hij voor dat het zo moet eindigen: '"Godzijdank dat ik in Take That terechtkwam," zegt hij, zittend en etend met zijn vrienden in zijn kasteel.' Of misschien gewoon... 'Ouch.'

Maar als ze eerlijk zijn eindigen boeken als dit niet zo keurig; niet met een pasklare afgeronde conclusie of met een passende moraal, of met een bekronend moment, of met een laatste resonerend incident dat wordt gepresenteerd als de bevredigende culminatie van een stijgende lijn. Ze eindigen gewoon waar en wanneer ze eindigen en op dat ogenblik gaan het onderwerp en het boek uiteen. Ze stoppen, nadat alles wat voorlopig kan worden gezegd is gezegd, en hun onderwerp gaat voort om alles wat deze geschiedenis heeft opgeworpen te vervullen of te weerstaan. En met geluk en voorzienigheid, veel meer dan hij zich ooit heeft kunnen voorstellen.

Angels
Tekst en muziek: R. Williams/G. Chambers
© EMI Music Publishing/BMG Music
Publishing 1997
Alle rechten voorbehouden. Met toestemming gebruikt
Gereproduceerd met toestemming van EMI Music
Publishing Ltd. Londen WC2H OQY

Big Beef
Tekst en muziek: R. Williams
© BMG Music Publishing/EMI Music Publishing
Alle rechten voorbehouden. Met toestemming gebruikt

Blasphemy
Tekst en muziek: R. Williams/G. Chambers
© BMG Music Publishing/EMI Music Publishing
Alle rechten voorbehouden. Met toestemming gebruikt

Boom Boom
Tekst en muziek: R. Williams/S. Duffy
© BMG Music Publishing/Copyright Control
Alle rechten voorbehouden. Met toestemming gebruikt

Cake
Tekst en muziek: R. Williams/S. Duffy
© BMG Music Publishing/Copyright Control
Alle rechten voorbehouden. Met toestemming gebruikt

Come Undone
Tekst en muziek: R. Williams/K. Ottestad/
A Hamilton/D Pierre
© BMG Music Publishing/EMI Music Publishing
2002, EMI April Music Inc/Writers
Designee/Twenty Seven Songs/Cementhead
BC Music/EMI Blackwood Music Inc/Ashley
Hamilton Music, USA
Alle rechten voorbehouden. Met toestemming gebruikt
Gereproduceerd met toestemming van EMI Music
Publishing Ltd.
Londen WC2H OQY

Do Me Now
Tekst en muziek: R. Williams/K. Ottestad/B. Morrison
© BMG Music Publishing/EMI Music
Publishing/Copyright Control
Alle rechten voorbehouden. Met toestemming gebruikt

Everyone Needs It
Tekst en muziek: R. Williams/S. Duffy
© BMG Music Publishing/Copyright Control
Alle rechten voorbehouden. Met toestemming gebruikt

John's Gay
Tekst en muziek: R. Williams/G. Chambers
©EMI Music Publishing/BMG Music
Publishing 1991
Gereproduceerd met toestemming van EMI Music
Publishing Ltd. Londen WC2H OQY

Live geïmproviseerd akoestisch nummer over
Denemarken en Zweden
Tekst en muziek: R. Williams
© BMG Music Publishing

Live geïmproviseerd akoestisch nummer over Stockholm
Tekst en muziek: R. Williams
© BMG Music Publishing

Love Somebody
Tekst en muziek: R. Williams/G. Chambers
© BMG Music Publishing/EMI Music Publishing 2001
Gereproduceerd met toestemming van EMI Music Publishing Ltd.
Londen WC2H 0QY

Misunderstood
Tekst en muziek: R. Williams/S. Duffy
© BMG Music Publishing/Copyright Control

Monsoon
Tekst en muziek: R. Williams/G. Chambers
© BMG Music Publishing/EMI Music Publishing 2001
Gereproduceerd met toestemming van EMI Music Publishing Ltd.
Londen WC2H 0QY

My Favourite American
Tekst en muziek: R. Williams/G. Chambers/A. Deevoy
© BMG Music Publishing/EMI Music Publishing 2001
Gereproduceerd met toestemming van EMI Music Publishing Ltd.
Londen WC2H 0QY

One Fine Day
Tekst en muziek: R. Williams
© BMG Music Publishing

Radio
Tekst en muziek: R. Williams/S. Duffy
© BMG Music Publishing/Copyright Control

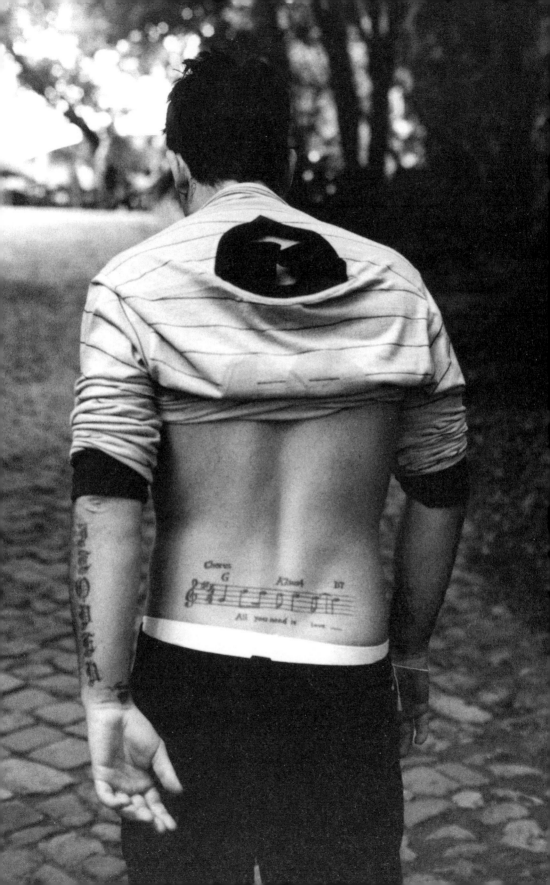